여러분의 합격을 응원하는
해커스공무원 특별 혜택

KB084120

FREE 공무원 국어 **특강**

해커스공무원(gosi.Hackers.com) 접속 후 로그인 ▶ 상단의 [무료강좌] 클릭 ▶ [교재 무료특강] 클릭하여 이용

文 **최다 빈출 한자 200**[PDF]

해커스공무원(gosi.Hackers.com) 접속 후 로그인 ▶ 상단의 [교재 · 서점 → 무료 학습 자료] 클릭 ▶
본 교재의 [자료받기] 클릭

 해커스공무원 온라인 단과강의 **20% 할인쿠폰**

976F564A894E3A6B

해커스공무원(gosi.Hackers.com) 접속 후 로그인 ▶ 상단의 [나의 강의실] 클릭 ▶
좌측의 [쿠폰등록] 클릭 ▶ 위 쿠폰번호 입력 후 이용

* 등록 후 7일간 사용 가능(ID당 1회에 한해 등록 가능)

해커스 회독증강 콘텐츠 **5만원 할인쿠폰**

62DFF323A8FB3549

해커스공무원(gosi.Hackers.com) 접속 후 로그인 ▶ 상단의 [나의 강의실] 클릭 ▶
좌측의 [쿠폰등록] 클릭 ▶ 위 쿠폰번호 입력 후 이용

* 등록 후 7일간 사용 가능(ID당 1회에 한해 등록 가능)
* 특별 할인상품 적용 불가
* 월간 학습지 회독증강 행정학/행정법총론 개별상품은 할인대상에서 제외

해커스 매일국어 **어플 이용권**

EQ2VTBO1AGCYP98D

구글 플레이스토어/애플 앱스토어에서 [해커스 매일국어] 검색 ▶
어플 다운로드 ▶ 어플 이용 시 노출되는 쿠폰 입력란 클릭 ▶ 쿠폰번호 입력 후 이용

▲ 매일국어 어플 바로가기

* 등록 후 30일간 사용 가능
* 해당 자료는 [해커스공무원 국어 기본서] 교재 내용으로 제공되는 자료로, 공무원 시험 대비에 도움이 되는 유용한 자료입니다.

쿠폰 이용 관련 문의 1588-4055

단기 합격을 위한
해커스 커리큘럼

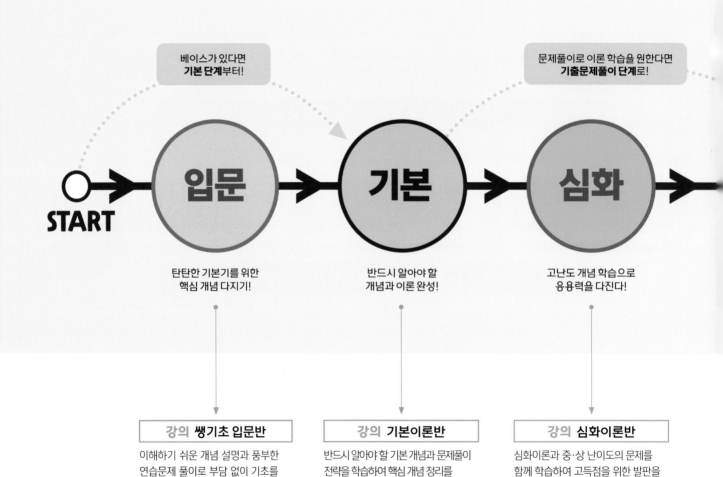

베이스가 있다면
기본 단계부터!

문제풀이로 이론 학습을 원한다면
기출문제풀이 단계로!

입문

START

기본

심화

탄탄한 기본기를 위한
핵심 개념 다지기!

반드시 알아야 할
개념과 이론 완성!

고난도 개념 학습으로
응용력을 다진다!

강의 **쌩기초 입문반**

이해하기 쉬운 개념 설명과 풍부한
연습문제 풀이로 부담 없이 기초를
다질 수 있는 강의

강의 **기본이론반**

반드시 알아야 할 기본 개념과 문제풀이
전략을 학습하여 핵심 개념 정리를
완성하는 강의

강의 **심화이론반**

심화이론과 중·상 난이도의 문제를
함께 학습하여 고득점을 위한 발판을
마련하는 강의

단계별 교재 확인 및
수강신청은 여기서!
gosi.Hackers.com

* 커리큘럼은 과목별·선생님별로 상이할 수 있으며, 자세한 내용은 해커스공무원 사이트에서 확인하세요.

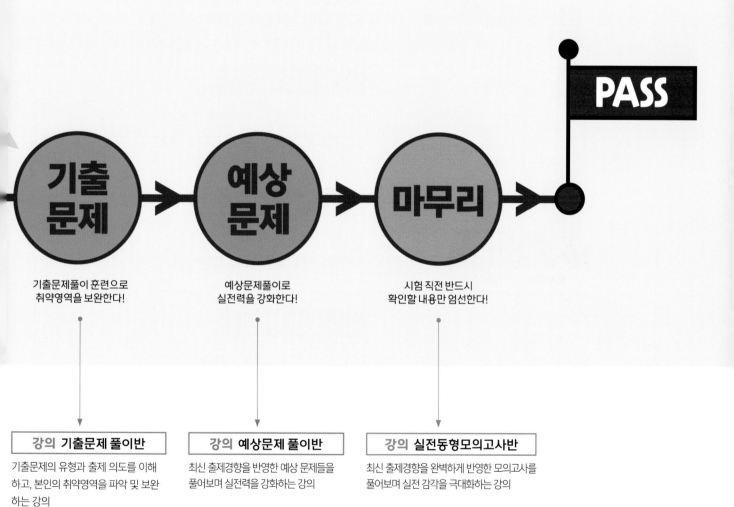

PASS

기출문제 → **예상문제** → **마무리** → PASS

기출문제풀이 훈련으로
취약영역을 보완한다!

예상문제풀이로
실전력을 강화한다!

시험 직전 반드시
확인할 내용만 엄선한다!

강의 기출문제 풀이반

기출문제의 유형과 출제 의도를 이해
하고, 본인의 취약영역을 파악 및 보완
하는 강의

강의 예상문제 풀이반

최신 출제경향을 반영한 예상 문제들을
풀어보며 실전력을 강화하는 강의

강의 실전동형모의고사반

최신 출제경향을 완벽하게 반영한 모의고사를
풀어보며 실전 감각을 극대화하는 강의

강의 봉투모의고사반

시험 직전에 실제 시험과 동일한 형태의
모의고사를 풀어보며 실전력을 완성하는 강의

해커스공무원

국어
기본서

2권 | 문법+문학+어휘

목차

1권 **독해+논리**

[책속의 책] 약점 보완 해설집

이 책의 구성

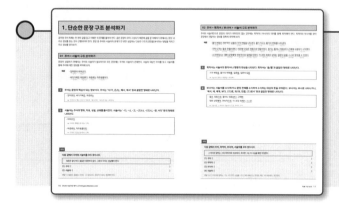

독해 기본 원리

문장의 의미를 정확하게 이해하는 방법과 글 구조에 대한 이해를 바탕으로 빠르게 글의 주요 정보를 파악하는 방법을 제공합니다. 예제를 통해 문장 구조 분석 방법과 글의 구조 분석 방법을 적용해 봄으로써 독해의 기본 원리를 익힐 수 있습니다.

단계별 문제 풀이 전략 및 유형 필수 이론

기출 유형에 대한 분석과 최신 출제 경향을 제공합니다. 단계별 문제 풀이 전략을 제시해 주어 변화된 출제 기조 문제를 가장 빠르고 정확하게 푸는 법을 알 수 있습니다. 또한 명제, 논증 문제에 효과적으로 대비할 수 있도록 출제 가능성이 높은 명제, 논증 이론과 함께 명제를 벤다이어그램 형태로 제시해 복잡한 이론을 쉽게 이해할 수 있도록 하였습니다.

유형 공략 문제

유형별로 제시된 단계별 문제 풀이 전략을 연습할 수 있도록 최신 기출문제 및 예상 문제를 수록하였습니다. 단계별 문제 풀이 전략을 적용하며 풀어 나가면서 각 유형별 문제에 익숙해질 수 있습니다.

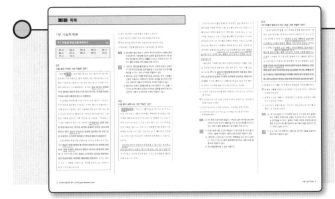

상세하고 풍부한 첨삭 해설

지문에 정답·오답의 근거를 표시한 첨삭 해설을 제공함으로써, 스스로 제시문을 정확하게 이해하고 문제를 풀었는지 효율적으로 확인할 수 있습니다.

문법

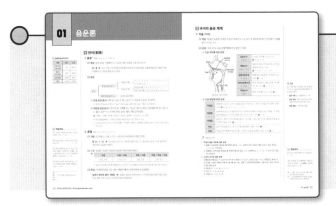

문법 핵심 이론

문법 내용이 담긴 독해 지문을 빠르게 풀 수 있게 핵심 이론들만을 선별해 수록하였습니다. 문법 핵심 이론을 학습하여 배경지식을 충분히 쌓은 뒤 문법 관련 지문을 읽어나가면, 문제풀이 시간을 효과적으로 단축할 수 있습니다.

시험 유형 파악하기 및 고득점 공략

〈시험 유형 파악하기〉를 통해 실제로 출제되는 유형을 제공하였으며, 독해와 연계되어 출제될 수 있는 이론들을 정리해두었습니다. 또한 〈고득점 공략〉을 통해 심화 개념까지 빈틈없이 학습할 수 있습니다. 핵심 이론을 익힌 후 고득점 공략까지 학습한다면, 아무리 어려운 문법 관련 독해 문제라도 쉽게 풀 수 있습니다.

이 책의 구성

문학

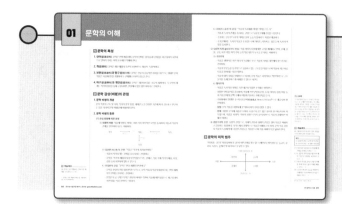

문학 필수 이론

문학 작품의 설명, 작품을 이해하는 관점 등이 지문으로 출제되는 문제를 빠르게 풀 수 있게 반드시 필요한 문학의 핵심 이론만 담았습니다.

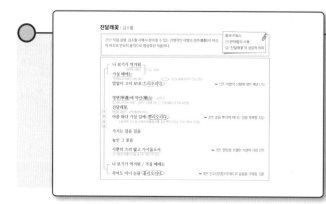

문학 필수 작품

독해 지문의 소재로 시험에 나올 만한 필수 문학 작품을 엄선하여 제공하였고, 작품의 내용 이해에 필요한 부분에 표시 및 설명을 해 쉽게 학습할 수 있습니다. 문학 작품들을 갈래별로 구분하여 수록하였기 때문에 갈래의 특징에 대한 학습도 가능합니다.

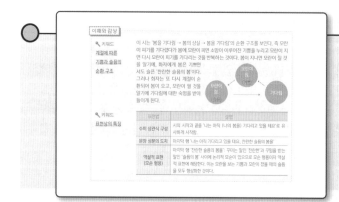

출제키워드 및 작품해설

각 작품에서 독해 지문의 소재로 출제될 가능성이 높은 포인트를 짚어 제시하였습니다. 또한 작품해설을 '출제키워드'별로 제공하여 효과적으로 학습할 수 있습니다. 이때 작품의 내용이나 구조를 도식화하였기에 보다 효과적으로 이해할 수 있습니다.

어휘

빈출 어휘

공무원 국어 시험에 출제되었던 어휘 중에서 주요 어휘만을 엄선하였습니다. 그중에서도 많이 출제되었던 어휘에는 빈출 표시해 반복 출제되는 어휘만 골라 회독 학습을 할 수도 있습니다. 특히 '표기상 틀리기 쉬운 어휘'와 '혼동하기 쉬운 어휘'는 고쳐쓰기 문제와 연계하여 학습한다면 효율적입니다.

학습체크

각 단원의 어휘 학습이 끝나면 '학습체크'를 통해 학습한 내용을 점검할 수 있습니다. 어휘의 의미 찾기, 택일형 등 간단한 문제를 풀어 보는 과정을 통해 단원별 주요 어휘를 완벽하게 학습하였는지 빠르게 체크할 수 있습니다.

공통

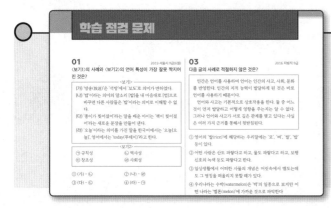

학습 점검 문제

문법, 문학 영역의 최신 기출문제 및 예상문제를 풀어 봄으로써, 실제 시험에서 어떻게 출제되는지 파악할 수 있습니다. 또한 학습한 개념을 제대로 이해하였는지 점검할 수 있습니다.

제3편

문법

1장 언어 일반

2장 국어학

1장

언어 일반

01 언어의 본질

1 언어의 특징

1. 기호성 記號性(기록할 기, 이름 호, 성질 성) 언어가 기호로써 나타난다는 성질

언어는 음성과 뜻이 결합하여 나타나는 기호 체계이다.

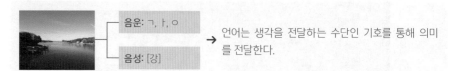

음운: ㄱ, ㅏ, ㅇ

음성: [강]

→ 언어는 생각을 전달하는 수단인 기호를 통해 의미를 전달한다.

2. 자의성 恣意性(마음대로 자, 뜻 의, 성질 성) 마음대로 뜻을 지니는 성질

언어의 의미(내용)와 말소리(형식) 사이에는 필연적①인 관계가 없다.

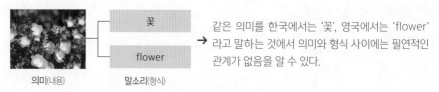

꽃

flower

의미(내용)   말소리(형식)

→ 같은 의미를 한국에서는 '꽃', 영국에서는 'flower' 라고 말하는 것에서 의미와 형식 사이에는 필연적인 관계가 없음을 알 수 있다.

▶ 의성어②·의태어③는 동물이나 사물의 소리, 움직임과 유사하게 표현되므로 상대적으로 자의성이 덜 드러난다고 볼 수 있다. 그러나 각 언어마다 특정 대상의 소리를 다른 식으로 표현하므로, 의성어·의태어에도 자의성은 적용된다.
  예 개 짖는 소리 → 한국: 멍멍 / 미국: 바우와우(bowwow)

▶ 동의어④(유의어⑤)와 동음이의어⑥, 다의어⑦가 존재하는 점, 언어가 시간의 흐름에 따라 변하는 역사성을 지닌다는 점도 언어의 자의적 특성을 설명한다.

3. 사회성 社會性(모일 사, 모일 회, 성질 성) 사회에 적응하려는 성질

어떤 말소리에 일정한 뜻이 주어진 후에는, 그 언어가 언어를 사용하는 사람들 사이에서 사회적 약속으로 굳어진 것이므로 개인이 임의로⑧ 바꿀 수 없다.

유럽에서 한국말로 말하면 유럽 사람들은 알아듣지 못한다. → 한국말은 한국 사람들끼리의 약속으로 굳어진 것이므로, 유럽에서 한국말을 사용하면 유럽 사람들은 알아듣지 못한다.

4. 역사성 歷史性(지날 역, 역사 사, 성질 성) 언어가 시간이 흐름에 따라 변화하는 성질

언어는 새로운 대상이나 개념이 생기면 그것을 나타낼 말이 필요해 새로 만들어지기도 하고, 어떤 대상이나 개념이 없어지면 그것을 표현하던 말도 사라지거나 의미가 변한다. 같은 대상을 표현하던 말들이 경쟁하다가 한쪽이 이기면 다른 한쪽의 말은 자연히 사라지거나 약화된다.

예 · 자동차, 전화, 우주선, 햄버거, 컴퓨터, 인터넷 등 (언어의 생성)
  · 살우비: 화살이 비에 젖지 않도록 전동을 덮어씌우는 덮개 (언어의 소멸)

📖 어휘 사전

① **필연적**: 사물의 관련이나 일의 결과가 반드시 그렇게 될 수밖에 없는. 또는 그런 것
② **의성어**: 사람이나 사물의 소리를 흉내 낸 말. '쌕쌕, 멍멍, 땡땡, 우당탕, 퍼덕퍼덕' 등이 있다.
③ **의태어**: 사람이나 사물의 모양이나 움직임을 흉내 낸 말. '아장아장, 엉금엉금, 번쩍번쩍' 등이 있다.
④ **동의어**: 뜻이 같은 단어
⑤ **유의어**: 뜻이 서로 비슷한 단어
⑥ **동음이의어(동음어)**: 소리는 같으나 뜻이 다른 단어
⑦ **다의어**: 두 가지 이상의 뜻을 가진 단어
⑧ **임의로**: 일정한 기준이나 원칙 없이 하고 싶은 대로

- 영감: 정3품과 종2품의 벼슬아치 → 중년이 지난 남자를 높여 부르는 말 (의미의 변화)
- 즈믄 → 천(千) / 온 → 백(百) / 고룸 → 강(江)

5. 분절성 分節性(나눌 분, 마디 절, 성질 성) 마디로 나누는 성질

(1) 언어 형태의 분절성: 언어는 여러 단위로 나누어지거나 결합할 수 있다.

▶ 언어는 문장, 단어, 형태소, 음운으로 나눌 수 있고, 음운을 결합하여 형태소, 단어, 문장을 만들 수 있다.

(2) 언어 의미의 분절성: 언어는 외부 세계를 반영할 때, 있는 그대로를 반영하지 않고 연속적으로 이루어져 있는 세계를 불연속적인 것처럼 끊어서 표현한다.

무지개 색깔(빨, 주, 노, 초, 파, 남, 보) ➡ 실제 무지개는 색깔 사이의 경계가 분명하지 않다. 그러나 우리는 무지개 색깔을 일곱 가지로 분절하여 표현한다.

6. 추상성 抽象性(뽑을 추, 꼴·형상 상, 성질 성) 꼴 또는 형상을 뽑는 성질

'추상(抽象)'이란 서로 다른 개별적이고 구체적인 대상으로부터 공통적인 요소를 뽑아 일반적인 개념으로 파악하는 것이다. 대부분의 단어들은 상당한 수준의 추상화 과정을 거쳐 형성된 개념을 전달한다.

진달래, 개나리, 목련 … ──추상화──▶ 꽃 ➡ '꽃'은 실제로는 '진달래, 개나리'와 같이 다양한 모습으로 존재한다. '꽃'이라는 말의 의미는 이러한 수많은 종류의 꽃들로부터 공통 속성만을 뽑아내는 과정(추상화의 과정)에서 형성된 것이다.

▶ 다만, 고유 명사는 지시 대상이 단 하나이므로 추상성을 가지지 않는다.

7. 규칙성 規則性(법 규, 법칙 칙, 성질 성) 규칙이 있는 성질

언어를 이루는 음운, 단어, 문장, 이야기는 각각의 구조를 가지며, 그 구조는 일정한 규칙과 체계로 짜여 있다.

동생이 회사에 간다. / 아버지께서 회사에 가신다. ➡ 주어가 '아버지'일 때는 높임 표현을 써야 한다. 이는 주어가 화자보다 높은 사람일 경우에는 주격 조사 '께서'나 선어말 어미 '-(으)시-'를 통해 높인다는 국어의 규칙에 따른 것이다.

8. 창조성 創造性(비롯할 창, 지을 조, 성질 성) 전에 없던 것을 처음으로 만드는 성질

언어는 상황에 따라 새로운 말들을 만들어 표현할 수 있다.

ㄱ, ㅁ: 가무, 가뭄, 구문 … ➡ 두 개의 자음을 활용하여 다양한 어휘를 만들 수 있다.

▶ 인간이 한정된 음운이나 어휘를 가지고 무한한 문장을 만들어서 사용하고, 처음 들어 보는 문장을 이해할 수 있는 사실은 인간이 언어를 얼마나 창조적으로 사용할 줄 아는지를 잘 보여 준다.

☑ **학습 체크**

01 고양이가 우는 소리를 '야옹'이라 하는 것은 내용과 형식의 우연적인 결합으로, 언어의 사회성과 관련된다. (O, ×)

02 우리나라 사람이 미국에 가서 한국말로 음식을 주문하면 미국 사람들은 알아듣지 못하는데, 이는 언어의 자의성과 관련된다.
(O, ×)

03 '바람[風] : 바람[望]'과 같이 동일한 형식에 다른 의미가 결합되어 있는 것은 언어의 역사성과 관련된다. (O, ×)

04 무지개 색깔 사이의 경계를 찾아볼 수 없는데도 무지개 색깔을 일곱 가지라고 말하는 것은 언어의 추상성과 관련된다. (O, ×)

01 × 언어의 자의성과 관련된다.
02 × 언어의 사회성과 관련된다.
03 × 언어의 자의성과 관련된다.
04 × 언어의 분절성과 관련된다.

02 국어의 특질

1 국어의 음운상 특질

음운 대립	예사소리, 된소리, 거센소리의 음운 대립이 존재한다. 예 ㄱ, ㄲ, ㅋ / ㄷ, ㄸ, ㅌ / ㅂ, ㅃ, ㅍ / ㅈ, ㅉ, ㅊ
마찰음의 수	국어의 마찰음은 'ㅅ, ㅆ, ㅎ'으로, 다른 언어에 비해 많지 않다.
음절의 끝소리 규칙	국어의 파열음(ㄱ/ㄲ/ㅋ, ㄷ/ㄸ/ㅌ, ㅂ/ㅃ/ㅍ)은 음절 끝 위치에서 완전히 파열되지 않을 수 있다. 예 밭[받], 잎[입]
두음법칙	단어의 첫소리에 둘 이상의 자음(어두 자음군)이나 'ㄹ, ㄴ'이 오지 않는다. 예 쑴(×) → 꿈(○) / 로인(×) → 노인(○) / 녀자(×) → 여자(○)
모음 조화	두 음절 이상의 단어에서 'ㅏ, ㅗ' 등의 양성 모음은 양성 모음끼리, 'ㅓ, ㅜ' 등의 음성 모음은 음성 모음끼리 결합하려는 현상이 있다. 주로 용언의 어간과 어미의 결합이나 의성어, 의태어에서 비슷한 모음끼리 어울리는 것을 볼 수 있다. 예 · 잡다: 잡아 – 잡아서 / 접다: 접어 – 접어서 · 졸졸 – 줄줄 / 반짝반짝 – 번쩍번쩍 / 찰랑찰랑 – 철렁철렁

2 국어의 어휘상 특질

1. 삼중 체계 (고유어, 한자어, 외래어)

(1) **고유어**: 예로부터 사용한 우리말로, 감각어와 상징어가 발달하였다.

   ① **감각어의 발달**: 감각어는 외부 또는 내부의 자극에 의해 일어나는 느낌을 표현하는 단어이다.(색채어, 미각어, 온도어 등)

     ▶ 색채어의 발달: 빨갛다, 불그스름하다, 불그레하다, 불긋불긋하다 등
     ▶ 감각어는 정서적 유사성에 의한 비유적 표현으로 일상 언어생활에서 사용되기도 한다.

   ② **상징어의 발달**: 소리, 동작, 형태를 모사(模寫)하는 의성어·의태어와 같은 음성 상징어가 발달하였다.

     예 멍멍, 탕탕, 아장아장, 엉금엉금

(2) **한자어**: 중국의 한자를 기반으로 만들어진 단어로, 고유어가 표현하지 못하는 빈자리를 대신해 준다. 그러나 이중적 언어생활로 이미 존재하는 고유어를 위축시키기도 한다.

     예 감기(感氣), 식구(食口), 생신(生辰), 학교(學校)

(3) **외래어**: 한자어 외에 다른 언어권에서 들어와서 국어의 일부로 인정되는 단어들로, 해방 이후 서양에서 들어온 외래어가 큰 비중을 차지하고 있다.

     예 버스, 텔레비전, 커피, 인터넷

2. 친족 관계어의 발달

혈연을 중시하는 문화의 영향으로 친족 관계를 나타내는 어휘가 세분화되고 발달하였다.

3. 높임말의 발달

상하 관계가 중시되던 사회 구조의 영향으로 높임말이 발달하였다.

예 생일 – 생신 / 집 – 댁 / 밥 – 진지 / 먹다 – 드시다, 잡수시다

3 국어의 문법상 특질

1. 형태적 특질

(1) **조사와 어미의 발달:** 국어는 조사와 어미를 첨가하여 다양한 문법적 기능을 수행하는 첨가어이므로, 조사와 어미가 다양하게 발달하였다.

예 나는 너를 좋아한다. (조사) / 잡다 – 잡아 – 잡아서 (어미)

(2) **단어 형성법의 발달:** 합성법①과 파생법②이 발달하였다.

뛰놀다, 풋고추 ➜ 국어는 '뛰- + 놀-'처럼 어근과 어근이 결합하는 합성법이나, '풋- + 고추'처럼 접사와 어근③이 결합하는 파생법이 발달하였다.

(3) **단위성 의존 명사의 발달:** 국어에는 수효나 분량 등의 단위를 나타내는 의존 명사가 다양하게 발달해 있다.

예 북어 한 쾌(북어 20마리), 오징어 한 축(오징어 20마리)

2. 통사④적 특질

(1) **'주어 – 목적어 – 서술어'의 어순:** 국어의 문장은 대체로 '주어 + 목적어 + 서술어'(SOV) 순으로 나타난다. 그러나 조사가 발달하여 어순이 비교적 자유로운 편이다.

나는 밥을 먹는다. ➜ '나는(주어) + 밥을(목적어) + 먹는다(서술어).' 순으로 문장이 구성된다. 그러나 '밥을 먹는다, 나는.'과 같이 어순을 바꾸어도 의미가 변하지 않는 경우가 많아, 어순이 비교적 자유로운 편이다.

(2) **수식어가 피수식어 앞에 위치:** 국어의 문장에서 수식어(꾸미는 말)는 대개 피수식어(꾸밈을 받는 말) 앞에 온다. 이는 중심이 되는 말을 뒤에 놓는 경향을 보여 주는 것이다.

영희는 예쁜 꽃을 샀다. ➜ '예쁜'은 '꽃'을 꾸며 주는 말로, 꾸밈을 받는 말인 '꽃' 앞에 위치한다.

(3) **높임법의 발달:** 주체 높임, 객체 높임, 상대 높임의 구분이 있다.

(4) **주어와 목적어의 중복:** 문장에서 주어와 목적어가 중복되어 나타날 수 있다.

예 · 코끼리가 코가 길다. (주어 중복)
　 · 지현이가 그 책을 두 권을 더 달라고 하였다. (목적어 중복)

어휘 사전

① **합성법:** 실질 형태소(구체적인 대상이나 동작, 상태를 표시하는 형태소)끼리 결합하여 합성어를 만드는 단어 형성 방법

② **파생법:** 실질 형태소에 접사를 붙여 파생어를 만드는 단어 형성 방법

③ **어근:** 단어를 분석할 때, 실질적 의미를 나타내는 중심이 되는 부분. '덮개'의 '덮-', '어른스럽다'의 '어른' 등이다.

④ **통사:** '문장(文章)'과 동의어이다. 통사적 관계란 문장에서 성분들 사이의 관계를 뜻한다.

☑ 학습 체크

01 친족 관계어가 발달하게 된 배경에는 우리 민족 고유의 문화가 있다. (O, ×)

02 국어는 조사가 발달하여 비교적 어순이 자유롭다. (O, ×)

03 공손성을 표현하는 다양한 수단이 발달되어 있다. (O, ×)

04 한국어는 목적어가 잇달아 나타나는 문장 구성이 가능하다.
(O, ×)

01 ○ 02 ○ 03 ○ 04 ○

01

2019 서울시 9급(6월)

〈보기1〉의 사례와 〈보기2〉의 언어 특성이 가장 잘못 짝지어진 것은?

— 〈보기1〉 —

(가) '방송(放送)'은 '석방'에서 '보도'로 의미가 변하였다.

(나) '밥'이라는 의미의 말소리 [밥]을 내 마음대로 [법]으로 바꾸면 다른 사람들은 '밥'이라는 의미로 이해할 수 없다.

(다) '종이가 찢어졌어'라는 말을 배운 아이는 '책이 찢어졌어'라는 새로운 문장을 만들어 낸다.

(라) '오늘'이라는 의미를 가진 말을 한국어에서는 '오늘[오늘]', 영어에서는 'today(투데이)'라고 한다.

— 〈보기2〉 —

㉠ 규칙성	㉡ 역사성
㉢ 창조성	㉣ 사회성

① (가) - ㉡   ② (나) - ㉣

③ (다) - ㉢   ④ (라) - ㉠

02

2018 서울시 9급(3월)

국어의 특징으로 가장 옳지 않은 것은?

① 조사와 어미가 발달한 교착어적 특성을 보여 준다.

② '값'과 같이 음절 말에서 두 개의 자음이 발음될 수 있다.

③ 담화 중심의 언어로서 주어, 목적어 등이 흔히 생략된다.

④ 가족 관계를 나타내는 친족어가 발달해 있다.

03

2021 국가직 9급

다음 글의 사례로 적절하지 않은 것은?

인간은 언어를 사용하며 언어는 인간의 사고, 사회, 문화를 반영한다. 인간의 지적 능력이 발달하게 된 것은 바로 언어를 사용하기 때문이다.

언어와 사고는 기본적으로 상호작용을 한다. 둘 중 어느 것이 먼저 발달하고 어떻게 영향을 주는지는 알 수 없다. 그러나 언어와 사고가 서로 깊은 관계를 맺고 있다는 사실은 여러 가지 근거를 통해서 뒷받침된다.

① 영어의 '쌀(rice)'에 해당하는 우리말에는 '모', '벼', '쌀', '밥' 등이 있다.

② 어떤 사람은 산도 파랗다고 하고, 물도 파랗다고 하고, 보행 신호의 녹색 등도 파랗다고 한다.

③ 일상생활에서 어떠한 사물의 개념은 머릿속에서 맴도는데도 그 명칭을 떠올리지 못할 때가 있다.

④ 우리나라는 수박(watermelon)은 '박'의 일종으로 보지만 어떤 나라는 '멜론(melon)'에 가까운 것으로 파악한다

04

2018 소방직 9급(10월)

다음 글의 내용이 나타내고 있는 언어의 특성으로 적절한 것은?

영미는 모두가 사물을 하나의 이름으로 부르는 게 싫어서 사물의 이름을 자신이 정한 다른 단어로 바꿔 부르기로 결심하였다. 영미는 '침대'를 '사진'이라 부르기로 결심하고는 "침대에 누울 거야."가 아닌, "사진에 누울 거야."라고 말하였으며, '의자'를 '시계'라 부르면서 "시계에 앉아 있다."라고 이야기하였다. 영미 주변의 친구들은 영미의 말을 좀처럼 알아들을 수 없었다.

① 언어의 창조성   ② 언어의 사회성

③ 언어의 역사성   ④ 언어의 자의성

05

다음 중 괄호 안에 들어갈 말로 가장 적절한 것은?

> 'ㆍ'가 현대 국어에서 더 이상 사용되지 않고, '믈[水]'이 현대 국어에 와서 '물'로 형태가 바뀌었으며, '어리다'가 '어리석다[愚]'로 쓰이다가 현대 국어에 와서 '나이가 어리다[幼]'의 뜻으로 바뀌어 쓰이는 것 등과 같은 예에서 알 수 있는 언어의 특성을 언어의 (   )이라고 한다.

① 사회성
② 역사성
③ 자의성
④ 분절성

정답 및 해설

01 언어의 특징

해설 ④ ㉠ 규칙성은 언어에는 일정한 규칙과 체계로 짜여진 구조가 있다는 특성이다. 〈보기 1〉의 (라)는 같은 의미를 가진 말을 나라마다 다르게 표현한다는 것으로, 이는 언어의 의미와 말소리 사이에는 필연적인 관계가 없음을 의미하는 언어의 자의성과 관련이 있다. 따라서 언어의 특성이 잘못 짝지어진 것은 ④이다.

오답분석 ① ㉡ 역사성은 언어가 시간의 흐름에 따라 생성, 발전(변화), 소멸한다는 특성이다. 〈보기 1〉의 (가)는 '방송(放送)'의 의미가 처음에는 '석방'에서 시간이 흐름에 따라 '보도'로 변화하였다는 것으로 언어의 역사성과 관련이 있다.

② ㉣ 사회성은 언어가 언어를 사용하는 사람들 간의 사회적 약속이라고 보는 특성이다. 〈보기 1〉의 (나)는 '밥'의 말소리를 개인이 임의로 [밥]에서 [법]으로 바꾸면 사회적 약속이 깨져 다른 사람들과 의사소통이 불가능하다는 것으로 언어의 사회성과 관련이 있다.

③ ㉢ 창조성은 언어를 상황에 따라 새로운 말들로 만들어 표현할 수 있다는 특성이다. 〈보기 1〉의 (다)는 '종이가 찢어졌어'라는 말을 배운 아이가 새로운 문장인 '책이 찢어졌어'를 만들어 표현하였다는 것으로 언어의 창조성과 관련이 있다.

02 국어의 특질

해설 ② 국어는 음절 말에 둘 이상의 자음이 오더라도 한 음절에서 모두 발음할 수 없으며, '값'의 발음은 [갑]이므로 국어의 특징으로 가장 옳지 않은 것은 ②이다.

오답분석 ① 국어는 실질 형태소인 어근에 형식 형태소인 접사를 붙여 단어를 파생시키거나 문법적 관계를 표시하는 '교착어(첨가어)'에 해당한다. 국어에서 조사와 어미 등의 형식 형태소가 발달한 것은 교착어의 특징이므로 ①의 설명은 옳다.

③ 국어는 상황에 따라 주어, 목적어 등의 문장 성분을 생략하거나 중요한 것만 강조하여 의사소통이 가능한 담화 중심의 언어이다.
예 A: "밥 먹었어?" (주어 생략)
　　 B: "응, 먹었어." (주어, 목적어 생략)

④ 국어는 혈연을 중시하는 문화의 영향을 받아, 가족 관계를 나타내는 친족어가 발달하였다. 예를 들어 영어에서 'aunt'로 표현하는 대상이 국어에서는 친족 관계에 따라 '큰어머니, 작은어머니, 이모, 고모' 등으로 세분화되어 있다.

03 언어의 특징

해설 ③ 제시문은 언어가 인간의 사고, 사회, 문화를 반영하고 있으며, 특히 언어와 사고는 상호작용하며 서로 깊은 관계를 맺고 있음을 말하고 있다. 이때 ③은 언어와 사고가 올바르게 상호작용하지 못한 내용이므로 제시문의 사례로 적절하지 않다.

오답분석 ① 언어가 인간의 사회, 문화를 반영한다는 것을 보여 주는 사례이다.

② 언어가 인간의 사고에 영향을 준다는 것을 보여 주는 사례이다.

④ 언어가 인간의 사고를 반영한 다는 것을 보여 주는 사례이다.

04 언어의 특징

해설 ② 영미는 사회적으로 약속된 말소리와 그 의미 관계를 고려하지 않은 채, 임의대로 '침대'와 '의자'를 '사진', '시계'로 바꿔 불러 친구들과의 의사소통이 어려워졌다. 따라서 제시문의 내용이 나타내고 있는 언어의 특성으로 적절한 것은 ② '언어의 사회성'이다.

  • 사회성: 언어는 언어를 사용하는 사람들 간의 사회적 약속이므로 개인이 임의로 바꿀 수 없다.

05 언어의 특징

해설 ② 제시문은 '물'과 '어리석다'를 예로 들며 시간의 흐름에 따라 언어가 사라지거나, 형태 또는 뜻이 변한다는 것을 설명하고 있다. 이와 관련이 깊은 언어의 특성은 ② '역사성'이다.

  • 역사성: 언어는 시간이 지나면서 새로 만들어지기도 하고 변하기도 하며 없어지기도 한다.

오답분석 ① 사회성: 언어는 언어를 사용하는 사람들 간의 사회적 약속이므로 개인이 임의로 바꿀 수 없다.

③ 자의성: 언어의 의미(내용)와 말소리(형식) 사이에는 필연적인 관계가 없다.

④ 분절성: 언어는 여러 단위로 나누거나 결합할 수 있고, 연속적 세계를 불연속적으로 끊어서 표현한다.

정답 01 ④　02 ②　03 ③　04 ②　05 ②

06

2017 경찰직 1차

국어의 특질에 대한 설명으로 적절한 것은?

① 장애음(특히 파열음과 파찰음)이 '평음—경음—유성음'의 3항 대립을 보인다.

② 조사와 어미가 발달한 굴절어적 특성을 보인다.

③ 음절 초에 'ㄲ', 'ㄸ', 'ㅃ' 등 둘 이상의 자음이 함께 올 수 있다.

④ 화용론적으로 소유 중심의 언어가 아니라 존재 중심의 언어이다.

07

2016 경찰직 1차

다음 중 언어의 특성에 대한 설명으로 적절하지 않은 것은?

① 언어의 자의성: 언어 형식과 내용의 관계가 반드시 고정된 것이 아니다.

② 언어의 역사성: 언어는 고정되어 불변하는 것이 아니라 시간의 흐름에 따라 의미나 형태가 변화하기도 한다.

③ 언어의 사회성: 언어 내용과 형식이 일단 한 사회 속에서 약속으로 굳어지면 아무나 마음대로 바꿀 수 없다.

④ 언어의 분절성: 음운, 단어, 문장, 담화 단위에 이르기까지 각 단위 혹은 단위 사이에 특정한 규칙이 존재한다.

08

2020 경찰직 1차

다음 중 국어의 특질에 대한 설명으로 가장 적절한 것은?

① 국어의 마찰음은 '예사소리-된소리-거센소리'의 3항 대립을 보인다.

② 국어의 단모음은 'ㅏ, ㅓ, ㅗ, ㅜ, ㅡ, ㅣ, ㅔ, ㅐ'로 모두 8개이다.

③ 국어는 조사와 어미로 다양한 문법적 기능을 수행하는 교착어적 특성을 가진다.

④ 국어의 어두(語頭)에는 '끝'과 같이 둘 이상의 자음이 올 수 있다.

09

2019 군무원 9급(12월)

다음 중 ㉠에 해당하는 언어의 특성은 무엇인가?

(가) 만물은 시간의 흐름에 따라 끊임없이 변화한다. ㉠ 언어 또한 끊임없이 변화하는 실체이다. 언어의 변화는 음운, 형태, 통사, 의미 등 언어를 구성하는 모든 측면에서 변화한다.

(나) 특정한 어느 한 시기의 언어 상태를 공시태라고 하고, 어떤 언어의 변화 상태를 통시태라고 할 때, 공시태는 같은 언어의 같은 시기에 속하는 언어 상태를 말하며, 통시태는 같은 언어의 다른 변화 시기에 속하는 다른 언어 상태를 말한다.

(다) 그러나 모든 언어 현상은 항상 역사적인 요인과 결합되어 있다. 즉 공시적 언어 현상은 항상 다음 단계로 변화하는 시발점이 되어 동요하고 있다. 따라서 공시적 언어 상태는 새로이 생겨나는 요소와 없어져 가는 요소의 혼합체라고 할 수 있으며, 공시태는 과거를 반영하고 미래를 예측하게 하는 것이다.

(라) 언어의 변화는 음운, 형태, 통사, 의미 등 언어를 구성하는 모든 측면에서 일어난다고 하였다. 통사 현상 역시 변화한다. 통사 변화에는 역시 문법범주의 변화와 문장구성의 변화를 포함한다.

① 언어의 자의성 ② 언어의 역사성

③ 언어의 사회성 ④ 언어의 창조성

10

다음 중 국어의 '형태적' 특징은?

① 수식어는 반드시 피수식어 앞에 온다.

② 동사와 형용사의 활용이 유사하다.

③ 문장 성분의 순서를 비교적 자유롭게 바꿀 수 있다.

④ 언어 유형 중 '주어 – 목적어 – 동사'의 어순을 갖는 SOV형 언어이다.

정답 및 해설

06 국어의 특질

해설 ④ 화용론은 언어학의 한 분야로, 말하는 이·시간·장소 등으로 구성되는 맥락 속에서의 언어 사용을 다룬다. 국어는 화용론적으로 '존재' 중심 언어이므로, 동물이나 사물이 주체가 되어 사람을 대상으로 삼지 않는다. '소유' 중심 언어는 대표적으로 영어가 있으며 각 대상의 관계를 소유 관계로 본다는 특징이 있다. 따라서 국어에 대한 설명으로 적절한 것은 ④이다.

오답 분석 ① 국어의 장애음(특히 파열음과 파찰음)은 '평음—경음—격음'의 3항 대립(ㄱ, ㄷ, ㅂ, ㅈ—ㄲ, ㄸ, ㅃ, ㅉ—ㅋ, ㅌ, ㅍ, ㅊ)을 보인다. 이때 '장애음'이란 구강 통로가 폐쇄되거나 마찰이 생겨서 나는 소리로, 주로 장애의 정도가 큰 파열음, 마찰음, 파찰음을 말한다.

· 유성음(울림소리): 발음할 때 목청이 떨려 울리는 소리로 국어의 모든 모음이 이에 속하며, 자음 중에는 'ㄴ, ㄹ, ㅁ, ㅇ'이 있음

② 국어는 조사와 어미가 발달한 첨가어(교착어)적 특성을 보인다. 참고로 굴절어는 어형과 어미의 변화로 문장 속에서 단어가 가지는 여러 관계를 나타내는 언어로 영어가 이에 해당한다.

③ 된소리인 'ㄲ, ㄸ, ㅃ'은 하나의 자음이다. 또한 음절 초에는 둘 이상의 자음이 함께 올 수 없다.

07 언어의 특징

해설 ④ 언어의 규칙성에 대한 설명이다. '언어의 분절성'은 언어가 여러 단위로 나누어지거나 결합할 수 있고, 연속적으로 이루어진 외부 세계를 불연속적인 것처럼 끊어서 표현할 수 있는 특성을 말한다.

08 국어의 특질

해설 ③ 교착어는 실질적인 의미를 가진 단어 또는 어간에 문법적인 기능을 가진 요소가 차례로 결합함으로써, 문장 속에서의 문법적인 역할이나 관계의 차이를 나타내는 언어이다. 국어는 교착어적 특성을 보이는 조사와 어미가 발달되어 있으므로 답은 ③이다.

오답 분석 ① 국어의 마찰음은 '예사소리-된소리'의 2항 대립을 보인다. 참고로 '예사소리-된소리-거센소리'의 3항 대립을 보이는 것은 파열음과 파찰음이다.

② 국어의 단모음은 'ㅏ, ㅐ, ㅓ, ㅔ, ㅗ, ㅚ, ㅜ, ㅟ, ㅡ, ㅣ'이며 총 10개이다.

④ 국어의 어두에는 둘 이상의 자음이 올 수 없으며, 된소리 'ㄲ, ㄸ, ㅃ, ㅆ, ㅉ'는 하나의 자음이다. 참고로 둘 이상의 자음은 'ㄺ, ㅄ'와 같은 것을 말한다.

09 언어의 특징

해설 ② ㉠은 언어가 시간의 흐름에 따라 생성, 발전, 소멸하며 변한다는 것을 의미한다. 이에 해당하는 언어의 특성은 ② '언어의 역사성'이다.

오답 분석 ① 언어의 자의성: 언어의 의미(내용)와 말소리(형식) 사이에는 필연적인 관계가 없다는 것을 의미한다.

③ 언어의 사회성: 언어는 언어를 사용하는 사람들 간의 사회적 약속이므로 개인이 임의로 바꿀 수 없다는 것을 의미한다.

④ 언어의 창조성: 언어를 상황에 따라 새로운 말들로 만들어 표현할 수 있다는 것을 의미한다.

10 국어의 특질

해설 ② 동사와 형용사의 활용이 유사한 것은 단어 형태상의 특징이므로 답은 ②이다.

· 형태적 특징은 단어상의 특징을 의미한다. 동사와 형용사의 경우 어간에 여러 가지 어미가 붙는 활용을 한다는 점에서 유사하다.
- 예 · 동사 '먹다' – 먹고, 먹으니, 먹어서
  · 형용사 '예쁘다' – 예쁘고, 예쁘니, 예뻐서

오답 분석 ① ③ ④ 모두 문장과 관련되어 있으므로 국어의 통사적 특징에 해당한다.

① 국어의 문장에서는 수식어(꾸미는 말)가 피수식어(꾸밈을 받는 말) 앞에 온다. 이는 중심이 되는 말을 뒤에 놓는 경향을 보여 주는 것이다.

예 영희는 예쁜 꽃을 샀다: '꽃'을 꾸미는 말인 '예쁜'이 꾸밈을 받는 말인 '꽃' 앞에 위치한다.

③ ④ 국어의 문장은 대체로 '주어 + 목적어 + 동사(서술어)' 순으로 나타난다. 그러나 조사가 발달하여 어순은 비교적 자유로운 편이다.

예 '나는(주어) + 밥을(목적어) + 먹는다(서술어)' 순으로 문장이 구성된다. 그러나 '밥을 먹는다, 나는'과 같이 어순을 바꾸어도 의미가 변하지 않는 경우가 많다.

정답 06 ④ 07 ④ 08 ③ 09 ② 10 ②

2장

국어학

01 음운론

음운과 음성의 차이

구분	음운	음성
단어 의미 구분 여부	가능	불가능
차이 인식 여부	쉬움	어려움
실현 방식	추상적	구체적
갯수	유한함	무한함

1 언어(言語)

1. 음운 音韻(소리 음, 운 운) 소리와 운율

(1) 개념: 말의 뜻을 구별해 주는 기능을 가진 소리의 가장 작은 단위

> 공 : 종 → 초성 'ㄱ'을 'ㅈ'으로 바꾸었을 뿐인데 말의 뜻이 달라졌다. 이를 통해 음운이 말의 뜻을 구별해 주는 기능을 함을 알 수 있다.

(2) 종류

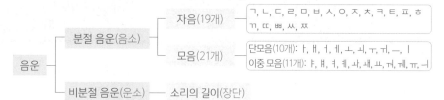

① **분절 음운(음소):** 마디로 나눌 수 있는 음운으로 자음과 모음을 가리킨다.
  ▶ 국어의 분절 음운의 개수는 자음 19개, 단모음 10개, 이중 모음 11개로 총 40개이다.

② **비분절 음운(운소):** 말의 뜻을 구별해 주는 기능은 있으나 자음, 모음처럼 마디로 나눌 수는 없는 음운으로, 소리의 길이, 높이, 세기, 억양 등이 있다.
  예 눈[眼], 눈:[雪] / 말[馬], 말:[言] / 밤[夜], 밤:[栗] / 성인(成人), 성:인(聖人)
  ▶ 표준 발음법에서는 소리의 길이만을 비분절 음운으로 인정하고 있다.
  ▶ 소리의 높낮이(성조)는 중세 국어에는 있었지만 소멸되어, 현대에는 비분절 음운으로서의 기능이 남아 있지 않다.

2. 음절 音節(소리 음, 마디 절) 소리의 마디

(1) 개념: 한 번에 소리 낼 수 있는 소리의 덩어리(최소의 발음 단위)

> 말 (ㅁ, ㅏ, ㄹ) → 첫소리인 초성 'ㅁ', 가운뎃소리인 중성 'ㅏ', 끝소리인 종성 'ㄹ'이 합쳐져서 '말'이라는 음절을 이룬다.

(2) 구조: 음절은 음운인 자음과 모음이 모여서 이루어진다.

모음	자음 + 모음	모음 + 자음	자음 + 모음 + 자음
[아], [어]	[나], [너]	[압], [억]	[강], [산]

  ▶ 음운의 개수를 따질 때 처음에 나오는(초성) 'ㅇ'은 실제 음가가 없으므로 개수에 포함시키지 않는다.

(3) 특징: 우리말을 발음 나는 대로 적었을 때 한 글자가 하나의 음절이다.

> **날씨가 맑아서 좋다: 8음절** → 음절은 발음의 단위이므로, 이 문장을 발음하면 '[날], [씨], [가], [말], [가], [서], [조], [타]'로 읽혀 8음절이다.

☑ 학습 체크

01 국어의 비분절 음운에는 장단과 억양이 있다. (O, ×)

02 자음과 모음, 소리의 길이는 분절 음운이다. (O, ×)

03 국어의 비분절 음운은 자음, 모음처럼 정확히 소리마디의 경계를 그을 수 없지만 말소리 요소로서 의미를 변별하는 기능을 한다. (O, ×)

04 현대 국어의 표준어에서는 소리의 길이에 따라서 의미를 변별할 수 있다. (O, ×)

01 O
02 × 소리의 길이는 비분절 음운이다.
03 O
04 O

2 국어의 음운 체계

1. 자음 (19개)

(1) **개념:** 목청을 통과한 공기의 흐름이 막히거나 구강 통로가 좁아져 목이나 입안에서 장애를 받고 나오는 소리

(2) **분류:** 조음 위치, 조음 방법®에 따라 분류할 수 있다.

① 조음 위치에 따른 분류

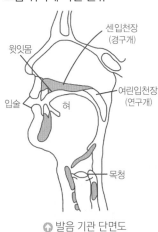

⬆ 발음 기관 단면도

입술소리 (양순음)	두 입술 사이에서 나는 소리 예 ㅂ, ㅃ, ㅍ, ㅁ
혀끝소리 (설단음, 치조음)	혀끝이 윗니의 뒷부분이나 윗잇몸에 닿아서 나는 소리 예 ㄷ, ㄸ, ㅌ, ㅅ, ㅆ, ㄴ, ㄹ
센입천장소리 (경구개음)	혓바닥과 센입천장 사이에서 나는 소리 예 ㅈ, ㅉ, ㅊ
여린입천장소리 (연구개음)	혀의 뒷부분과 여린입천장 사이에서 나는 소리 예 ㄱ, ㄲ, ㅋ, ㅇ
목청소리 (후음)	목청 사이에서 나는 소리 예 ㅎ

② 조음 방법에 따른 분류

파열음	허파에서 나오는 공기의 흐름을 일단 막았다가, 그 막은 자리를 터뜨리면서 내는 소리 예 ㅂ, ㅃ, ㅍ, ㄷ, ㄸ, ㅌ, ㄱ, ㄲ, ㅋ
파찰음	허파에서 나오는 공기를 막았다가 서서히 터뜨리면서 마찰을 일으켜 내는, 즉 파열음과 마찰음의 두 가지 성질을 모두 가지고 있는 소리 예 ㅈ, ㅉ, ㅊ
마찰음	입안이나 목청 사이의 통로를 좁히고, 공기를 그 좁은 틈 사이로 내보내 마찰을 일으키면서 내는 소리 예 ㅅ, ㅆ, ㅎ
비음	입안의 통로를 막고, 코로 공기를 내보내면서 내는 소리 예 ㅁ, ㄴ, ㅇ
유음	혀끝을 윗잇몸에 댄 채 공기를 그 양옆으로 흘려보내면서 내는 소리 예 ㄹ

⬆ **고득점** 공략

1. **목청의 울림 여부에 따른 분류**
   ① 울림소리(유성음): 발음할 때 목청이 울리는 소리. 국어의 모든 모음이 이에 속한다. 자음 중에는 'ㄴ, ㄹ, ㅁ, ㅇ'이 있다.
   ② 안울림소리(무성음): 발음할 때 목청이 울리지 않는 소리. 국어에서는 'ㄴ, ㄹ, ㅁ, ㅇ' 외의 모든 자음을 포함한다.

2. **소리의 세기에 따른 분류**
   파열음과 파찰음은 그 소리의 세기에 따라 예사소리, 된소리, 거센소리로 나뉘고, 마찰음은 예사소리, 된소리로 나뉜다. 예사소리와 비교할 때 된소리는 성대가 긴장되어 발음되며, 거센소리는 숨이 거세게 나오며 발음된다.
   ① 예사소리: ㄱ, ㄷ, ㅂ, ㅅ, ㅈ, ㅎ
   ② 된소리: ㄲ, ㄸ, ㅃ, ㅆ, ㅉ
   ③ 거센소리: ㅋ, ㅌ, ㅍ, ㅊ

⊕ **조음**

말소리를 내기 위한 발음 기관(성대, 목젖, 혀, 이, 입술)의 움직임을 통틀어 '조음'이라고 한다.

1. **조음 기관:** 말소리를 만드는 기관
2. **조음 위치:** 장애가 일어나는(공기의 흐름이 막히거나 좁혀지는) 자리
3. **조음 방법:** 소리를 내는 방법

☑ **학습 체크**

01 '철수가 밥을 먹었다.'는 9음절이다. (○, ×)

02 우리말의 자음 체계에서 '비음'과 '유음'의 분류는 조음(調音) 위치에 따른 것이다. (○, ×)

---

01 × '[철], [쑤], [가], [바], [블], [머], [건], [따]'로 8음절이다.
02 × 조음 방법에 따라 파열음, 파찰음, 마찰음, 비음, 유음으로 분류한다.

③ 국어의 자음 체계

조음 방법 \ 조음 위치			입술소리	혀끝소리	센입천장소리	여린입천장소리	목청소리
안울림소리	파열음	예사소리	ㅂ	ㄷ		ㄱ	
		된소리	ㅃ	ㄸ		ㄲ	
		거센소리	ㅍ	ㅌ		ㅋ	
	파찰음	예사소리			ㅈ		
		된소리			ㅉ		
		거센소리			ㅊ		
	마찰음	예사소리		ㅅ			ㅎ
		된소리		ㅆ			
울림소리	비음		ㅁ	ㄴ		ㅇ	
	유음			ㄹ			

2. 모음 (21개)

(1) **개념:** 허파에서 나오는 공기가 장애를 받지 않고 순조롭게 나오는 소리

(2) 분류

① **단모음(10개):** 발음할 때 입술이나 혀가 고정되어 움직이지 않는 모음으로, 'ㅏ, ㅐ, ㅓ, ㅔ, ㅗ, ㅚ, ㅜ, ㅟ, ㅡ, ㅣ'가 있다.

㉠ 국어의 단모음 체계

혀의 앞뒤	앞(전설 모음)		뒤(후설 모음)	
혀의 높낮이 \ 입술의 모양	둥글지 않은 입술 모양 (평순 모음)	둥근 입술 모양 (원순 모음)	둥글지 않은 입술 모양 (평순 모음)	둥근 입술 모양 (원순 모음)
높음(고모음, 폐모음)	ㅣ	ㅟ	ㅡ	ㅜ
중간(중모음)	ㅔ	ㅚ	ㅓ	ㅗ
낮음(저모음, 개모음)	ㅐ		ㅏ	

㉡ 모음 사각도

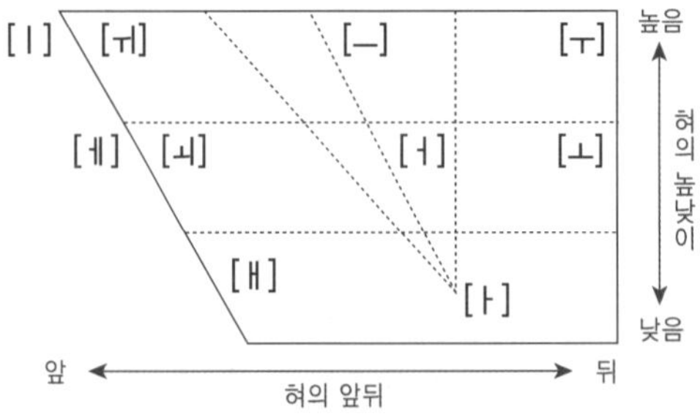

폐모음, 개모음

모음을 발음할 때, 혀의 높낮이에 따라 입이 열리는 정도가 다르다.

1. **폐(閉)모음:** '고모음'과 동의어로 발음할 때 입이 조금만 열린다.
2. **개(開)모음:** '저모음'과 동의어로 발음할 때 입이 많이 벌어진다.

모음 사각도

모음이 발음될 때 입안에서의 혀의 최고점 위치를 간략하게 도표화한 것을 모음 사각도라 한다. 모음 사각도를 통해, 혀의 높낮이와 혀의 위치에 따른 모음의 위치를 파악할 수 있다.

학습 체크

01 국어의 모음은 총 21개로 그중 단모음은 9개이다. (O, ×)

02 단모음과 이중 모음은 발음할 때 입술이나 혀가 고정되어 있는지의 여부로 구분된다. (O, ×)

01 × 국어의 단모음은 10개이다.
02 O

② 이중 모음(11개): 발음할 때 입술이나 혀가 움직이는 모음으로, 반모음과 단모음이 결합하여 이루어진다. 'ㅑ, ㅒ, ㅕ, ㅖ, ㅘ, ㅙ, ㅛ, ㅝ, ㅞ, ㅠ, ㅢ'가 있다.

상향 이중 모음	ĭ[j] + 단모음	ㅑ, ㅕ, ㅛ, ㅠ, ㅒ, ㅖ
	ㅗ/ㅜ[w] + 단모음	ㅘ, ㅙ, ㅝ, ㅞ
하향 이중 모음	단모음 + ĭ[j]	ㅢ

▶ 상향 이중 모음은 반모음이 단모음보다 앞에 오는 것이고, 하향 이중 모음은 반모음이 단모음보다 뒤에 오는 것이다. 참고로 'ㅢ'는 반모음 'ㅡ'와 단모음 'ㅣ'의 결합으로 보는 견해도 있다.

③ 반모음: 음성의 성질로 보면 모음과 비슷하지만 반드시 다른 모음에 붙어야 발음될 수 있는, 홀로 쓰이지 못하는 모음으로 'ĭ[j]'와 'ㅗ/ㅜ[w]'가 있다.

▶ 'ㅑ'를 발음할 때, 짧은 순간이지만 'ㅣ' 모음을 조음하는 자세를 취했다가 'ㅏ' 모음을 조음하는데, 이때 조음된 'ㅣ' 모음 비슷한 소리가 반모음 'ĭ[j]'이다.

▶ 반모음은 온전한 모음이 아니므로 반달표(˘)를 붙여 표시한다.

3. 소리의 길이 (장단)

(1) **개념**: 국어에서는 모음을 통해서 짧은소리(단음)와 긴소리(장음)를 구별하기도 한다. 즉, 동일한 형태의 모음이라도 길게 발음하여 단어의 의미를 변별할 수 있다. 이와 같이 소리의 길이는 의미를 변별해 준다는 점에서 자음, 모음과 같이 음운으로 인정된다.

구분	단음	장음
1음절	말[馬, 斗]	말:[言]
	눈[眼]	눈:[雪]
	밤[夜]	밤:[栗]
	굴[石花]	굴:[窟]
	솔[松]	솔:[刷]
	발[足]	발:[簾]
2음절	성인(成人)	성:인(聖人)
	무력(無力)	무:력(武力)
	가정(家庭)	가:정(假定)
	사료(飼料, 思料)	사:료(史料)
	굽다(曲)	굽:다(炙)
	묻다(埋)	묻:다(問)

(2) **특징**: 긴소리는 일반적으로 단어의 첫째 음절에서 나타나며, 본래 길게 발음되던 것도 둘째 음절 이하에 오면 짧은소리로 발음되는 경향이 있다.

例 말[말:] – 한국말[한:궁말]
눈[눈:] – 함박눈[함방눈]
솔[솔:] – 구둣솔[구두쏠/구둗쏠]

☑ **학습 체크**

01 소리의 길이에 대한 설명이 맞으면 O, 틀리면 ✕에 표시하시오.

(1) 국어에서 장단의 문제는 모음과 자음 모두에 해당된다. (O, ✕)

(2) 국어에서 장음은 일반적으로 단어의 첫째 음절에 나타나는데, 특이하게 둘째 음절 이하에 오면 장음이 단음으로 발음되는 경향이 있다. (O, ✕)

(1) ✕ 국어에서 '모음'은 소리의 장단을 구별하여 발음하지만, '자음'은 소리의 장단을 구별하여 발음하지 않는다.

(2) O

3 음운의 변동 變動(변할 변, 움직일 동) 바뀌어 달라짐

음운의 변동이란 원래의 음운 그대로 발음되지 않고 바뀌어 소리 나는 것을 가리킨다. 음운이 놓인 위치에 따라 변하든, 다른 음운의 영향을 받아 변하든 음운이 바뀌어서 발음되는 것은 모두 음운의 변동에 속한다. 음운의 변동에는 크게 교체, 축약, 탈락, 첨가 등이 있다.

교체 (대치)	원래의 음운이 다른 음운으로 바뀜.	음절의 끝소리 규칙, 자음 동화, 구개음화, 모음 동화, 된소리되기
축약	두 개의 음운이나 음절이 하나의 음운이나 음절로 합쳐짐.	자음 축약, 모음 축약
탈락	원래 있던 음운이 없어짐.	자음군 단순화, 'ㄹ' 탈락, 'ㅎ' 탈락, '으' 탈락, 동음 탈락
첨가	이미 있는 것에 새로운 음운이 덧붙음.	사잇소리 현상

▶ 이 분류는 변동의 결과 표면적으로 나타나는 변동 양상을 고려한 분류이다.

🔺 고득점 공략

동화와 이화(인접 음운 간의 관계를 고려한 분류)

구분	개념	예
동화	한 음운이 다른 쪽 음운의 성질을 닮는 것	비음화, 유음화, 구개음화, 모음 동화, 모음 조화 등
이화	인접하는 음운이 서로 달라지는 것(서로 같거나 비슷한 소리 중 하나가 다른 소리로 바뀜)	• 모음 조화 파괴(도로>도루, 먹고>먹구) • 중세 국어 '붚', '거붑' → 현대 국어 '북', '거북'

▶ 동화와 이화는 변동이 일어나는 음운론적 동기에 따라 분류한 유형으로 볼 수도 있다. 동화는 발음의 편리를 위해, 이화는 표현 효과의 확대에 그 원인이 있다.

음운 변동 확인 시 유의사항

음운 변동은 연이어 일어나기도 한다. 이때 정확한 발음을 위해 음운 변동 규칙과 순서를 바르게 지켜야 한다. 예 앞만 → [압만](음절의 끝소리 규칙) → [암만](비음화)

1. 음절의 끝소리 규칙

'ㄱ, ㄴ, ㄷ, ㄹ, ㅁ, ㅂ, ㅇ'의 7자음만이 음절의 끝소리(받침이 되는 소리)로 발음되며, 이것 이외의 받침은 7자음 중의 하나로 바뀌어 발음되는 현상

잎[입] ➡ 'ㅍ'이 대표음 [ㅂ]으로 바뀌어 발음된다.

받침 (끝소리)	발음	예	받침 (끝소리)	발음	예
ㄱ, ㄲ, ㅋ	[ㄱ]	박[박], 밖[박], 부엌[부억]	ㄹ	[ㄹ]	말[말]
ㄴ	[ㄴ]	간[간]	ㅁ	[ㅁ]	밤[밤]
ㄷ, ㅌ, ㅅ, ㅆ, ㅈ, ㅊ, ㅎ	[ㄷ]	낟[낟ː], 낱[낟ː], 낫[낟], 났[낟], 낮[낟], 낯[낟], 히 읗[히읃]	ㅂ, ㅍ	[ㅂ]	법[법], 무릎[무릅]
			ㅇ	[ㅇ]	방[방]

2. 자음 동화 同化(한가지 동, 될 화) 다르던 것이 서로 같게 됨

자음과 자음이 만날 때, 어느 한쪽이 다른 쪽을 닮아 그와 비슷한 소리 혹은 같은 소리로 바뀌거나 양쪽이 서로 닮아 두 소리가 모두 바뀌는 음운 현상

(1) 비음화®: 비음이 아닌 자음이 비음을 만나 비음으로 발음되는 현상

> **밥물[밤물]** → 파열음 'ㅂ'이 비음 'ㅁ'을 만나 비음 'ㅁ'으로 바뀌어 발음된다.

> [ㄱ, ㄷ, ㅂ] + [ㄴ, ㅁ] → [ㅇ, ㄴ, ㅁ] + [ㄴ, ㅁ]　예 국물[궁물], 닫는[단는], 돕는[돔:는]

(2) 유음화®: 'ㄴ'이 'ㄹ'의 앞이나 뒤에서 'ㄹ'로 변하는 현상

> **신라[실라]** → 비음 'ㄴ'이 유음 'ㄹ'을 만나 유음 'ㄹ'로 바뀌어 발음된다.

> ① [ㄴ] + [ㄹ] → [ㄹ] + [ㄹ]　예 광한루[광:할루], 난로[날:로], 천리[철리]
> ② [ㄹ] + [ㄴ] → [ㄹ] + [ㄹ]　예 칼날[칼랄], 물난리[물랄리], 줄넘기[줄럼끼], 생일날[생일랄]

🏃 고득점 공략

'ㄹ'의 비음화

'ㄹ'의 비음화는 위의 비음화와 성격이 조금 다르다. 'ㄹ'의 비음화는 'ㄹ'을 제외한 자음 뒤에서 'ㄹ'이 'ㄴ'으로 바뀌는 현상이다. 따라서 앞 자음의 어떤 성질에 동화된 것인지 밝혀내기가 어렵다.

1. [ㅁ, ㅇ] + [ㄹ] → [ㅁ, ㅇ] + [ㄴ]　예 담력[담:녁], 종로[종노]
2. [ㄱ, ㄷ, ㅂ] + [ㄹ] → [ㄱ, ㄷ, ㅂ] + [ㄴ] → [ㅇ, ㄴ, ㅁ] + [ㄴ]
　　예 독립[독닙 → 동닙], 몇 리[멷리 → 멷니 → 면니], 십리[십니 → 심니]
　　▶ 'ㄱ, ㄷ, ㅂ' 뒤에 'ㄹ'이 올 때에는 먼저 'ㄹ'이 'ㄴ'이 되고 앞의 'ㄱ, ㄷ, ㅂ'은 'ㄴ'의 영향으로 각각 'ㅇ, ㄴ, ㅁ'으로 바뀐다.

👁 시험 유형 파악하기

유음화의 예외

한자어에 'ㄹ'을 첫소리로 가진 '란, 량, 력, 론, 료, 례, 령' 등이 접사처럼 붙은 말들은 유음화가 적용되지 않는다. 즉 'ㄹ'의 앞에 나타나는 'ㄴ'이 'ㄹ'로 바뀌지 않고 그대로 'ㄴ'으로 발음된다.
예 의견란[의:견난], 임진란[임:진난], 생산량[생산냥], 결단력[결딴녁], 공권력[공꿘녁], 동원령[동:원녕], 상견례[상견녜], 횡단로[횡단노 / 휑단노], 이원론[이:원논], 입원료[이붠뇨], 구근류[구근뉴], 추진력[추진녁]

3. 구개음화® 口蓋音化(입 구, 덮을 개, 소리 음, 될 화) 입천장소리(구개음)가 되는 것

끝소리가 구개음이 아닌 자음 'ㄷ, ㅌ'인 실질 형태소가 모음 'ㅣ'나 반모음 'ǐ'로 시작되는 형식 형태소를 만나 구개음 [ㅈ], [ㅊ]으로 바뀌는 음운 현상

> **굳이[구지]** → 'ㄷ'이 'ㅣ' 모음을 만나 구개음 [ㅈ]으로 바뀌어 발음된다.

예 맏이[마지], 미닫이[미:다지], 여닫이[여:다지], 해돋이[해도지]
▶ 'ㄷ + 히'의 경우에는 'ㄷ'이 'ㅎ'과 합쳐져 거센소리 'ㅌ'으로 바뀌므로 'ㅌ'이 구개음화된 'ㅊ' 발음이 나게 된다.
　예 갇히고[가치고], 굳히다[구치다], 닫히다[다치다], 묻히다[무치다]

> **같이[가치]** → 'ㅌ'이 'ㅣ' 모음을 만나 구개음 [ㅊ]으로 바뀌어 발음된다.

예 밭이[바치], 붙이고[부치고], 샅샅이[삳싸치], 솥이다[소치다]

⊕ 비음화와 유음화의 특징

비음화와 유음화는 조음 위치는 변하지 않고 조음 방법만 바뀐다.

조음 　　　 위치 조음 방법	입술 소리	허끝 소리	여린 입천장 소리
파열음	ㅂ	ㄷ	ㄱ
비음	ㅁ	ㄴ	ㅇ
유음		ㄹ	

비음화　　　　유음화

⊕ 구개음화의 발생 이유와 발생하지 않는 조건

'ㅣ' 모음 앞에 있는 'ㄷ, ㅌ'을 본래의 발음인 [ㄷ], [ㅌ]으로 발음하기보다는 'ㅣ' 모음의 발음 위치에 가까운 구개음 [ㅈ], [ㅊ]으로 발음하는 것이 좀 더 쉽고 발음상 드는 노력이 줄기 때문이다. 그러나 '견디다[견디다]', '느티나무[느티나무]'와 같이 한 형태소 안에서, '밭이랑[반니랑]'과 같이 둘 이상의 실질 형태소가 결합한 합성어에서, '겉으로[거트로]', '밭을[바틀]'과 같이 'ㅣ' 모음이 아닌 다른 모음으로 시작하는 형식 형태소가 결합할 때는 구개음화가 일어나지 않는다.

☑ 학습 체크

01 발음이 맞으면 ○, 틀리면 ×에 표시하시오.

(1) 문래[물래] (○, ×)
(2) 십리[심니] (○, ×)
(3) 상견례[상견녜] (○, ×)
(4) 꽃망울[꼰망울] (○, ×)
(5) 입원료[이뷜료] (○, ×)

---

(1) ○ (2) ○ (3) ○ (4) ○
(5) × [이붠뇨]

4. 모음 동화

모음과 모음이 만날 때 한 모음이 다른 모음을 닮는 음운 현상

(1) 'ㅣ' 모음 순행 동화(이중 모음화): 'ㅣ'의 뒤에 오는 [ㅓ, ㅗ](후설 모음)가 'ㅣ'(전설 모음)의 영향을 받아 각각 [ㅕ, ㅛ]로 변하는 현상

기어[기여] → 후설 모음 [ㅓ]가 앞의 'ㅣ'의 영향을 받아 [ㅕ]로 변하여 발음된다.

▶ 'ㅣ' 모음 순행 동화가 일어나기 전의 발음이 표준 발음이다. 다만 '되어, 피어'의 경우는 [되여], [피여]로, '이오, 아니오'의 경우는 [이요], [아니요]로 발음하는 것도 허용한다. 'ㅣ' 모음 순행 동화를 반모음 첨가로 보기도 한다.

(2) 'ㅣ' 모음 역행 동화(움라우트): 앞 음절의 [ㅏ, ㅓ, ㅗ, ㅜ](후설 모음)가 뒤 음절 'ㅣ'(전설 모음) 에 이끌려서 전설 모음 [ㅐ, ㅔ, ㅚ, ㅟ]로 변하는 현상

어미[에미] → 후설 모음 [ㅓ]가 뒤의 'ㅣ'의 영향을 받아 [ㅔ]로 변하여 발음된다.

모음 동화의 영향을 받아 변한 말은 표준어나 표준 발음으로 인정하지 않는 경우가 많지만, 다음의 경우는 표준어로 인정한다.

냄비, 서울내기, 시골내기, 신출내기, 풋내기, 소금쟁이, 담쟁이덩굴, 멋쟁이, 골목쟁이, 발목쟁이, (불을) 댕기다, 동댕이치다

5. 모음 조화 母音調和(어머니 모, 소리 음, 고를 조, 화할 화) 모음이 비슷한 것끼리 모이는 현상

앞 음절과 뒤 음절의 모음이 서로 같은 종류끼리 어울리려는 경향으로, 'ㅏ, ㅗ' 등의 양성 모음은 양성 모음끼리, 'ㅓ, ㅜ' 등의 음성 모음은 음성 모음끼리 어울린다.

퐁당퐁당, 풍덩풍덩 → '퐁당퐁당'의 경우 양성 모음 'ㅗ'가 왔으므로 양성 모음 'ㅏ'가 오고, '풍덩풍덩' 의 경우에는 음성 모음 'ㅜ'가 왔으므로 음성 모음 'ㅓ'가 온다.

(1) 의성어와 의태어에서 가장 뚜렷하게 나타나고, 어간과 어미의 연결 구조에서도 나타난다.
> 예 사각사각 – 서걱서걱 / 종알종알 – 중얼중얼 / 막아 – 막아서 / 먹어 – 먹어서

(2) 현대에 오면서 잘 지켜지지 않는 경우가 많아졌다.
> 예 가까워, 아름다워, 깡충깡충, 오뚝이, 보슬보슬, 산들산들, 반들반들
> ▶ 중세 국어에서 비교적 엄격하게 지켜지던 모음 조화는 'ㅡ'와 대립하던 'ㆍ'가 소멸되고, 'ㅣ'가 음성화되면서 현대 국어에 와서는 상당히 문란해졌다.

6. 된소리되기 (경음화 현상)

(1) 안울림소리와 안울림소리가 만날 때, 뒤의 예사소리(평음)가 된소리(경음)로 바뀐다.

국밥[국빱] → 'ㄱ'과 'ㅂ'이 안울림소리이므로, 뒤의 예사소리 'ㅂ'이 된소리로 발음된다.

> 예 역도[역또], 꽃다발[꼳따발], 덮개[덥깨], 있지[읻찌]

(2) 용언 어간의 끝소리가 'ㄴ, ㅁ'일 때, 뒤의 예사소리가 된소리로 바뀐다.

삼고[삼:꼬] → 어간의 끝소리가 'ㅁ'이므로, 뒤의 예사소리 'ㄱ'이 된소리로 발음된다.

예 안고[안:꼬], 앉고[안꼬], 신고[신:꼬], 닮고[담:꼬]

(3) 용언 어간의 끝소리가 'ㄹ' 혹은 관형사형 '-ㄹ'일 때, 뒤의 예사소리가 된소리로 바뀐다.

핥다[할따] → 겹받침 'ㄾ'은 자음 앞에서 'ㄹ'로 발음된다. 용언 어간의 끝소리가 'ㄹ'이므로 뒤의 예사소리 'ㄷ'이 된소리로 발음된다.

예 넓게[널께], 할 것을[할꺼슬]

(4) 한자어에서 'ㄹ' 받침 뒤에 연결되는 자음 'ㄷ, ㅅ, ㅈ'은 된소리로 바뀐다.

갈등(葛藤)[갈뜽] → '갈등'은 한자어이고, 'ㄹ' 받침과 자음 'ㄷ'이 이어져 있으므로 'ㄷ'은 된소리로 발음된다.

예 발동(發動)[발똥], 일시(日時)[일씨], 갈증(渴症)[갈쯩], 발전(發展)[발쩐]

7. 음운의 축약 縮約(줄일 축, 맺을 약) 줄임

(1) **자음 축약(거센소리되기)**: 'ㄱ, ㄷ, ㅂ, ㅈ'과 'ㅎ'이 만나 'ㅋ, ㅌ, ㅍ, ㅊ'이 되는 현상으로, 발음에만 나타나는 현상이다.

축하[추카] → 'ㄱ + ㅎ'의 결과 'ㅋ'이 되어 [추카]로 발음되며, 이는 표기에 반영하지 않는다.

예 국화[구콰], 막히다[마키다], 놓다[노타], 많다[만:타], 잡히다[자피다], 입히다[이피다], 젖히다[저치다]

(2) **모음 축약**: 두 모음이 줄어들어 한 음절이 되는 현상으로, 실제 표기에 반영된다.

그리(다) + 어 → 그려 → '그리 + 어'에서 모음 'ㅣ'와 'ㅓ'가 충돌하기 때문에 'ㅕ'로 줄어든다.

예 되 + 었다 → 됐다 / 먹이 + 어 → 먹여 / 보 + 아라 → 봐라 / 오 + 아서 → 와서 / 주 + 어라 → 줘라

8. 음운의 탈락 脫落(벗을 탈, 떨어질 락) 떨어짐

(1) **자음 탈락**: 음절의 끝 자음이 없어지는 음운 현상

찰 + 돌 → 차돌 → 이어진 자음 'ㄹ'과 'ㄷ' 중, 자음 'ㄹ'이 탈락하였다.

① 'ㄹ' 탈락
  ㉠ 용언 어간의 끝소리인 'ㄹ'이 어미의 첫소리 'ㄴ, ㅂ, ㅅ' 및 '-(으)오, -(으)ㄹ' 앞에서 탈락된다.
    예 놀다: 노니, 논, 놉니다, 노시다, 노오 / 울다: 우니, 운, 웁니다, 우시다, 우오
  ㉡ 파생과 합성의 과정에서, 자음 'ㄴ, ㄷ, ㅅ, ㅈ' 앞에서 'ㄹ'이 탈락된다.
    예 솔 + 나무 → 소나무 / 바늘 + 질 → 바느질 / 활 + 살 → 화살

② 'ㅎ' 탈락: 용언 어간의 끝소리인 'ㅎ'이 뒤에 모음으로 시작하는 어미나 접미사와 결합할 때 탈락된다.
    예 넣 + 어 → [너어] / 놓 + 을 → [노을] / 쌓 + 이 + 다 → [싸이다]

축약이 일어나는 이유

1. 자음 축약이 일어나는 이유는 'ㄱ, ㄷ, ㅂ, ㅈ'과 'ㅎ'을 따로 발음하기 힘들기 때문이다.
2. 모음 축약이 일어나는 이유는 모음 충돌을 피하기 위함이다.

모음 축약의 유형

ㅣ	+	ㅓ, ㅐ	→	ㅕ, ㅒ
ㅏ, ㅗ, ㅜ, ㅡ	+	ㅣ	→	ㅐ, ㅚ, ㅟ, ㅢ
ㅗ	+	ㅏ	→	ㅘ
ㅜ, ㅚ	+	ㅓ	→	ㅝ, ㅙ

☑ 학습 체크

01 음운 축약의 예로 적절하면 ○, 그렇지 않으면 ✕에 표시하시오.
(1) 옳지 (○, ✕)
(2) 맏형 (○, ✕)
(3) 틔다 (○, ✕)
(4) 따라 (○, ✕)
(5) 닫히다 (○, ✕)
(6) 부나비 (○, ✕)
(7) 미닫이 (○, ✕)
(8) 옳다 (○, ✕)

02 다음과 같이 발음할 때 적용되는 음운 변동 규칙을 모두 쓰시오.

입학생 → [이팍쌩]

(   )

---

01 (1) ○ [올치] (2) ○ [마텽]
   (3) ○ 트이- + -다 → 틔다
   (4) ✕ 따르- + -아 → 따라 ('ㅡ' 탈락)
   (5) ○ [다치다]
   (6) ✕ 불 + 나비 → 부나비 ('ㄹ' 탈락)
   (7) ✕ 밀- + 닫이 → 미닫이 ('ㄹ' 탈락)
   (8) ○ [올타]
02 자음 축약(거센소리되기), 된소리되기

---

01 음운론 29

(2) 모음 탈락: 두 모음이 연속될 경우, 하나의 모음이 탈락하는 음운 현상

담그(다) + 아 → 담가 ➜ 모음 'ㅡ'와 'ㅏ'가 연속되므로, 'ㅡ'가 탈락하였다.

① **'ㅡ' 탈락:** 모음 'ㅡ'로 끝나는 어간이 모음 'ㅏ/ㅓ'로 시작하는 어미와 결합할 때 'ㅡ'가 탈락된다.

    예 끄(다) + 어라 → 꺼라 / 쓰(다) + 어라 → 써라 / 들르(다) + 어 → 들러 / 치르(다) + 어 → 치러

② **동음 탈락:** 동일한 모음이 연속될 때 그중 하나가 탈락된다.

    예 가 + 아서 → 가서 / 타 + 아라 → 타라

(3) 자음군 단순화: 음절 끝의 겹받침이 올 때, 둘 중 한 자음이 탈락하는 현상

받침	발음			예
ㄳ, ㄵ, ㄽ, ㄾ, ㅀ, ㅄ	첫째 자음이 발음된다.			몫[목], 앉다[안따], 외곬[외골/웨골], 핥다[할따], 곯리다[골리다], 값[갑]
ㄻ, ㄿ	둘째 자음이 발음된다.			닭다[담ː따], 읊다[읍따]
ㄺ, ㄼ	불규칙적으로 발음된다.	ㄺ	· 원칙: 둘째 자음 [ㄱ]으로 발음된다.	늙다[늑따], 맑다[막따], 맑지[막찌], 칡[칙]
			· 예외: 용언의 어간 말음인 경우 'ㄱ' 앞에서 [ㄹ]로 발음한다.	늙게[늘께], 맑게[말께]
		ㄼ	· 원칙: 첫째 자음 [ㄹ]로 발음된다.	여덟[여덜], 넓다[널따], 엷다[열ː따]
			· 예외 ① '밟-'의 'ㄼ'은 자음 앞에서 [ㅂ]로 발음된다. ② '넓-'의 'ㄼ'은 넓죽하다, 넓둥글다'와 같은 파생어나 합성어의 경우 [ㅂ]으로 발음된다.	①: 밟다[밥ː따], 밟소[밥ː쏘] ②: 넓죽하다[넙쭈카다], 넓둥글다[넙뚱글다], 넓적다리[넙쩍따리]

▶ 자음군 단순화(탈락 현상): 음절의 끝에 두 개의 자음이 올 때, 이 중에서 한 자음이 탈락하는 현상이다. 학교 문법에서는 음절 말 겹받침의 발음을 자음군 단순화로 설명하며, 탈락 현상으로 보고 있다.

▶ 자음군 단순화의 원리: 국어의 음절 구조상 음절 말에 둘 이상의 자음이 오더라도 한 음절에서 모두 발음할 수 없다. 이러한 국어의 음절 구조 제약 때문에 하나의 자음을 탈락시키는 것이다.

9. 사잇소리 현상

(합성어) **앞말의 끝소리**		(합성어) **뒷말의 첫소리**		
울림소리	+	안울림 예사소리	→	예사소리가 된소리로 남.
모음	+	'ㄴ, ㅁ'으로 시작	→	'ㄴ' 소리가 첨가됨.
(앞말의 음운은 상관없음)	+	모음 'ㅣ'나 반모음 'ㅣ'로 시작	→	'ㄴ' 또는 'ㄴㄴ' 소리가 첨가됨.

▶ 다만, 같은 환경이라도 사잇소리 현상이 일어나지 않는 예외가 있음.
    예 기와집[기와집], 콩밥[콩밥], 은돈[은돈], 오리발[오ː리발], 고래기름[고래기름], 소나기밥[소나기밥]

🔍 **사잇소리 현상의 유무에 따른 의미 차이**

1. 나무 + ㅅ + 집 → [나무찝]: 나무를 파는 집
   나무 + 집 → [나무집]: 나무로 만든 집
2. 고기 + ㅅ + 배 → [고기빼]: 고기잡이를 하는 배
   고기 + 배 → [고기배]: 물고기의 배

☑ **학습 체크**

01 음운 탈락의 예로 적절하면 O, 그렇지 않으면 ×에 표시하시오.

(1) 갔다 (O, ×)
(2) 놓고 (O, ×)
(3) 들러 (O, ×)
(4) 싸전 (O, ×)
(5) 건너서 (O, ×)
(6) 소나무 (O, ×)
(7) 끊더라 (O, ×)

---

(1) O 가- + -았- + -다(동음 탈락)
(2) × [노코](음운 축약)
(3) O (4) O (5) O (6) O
(7) × [끈터라](음운 축약)

(1) 두 개의 형태소 또는 단어가 합쳐져서 합성어가 될 때, 뒤 음절의 예사소리가 된소리로 바뀌는 현상이다.

> **밤길[밤낄]** ➔ 합성어이고, 울림소리 'ㅁ'과 안울림소리 'ㄱ'이 만나 뒤의 예사소리 'ㄱ'이 된소리로 발음된다.

① 앞 음절의 끝소리가 울림소리이고 뒤 음절의 첫소리가 안울림소리이면, 뒤 음절의 예사소리가 된소리로 변한다.

> 예 촌 + 사람 → 촌사람[촌:싸람]

② 합성어의 앞 음절이 모음으로 끝나면 받침으로 사이시옷[●]을 적는다.

> 예 초 + 불 → 촛불[초뿔/촏뿔]

③ 같은 조건인데도 사잇소리 현상이 일어나지 않는 합성 명사가 있어서 명쾌하게 설명할 수 있는 규칙을 찾기 어렵다.

> 예 · 인사말[인사말], 머리말[머리말] – 노랫말[노랜말], 혼잣말[혼잔말]
> · 고무줄[고무줄] – 빨랫줄[빨래쭐/빨랟쭐]
> · 회수(回收)[회수/훼수] – 횟수(回數)[회쑤/휃쑤]

🔍 **사이시옷의 표기**

사이시옷을 넣어 표기하는 합성어는 순우리말을 포함하고 있는 경우이다.

예 · 순우리말 + 순우리말: 귓밥, 모깃불
· 순우리말 + 한자어: 귓병(–病), 아랫방(–房)
· 한자어 + 순우리말: 곗날(契–), 예삿일(例事–)

(2) 두 개의 형태소 또는 단어가 합쳐져서 합성어가 될 때, 'ㄴ'이 덧나는 현상이다.

> · **비 + 물 → 빗물[빈물]** ➔ 합성어이고, 앞말의 끝 모음 'ㅣ'와 뒷말의 첫소리 'ㅁ'이 만나 'ㅁ' 앞에서 'ㄴ' 소리가 덧나 발음된다.
> · **나무 + 잎 → 나뭇잎[나문닙]** ➔ 합성어이고, 앞말의 끝 모음 'ㅜ'와 뒷말의 첫소리 모음 'ㅣ'가 만나 'ㅣ' 앞에서 'ㄴㄴ' 소리가 덧나 발음된다.

① 앞말의 끝이 '모음' + 뒷말의 시작이 'ㄴ, ㅁ' → 'ㄴ' 첨가

> 예 코 + 날 → 콧날[콘날] / 이 + 몸 → 잇몸[인몸]

② 뒷말의 시작이 모음 'ㅣ'나 반모음 'ǐ' → 'ㄴ' 첨가 또는 'ㄴㄴ' 첨가

> 예 · 집 + 일 → 집일[짐닐] / 콩 + 엿 → 콩엿[콩녇]
> · 예사 + 일 → 예삿일[예:산닐] / 깨 + 잎 → 깻잎[깬닙]

③ 두 단어를 한 마디로 이어서 발음할 때도 이와 같은 현상이 일어나는 경우가 있다.

> 예 한 일 → [한닐] / 옷 입다 → [온닙따]

(3) 한자어에 나타나는 사잇소리 현상

① 한자어의 경우는 사잇소리 현상이 나타나도 사이시옷을 표기하지 않지만, 다음 6개의 한자어에는 사이시옷을 적는다.

> 곳간(庫間), 툇간(退間), 찻간(車間), 숫자(數字), 횟수(回數), 셋방(貰房)

② 한자어의 사잇소리 현상은 규칙성을 찾기 어렵기 때문에, 다음과 같은 한자어는 사잇소리를 넣어 발음하면 표준 발음으로 인정하지 않는다.

> 방법(方法) ➔ [방뻡](×)   고가(高架) ➔ [고까](×)
> 등기(登記) ➔ [등끼](×)   간단(簡單) ➔ [간딴](×)

☑ **학습 체크**

01 사잇소리 현상의 예로 적절하면 ○, 그렇지 않으면 ×에 표시하시오.

(1) 햇살 (○, ×)
(2) 선릉 (○, ×)
(3) 셋방 (○, ×)
(4) 옷고름 (○, ×)
(5) 빨랫돌 (○, ×)
(6) 뱃머리 (○, ×)
(7) 머릿말 (○, ×)

(1) ○ (2) × [설릉](유음화)
(3) ○ (4) × [옫꼬름](된소리되기)
(5) ○ (6) ○ (7) × [머리말]

문법

2장 국어학 해커스공무원 국어 2권 문법+문학+어휘

음운, 형태소, 단어의 구분

1. 음운: 최소 의미 변별 단위
2. 형태소: 최소 의미 단위
3. 단어: 최소 자립 단위

☑ 학습 체크

01 다음 문장의 형태소 개수를 쓰시오.

(1) 떠나갔던 배가 돌아왔다.
(2) 머리를 숙여 청하오니.
(3) 잇따라 불러들였다.
(4) 아껴 쓰는 사람이 되자.

02 다음 문장을 형태소 단위로 나누시오.

> 나는 항상 집에 가고 싶었다.

03 다음 문장을 보고 의존 형태소이면서 실질 형태소인 것을 〈보기〉에서 고르시오. (2개)

> 영희는 책을 집에 놓고 왔다.
>
> 보기
> ㉠ 영희   ㉡ 는   ㉢ 책
> ㉣ 을   ㉤ 집   ㉥ 에
> ㉦ 놓-   ㉧ -고   ㉨ 오-
> ㉩ -았-   ㉪ -다

---

01 (1) 12개: 떠나/가/았/더/ㄴ/배/가/
　　　돌/아/오/았/다
　　(2) 9개: 머리/를/숙/이/어/청/하/
　　　오/니
　　(3) 9개: 잇/따르/아/부르/어/들/이/
　　　었/다
　　(4) 8개: 아끼/어/쓰/는/사람/이/되/자
02 나/는/항상/집/에/가/고/싶/었/다
03 ㉥ ㉧

1 형태소와 단어

1. 형태소 形態素(모양 형, 모습 태, 본디 소) 뜻을 가지고 있는 가장 작은 말의 단위

(1) 개념: 더 나누면 뜻을 잃어버리는 가장 작은 말의 단위이다.(최소 의미 단위)

(2) 분석 방법: 단어를 의미가 없어질 때까지 더 작은 단위로 계속 쪼개 본다.

구분	분석 방법	예 달렸다
1단계	낱말을 더 작은 단위로 쪼개 본다.	달렸- + -다
2단계	더 나누면 의미가 없어질 때 멈춘다.	달리- + -었- + -다 ▶ 이 이상 나누면 뜻을 잃어버리므로, 위에서 분석한 것이 형태소이다. 예 달리- = ㄷ + ㅏ + ㄹ + ㄹ + ㅣ ('달리다'의 의미가 사라짐)

👁 시험 유형 파악하기

> **형태소 분석 시 유의 사항**
>
> 1. 형태소를 분석할 때에는 본말 형태를 고려해야 한다. 이에 축약, 생략된 형태는 본래 형태로 바꿔 준 뒤에 형태소 분석을 한다.
>   예 • 가셨다(축약된 형태): 가시었다 → 가/시/었/다   • 가(생략된 형태): 가아 → 가/아
> 2. 문법적 견해에 따라 다를 수 있으나 사이시옷은 형태소로 처리하지 않는 것이 일반적이다. (사이시옷은 뜻을 가진 성분이 아니라 사잇소리 현상을 나타내는 것이기 때문임) 예 빗물 → 비/물
> 3. 한자어 형태소도 관점에 따라 한자 각각을 형태소로 분석하기도 하고 그렇지 않기도 하다. 일반적 견해에 따라 한자어 형태소의 분석은 한자 하나하나를 형태소로 보되, 문제에 주어진 선택지를 보고 상대적으로 개수 판단을 해야 한다.
>   예 고향(故鄉) → 고향(1개) 또는 고(故)/향(鄉)(2개)

(3) 종류

구분	종류	예 하늘이 매우 맑다.
자립성의 유무에 따라	자립 형태소(홀로 쓰일 수 있는 형태소)	하늘, 매우
	의존 형태소(홀로 쓰일 수 없는 형태소)	이, 맑-, -다
의미의 유형에 따라	실질 형태소(실질적인 뜻을 지닌 형태소)	하늘, 매우, 맑-
	형식 형태소(문법적인 뜻을 지닌 형태소)	이, -다

▶ 형태소를 나눌 때, 제일 먼저 기준이 되는 것은 의미(뜻)이다.
▶ 모든 형식 형태소는 의존 형태소이지만, 모든 실질 형태소가 자립 형태소인 것은 아니다. (용언의 어간은 실질 형태소이면서 의존 형태소이다.)

예	영희	는	사과	를	먹	었	다
	자립	의존	자립	의존	의존	의존	의존
	실질	형식	실질	형식	실질	형식	형식

2. 단어 單語(홑 단, 말씀 어) 홀로 자립적으로 쓸 수 있는 말

(1) 개념: 뜻을 지니고 홀로 설 수 있는 말의 단위로, 문장 내에서 자립하여 쓰일 수 있는 말이나 자립할 수 있는 형태소에 붙어서 쉽게 분리될 수 있는 말을 가리킨다.

소년과 소녀는 함께 달렸다. → 이 문장은 '소년, 과, 소녀, 는, 함께, 달렸다'라는 여섯 단어로 이루어져 있다.

▶ 조사는 홀로 쓰일 수 없지만 자립할 수 있는 말에 붙어 쉽게 분리될 수 있으므로 단어로 인정한다.

▶ 의존 형태소인 '달리-, -었-, -다'는 서로 어울려야 비로소 자립할 수 있으므로 '달렸다' 전체가 하나의 단어가 된다. 즉, 용언의 어간과 어미는 합쳐서 하나의 단어가 된다.

(2) 특징

① 단어의 내부에 휴지(休止)를 두어 발음하지 않는다.

  예 '미소'의 '미'와 '소' 사이에 휴지를 두고 발음하는 일이 없다.

② 단어의 내부에 다른 단어가 끼어들 수 없다.

  예 '책상'이라는 단어 내부에 '책이상'처럼 다른 단어가 끼어들 수 없다.

③ 조사를 제외한 모든 단어는 띄어쓰기 단위와 일치한다.

④ 단어는 하나 이상의 형태소로 구성된다.

(3) 단어와 형태소의 관계

구분	분석 방법	예
자립 형태소 (홀로 쓰일 수 있는 형태소)	단어가 됨.	산, 강, 사람, 밤
의존 형태소 (홀로 쓰일 수 없는 형태소)	단어로 인정하는 경우가 있음.(조사)	에, 이, 가, 이다
	단어가 되지 못하는 것들은 서로 결합하여 단어가 됨.	불- , -었-, -다: 서로 결합하여 '불었다'라는 단어를 만듦.

2 품사 品詞(갈래 품, 말 사) 말의 갈래

1. 개념

단어들을 성질이 공통된 것끼리 모아 갈래를 지어 놓은 것을 품사라고 한다. 우리말에는 아홉 가지 품사(명사, 대명사, 수사, 조사, 동사, 형용사, 관형사, 부사, 감탄사)가 있다.

2. 품사를 분류하는 기준

(1) 형태: 단어의 형태 변화 여부에 따른 분류로, 문장에서 사용될 때에 그 형태가 변하느냐(가변어) 변하지 않느냐(불변어)에 따라 단어를 분류한다.

▶ '먹다, 길다' 등은 '먹고/먹으니', '길고/기니'와 같이 형태가 변하므로 가변어에 속하고, '손, 아주' 등은 단어의 형태가 변하지 않으므로 불변어에 속한다.

☑ **학습 체크**

01 '너는 학생이므로 그 위험한 일에서 한발 비켜서야 한다.'라는 문장은 11개의 단어로 구성되어 있다.

(○, ×)

02 '이 고기는 매우 기름지다'에 사용된 단어의 개수와 형태소의 개수를 모두 더하면 11개이다. (○, ×)

01 ○ 너/는/학생/이므로/그/위험한/일/에서/한발/비켜서야/한다
02 × 단어 5개 + 형태소 7개 = 12개
  • 이/고기/는/매우/기름지다: 5단어
  • 이/고기/는/매우/기름/지/다: 7형태소

🔍 기능에 따른 품사의 분류

· **체언**: 문장의 주체가 되는 자리에 나타나는 단어로, 문장에서 주로 주어의 기능을 함.

· **관계언**: 문장에 쓰인 단어들의 문법적인 관계를 나타내는 말로, 조사를 이름.

· **용언**: 문장에서 서술어의 기능을 함.

· **수식언**: 다른 말을 수식하거나 한정하는 기능을 함.

· **독립언**: 문장에서 독립적으로 쓰이는 말로, 감탄사를 이름.

(2) **기능**⊕: 단어가 가지는 구실에 따른 분류로, 문장에서 어떤 기능을 하느냐에 따라 단어를 분류한다.

(3) **의미**: 단어들이 어떤 의미적 특성을 갖느냐에 따른 분류이다. 여기서 의미란 단어의 어휘적 의미가 아닌 형식적 의미로, 이름을 나타내느냐, 움직임을 나타내느냐와 같은 공통된 의미에 따라 단어를 분류한다.

형태에 따라	기능에 따라		의미에 따라	예
불변어	체언	명사	대상의 이름을 나타냄.	연필, 선생님, 일기, 그루, 개
		대명사	대상의 이름을 대신 나타냄.	그, 이것, 저것, 여기, 우리, 당신
		수사	대상의 수량이나 순서를 나타냄.	하나, 둘, 셋, 넷, 첫째, 둘째, 셋째
가변어	관계언	조사	체언이나 부사, 어미 등에 붙어 문법적 관계를 나타내거나(격 조사) 두 단어를 같은 자격으로 이어 주거나(접속 조사), 특별한 뜻을 더해 줌(보조사).	이/가, 을/를, 와/과, 하고, 도, 만
				서술격 조사 '이다'
	용언	동사	대상의 동작이나 작용을 나타냄.	가다, 주다
		형용사	대상의 성질, 상태를 나타냄.	예쁘다, 아프다
불변어	수식언	관형사	체언 앞에 놓여서 체언의 내용을 꾸며 줌.	새, 헌, 한
		부사	용언, 관형사, 다른 부사 또는 문장 앞에 놓여서 그 뜻을 분명하게 함.	갑자기, 몰래, 빨리, 매우, 그리고
	독립언	감탄사	놀람, 느낌, 부름, 응답을 나타냄.	앗, 아이코, 얘야, 네

▶ '이다'는 체언 뒤에 붙어 서술어 자격을 가지게 하는 격 조사이다. '이다'는 다른 조사들과 달리 문장에서 '이구나, 이니, 이면, 이어서' 등과 같이 그 형태가 변하므로, 가변어에 속한다.

(4) **품사 분류 예**

와, 새 집이 정말 근사하다.

와	새	집	이	정말	불변어	근사하다	가변어
↓	↓	↓	↓	↓		↓	
독립언 감탄사	수식언 관형사	체언 명사	관계언 조사	수식언 부사		용언 형용사	

3. 체언 – 명사, 대명사, 수사

(1) 명사, 대명사, 수사의 공통점

① 모두 단독으로 주어가 될 수 있다.

예 · 예지가 노래를 한다. (명사)
· 나는 오늘 친구와 공원에 가려고 한다. (대명사)
· 딱 하나가 모자라다. (수사)

☑ **학습 체크**

01 밑줄 친 말의 품사를 바르게 연결하시오.

(1) 그는 하루에 책 다섯 권을 읽었다. ㉠ 부사

(2) 나도 좋은 시를 많이 읽고 싶다. ㉡ 수사

(3) 학교에서 재미있는 노래를 배웠어요. ㉢ 조사

(4) 정치, 경제 및 문화 ㉣ 관형사

㉤ 형용사

01 (1) ㉣　　(2) ㉤
　　(3) ㉢　　(4) ㉠

② 조사가 덧붙어 여러가지 문장 성분이 된다.

> 예 ・ 명사: 영수가(주격), 할머니를(목적격), 친구의(관형격)
> ・ 대명사: 네가(주격), 우리를(목적격), 그의(관형격)
> ・ 수사: 하나가(주격), 하나를(목적격), 하나의(관형격)

③ 모두 불변어이다.

(2) 명사, 대명사, 수사의 차이점

구분	관형사의 수식	형용사의 수식	복수 접미사와의 결합
명사	가능(제한적) 예 이 사람, 갖은 양념 (O) 어느 금강산 (X)	가능 예 파란 하늘 (O)	가능(제한적) 예 선생님들, 나무들 (O) 박지성들 (X)
대명사	가능(제한적) 예 그 누가 이 일을 할 수 있을까? (O) 나는 새 이것을 좋아한다. (X)	가능 예 예쁜 그녀 (O)	가능 예 우리들, 저희들 (O)
수사	가능(제한적) 예 그 둘은 만나기만 하면 싸운다. (O) 헌 둘이 남아 있다. (X)	불가능 예 새로운 하나 (X)	불가능 예 셋들, 넷들 (X)

(3) 명사 名詞(이름 명, 말 사) 이름을 나타내는 말

① 개념: 구체적이거나 추상적인 대상의 이름을 나타내는 단어 예 꽃, 나비

② 종류

구분	종류	개념	예
사용 범위	고유 명사	특정한 사람이나 사물에 붙인 이름	서울, 한강, 숭례문
	보통 명사	일반적인 사물의 이름	학교, 책상, 사랑
자립성 유무	자립 명사	관형어의 꾸밈 없이도 쓰일 수 있는 명사	하늘, 사랑, 학교
	의존 명사	반드시 관형어의 꾸밈을 받아야만 쓰일 수 있는 명사	바, 것, 줄, 수, 적
감정 표현 능력 유무	유정 명사	사람이나 동물을 가리키는 명사	사람, 말, 소
	무정 명사	식물이나 무생물을 가리키는 명사	꽃, 돌, 바다
손으로 만질 수 있는지 여부	구체 명사	손으로 만질 수 있는 구체적인 모습을 나타내는 명사	책, 의자
	추상 명사	손으로 만질 수 없는 추상적인 개념을 나타내는 명사	사랑, 희망

☑ **학습 체크**

01 다음 문장에서 명사를 찾아 쓰시오.

(1) 타율에 관한 한 독보적인 기록도 깨졌다. (4개)

(2) 상자에 이런 것이 깔끔하게 정돈되어 있었다. (2개)

(3) 친구 외에는 다른 사람에게 항상 못되게 군다. (3개)

(4) 저 모퉁이에서 얼굴이 하얀 이가 걸어오고 있다. (3개)

---

(1) 타율, 한, 독보적, 기록
(2) 상자, 것
(3) 친구, 외, 사람
(4) 모퉁이, 얼굴, 이

③ 의존 명사

　㉠ **개념**: 관형어의 수식을 받아야만 쓰일 수 있는 명사

관형어	+	의존 명사

　　▶ 자립성은 없으나, 하나의 단어이므로 띄어 쓴다.

　　▶ 조사, 어미와 형태가 같은 것도 있어서 띄어쓰기에 유의해야 한다.

　㉡ **종류**

　　· **보편성 의존 명사**: 주어, 목적어, 보어, 서술어, 부사어 등 여러 성분으로 두루 쓰이는 것(것, 이, 분, 데 등)

　　　예 · 어떤 분이 선생님을 찾아오셨습니다. (주어)
　　　　 · 우리는 그 저명한 분을 특강에 섭외하기 위해 애썼다. (목적어)
　　　　 · 먼저 오신 네 분에게 선물을 드렸다. (부사어)

　　· **주어성 의존 명사**: 주격 조사가 붙어서 주로 주어로 쓰이는 것(지, 수, 리, 나위 등)

　　　예 고향을 떠난 지가 벌써 5년이 지났다. / 그럴 리가 없다.

　　· **서술성 의존 명사**: 문장 내에서 주로 서술어로 쓰이는 것(따름, 뿐, 때문 등)

　　　예 그 소식을 들으니 기쁠 따름이다. / 그가 고맙기 때문이죠.

　　· **부사성 의존 명사**: 부사격 조사가 붙어서 주로 부사어로 쓰이거나 의존 명사 자체가 이끄는 단위가 부사어가 되는 것(대로, 양, 척, 체, 채, 듯 등)

　　　예 옷을 입은 채로 물에 들어갔다. / 못 이기는 척 시키는 대로 하렴.

　　· **단위성 의존 명사**: 명사의 수량을 단위로 표시하는 것으로, 주로 수 관형사 아래 쓰이는 것(개, 원, 마리, 두름 등)

　　　예 아침으로 사과 두 개를 먹었다.

　㉢ **의존 명사와 형태가 같은 다른 품사의 구별**

　　형태가 같은 의존 명사, 조사, 어미를 구별할 때에는 앞말의 품사나 성분을 확인한다. 관형어 뒤에 쓰이면 의존 명사, 체언 뒤에 쓰이면 조사, 어간 뒤에 쓰이면 어미이다.

구분		예
대로	의존 명사	· 본 대로, 느낀 대로 · 집에 도착하는 대로 편지를 쓰다. · 기회 있는 대로 정리하는 메모 · 약해질 대로 약해지다. · 될 수 있는 대로 빨리 오다.
	조사	· 처벌하려면 법대로 해라. · 큰 것은 큰 것대로 따로 모아 두다.
만큼	의존 명사	· 주는 만큼 받아 오다. · 까다롭게 검사하는 만큼 준비를 철저히 해야 한다. · 나도 참을 만큼 참았다.
	조사	· 집을 대궐만큼 크게 짓다. · 나도 그 사람만큼 할 수 있다.
듯	의존 명사	· 아기는 아버지를 빼다 박은 듯 닮았다. · 탑이 무너질 듯 말 듯 위태롭다.
	어미	땀이 비 오듯 쏟아졌다.

☑ **학습 체크**

01 밑줄 친 단어가 의존 명사이면 O, 아니면 ×에 표시하시오.

(1) 오늘은 비가 올 듯하다. (O, ×)

(2) 당신 좋을 대로 하십시오. (O, ×)

(3) 나는 뒷짐을 진 채 마당을 잠시 어정거렸다. (O, ×)

(4) 황제의 손에는 먹물도 채 마르지 않은 종이 한 장이 들려 있었다.
　　　　　　　　　　　 (O, ×)

──────────────

(1) × 보조 형용사로 앞말이 뜻하는 사건이나 상태 따위를 짐작하거나 추측함을 나타내는 말이다.

(2) O　(3) O

(4) × 부사로 '어떤 상태나 동작이 다 되거나 이루어졌다고 할 만한 정도에 아직 이르지 못한 상태'를 이르는 말이다.

들	의존 명사	과일에는 사과, 배, 감 들이 있다.
	조사	· 다들 떠나갔구나. · 다 떠나들 갔구나.
	접사	사람들, 그들, 너희들, 사건들
데	의존 명사	· 의지할 데 없는 사람 · 이 일을 하는 데(에) 며칠이 걸렸다. · 머리 아픈 데 먹는 약
	어미	· 그 옷은 얼만데? / 도대체 왜 그러는데? · 여기가 우리 고향인데 인심 좋고 경치 좋은 곳이지. / 눈이 오는데 차를 몰고 나가도 될까? ▶ 뒤 절에서 어떤 일을 설명하거나 묻거나 시키거나 제안하기 위하여 그 대상과 상관되는 상황을 미리 말할 때는 연결 어미 '-ㄴ데/-는데'를 쓴다.
채	의존 명사	· 신발을 신은 채로 거실을 돌아다녔다. · 의자에 걸터앉은 채로 멍하니 하늘만 바라보았다.
	부사	설명이 채 끝나기도 전에 그는 자리를 박차고 떠나 버렸다.
뿐	의존 명사	· 소문으로만 들었을 뿐이네. · 시간만 보냈다 뿐이지 한 일은 없다.
	조사	이제 믿을 것은 오직 실력뿐이다.

(4) 대명사 代名詞(대신할 대, 이름 명, 말 사) 이름을 대신하는 말

① **개념**: 사람이나 사물의 이름을 대신 가리켜 이르는 말

② **종류**

㉠ **인칭 대명사**[●]: 사람의 이름을 대신 가리키는 말

구분		높임말	예사말(예사 낮춤)	낮춤말(아주 낮춤)
1인칭		없음.	나, 우리(들)	저, 저희(들)
2인칭		그대, 당신, 여러분	자네	너, 너희(들)
3인칭	근칭(이)	이분	이이	이자
	중칭(그)	그분	그이	그자
	원칭(저)	저분	저이	저자
미지칭			누구	
부정칭			누구, 아무, 아무개	
재귀칭		당신	자기	저, 저희(들)

㉡ **지시 대명사**: 사물이나 장소를 대신 가리키는 말

사물	이것, 그것, 저것, 무엇 등
장소	여기, 거기, 저기, 어디 등

🔍 **인칭 대명사 '당신', '우리'**

당신	(1) 듣는 이를 가리키는 2인칭 대명사 예 그 일을 끝낸 사람이 당신이오? (2) 부부 사이에서, 상대편을 높여 이르는 2인칭 대명사 예 당신에게 좋은 아내가 되도록 노력할게요. (3) 맞서 싸울 때 상대편을 낮잡아 이르는 2인칭 대명사 예 뭐라고? 나 알아? 누구한테 당신이야! (4) '자기'를 아주 높여 이르는 재귀칭 대명사 예 할머니께서는 생전에 당신의 가구를 소중히 다루셨다.
우리	(1) 말하는 이와 듣는 이, 또는 말하는 이와 듣는 이를 포함한 여러 사람을 가리키는 경우 예 형, 우리 북한산에 갈까? · 우리의 소원은 통일 (2) 듣는 이를 제외한 말하는 이, 제3자를 포함한 경우 예 우리가 너한테 무슨 잘못을 했다고 그래? · 우리 갈게. 수고해라. (3) 말하는 이가 자기보다 높지 않은 사람을 상대하여 어떤 대상이 자기와 친밀한 관계임을 나타낼 때 예 우리 엄마 / 우리 동네 · 우리 학교 교정은 넓지는 않지만 깨끗하다.

☑ **학습 체크**

01 다음 밑줄 친 단어의 쓰임이 다른 것을 고르시오.

㉠ 당신은 누구시오?
㉡ 당신, 요즘 직장에서 피곤하시죠?
㉢ 뭐? 당신? 누구한테 당신이야!
㉣ 할아버지께서는 생전에 당신의 장서를 소중히 다루셨다.

㉣ ㉣의 '당신'은 '자기'를 아주 높여 이르는 재귀 대명사로, '할아버지'를 가리킨다. ㉠~㉢의 '당신'은 2인칭 대명사로 사용되었다.

왼쪽 여백

⊕ 수사로 헷갈리기 쉬운 단어

의미상 수를 나타낸다고 모두 수사인 것은 아니다.

예 · 하루는 24시간이다.
　　　명사

　· 이틀을 꼬박 굶었다.
　　명사

☑ 학습 체크

01 밑줄 친 단어가 수사이면 O, 아니면 ×에 표시하시오.

(1) 그 가방에 소설책 한 권이 들어 있었다. (O, ×)

(2) 넓은 들판에는 농부가 한둘 눈에 띌 뿐 한적했다. (O, ×)

(3) 두 사람은 서로 다투다가 화해했다. (O, ×)

(4) 보따리에서 석류가 두세 개 굴러 나왔다. (O, ×)

---

(1) × '한'은 관형사이다.
(2) O
(3) × '두'는 관형사이다.
(4) × '두세'는 관형사이다.

본문

(5) 수사ⓐ 數詞(셀 수, 말 사) 세는 말

　① **개념**: 수량이나 순서를 가리키는 단어

　　　예 하나, 일, 첫째, 제일

　② **종류**

양수사	사물의 수량을 나타내는 수사 **예** 하나, 서넛, 일, 이
서수사	사물의 순서를 나타내는 수사 **예** 첫째, 서너째, 제일, 제이

　▶ '첫째, 둘째, 셋째'의 경우 순서, 차례를 나타내는 수사이나, 사람을 지칭하는 경우에는 명사로 쓰인 것이다.

　　　예 · 첫째는 진리이고, 둘째는 정의이다. (수사)
　　　　· 첫째는 변호사이고, 둘째는 의사이다. (명사)

👁 시험 유형 파악하기

> **지시 대명사, 지시 관형사, 지시 부사의 구분 방법**
>
> 1. 지시 대명사 + [조사] **예** 이것은 연필이다.
> 2. 지시 관형사 + [체언] **예** 이 사과 / 이 장소
> 3. 지시 부사 + [용언] **예** 이리 와. / 저리 가.
>
> **수사와 수 관형사의 구분 방법**
>
> 1. 수사 + [조사] **예** 사람 다섯이 모였다.
> 2. 수 관형사 + [체언] **예** 다섯 사람

4. 관계언 – 조사 助詞 (도울 조, 말 사) 도움을 주는 말

(1) 개념: 체언 뒤에 붙어서 다른 말과의 문법적 관계를 나타내거나 특별한 뜻을 더해 주는 역할을 하는 단어

(2) 특징

　① 주로 체언과 결합하지만 관형사와 감탄사 외의 모든 품사에 두루 붙는다.

　② 자립성은 없지만 단어로 취급한다.

　③ 서술격 조사 '이다'를 제외하고 활용하지 않는다. (불변어)

　④ 이형태가 존재한다. (이/가, 을/를, 은/는, 와/과)

　　　예 밥을 먹는다. – 차를 마신다.

↑ 고득점 공략

> **조사의 단어 인정 여부**
>
> 국어는 조사가 다양하게 발달하였는데, 이들은 자립 형식이 아닌 의존 형식이므로 문장 속에서 독립된 성분이 되지 못한다. 따라서 이와 같은 형태론적인 관점에서 본다면 조사를 완전한 단어로 보기 어렵지만, 통사론적·의미론적인 관점에서 보면 단어에 가깝기 때문에 학교 문법에서는 조사를 단어로 취급하고 있다.

(3) 종류: 기능과 의미에 따라 격 조사, 접속 조사, 보조사로 분류된다.

① **격 조사:** 체언이나 체언 구실을 하는 말 뒤에 붙어, 그 말이 문장 안에서 일정한 자격을 갖추도록 하여 주는 조사

구분	격 조사의 종류	예
주격 조사	이/가, 께서, 에서, 서	• 내가 간다. • 아버지께서 신문을 보신다. • 정부에서 학생들에게 장학금을 주었다. • 아이 혼자서 집을 지킨다.
목적격 조사	을/를	영화를 보다.
보격 조사	이/가	나는 더 이상 소녀가 아니다.
서술격 조사	이다	나는 공무원이다.
관형격 조사	의	나의 열정
부사격 조사	에, 에게, 에서 등	공원에서 만나자.
호격 조사	아, 야, 이여	선영아, 사랑해.

㉠ 주격 조사 '에서'와 부사격 조사 '에서'는 형태는 동일하지만 의미가 다르다.

예 • 우리 학교에서 우승했다. (주격) • 정부에서 실시한 조사 결과가 발표되었다. (주격)
　• 학교에서 축구를 했다. (부사격) • 어느 학교 동창회에서 있었던 일이다. (부사격)

㉡ 관형격 조사 '의'는 체언과 체언을 이어 주는 역할을 하며, 다양하게 해석된다.

예 할머니의 그림 → ① 할머니가 소유한 그림 ② 할머니가 그린 그림 ③ 할머니를 그린 그림

㉢ 부사격 조사는 매우 다양한 형태와 기능을 가진다.

예 • 종이로 학을 접다. (도구) • 동생보다 키가 크다. (비교)
　• 친구한테서 소식을 들었다. (대상) • 고혈압으로 돌아가셨다. (원인)
　• 철수와 등산을 했다. (동반) • 얼음으로 되다. (변화)

㉣ 부사격 조사 '에'는 무정물 명사에, '에게'는 유정물 명사에 사용한다.

- 에/에게, 한테, 께, 더러, 보고 [대상]
- (으)로/로써 [도구]
- 와/과, 처럼, 만큼, 보다 [비교]
- 에, 에서 [장소]
- 로서 [자격]
- 와/과, 하고 [공동]

예 • 문화재 반환을 프랑스에 요청했다. • 대통령에게 편지를 썼다.

㉤ 부사격 조사 '라고'는 직접 인용에, '고'는 간접 인용에 사용한다.

예 • 그는 나에게 "똑바로 가!"라고 말했다. • 민희는 배가 많이 고프다고 말했다.

② **접속 조사:** 두 단어를 같은 자격으로 이어 주는 조사

접속 조사의 종류	예
와/과	선생님과 나는 끝까지 함께하기로 했다.
하고	누나하고 나하고 만든 꽃밭
(이)랑	너랑 나

🔍 **접속 조사 '와', 부사격 조사 '와'**

(가) 나는 사과와 배를 좋아한다.
(나) 배는 사과와 다르다.

(가)와 (나)의 '와'는 기능이 서로 다르다. (가)의 '와'는 '나는 사과를 좋아한다.'와 '나는 배를 좋아한다.'라는 두 문장을 서로 이어 주는 구실을 하기 때문에 접속 조사로 볼 수 있다. 그러나 (나)의 '와'는 '사과 + 와'의 형태가 용언 '다르다'와 결합하여 비교 대상을 나타내기 때문에 비교 부사격 조사의 기능을 한다.

☑ **학습 체크**

01 밑줄 친 단어가 주격 조사이면 O, 아니면 ✕에 표시하시오.

(1) 할아버지께서 작은형을 부르신다.
(O, ✕)
(2) 어린 철수가 혼자 집을 보고 있다.
(O, ✕)
(3) 늘 푸른 소나무는 낙엽수가 아니다. (O, ✕)
(4) 이번에 충청남도에서 우승을 차지하였다. (O, ✕)

(1) O (2) O (3) ✕ 보격 조사 (4) O

'은/는'은 주어, 목적어 자리에 격 조사 대신 쓸 수 있지만 보조사로 취급한다. 그 이유는 다음과 같다.

1. 하나의 형태('은/는')가 주격과 목적격으로 동시에 사용될 수 없기 때문이다.
2. 부사어 등에도 '은/는'이 첨가될 수 있기 때문이다.

예 여기에서는 그런 일이 없다.

③ 보조사: 앞의 말에 붙어서 특별한 의미를 더해 주는 조사

형태	의미	예
은/는	대조	인생은 짧고, 예술은 길다.
만	한정, 단독	한 가지만 먹지 말고, 골고루 먹어야 한다.
도	역시, 동일	소설만 읽지 말고, 시도 읽어라.
까지, 마저	극단	브루투스 너마저!
조차	첨가	외국어는 쓰기도 어려운 데다 읽기조차 힘들다.
부터	출발점	그는 처음부터 끝까지 말썽이다.
마다	보편	사람마다 자기 나름의 꿈이 있다.
이나	최소 선택	그것이나 가져라.
라도	차선	냄새라도 맡아 보았으면 좋겠다.
야말로	강조, 확인	어린이야말로 나라의 희망이다.
깨나	어느 정도 이상	돈깨나 있다고 남을 깔보면 되겠니?
(이)야	강조	나야 괜찮지만 오히려 네가 걱정이야.
(이)나, (이)나마	불만	씻을 물이나 좀 있었으면 좋겠다.
마는	반전, 불만	약속을 했지마는 지켜지지 않았다.
그려/그래	감탄	경치가 좋네그려.
요	높임	오늘은 일기를 썼어요.

▶ 보조사는 부사나 용언과도 결합한다.
　예 · 나는 빨리는 달리지 못했다.　　　· 너를 만나고는 싶다.

▶ 보조사는 다른 격 조사와 어울려 쓰이기도 한다.　예 너만이 내 희망!

5. 용언 – 동사, 형용사　用言(쓸 용, 말씀 언) 활용하여 서술어로 쓰이는 말

(1) 동사와 형용사
· 動詞(움직일 동, 말 사) 움직임을 나타내는 말
· 形容詞(형상 형, 모양 용, 말 사) 형상과 모양을 나타내는 말

동사	사람·사물의 동작이나 작용을 나타내는 단어	예 먹다. 가다. 흐르다
형용사	사람·사물의 상태나 성질을 나타내는 단어	예 예쁘다. 고요하다. 달다. 아프다

(2) 용언의 특징

① 형태 변화(활용)를 한다. (가변어)

② 형태 변화(활용)를 통해 여러 가지 문장 성분으로 쓰인다.

> 예 ・ 도서관에 책을 읽는 학생들이 많다. (동사, 관형어)
> ・ 오늘은 이상하게 운이 좋았다. (형용사, 부사어)

③ 부사어의 수식을 받는다.

> 예 하늘이 아주 푸르다. → 부사어 '아주'가 형용사 '푸르다'를 수식하고 있다.

(3) 동사와 형용사의 구분

① 의미상으로 주어의 동작이나 과정을 나타내면 동사이고, 성질이나 상태를 나타내면 형용사이다.

> 예 ・ 보다: 동작을 나타냄. → 동사　　　　・ (맛이) 달다: 성질을 나타냄. → 형용사

② 기본형이 현재 시제 선어말 어미 '-는-/-ㄴ-', 관형사형 어미 '-는'과 결합할 수 있으면 동사이고, 결합할 수 없으면 형용사이다.

> 예 ・ 일어나다: 일어나 + -ㄴ- + 다 (O) → 동사　　・ (맛이) 달다: 달 + -는- + 다 (X) → 형용사

③ '의도'를 뜻하는 어미 '-려'나 '목적'을 뜻하는 어미 '-러'와 함께 쓰일 수 있으면 동사이고, 그렇지 않으면 형용사이다.

> 예 ・ 때리 + -려 (O) → 동사　　　　・ 아름다우 + -려 (X) → 형용사
> ・ 사 + -러 (O) → 동사　　　　　・ 예쁘 + -러 (X) → 형용사

④ 명령형 어미 '-아라/-어라', 청유형 어미 '-자'와 결합할 수 있으면 동사이고, 그렇지 않으면 형용사이다.

> 예 ・ 일어나라 (O) → 동사　　　　・ 순해라 (X) → 형용사
> ・ 읽자 (O) → 동사　　　　　　・ 착하자 (X) → 형용사

▶ 명령형 어미나 청유형 어미의 결합 가능 여부로 동사와 형용사를 구분할 수 있는 것은 사람의 움직임을 나타내는 동작 동사뿐이고, 자연의 움직임을 나타내는 작용 동사에는 이 기준이 적용되지 않는다.

> 예 솟다: 솟아라 (X), 솟자 (X)

👁 시험 유형 파악하기

동사와 형용사의 활용형 구분

구분	현재 시제 선어말 어미 '-는-/-ㄴ-'	현재 시제 관형사형 어미 '-는'	의도 표시 연결 어미 '-려'	목적 표시 연결 어미 '-러'	명령형 종결 어미 '-아라/-어라'	청유형 종결 어미 '-자'
동사 예 자다	잔다 (O)	자는 (O)	자려 (O)	자러 (O)	자라 (O)	자자 (O)
형용사 예 기쁘다	기쁜다 (X)	기쁘는 (X)	기쁘려 (X)	기쁘러 (X)	기쁘라 (X)	기쁘자 (X)

▶ 형용사는 현재 시제 관형사형 어미로 '-(으)ㄴ'이 결합됨.
▶ 용언의 종결형에서 '-었-'이 형용사에 결합하면 '과거'의 의미가 드러남.

☑ **학습 체크**

01 밑줄 친 단어가 동사인지 형용사인지 쓰시오.

(1) 잠이 모자라서 늘 피곤하다.
(2) 사업을 하기에 자금이 턱없이 부족하다.
(3) 어느새 새벽이 지나고 날이 밝는다.
(4) 한 마리였던 돼지가 지금은 열 마리로 늘었다.

(1) 동사　(2) 형용사　(3) 동사　(4) 동사

(4) 본용언과 보조 용언

용언	=	본용언의 어간	+	보조적 연결 어미 -아/-어, -게, -지, -고	+	보조 용언

용언은 본용언과 보조 용언으로 이루어진다. 본용언은 실질적인 뜻을 나타내어 주체를 주되게 서술하며 자립성을 가지고, 보조 용언은 혼자서 독립적으로 쓰이지 못하며 본용언 뒤에 붙어서 보조적 의미를 더해 준다.

> **접시를 깨뜨려 버렸다.** → '깨뜨려'는 본용언이고, '버렸다'는 보조 용언이다. 보조 용언은 혼자서 쓰이지 못하므로 본용언인 '깨뜨려'를 없애면 의미가 달라진다.

▶ 본용언은 필수적 성분이고, 보조 용언은 수의적 성분이다. '수의(隨意)'는 '자기 마음대로 함'이라는 뜻으로, '수의적'은 '일정한 조건하에서 나타날 수도 있고, 그렇지 않을 수도 있음'을 의미한다.

① 본용언과 보조 용언의 구별

  ㉠ 용언이 2개 이상 연속되었을 때, 맨 앞의 것이 본용언이다.

   예 밥을 먹고 싶다. → '먹고'가 본용언이다.

  ㉡ 두 번째 이하의 용언이 단독으로 서술어가 되어도 의미 변화가 없으면 본용언이다.

   예 · 사과를 깎아 주었다. → 사과를 깎았다. (본용언) + 사과를 주었다. (본용언)
   · 값을 깎아 주었다. → 값을 깎았다. (본용언) + *값을 주었다. (보조 용언)

② 보조 용언의 종류

  ㉠ 보조 동사

의미	형태	예	의미	형태	예
완료	(-고) 나다 (-어/-아) 내다 (-어/-아) 버리다	책을 보고 나서 잤다. 허락을 얻어 내었다. 사과를 먹어 버렸다.	부정	(-지) 아니하다 (않다) (-지) 못하다 (-지) 말다	울지 않는다. 끝내지 못했다. 떠나지 말아라.
진행	(-어/-아) 가다 (-어/-아) 오다 (-고) 있다/계시다	일이 다 끝나 간다. 날이 밝아 온다. 편지를 쓰고 있다. 아버지께서 편지를 쓰고 계신다.	보유	(-어/-아) 두다 (-어/-아) 놓다 (-어/-아) 가지다	책을 서가에 꽂아 두었다. 책을 책상에 얹어 놓았다. 책을 읽어 가지고 와라.
시인	(-기는) 하다	그를 보기는 했다.	봉사	(-어/-아) 주다/드리다	빵을 만들어 주었다.
강세	(-어/아) 대다	그가 나를 놀려 댔다.	사동	(-게) 하다	옷을 입게 하였다.
시행	(-어/-아) 보다	새 옷을 입어 보았다.	피동	(-어/-아) 지다	글씨가 잘 써지는 펜
당위	(-어/-아야) 하다	약을 먹어야 한다.	강조	(-어) 먹다	유리를 깨 먹었다.
상태 지속	(-어/-아) 있다	계속 방에 누워 있다.	반복	(-어/-아) 대다	매일같이 놀려 댄다.

ⓒ 보조 형용사

의미	형태	예	의미	형태	예
희망	(-고) 싶다	집에 가고 싶다.	시인	(-기는) 하다	꽃이 예쁘긴 하다.
추측	(-ㄴ가/-는가/-나) 보다 (-는가/-나/-(으)ㄹ까) 싶다	저곳이 한강인가 보다. 내 잘못이 아닌가 싶다.	부정	(-지) 아니하다 (않다) (-지) 못하다	날이 춥지 않다. 편안하지 못하다.

③ **보조 동사와 보조 형용사의 구별**: '아니하다(않다), 못하다, 하다, 보다'ⓐ는 보조 동사, 보조 형용사로 두루 쓰이는데, '동사와 형용사의 구별 방법'에 따라 품사를 구분해야 한다.

ⓔ · 그런 말은 처음 들어 본다. (보조 동사, 현재 시제 선어말 어미 '-ㄴ-'이 결합함)
   · 여행을 가고 싶다. (보조 형용사, 현재 시제 선어말 어미 '-는-/-ㄴ-'이 결합하지 않음)

(5) **용언과 어간의 의미** 語幹(말씀 어, 줄기 간) 말의 중심이 되는 부분 / 語尾(말씀 어, 꼬리 미) 말의 끝부분

용언	=	어간	+	어미			
				선어말 어미	어말 어미		
					종결 어미	연결 어미	전성 어미

어간은 용언이 활용할 때 변하지 않는 부분이고, 어미는 용언의 어간을 제외한 나머지 부분으로, 용언이 활용할 때 변하는 부분이다.

잡다: 잡으니, 잡아서, 잡고 → 변하지 않는 부분인 '잡-'은 어간이고, 변하는 부분인 '-다, -으니, -아서, -고'는 어미이다.

① **어간의 특징**

㉠ 용언 기본형의 어간과 어근은 일치하는 경우도 있다.

   ⓔ '잡다'의 '잡-'은 어간이면서 어근이다.

㉡ 어근에 접사가 붙어 어간이 되기도 한다.

   ⓔ '잡히다'의 어근은 '잡-'이고, 어간은 '잡-'에 접사 '-히-'가 붙은 '잡히-'이다.

② **어미의 종류**

㉠ **어말 어미**: 용언을 끝맺는 위치에 놓이는 어미로, 기능에 따라 종결 어미, 연결 어미, 전성 어미로 나뉜다.

· **종결 어미**: 문장의 끝에 와서 문장을 종결시키는 어미

종류	기능	어미	예
평서형	설명	-다, -네, -(으)오, -습니다	재인이가 간다.
의문형	물음	-느냐, -오(소), -(으)ㅂ니까, -니	언제 시작하니?
명령형	행동을 요구	-아라/-어라, -게, -(으)오, -(으)십시오	어서 앉아라.
청유형	행동을 권유	-자, -세, -(으)ㅂ시다	빨리 먹자.
감탄형	감탄	-(는)구나, -(는)구려	날씨가 좋구나.

🔍 **'아니하다, 못하다, 하다, 보다'의 품사 구분**

1. '아니하다, 못하다'는 앞 용언의 성격에 따라 앞의 본용언이 동사이면 '보조 동사', 앞의 본용언이 형용사이면 '보조 형용사'이다. 다만, '-다(가) 못하여' 구성으로 쓰여, 앞말이 뜻하는 행동이나 상태가 극에 달해 그것을 더 이상 유지할 수 없음을 나타내는 경우에는 앞의 본용언이 동사이더라도 '보조 형용사'이다.

   ⓔ · 밥을 먹지 아니하다/못하다. (보조 동사)
      · 얼굴이 곱지 아니하다/못하다. (보조 형용사)
      · 보다 못해 간섭을 하다. (보조 형용사)

2. '하다'가 형용사 뒤에서 '-기는/기도/기나 하다'의 구성으로 쓰여 앞말이 뜻하는 상태를 일단 긍정하거나 강조함을 나타내면 '보조 형용사', 나머지는 '보조 동사'이다.

   ⓔ · 옷이 좋기는 한데 가격이 비싸다. (보조 형용사)
      · 생선이 참 싱싱하기도 하다. (보조 형용사)
      · 밥을 잘 먹기는 한다. (보조 동사)
      · 사람은 그저 건강해야 한다. (보조 동사)

3. '보다'는 추측, 의도, 원인, 우선의 의미로 쓰이면 보조 형용사이고, 구체적인 동작이 전제된 시험 삼아 해 보기·시행, 동작의 결과에 대한 확인·지각·경험의 뜻으로 쓰이면 보조 동사이다.

   ⓔ · 그 가수는 인기가 많은가 보다. (추측, 보조 형용사)
      · 원산지를 꼼꼼히 따져 보다. (시험 삼아 함, 보조 동사)

☑ **학습 체크**

01 밑줄 친 단어가 보조 동사인지, 보조 형용사인지 쓰시오.

(1) 오늘은 날씨가 춥지 않다.
(2) 이 소리를 한번 들어 보아라.
(3) 나도 좋은 시를 많이 읽고 싶다.

02 어간과 어미로 분석한 것이 맞으면 ○, 틀리면 ×에 표시하시오.

(1) 공부하다:공부-(어간),-하다(어미)
   (○, ×)
(2) 찾을: 찾-(어간), -을(어미)
   (○, ×)
(3) 살고: 살-(어간), -고(어미)
   (○, ×)

---

01 (1) 보조 형용사 (2) 보조 동사
   (3) 보조 형용사
02 (1) × 공부하-(어간), -다(어미)
   (2) ○ (3) ○

· **연결 어미**: 문장이나 단어를 연결시키는 어미

종류	기능	어미	예
대등적 연결 어미	나열	-고, -(으)며	비가 오고, 바람이 분다.
	상반	-(으)나, -지만	생긴건 밉지만 맛은 있다.
종속적 연결 어미	원인/이유	-니, -아서/-어서, -느라고, -(으)니까, -(으)므로	날씨가 좋아서 등산을 했다.
	목적/의도	-(으)러, -(으)려고	그에게 주려고 선물을 샀다.
	양보	-(으)ㄴ들, -더라도	누가 하더라도 어려울 것이다.
보조적 연결 어미	본용언과 보조 용언의 연결	-아/-어, -게, -지, -고	마음껏 노래하고 싶다.

· **전성 어미**: 용언이 명사, 관형사, 부사의 역할을 할 수 있도록 용언의 서술 기능을 또 다른 기능으로 바꾸어 주는 어미

종류	어미	예
명사형 전성 어미	-(으)ㅁ, -기	먹음, 읽음
관형사형 전성 어미	-(으)ㄴ, -는, -(으)ㄹ, -던	탈 것, 놀 것
부사형 전성 어미	-게, -도록, -(아)서 등	빠르게, 먹도록

▶ 전성 어미가 결합된 성분이라도 품사는 원래의 것을 그대로 유지한다는 점에 주의한다.

예 · 신문을 읽다. / 물 속에서 숨을 안 쉬고 오래 참았다.: 서술적 기능 - 동사
　　· 신문 읽기는 필수적이다. / 물 속에서 숨 안 쉬고 오래 참기를 잘한다.: 체언적 기능 - 동사

ⓒ **선어말 어미**

· 어간과 어말 어미 사이에 와서 시제나 추측, 높임을 나타내는 기능을 한다.

· 선어말 어미가 항상 있는 것은 아니며, 둘 이상의 선어말 어미가 올 수도 있다.

예 가시었다(가셨다): 높임 선어말 어미(-시-), 시제 선어말 어미(-었-)

종류	기능	어미	예
시제 선어말 어미	현재	-는-/-ㄴ-	먹는다, 달린다
	과거	-았-/-었-	솟았다, 예뻤다
	회상	-더-	착하더라, 읽더라
	추측/미래	-겠-	도착했겠다, 끝나겠다
	의지	-리-	합격하리라, 잡으리라
높임 선어말 어미	주체 높임	-(으)시-	드시고, 앉으시고
	공손법	-삽-/-옵-	먹삽고, 그러하옵고

☑ **학습 체크**

01 밑줄 친 부분에 명사형 전성 어미가 결합한 것을 〈보기〉에서 모두 고르시오. (4개)

보기
㉠ 빠른 걸음으로 걸음.
㉡ 추운 날씨로 계곡에 얼음이 얾.
㉢ 우리말에서 정확한 띄어쓰기는 참 어렵다.
㉣ 사람이라면 치타보다 빨리 달리기가 쉽지 않다.
㉤ 지난 주말에는 온 가족이 '봄맞이 함께 걷기 대회'에 참석했다.

㉠ ㉡ ㉣ ㉤

(6) 용언의 활용

① **규칙 활용**: 어간과 어미가 결합하는 과정에서 어간과 어미 모두 형태 변화가 없는 활용이거나, 보편적 음운 규칙으로 형태 변화가 설명되는 활용이다.

> **울 + 는 → 우는** ➜ 자음 'ㄴ, ㅂ, ㅅ' 및 '-(으)오, -(으)ㄹ' 앞에서 어간의 끝소리 'ㄹ'이 탈락하는 현상으로, 같은 환경에서는 일관되게 적용되는 현상이므로 규칙 활용으로 본다. ('ㄹ' 탈락 규칙)

▶ 어간, 어미의 형태 변화가 보편적으로 예외 없이 일어나므로 규칙 활용을 '자동적 교체'라고 부르기도 한다.

규칙	개념 및 특징	예
'一' 탈락 규칙	두 개의 모음이 이어질 때, 어간의 모음 '一'가 탈락	쓰 + 어라 → 써라
'ㄹ' 탈락 규칙	자음 'ㄴ, ㅂ, ㅅ' 및 '-(으)오, -(으)ㄹ' 앞에서 어간의 'ㄹ' 받침이 탈락	울 + 니 → 우니 날 + 는 → 나는
모음 조화 규칙	양성 모음은 양성 모음끼리, 음성 모음은 음성 모음끼리 나타남.	살아라, 꺾어라
매개 모음 '으' 첨가	두 개 이상의 자음이 이어지면, 매개 모음인 '으'를 사이에 첨가	적 + ㄴ → 적은

② **불규칙 활용**: 용언이 활용할 때 어간과 어미의 기본 형태가 달라지는 경우로, 보편적 음운 규칙으로 설명할 수 없는 형태 변화를 하는 활용이다.

> **잇 + 어 → 이어** ➜ 어간의 끝소리 'ㅅ'이 모음 앞에서 탈락하는 현상으로, '벗어'와 같이 어간 'ㅅ'이 유지되는 규칙 활용을 하는 경우도 있으므로 'ㅅ'이 탈락하는 현상을 불규칙 활용으로 본다. ('ㅅ' 불규칙)

▶ 어간, 어미의 형태 변화가 일정하게 일어나는 것이 아니므로 불규칙 활용을 '비자동적 교체'라고 부르기도 한다.

㉠ 어간이 바뀌는 경우

종류	바뀜의 양상	불규칙 활용 예	규칙 활용 예
'ㅅ' 불규칙	어간의 끝소리 'ㅅ'이 모음 앞에서 탈락	붓+어 → 부어 짓+어 → 지어	벗+어 → 벗어
'ㅂ' 불규칙	어간의 끝소리 'ㅂ'이 모음 앞에서 '오/우'로 바뀜.	여쭙+어 → 여쭤워 서럽+어 → 서러워	잡+아 → 잡아
'ㄷ' 불규칙	어간의 끝소리 'ㄷ'이 모음 앞에서 'ㄹ'로 바뀜.	듣+어 → 들어 걷+어 → 걸어	얻+어 → 얻어
'르' 불규칙	어간의 끝음절 '르'가 모음 앞에서 'ㄹㄹ'로 바뀜.	흐르+어 → 흘러 빠르+아 → 빨라	따르+아 → 따라
'우' 불규칙	어간 끝의 '우'가 모음 어미 앞에서 탈락 ▶ '우' 불규칙 활용을 하는 것은 '푸다' 하나뿐이다.	푸+어 → 퍼	주+어 → 주어

☑ **학습 체크**

01 밑줄 친 단어가 규칙 용언인지 불규칙 용언인지 쓰시오.

(1) 나는 그녀의 손목을 <u>잡고</u> 놓지를 않았다.

(2) 카페에는 조용한 음악이 <u>흘렀다</u>.

(3) 삼촌은 종이를 <u>접어</u> 비행기를 만들어 주셨다.

(4) 그들은 자정에 <u>이르러서야</u> 집에 도착했다.

(5) 그녀가 배신자를 누구라고 <u>집지는</u> 않았지만 누구를 얘기하는지 모두 알고 있었다.

----

(1) 규칙 용언 (2) 불규칙 용언
(3) 규칙 용언 (4) 불규칙 용언
(5) 규칙 용언

ⓒ 어미가 바뀌는 경우

종류	바뀜의 양상	불규칙 활용 예	규칙 활용 예
'여' 불규칙	'하-' 뒤에 오는 어미 '-아/-어'가 '-여'로 바뀜.	공부하+어 → 공부하여	파+아 → 파
'러' 불규칙	어간이 '르'로 끝나는 일부 용언에서 어미 '-어'가 '-러'로 바뀜.	푸르+어 → 푸르러	치르+어 → 치러
'오' 불규칙	'달-/다-'의 뒤에 오는 명령형 어미 '-아라'가 '오'로 바뀜.	달+아라 → 다오	주+어라 → 주어라

ⓒ 어간과 어미가 모두 바뀌는 경우

종류	바뀜의 양상	불규칙 활용 예	규칙 활용 예
'ㅎ' 불규칙	'ㅎ'으로 끝나는 어간에 모음으로 시작하는 어미가 오면 'ㅎ'이 없어지고 어미도 바뀜.	파랗+아 → 파래 부옇+어 → 부예	좋+아 → 좋아

6. 수식언 – 관형사, 부사

(1) 관형사 冠形詞(갓 관, 모양 형, 말 사) 갓을 쓴 모양처럼 체언 앞에 놓여서, 그 체언의 내용을 꾸며 주는 말

① 개념: 체언을 꾸며 주는 단어 예 새, 이, 한, 모든, 여러

② 특징

    ㉠ 형태가 고정되어 있어 활용하지 않는다.

    ㉡ 조사와 결합할 수 없다.

    ㉢ 주로 명사를 수식하나, 수사와 대명사도 수식할 수 있다.

      예 · 그 무엇이 너를 힘들게 했을까?   · 이 셋이 모이면, 언제나 여행을 간다.

③ 종류

성상 관형사	체언의 성질이나 상태를 꾸며 줌. 예 옛 모습, 헌 책, 갖은 양념
지시 관형사	체언을 가리킴. 예 이 사람, 저 교장 선생님
수 관형사	수량을 나타냄. 예 한 사람, 배 세 척

👁 **시험 유형 파악하기**

> **관형사와 다른 품사의 구별**
>
> 1. **이, 그, 저**: 조사가 결합할 수 있으면 대명사, 결합할 수 없으면 지시 관형사이다.
>   예 · 그가 더 크다. (대명사)
>   · 그 사람이 더 크다. (관형사)
> 2. **수 관형사**: 조사가 결합할 수 있으면 수사, 결합할 수 없으면 수 관형사이다.
>   예 · 사람 다섯이 모였다. (수사)
>   · 다섯 사람 (관형사)

☑ **학습 체크**

01 밑줄 친 단어를 올바르게 고치시오.

(1) 준수가 음식 값을 대신 치룬 것을 알았다.

(2) 오늘은 하늘이 유난히 파래서 너무 좋다.

02 밑줄 친 부분의 품사를 쓰시오.

(1) 모인 사람들은 아무 말도 하지 않았다.

(2) 결국 애먼 사람들만 피해를 입고 말았다.

---

01 (1) 치른 (2) 파래서
02 (1) 관형사 (2) 관형사

> **관형사와 용언의 관형사형의 구별**
> 1. **관형사:** 활용하지 않고, 체언을 수식하면 관형사이다.
>   예 · 새 옷
>   · 다른(他) 사람은 다 가고 나만 남았다.
>   · 헌 신문지를 모으다.
> 2. **용언(동사, 형용사)의 관형사형:** 활용하고 서술성을 지니며, 기본형이 존재하면 용언의 관형사형으로 품사는 동사 또는 형용사이다.
>   예 · 단층집을 헌 자리에 새 건물이 들어섰다. (기본형: 헐다)
>   · 새로운 옷 (기본형: 새롭다)
>   · 그 사람은 우리와 다른(異) 사람이다. (기본형: 다르다)

(2) 부사 副詞(머리꾸미개 부, 말 사) 꾸며 주는 말로, 용언 또는 다른 말 앞에 놓여 그 뜻을 분명하게 하는 말

① **개념:** 주로 용언이나 문장을 꾸며 주는 단어 예 아주, 일찍, 두루, 가장, 아낌없이

② **특징**
  ㉠ 형태가 고정되어 있어 활용하지 않는다.
  ㉡ 격 조사와는 결합할 수 없지만, 보조사와는 결합할 수 있다. 예 빨리도 간다.
  ㉢ 용언, 관형사, 다른 부사, 문장 전체를 꾸밀 수 있다.⊕
    예 · 그는 매우 착하다. (용언 수식)
    · 아주 새 옷 (관형사 수식)
    · 꽤 많이 쌓였다. (부사 수식)
    · 제발 비가 왔으면 좋겠다. (문장 수식)

③ **종류**
  ㉠ **성분 부사**⊕: 문장의 한 성분을 꾸며 주는 부사

성상 부사	'어떻게'의 의미. 일반 부사, 의성 부사, 의태 부사가 있음. 예 · 날씨가 매우 춥다. (일반 부사)　· 파도가 철썩철썩 친다. (의성 부사)⊕ · 토끼가 깡충깡충 뛴다. (의태 부사)⊕
지시 부사	장소, 시간, 앞에 나온 말을 지시하는 부사 예 · 이리 오너라. (장소 지시)　· 내일 만나자. (시간 지시) · 그리 말고 집에 가자. (앞에 나온 말 지시)
부정 부사	용언의 의미를 부정하는 부사 (안, 아니, 못) 예 안 일어났다. / 아니 먹다. / 잠을 통 못 자다.

  ㉡ **문장 부사**: 뒤에 오는 문장 전체를 꾸미거나 문장과 문장을 이어 주는 부사

양태 부사	화자의 태도를 표시하는 부사(과연, 설마, 제발, 결코, 아마 등) 예 과연 솜씨가 훌륭해.
접속 부사	단어와 단어, 문장과 문장을 이어 주는 부사(그리고, 그러나, 즉, 곧, 또는, 및 등) 예 그리고 그들은 말없이 떠났다.

🔍 **체언 수식 부사**
'겨우, 아주, 바로, 특히'는 부사이지만 수량, 정도, 위치를 뜻하는 말 앞에서는 체언을 수식하기도 한다.
예 · 겨우 둘만 남았다.
· 그는 아주 부자로 살았다.
· 바로 네가 주인공이야.

🔍 **성분 부사의 배열 순서**
성분 부사는 '지시 부사 + 성상 부사 + 부정 부사'의 순서로 겹쳐서 나타난다.
예 이리 아주 안 어려운 문제도 있다.

🔍 **의성 부사와 의태 부사**
1. **의성 부사:** 사람이나 사물의 소리를 흉내 낸 부사
2. **의태 부사:** 사람이나 사물의 모양이나 움직임을 흉내 낸 부사

☑ **학습 체크**
01 밑줄 친 단어의 품사를 쓰시오.
(1) 쌍둥이도 성격이 다른 경우가 많다.
(2) 그 사람은 허튼 말을 하고 다닐 사람이 아니다.
(3) 신발을 벗으면 신발장에 가지런히 정리하거라.
(4) 우리는 목적지에 거의 도착했다는 사실을 깨달았다.
(5) 그는 갖은 양념을 넣어 정성껏 음식을 만들었다.
(6) 아이는 맨 흙투성이로 집에 들어왔다.

02 밑줄 친 단어의 품사를 쓰시오.
(1) 긴 이불을 팔다.
(2) 한 이불을 덮다.
(3) 저 이불을 빨다.
(4) 새 이불을 사다.

---
01 (1) 형용사: '다른'은 '서로 비교하는 두 대상이 같지 않다.'라는 뜻을 가진 형용사 '다르다'에 관형사형 어미 '-ㄴ'이 결합한 것이다. 문장 성분상 명사를 꾸며 주는 관형어이지만 그 품사는 형용사이다.
(2) 관형사 (3) 부사 (4) 부사
(5) 관형사 (6) 부사
02 (1) 형용사 (2) 관형사
(3) 관형사 (4) 관형사

7. 독립언 – 감탄사 感歎詞(느낄 감, 탄식할 탄, 말 사) 느끼는, 탄식하는 말

(1) 개념: 감정을 넣어 말하는 이의 놀람, 느낌, 부름이나 대답을 나타내는 단어

(2) 특징

① 조사가 붙지 않으며 활용하지 않는다.

② 문장에서의 위치가 비교적 자유롭다.

(3) 종류

감정 감탄사	아, 아차, 아하, 아이코 등 **예** 아, 세월이 빠르구나.
의지 감탄사	자, 에라, 글쎄, 천만에 등 **예** 자, 이제 그만 가자.
호응 감탄사	여보, 여보세요, 예, 그래 등 **예** 예, 저요?
입버릇 감탄사	뭐, 아, 저, 응 등 **예** 뭐, 난 여기 못 올 덴가.

8. 품사의 통용: 한 단어가 둘 이상의 품사로 쓰이는 것을 품사의 통용이라고 한다.

(1) 의존 명사 또는 조사: 대로, 만큼, 뿐

용언의 관형사형 뒤	→	의존 명사	**예** • 아는 대로 말해라. • 노력한 만큼 대가를 얻는 법이다. • 그는 미소만 지을 뿐이었다.
체언 뒤	→	조사	**예** • 나는 나대로 내 갈 길을 가려고 한다. • 집을 대궐만큼 크게 지었다. • 집에서뿐만 아니라 밖에서도 그는 좋은 사람이었다.

(2) 명사 또는 부사: 오늘, 어제, 그저께, 내일, 모레, 지금, 진짜, 정말, 참말, 가로, 세로

조사와 결합할 때	→	명사	**예** • 내일의 날씨를 알려 드리겠습니다. • 그 논은 가로가 100미터이다.
조사 없이 뒤의 용언을 수식할 때	→	부사	**예** • 오늘은 헤어지고 내일 다시 보자. • 집에 오자마자 방에 가로 드러누웠다.

(3) 대명사 또는 관형사: 이, 그, 저

조사와 결합할 때	→	대명사	**예** 그는 착한 사람이다.
뒤의 체언을 수식할 때	→	관형사	**예** 그 사람은 착하다.

(4) 수사 또는 관형사: 수를 나타내는 말

조사와 결합할 때	→	수사	**예** 여기 모인 사람은 모두 여덟이다.
뒤의 체언을 수식할 때	→	관형사	**예** 여덟 사람이 모여 농구를 했다.

▶ (2), (3), (4): 체언이 조사와 결합한다는 점을 유의한다.

(5) 조사 또는 부사: 같이, 보다, 마저

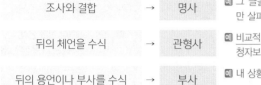

체언과 결합할 때	→	조사

예 • 매일같이 반복되는 일상에서 벗어나고 싶다.
• 나는 누구보다 동생에 대해 잘 안다.
• 너마저 나를 떠나는구나.

뒤의 용언을 수식할 때	→	부사

예 • 이번 여행은 여자 친구와 같이 가기로 했다.
• 날마다 보다 나아지기 위해서 노력하고 있다.
• 내 말을 마저 들어라.

(6) 명사 또는 관형사, 부사: 접미사 '-적'이 붙은 말

조사와 결합	→	명사

예 그 글을 평가하려 하지 말고 비교적인 차원에서만 살펴보아라.

뒤의 체언을 수식	→	관형사

예 비교적 고찰에 따르면 그 도자기의 가치는 고려청자보다 높다.

뒤의 용언이나 부사를 수식	→	부사

예 내 상황은 그에 비하면 비교적 나은 편이다.

(7) 명사 또는 감탄사: 만세

조사와 결합할 때	→	명사

예 노인이 만세를 외쳤다.

문장에서 독립적으로 쓰일 때	→	감탄사

예 대한 독립 만세!

(8) 부사 또는 감탄사: 아니

용언 앞이나 명사 사이, 문장 사이에 쓰일 때	→	부사

예 아침, 아니 점심 먹을 때까지만 해도 멀쩡했는데.

문장에서 독립적으로 쓰일 때	→	감탄사

예 아니. 이게 무슨 난리야?

(9) 동사 또는 형용사: 현재 시제 선어말 어미 '-는-/-ㄴ-'과 결합이 가능하면 동사, 불가능하면 형용사이다. 또한 명령형과 청유형이 가능하면 동사, 불가능하면 형용사이다.

▶ 형용사와 동사로 모두 쓰이는 단어의 경우, 문맥적인 상황을 보고 판단해야 한다.

감사하다

'고맙게 여기다'의 의미일 때	→	동사

예 • 나는 친구에게 도와준 것에 감사했다.
• 그는 늘 신께 감사하는 태도를 보인다.

'고마운 마음이 있다'의 의미일 때	→	형용사

예 • 무례를 용서해 주시면 감사하겠습니다.
• 참 감사한 말씀이지만 사양하겠습니다.

있다

'머물다, 다니다, 상태를 유지하다, 시간이 경과하다'의 의미일 때	→	동사

예 • 그녀는 오늘 집에 있는다고 했다.
• 친구는 내게 함께 있자고 했다.

'존재하는 상태이다, 일이 이루어지거나 벌어질 계획이다, 많다, 가능하다'의 의미일 때	→	형용사

예 • 어렸을 때에는 산타클로스가 있다고 믿었다.
• 좋은 일이 있다.

늦다

'정한 때보다 지나다'의 의미일 때	→	동사

예 그녀는 약속 시간에 매번 늦는다.

'기준이 되는 때보다 뒤져 있다, 알맞을 때를 지나 있다, 속도가 느리다'의 의미일 때	→	형용사

예 • 작년에는 눈이 늦게 내렸다.
• 우리는 예정보다 늦은 점심을 먹었다.
• 박자가 늦은 곡을 들으면 졸리다.

☑ **학습 체크**

01 밑줄 친 단어의 품사가 바르게 제시되어 있으면 O, 아니면 ×에 표시하시오.

(1) 열 사람이 백 마디의 말을 한다. [수사] (O, ×)

(2) 새해에는 으레 새로운 마음이 생기기 마련이다. [형용사] (O, ×)

(3) 몸이 아픈 사람은 교실에 남아 있었다. [동사] (O, ×)

(4) 아버지는 항상 소같이 일만 하신다. [조사] (O, ×)

(5) 친구와 같이 영화관에 갔다. [부사] (O, ×)

---

(1) × 관형사 (2) O (3) × 형용사
(4) O (5) O

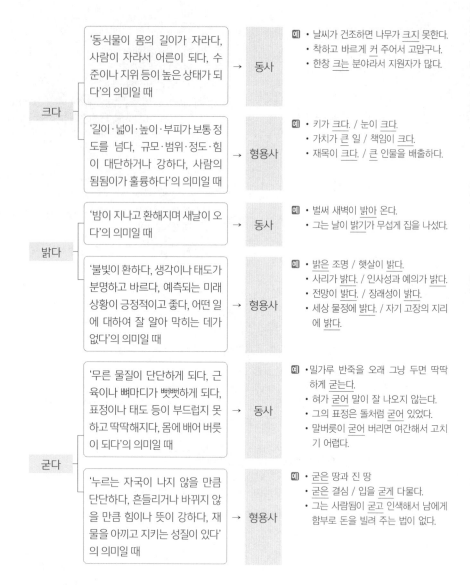

		예 · 날씨가 건조하면 나무가 크지 못한다.
크다	'동식물이 몸의 길이가 자라다, 사람이 자라서 어른이 되다, 수준이나 지위 등이 높은 상태가 되다'의 의미일 때 → 동사	· 착하고 바르게 커 주어서 고맙구나. · 한창 크는 분야라서 지원자가 많다.
	'길이·넓이·높이·부피가 보통 정도를 넘다, 규모·범위·정도·힘이 대단하거나 강하다, 사람의 됨됨이가 훌륭하다'의 의미일 때 → 형용사	예 · 키가 크다. / 눈이 크다. · 가치가 큰 일 / 책임이 크다. · 재목이 크다. / 큰 인물을 배출하다.
밝다	'밤이 지나고 환해지며 새날이 오다'의 의미일 때 → 동사	예 · 벌써 새벽이 밝아 온다. · 그는 날이 밝기가 무섭게 집을 나섰다.
	'불빛이 환하다, 생각이나 태도가 분명하고 바르다, 예측되는 미래 상황이 긍정적이고 좋다, 어떤 일에 대하여 잘 알아 막히는 데가 없다'의 의미일 때 → 형용사	예 · 밝은 조명 / 햇살이 밝다. · 사리가 밝다. / 인사성과 예의가 밝다. · 전망이 밝다. / 장래성이 밝다. · 세상 물정에 밝다. / 자기 고장의 지리에 밝다.
굳다	'무른 물질이 단단하게 되다, 근육이나 뼈마디가 뻣뻣하게 되다, 표정이나 태도 등이 부드럽지 못하고 딱딱해지다, 몸에 배어 버릇이 되다'의 의미일 때 → 동사	예 · 밀가루 반죽을 오래 그냥 두면 딱딱하게 굳는다. · 혀가 굳어 말이 잘 나오지 않는다. · 그의 표정은 돌처럼 굳어 있었다. · 말버릇이 굳어 버리면 여간해서 고치기 어렵다.
	'누르는 자국이 나지 않을 만큼 단단하다, 흔들리거나 바뀌지 않을 만큼 힘이나 뜻이 강하다, 재물을 아끼고 지키는 성질이 있다'의 의미일 때 → 형용사	예 · 굳은 땅과 진 땅 · 굳은 결심 / 입을 굳게 다물다. · 그는 사람됨이 굳고 인색해서 남에게 함부로 돈을 빌려 주는 법이 없다.

3 단어의 형성

1. 어근과 접사 語根(말씀 어, 뿌리 근) 말의 뿌리 / 接辭(이을 접, 말씀 사) 말에 첨가되는 부분

단어		접사		어근
예 햇나물, 햇과일, 햇곡식, 날음식, 날고기	=	햇-, 날-	+	나물, 과일, 곡식, 음식, 고기

(1) **어근**: 형태소가 결합하여 단어를 형성할 때 실질적인 의미를 나타내는 부분(= 실질 형태소)

(2) **접사**: 어근에 붙어 그 뜻을 제한하는 부분

　① **위치에 따른 분류**

　　㉠ **접두사**: 어근 앞에 오는 접사 예 덧 + 버선

　　㉡ **접미사**: 어근 뒤에 오는 접사 예 덮 + 개

② 기능에 따른 분류

　　㉠ **한정적 접사**: 뜻만 첨가해 주는 접사

　　　　 ・ 맨 + 손 (명사 → 명사)
　　　　　　・ 달 + 맞이 (명사 → 명사)

　　㉡ **지배적 접사**: 품사를 바꾸어 주는 접사

　　　　 ・ 크 + 기 (형용사 → 명사)　　　　・ 공부 + 하다 (명사 → 동사)
　　　　　　・ 가난 + 하다 (명사 → 형용사)　　・ 많 + 이 (형용사 → 부사)

↑ 고득점 공략

어간과 어근, 어미와 접사

1. **어간과 어근**: 어간은 용언의 활용을 기준으로 파악해야 하고, 어근은 단어의 형성법에 쓰이는 개념이다. 어간은 활용 시 변하지 않는 요소이고, 어근은 단어 형성 시에 변하지 않는 요소이다.

　 ・ 꾸다: 꾸고, 꾸니, 꿔서 (어간 + 어미 → 활용)
　　　・ 내가 꿈을 꾸다. (어근 + 접미사 → 파생어)

2. **어미와 접사**: 어미는 용언의 활용 시에, 접사는 단어의 형성법에 쓰이는 개념이다. 어미는 활용 시에 변하는 부분이고, 접사는 단어 형성 시에 변하는 요소이다.

---

2. 단일어와 복합어

(1) **단일어**: 하나의 어근만으로 이루어진 단어　 꽃, 산, 하늘, 가방, 크다

(2) **복합어**: 둘 이상의 어근이 결합하거나 어근과 접사가 결합하여 이루어진 단어

종류	형태	예
파생어	어근 + 접사	멋 + 쟁이 → 멋쟁이 / 넓 + 이 → 넓이
	접사 + 어근	햇 + 곡식 → 햇곡식 / 새 + 까맣다 → 새까맣다
합성어	어근 + 어근	돌 + 다리 → 돌다리 / [볶 + 음] + 밥 → 볶음밥

☑ **학습 체크**

01 단어의 짜임이 다음과 같은 것을 〈보기〉에서 고르시오.

　　놀리- + -ㅁ
　　　↓(파생)
　　손 + 놀림
　　　↓(합성)
　　손놀림

보기
㉠ 책꽂이　　㉡ 헛소리
㉢ 가리개　　㉣ 흔들림

㉠ '꽂- + -이'가 결합하여 '꽂이'로 파생되고, 여기에 '책'이 붙어 '책꽂이'라는 합성어가 되었다.

① 파생어 派生語(갈래 파, 날 생, 말씀 어) 어근에 접사가 붙어 만들어진 단어

　㉠ **개념**: 실질 형태소인 어근과 형식 형태소인 접사가 결합하여 이루어진 단어

　㉡ **접두 파생법**: 접두사와 어근이 결합하여 파생어를 만드는 방법이다. 접두사는 어근의 품사를 바꾸는 기능이 없어 모두 한정적 접사로만 쓰인다. 따라서 접두사가 결합하여 만들어진 파생어의 품사는 어근의 품사와 일치한다.

접두사	의미	예
강-1	1. 다른 것이 섞이지 않고 그것만으로 이루어진	강밥, 강굴, 강술, 강소주
	2. 마른, 물기가 없는	강기침, 강더위, 강서리
	3. 억지스러운	강울음, 강호령
	4. 몹시	강마르다, 강밭다, 강파리하다
강(強)-2	매우 센, 호된	강추위, 강염기, 강타자, 강행군
개-	1. 야생 상태의, 질이 떨어지는, 흡사하지만 다른	개살구, 개철쭉, 개먹
	2. 헛된, 쓸데없는	개꿈, 개죽음
	3. 정도가 심한	개망나니
건(乾)-	마른, 말린	건과자, 건바닥, 건어물, 건포도
군-	1. 쓸데없는	군말, 군불, 군살, 군기침, 군소리,
	2. 가외로 더한, 덧붙은	군식구, 군사람
날-	말리거나 익히거나 가공하지 않은	날고기, 날두부
늦-	1. 늦은	늦공부, 늦가을, 늦더위, 늦바람
	2. 늦게	늦되다, 늦들다, 늦심다
덧-	거듭된, 겹쳐 신거나 입는	덧니, 덧가지, 덧버선, 덧신
새-	매우 짙고 선명하게	새빨갛다, 새파랗다, 새뽀얗다
짓-	마구, 함부로, 몹시	짓누르다, 짓밟다, 짓이기다
치-	위로 향하게, 위로 올려	치솟다, 치뜨다, 치받다, 치닫다
풋-	1. 처음 나온, 덜 익은	풋고추, 풋사과, 풋나물
	2. 미숙한, 깊지 않은	풋사랑, 풋잠
한-1	1. 큰	한길, 한시름
	2. 정확한, 한창인	한겨울, 한밤중
헛	이유 없는, 보람 없는	헛걸음, 헛고생, 헛소문
홀-	짝이 없이 혼자뿐인	홀아비, 홀시아버지
홑-	한 겹으로 된, 하나인, 혼자인	홑이불, 홑몸

'늦더위'의 파생어 여부

'늦더위'는 용언과 체언이 연결될 때 관형사형 전성 어미가 생략된 것으로 보아 비통사적 합성어로 볼 수도 있고, 접두사 '늦-'이 결합된 파생어로 볼 수도 있다. 국립국어원은 표준국어대사전을 기준으로 분석하여 '늦더위'를 파생어로 보고 있다.

▶ 단어 형성에 관한 판단은 문법적 견해에 따라 다를 수 있다. 따라서 문제를 보고 상대적으로 답을 판별할 필요가 있다.

☑ **학습 체크**

01 파생어를 모두 고르시오. (5개)

┌────────────────────┐
│ ㉠ 군말　㉡ 돌다리　㉢ 덧가지 │
│ ㉣ 참숯　㉤ 풋과일　㉥ 개살구 │
└────────────────────┘

㉠ ㉢ ㉣ ㉤ ㉥은 파생어이다.
(㉡은 합성어이다.)

ⓒ **접미 파생법**: 어근과 접미사가 결합하여 파생어를 만드는 방법이다. 접미사는 어근의 품사를 바꾸는 지배적 접사와 바꾸지 않는 한정적 접사 모두로 쓰인다. 한정적 접미사가 결합하여 만들어진 파생어의 품사는 어근의 품사와 일치하지만, 지배적 접미사와 결합하여 만들어진 파생어의 품사는 대개 어근의 품사와 다르다.

· 어근 + 한정적 접미사

접미사	의미	예
-간	1. 동안	이틀간
	2. 장소	대장간
-거리[1]	비하	떼거리, 짓거리
-거리[2]	주기적으로 일어나는 동안	하루거리, 이틀거리
-경	그 시간 또는 날짜에 가까운 때	오전 9시경, 이십 세기경
-기(氣)	기운, 느낌, 성분	시장기, 소금기, 간기, 장난기
-꾼	1. 어떤 일을 전문적으로 하는 사람	살림꾼
	2. 어떤 일을 습관적으로 하는 사람	노름꾼
	3. 어떤 일 때문에 모인 사람	구경꾼, 일꾼, 장꾼, 제꾼
-님	높임	선생님, 사장님, 총장님
-다랗다	그 정도가 제법 뚜렷함.	가느다랗다, 커다랗다
-둥이	그러한 성질이 있는 사람	막내둥이, 귀염둥이, 쉰둥이
-들	복수	나무들, 학생들
-뜨리다 -트리다	강조	넘어뜨리다, 떨어트리다
-리	가운데, 속	경쟁리, 비밀리, 성황리, 암묵리
-보[1]	그것을 특성으로 지닌 사람	꾀보, 잠보
-보[2]	그것이 쌓여 모인 것	심술보, 울음보, 웃음보
-박이	무엇이 박혀 있는 사람, 짐승, 물건	점박이, 차돌박이, 금니박이
-배기	1. 그 나이를 먹은 아이	네 살배기
	2. 그런 물건	진짜배기
-뱅이	그것을 특성으로 가진 사람이나 사물	가난뱅이, 주정뱅이
-새	모양, 상태, 정도	걸음새, 모양새, 생김새, 쓰임새
-씨[1]	태도, 모양	말씨, 마음씨, 바람씨, 발씨
-씨(氏)[2]	그 성씨 자체, 그 성씨의 가문이나 문중	김씨, 이씨, 박씨 부인, 최씨 문중
-어치	그 값에 해당하는 분량	한 푼어치, 천 원어치
-여(餘)	그 수를 넘음	십여, 이십여 년, 백여 개
-장이	그것과 관련된 기술을 가진 사람	미장이, 양복장이
-쟁이	그것이 나타내는 속성을 많이 가진 사람	겁쟁이, 멋쟁이

☑ **학습 체크**

01 다음의 단어를 접미 파생어와 접두 파생어로 분류하시오.

㉠ 맏아들	㉡ 멋쟁이
㉢ 가위질	㉣ 조용히
㉤ 풋나물	㉥ 휘감다

(1) 접두 파생어(3개):
(2) 접미 파생어(3개):

(1) ㉠ ㉤ ㉥ (2) ㉡ ㉢ ㉣

· 어근 + 지배적 접미사

구분	접미사	의미	예
명사 파생	-ㅁ	(받침이 없거나 'ㄹ' 받침으로 끝나는 용언의 어간 뒤에 붙어) 명사를 만드는 접미사	꿈, 삶, 앎, 잠, 춤, 기쁨, 슬픔
	-음	(받침 있는 용언의 어간 뒤에 붙어) 명사를 만드는 접미사	믿음, 죽음, 웃음, 걸음, 젊음, 수줍음
	-이	1. (형용사, 동사 어간 뒤에 붙어) 명사를 만드는 접미사	길이, 높이, 먹이, 벌이
		2. (명사와 동사 어간의 결합형 뒤에 붙어) '사람, 사물, 일'의 뜻을 더하고 명사를 만드는 접미사	때밀이, 젖먹이, 재떨이, 옷걸이, 목걸이, 가슴앓이
		3. (명사, 어근, 의성·의태어 뒤에 붙어) '사람' 또는 '사물'의 뜻을 더하고 명사를 만드는 접미사	절름발이, 애꾸눈이, 멍청이, 똑똑이, 뚱뚱이, 딸랑이
	-기	(동사나 형용사 어간 뒤에 붙어) 명사를 만드는 접미사	굵기, 달리기, 돌려짓기, 모내기, 사재기, 줄넘기, 크기
	-개	1. (일부 동사 어간 뒤에 붙어) '그러한 행위를 하는 간단한 도구'의 뜻을 더하고 명사를 만드는 접미사	날개, 덮개, 지우개
		2. (일부 동사 어간 뒤에 붙어) '그러한 행위를 특성으로 지닌 사람'의 뜻을 더하고 명사를 만드는 접미사	오줌싸개, 코흘리개
동사 파생	-거리다	(동작 또는 상태를 나타내는 일부 어근 뒤에 붙어) '그런 상태가 잇따라 계속됨'의 뜻을 더하고 동사를 만드는 접미사	까불거리다, 반짝거리다, 방실거리다, 출렁거리다
	-이다	(동작 또는 상태를 나타내는 일부 어근 뒤에 붙어) 동사를 만드는 접미사	끄덕이다, 망설이다, 움직이다, 출렁이다
	-하다	1. (명사 뒤에 붙어) 동사를 만드는 접미사	공부하다, 생각하다, 사랑하다, 빨래하다
		2. (의성·의태어 뒤에 붙어) 동사를 만드는 접미사	덜컹덜컹하다, 소곤소곤하다
		3. (성상 부사 뒤에 붙어) 동사를 만드는 접미사	달리하다, 빨리하다
		4. (어근 뒤에 붙어) 동사를 만드는 접미사	흥하다, 기뻐하다
		5. (의존 명사 뒤에 붙어) 동사를 만드는 접미사	체하다, 척하다

01 밑줄 친 '먹기'와 품사가 같은 것을 <보기>에서 모두 고르시오.

나는 배가 고파 더 많이 먹기 시작했다.

보기
· 그는 밤새 믿기지 않는 ⑦꿈을 꾸었다.
· 그는 '초상화를 잘 ⑥그림'이라고 썼다.
· 그의 ⑥바람은 내가 건강해지는 것이었다.
· 그는 빙그레 ②웃음으로써 마음을 전했다.

⑥, ②: 부사 '많이'의 수식을 받고 있는 '먹기'는 명사형 전성 어미 '-기'가 붙은 명사형이다. ⑥ '그림', ② '웃음' 또한 동사에 명사형 전성 어미 '-ㅁ'이 붙은 명사형으로 부사의 수식을 받고 있다.
(⑦ '꿈' ⑥ '바람'은 명사 파생 접미사 '-ㅁ'이 붙은 명사이다.)

형용사 파생	-답다	(명사 또는 명사구 뒤에 붙어) '성질이나 특성·자격이 있음'의 뜻을 더하고 형용사를 만드는 접미사	너답다, 꽃답다, 사람답다, 정답다, 남자답다
	-롭다	(모음으로 끝나는 어근 뒤에 붙어) '그러함' 또는 '그럴 만함'의 뜻을 더하고 형용사를 만드는 접미사	명예롭다, 신비롭다, 자유롭다, 풍요롭다, 향기롭다
	-스럽다	(어근 뒤에 붙어) '그러한 성질이 있음'의 뜻을 더하고 형용사를 만드는 접미사	복스럽다, 걱정스럽다, 자랑스럽다
	-되다	(몇몇 명사, 어근, 부사 뒤에 붙어) 형용사를 만드는 접미사	거짓되다, 참되다, 어중되다, 숫되다, 막되다, 못되다
	-맞다	(사람의 성격을 나타내는 일부 명사 또는 어근 뒤에 붙어) '그것을 지니고 있음'의 뜻을 더하고 형용사를 만드는 접미사	궁상맞다, 능글맞다, 방정맞다, 쌀쌀맞다
	-지다	(몇몇 명사 뒤에 붙어) '그런 성질이 있음' 또는 '그런 모양임'의 뜻을 더하고 형용사를 만드는 접미사	값지다, 기름지다, 세모지다, 멋지다
	-쩍다	(몇몇 명사 뒤에 붙어) '그런 것을 느끼게 하는 데가 있음'의 뜻을 더하고 형용사를 만드는 접미사	수상쩍다, 의심쩍다, 미심쩍다, 겸연쩍다
	-하다	1. (명사 뒤에 붙어) 형용사를 만드는 접미사	건강하다, 순수하다, 정직하다, 진실하다
		2. (의성·의태어 뒤에 붙어) 형용사를 만드는 접미사	반짝반짝하다
		3. (성상 부사 뒤에 붙어) 형용사를 만드는 접미사	돌연하다
		4. (어근 뒤에 붙어) 형용사를 만드는 접미사	착하다, 따뜻하다
		5. (의존 명사 뒤에 붙어) 형용사를 만드는 접미사	뻔하다, 듯하다, 법하다
부사 파생	-이	1. (부사나 형용사 어근 뒤에 붙어) 부사를 만드는 접미사	깊숙이, 수북이, 끔찍이, 많이, 같이, 높이
		2. (일부 1음절 명사의 반복 구성 뒤에 붙어) 부사를 만드는 접미사	집집이, 나날이, 다달이, 일일이
	-히	(명사나 부사, 형용사 어근 뒤에 붙어) 부사를 만드는 접미사	조용히, 무사히, 나란히, 영원히
	-껏	(명사 뒤에 붙어) '그것이 닿는 데까지'의 뜻을 더하고 부사를 만드는 접미사	마음껏, 정성껏, 힘껏

☑ **학습 체크**

01 다음 설명에 해당하는 단어를 〈보기〉에서 모두 고르시오. (3개)

> 접미사는 품사를 바꾸거나 자동사를 타동사로 바꾸는 기능을 한다.

보기
ⓐ 보기   ⓑ 낯섦
ⓒ 낮추다   ⓓ 꽃답다

ⓐ ⓒ ⓓ 각각 접미사 '-기', '-추-', '-답다'가 결합한 것이다.
(ⓑ 명사형 전성 어미 '-ㅁ'이 결합한 것이다.)

ⓔ 파생 명사와 용언의 명사형의 차이점

접미사 '-(으)ㅁ/-기'와 명사형 어미 '-(으)ㅁ/-기'는 형태가 같기 때문에 구별하기가 어렵다.

	파생 명사	용언의 명사형
품사	명사	(용언에 따라) 동사나 형용사
주어	주어 없음	주어 있음
서술성	서술성 없음	서술성 있음
수식어	관형어 수식	부사어 수식
선어말 어미	사용 불가능	사용 가능

예 영희는 좋은 꿈을 자주 꿈.
　　　　　파생 명사(명사)　명사형(동사)

② **합성어** 合成語(합할 합, 이룰 성, 말씀 어) 둘 이상의 어근이 결합한 단어

ⓐ **개념**: 실질 형태소인 어근이 둘 이상 결합하여 이루어진 단어

ⓑ **합성어의 의미 범주에 따른 분류**

- **대등 합성어**: 어근이 대등하게 결합하여 본래의 뜻을 유지하는 합성어

  예 한두, 오가다, 팔다리, 서넛, 대여섯, 여닫다, 뛰놀다

- **종속 합성어**: 한쪽의 어근이 다른 한쪽의 어근을 수식하는 합성어

  예 손수건, 책가방, 손수레, 물걸레, 가죽신, 쇠못, 소고기, 쇠사슬, 손짓, 장군감, 놀이터

- **융합 합성어**: 어근들이 하나로 융합하여 새로운 의미를 나타내는 합성어

  예 · 밤낮: 밤 + 낮 – 항상, 종일　　　　· 춘추(春秋): 봄 + 가을 – 나이, 연세
  　　· 연세(年歲): 해 + 해 – 나이　　　　· 피땀: 피 + 땀 – 노력

ⓒ **합성어의 품사에 따른 분류**

품사		예
체언	합성 명사	고추장, 돌다리, 면도칼, 서릿발, 손수건, 앞뒤, 흉내 등
	합성 대명사	누구누구, 이것, 여러분 등
	합성 수사	한둘, 두셋, 서넛 등
용언	합성 동사	겹나다, 드나들다, 앞서다, 오가다, 못나다 등
	합성 형용사	검디검다, 쓸데없다 등
수식언	합성 관형사	한두, 두세, 서너 등
	합성 부사	곧잘, 부슬부슬, 이른바
독립언	합성 감탄사	아이참, 얼씨구절씨구, 여보 등

☑ **학습 체크**

01 다음의 단어를 대등, 종속, 융합 합성어로 분류하시오.

㉠ 논밭	㉡ 돌다리
㉢ 앞뒤	㉣ 책가방
㉤ 춘추	㉥ 손발
㉦ 연세	

(1) 대등 합성어(3개):
(2) 종속 합성어(2개):
(3) 융합 합성어(2개):

(1) ㉠ ㉢ ㉥　(2) ㉡ ㉣　(3) ㉤ ㉦

ⓔ 합성어의 형성 방법에 따른 분류

· 통사적 합성어: 우리말의 일반적인 단어 배열법과 일치하는 합성어

형성 방법	예
명사 + 명사	김치찌개, 논밭, 똥오줌, 살코기, 소나무, 손목, 안팎, 어깨동무, 할미꽃, 얼룩소
어간 + 연결 어미 + 용언	가져오다, 게을러빠지다, 그러모으다, 돌아가다, 들어가다, 알아보다, 타고나다
관형어 + 명사	길짐승, 새언니, 새해, 어린이, 큰집, 작은집, 젊은이, 첫사랑, 큰형, 작은형, 작은아버지
주어 + 서술어 (조사 생략 인정)	기차다, 맛나다, 맛있다, 바람나다, 빛나다, 수많다, 철들다, 힘들다, 힘차다, 손쉽다, 시름없다
목적어 + 서술어 (조사 생략 인정)	본받다, 수놓다, 용쓰다
부사어 + 서술어 (조사 생략 인정)	남다르다, 앞서다
부사 + 용언	가로눕다, 가로막다, 그만두다, 잘생기다
부사 + 부사	이리저리, 비틀비틀
감탄사 + 감탄사	얼씨구절씨구

· 비통사적 합성어: 우리말의 일반적인 단어 배열법과 일치하지 않는 합성어

형성 방법	예
어간 + 명사	감발, 곶감, 늦잠, 덮밥, 먹거리, 묵밭, 접칼, 흔들바위, 붉돔
어간 + 연결어미 + 명사	섞어찌개
어간 + 용언 (연결 어미 생략)	검붉다, 굶주리다, 나가다, 날뛰다, 높푸르다, 돌보다, 오가다, 굳세다, 여닫다, 오르내리다, 짙푸르다
부사 + 명사	부슬비, 산들바람, 척척박사, 촐랑개, 살짝곰보, 딱딱새
한자어 어순이 우리말과 다른 경우	독서(讀書), 등산(登山)

▶ 용언 기본형의 어간에 연결 어미나 관형사형 어미 없이 바로 다른 용언이 붙는 경우는 모두 비통사적 합성어이다.

🔝 **고득점** 공략

합성어의 파생

합성어의 파생이란, 합성어가 파생법에 의하여 다시 파생되는 경우를 말한다.

1. 통사적 합성 어근 + 접미사
   예 젖먹 + 이

2. 비통사적 합성 어근 + 접미사
   예 여닫 + 이, 나들 + 이

3. 반복 합성 명사 + 접미사
   예 틈틈 + 이, 집집 + 이

☑ **학습 체크**

01 다음 중 합성어로만 묶인 것은 O, 그렇지 않으면 ×에 표시하시오.

(1) 비행기, 새해, 밑바닥, 짓밟다, 겁나다, 낯설다 (O, ×)

(2) 새해, 막내둥이, 돌부처, 얄밉다, 깔보다, 본받다 (O, ×)

(3) 새해, 늙은이, 어깨동무, 정들다, 앞서다, 손쉽다 (O, ×)

(4) 비행기, 개살구, 산들바람, 겁나다, 낯설다, 그만두다 (O, ×)

(5) 늙은이, 막내둥이, 척척박사, 본받다, 앞서다, 배부르다 (O, ×)

(1) × '비행기, 짓밟다'는 파생어이다.
(2) × '막내둥이'는 파생어이다.
(3) O
(4) × '비행기, 개살구'는 파생어이다.
(5) × '막내둥이'는 파생어이다.

03 문장론

1 문장의 구성 요소와 구조

1. 문장의 구성 요소

(1) **어절(語節)**: 띄어쓰기 단위와 일치하며, 조사·어미 등의 요소가 앞말에 붙어서 한 어절을 이룬다.

> 그 남자가 음식을 잘 만든다.: 그, 남자가, 음식을, 잘, 만든다(5어절) ➜ 어절은 띄어쓰기 단위와 일치한다. 주어진 문장은 '그∨남자가∨음식을∨잘∨만든다'로 띄어 쓰므로 5어절이다.

(2) **구(句)**: 주어와 서술어의 관계가 없는 둘 이상의 어절이 만나 의미 단위를 형성한 것으로, 절이나 문장의 한 성분이 된다.

> 헌 옷을 입었다. ➜ 밑줄 친 '헌 옷'은 두 개의 어절 '헌, 옷'으로 이루어졌고, 이 둘은 주어와 서술어의 관계가 아니므로 이 문장에서 '헌 옷'은 두 어절이 만나 명사의 기능을 하는 명사구이다.

(3) **절(節)**: 주어와 서술어를 갖춘 둘 이상의 어절이 모여 하나의 의미 단위를 형성한 것으로, 더 큰 단위인 문장의 재료가 된다.

> 토끼는 앞발이 짧다. ➜ 밑줄 친 부분은 '앞발이(주어) + 짧다(서술어)'로, 주어와 서술어의 관계에 있는 둘 이상의 어절로 이루어져 있다. 이 문장에서 '앞발이 짧다'는 서술절이다.

2. 문장의 구조

(1) **주어부**: 행동의 주체가 되는 부분으로, 풀이의 대상이 되는 말과 그것을 꾸며 주는 말로 구성된다.

(2) **서술부**: 행동의 주체를 설명하는 부분으로, 풀이하는 말과 그것을 꾸며 주는 말로 구성된다.

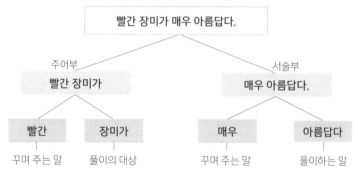

🔍 문장의 성립 조건

1. 의미상으로 완결된 내용이다.

2. 구성상으로 주어와 서술어의 관계가 있다.

3. 형식상으로 문장이 끝났음을 알리는 표지(느낌표, 물음표 등)가 있다.

☑ 학습 체크

01 다음 〈보기〉의 문장에 대한 설명이 맞으면 ○, 틀리면 ×에 표시하시오.

> **보기**
> ㉠ 철수 밥 먹는다.
> ㉡ 그 사람이 그런 심한 말을 하다니.
> ㉢ 오늘 내가 본 영화는 세계 10대 명화에 속한다고 한다.
> ㉣ 민한경 씨가 익명의 독지가였음이 밝혀졌다.

(1) ㉠에서 '철수', '밥'은 단어이자 어절로서 각각 주어, 부사어의 문법적 기능을 수행한다. (○, ×)

(2) ㉡에서 '그 사람이', '그런 심한 말을'은 각각 주어, 목적어 성분이 절로 실현된 것이다. (○, ×)

(3) ㉢에서 '오늘 내가 본'은 관형어 기능을 하며 절로 실현되어 있다. (○, ×)

(4) ㉣에서 '민한경 씨가 익명의 독지가였음'이는 목적어 성분으로서 명사절로 실현되어 있다. (○, ×)

---

(1) × '철수', '밥'은 단어이자 어절로 '철수'는 주어이나, '밥'은 목적어 기능을 수행한다.

(2) × '그 사람이'는 주어와 서술어의 관계가 없으므로 절이 아니다.

(3) ○

(4) × '민한경 씨가 익명의 독지가였음이'는 주어 성분으로서 명사절로 실현되어 있다.

2 문장 성분

문장 성분은 문장을 이루는 각 요소로, 문장 안에서 일정한 문법적 기능을 수행한다. 문장 성분은 크게 주성분과 부속 성분, 독립 성분으로 나뉜다.

주성분	문장에서 필수적으로 필요한 성분 → 주어, 서술어, 목적어, 보어
부속 성분	주성분을 꾸며서 뜻을 더하여 주는 성분 → 관형어, 부사어
독립 성분	문장 구성과 직접적 관련 없이 따로 떨어져 존재하는 성분 → 독립어

1. 주성분

(1) 주어 主語(주인 주, 말씀 어) 문장의 주인이 되는 말

① 개념: 서술어가 나타내는 동작 또는 상태나 성질의 주체가 되는 문장 성분으로, 우리말 어순상 대개 문장의 첫머리에 위치한다.

  예 · 장미꽃이 피기 시작했다.
  · 개나리가 강둑에 가득 피었다.
  · 할머니께서 어머니를 부르신다.
  · 서울시에서 금연 정책 관련 조사를 실시했다. (단체 무정 명사 + 에서)

② 형식

  ㉠ 체언 또는 체언 구실을 하는 구나 절 + 주격 조사(이/가, 께서, 에서)

    예 철수가 집에 있다.

  ㉡ 체언 + 보조사

    예 철수만 집에 있다.

  ㉢ ('혼자, 둘이, 셋이' 등 사람의 수를 나타내는) 체언 + 서(격 조사)

    예 혼자서 집을 지키고 있다.

③ 특징

  ㉠ 주어가 생략되거나 아예 없는 문장도 있다.

    예 공부를 했다. (주어 생략) / 도둑이야! (주어가 분명하지 않음)

  ㉡ 다른 성분에 영향을 주기도 한다.

    예 어머니께서 용돈을 주시었다. (높임 표현의 사용)

(2) 서술어 敍述語(펼 서, 펼 술, 말씀 어) 주어를 풀어 주는 말

① 개념: 주어의 동작 또는 상태나 성질을 서술하는 문장 성분으로, 우리말은 서술어가 문장에서 중심 역할을 하기 때문에 서술어의 성격에 따라 필요한 문장 성분의 수가 달라진다.

② 형식

  ㉠ 용언(동사, 형용사) 예 순이가 사과를 먹는다. / 하늘이 푸르다.

  ㉡ 서술격 조사 '이다'의 종결형: 원칙적으로는 '체언+이다'가 서술어이지만 다음과 같은 경우도 있다.

체언 + '이다'	예 이것이 책이다.
체언 + 보조사 + '이다'	예 원서 접수는 오늘까지이다.
용언의 활용형 + '이다'	예 그가 성공한 때는 예순이 넘어서였다.
부사어 + '이다'	예 그를 만난 것은 집에서였어요.

🔍 **품사와 문장 성분의 구분**

1. **품사:** 단어 단위로 단어들의 종류를 구분한 것

2. **문장 성분:** 어절 단위로 문장에서의 기능을 구분한 것(단, 구나 절이 하나의 문장 성분이 되는 경우도 있음)

  예 새로운 모자 → 품사로는 형용사. 문장 성분으로는 관형어

▶ 같은 품사라도, 문장 안에서 어떻게 쓰이느냐에 따라 문장 성분이 달라질 수 있다.

☑ **학습 체크**

01 다음 〈보기〉에서 문장 성분에 관한 설명이 옳은 것을 골라 기호를 쓰시오. (3개)

> **보기**
> ㉠ 주어는 성격에 따라 필요로 하는 문장 성분의 숫자가 다르다.
> ㉡ 주어, 서술어, 목적어, 부사어는 주성분에 속한다.
> ㉢ '물이 얼음으로 되었다.'의 문장 성분은 주어, 부사어, 서술어이다.
> ㉣ 부사어는 관형어나 다른 부사어를 수식하기도 한다.
> ㉤ 체언에 호격 조사가 결합된 형태는 독립어에 해당된다.
> ㉥ 문장에서 주어는 생략될 수 있지만 목적어는 생략될 수 없다.

02 형용사는 서술어가 될 수 없다. (○, ×)

03 밑줄 친 부분의 문장 성분이 주어이면 ○, 아니면 ×에 표시하시오.

(1) 너만 책을 갖고 있다. (○, ×)
(2) 그것은 아무도 못 먹는다. (○, ×)
(3) 우리 학교에서 이번에 강연회가 열린다. (○, ×)
(4) 누구나 부를 얻고자 하는 것은 아니다. (○, ×)

---

01 ㉢ ㉣ ㉤
02 × 동사와 형용사는 용언이며, 용언은 서술어로 쓰일 수 있다.
03 (1) ○
  (2) ○
  (3) × '학교에서'는 체언 '학교'에 부사격 조사 '에서'가 붙은 부사어이다.
  (4) ○

ⓒ 서술절 **예** 그는 키가 크다. (주어 '그는'의 서술어가 서술절 '키가 크다'임)

ⓔ 본용언 + 보조 용언 (하나의 서술어로 봄) **예** 그는 사과를 먹고 있다.

(3) 목적어 目的語(눈 목, 과녁 적, 말씀 어) 움직임의 대상이 되는 말

① **개념**: 타동사로 된 서술어[ⓐ]의 동작이나 행동의 대상을 나타내는 문장 성분이다.

　예 영희가 책을 읽는다. / 동생이 종이접기를 하고 있다.

② **형식**

ⓐ 체언 또는 체언 구실을 하는 구나 절 + 목적격 조사(을/를) **예** 나는 사과를 먹었다.

ⓑ 체언 + 보조사 **예** 철수는 라면만 먹었다.

ⓒ 체언 + 보조사 + 목적격 조사 **예** 철수는 그림만을 그린다.

③ **특징**

ⓐ 목적어의 생략이 가능하다.

　예 A: 밥은 먹었니?　　B: 응, 먹었어. (목적어 '밥을' 생략)

ⓑ 목적격 조사를 생략하거나 보조사로 대체하는 것이 가능하다.

　예 · 아침(을) 먹고 나왔다.

　　 · 이 사진은 내가 찍지 않았다. / 선생님은 교칙만 강조하신다.

(4) 보어 補語(도울 보, 말씀 어) 돕는 말

① **개념**: 서술어 '되다', '아니다'의 필수 성분 역할을 하는 문장 성분으로, 서술어의 의미를 보충해 주는 구실을 한다.

　예 철수가 어느새 어른이 되었다. / 이것은 내가 좋아하는 책이 아니다.

② **형식**

ⓐ 체언 + 보격 조사(이/가) **예** 밥이 떡이 되다. / 그는 중학생이 아니다. / 나는 학생이 아니다.

ⓑ 체언 + 보조사(만, 도, 은/는 등) **예** 그는 나쁜 사람은 아니었다.

2. 부속 성분

(1) 관형어[ⓐ] 冠形語(갓 관, 모양 형, 말씀 어) 갓을 쓴 모양처럼 체언 앞에 놓여서, 그 체언의 내용을 꾸며 주는 말

① **개념**: 체언으로 된 주어, 서술어, 목적어, 보어 앞에서 이를 수식하는 문장 성분이다.

　예 도시의 풍경이 황량하다. / 오늘 점심은 맛있는 덮밥이다. / 그는 순 살코기만 좋아한다. / 그는 착한 학생이 아니다.

② **형식**

ⓐ 관형사(관형사는 그대로 관형어가 됨) **예** 새 옷을 입었다.

ⓑ 체언 **예** 오늘 길에서 고향 친구를 우연히 만났다.

ⓒ 체언 + 관형격 조사(의) **예** 나의 작은 천사가 자고 있다.

ⓔ 용언의 관형사형 **예** 나의 작은 천사가 자고 있다.

③ **특징**

ⓐ 부사어는 단독으로 쓰일 수 있지만, 관형어는 체언 없이 단독으로 쓰일 수 없다.

　예 이게 그 책이니? 응, 그. (×)

ⓑ 반드시 체언 앞에만 놓인다. **예** 그 책 / 새 책

---

(2) 부사어 副詞語(머리꾸미개 부, 말 사, 말씀 어) 용언 등을 꾸며 주는 말

① 개념: 용언, 관형어, 부사어, 문장 전체 등을 수식하는 문장 성분이다.

예 하늘 높이 새가 날고 있다. / 참 예쁘게 생겼다.

② 형식

㉠ 부사 예 잘 잔다.

㉡ 부사 + 보조사 예 몹시도 추운 날씨

㉢ 체언 + 부사격 조사

예 · 강에서 수영을 한다. (처소)   · 청동으로 칼을 만들었다. (도구, 재료)
· 동생이 형보다 낫다. (비교)   · 그에게서 나온 이야기이다. (비롯되는 대상)
· 코 고는 소리에 잠이 깼다. (원인)   · 나와 함께 가자. (동반)
· 영호가 책임자로 선출되었다. (자격)   · 물이 얼음으로 되다. (변화)

㉣ 용언의 부사형 예 진달래가 곱게 피었다.

㉤ 부사성 의존 명사 구 예 그는 눈을 감은 채로 그 일을 회상했다.

▶ 부사성 의존 명사(채, 줄, 김, 바람 등) 뒤에 부사격 조사가 결합한다.

③ 특징

㉠ 보조사를 취할 수 있다. 예 빨리도 간다.

㉡ 자리를 비교적 자유롭게 옮길 수 있다.

㉢ 관형어와는 달리 주어진 문맥 속에서 단독으로 쓰일 수 있다.

④ 종류

㉠ **성분 부사어**: 다른 문장 성분을 수식한다.

예

용언 수식	부사 수식	관형사 수식	체언 수식
빨리 가자.	매우 빨리 간다.	아주 새 옷이다.	바로 네가 문제야!

㉡ **문장 부사어**: 문장 전체를 꾸며 주는 부사어로, 말하는 이의 심리적 태도를 반영한다. 이러한 부사들은 특별한 말과 호응을 이루는 경우가 많다.

예 · 과연 듣던 대로 이 사람은 훌륭한 소설가로구나.
· 만일 네가 한 일이 아니라면 내가 사과할게.

㉢ **접속 부사어**: 문장을 이어 주는 기능을 한다.

· 문장 접속 부사: 그러나, 그리고, 그러므로 등
· 단어 접속 부사: 및 등

⑤ 필수적 부사어: 서술어가 되는 용언의 특성에 따라 부사어를 필수적으로 요구하는 것이 있다.

㉠ 부사어(체언 + 과/와) + '같다', '다르다', '닮다' 예 예지는 어머니와 닮았다.

㉡ 부사어(체언 + 에/에게) + '넣다', '두다', '다가서다' 예 편지를 우체통에 넣다.

㉢ 부사어(체언 + 에게) + 수여 동사 예 그가 그녀에게 책을 주었다.

㉣ 부사어[체언 + (으)로] + '삼다', '변하다' 예 부인은 청아를 양녀로 삼았다.

㉤ 부사어(용언의 어간 + −게, −이/히) + '굴다', '보이다' 예 비겁하게 굴지 마라.

㉥ 이외에도 특정 용언은 '체언 + 부사격 조사'로 된 부사어가 필요하다.

예 여기다, 다니다, 부르다, 바뀌다, 속다, 제출하다, 맞다, 적합하다, 어울리다, (으)로 만들다, 일컫다, (−이라) 이르다, (와) 의논하다, (에서) 살다

🔍 부사어의 겹침

부사어가 겹쳐 쓰일 때에는 그중의 하나가 겹쳐 쓴 부사를 꾸미는 것인지, 겹쳐 쓰인 부사어가 모두 서술어를 꾸미는 것인지 구분해야 한다.

예 · 그는 아주 빨리 달렸다.
→ 부사어 '아주'가 부사어 '빨리'를 수식하고 있다.
· 강아지가 살금살금 소리 없이 지나갔다.
→ 부사어 '살금살금'과 '소리 없이' 모두 서술어 '지나갔다'를 꾸미고 있다.

☑ 학습 체크

01 '4월이면 매년 시에서 나무를 심었다.'에서 '시에서'는 부사어이다. (○, ×)

02 '그녀의 눈이 반짝 빛났다'에서 '반짝'은 부사어이다. (○, ×)

03 '그는 소리도 없이 다가왔다.'에서 '소리도 없이'는 부사어이다. (○, ×)

04 '우리는 이곳에서 만나기로 했다.'에서 '이곳에서'는 부사어이다. (○, ×)

05 밑줄 친 부분이 〈보기〉의 ㉠에 해당하는 것은 ○, 그렇지 않으면 ×에 표시하시오.

> **보기**
> 생각이나 감정을 완결된 내용으로 표현하는 최소의 언어 형식을 문장이라 한다. 그렇게 문장을 구성하는 ㉠필수적 문장 성분이 제대로 갖추어지지 않으면 전달하려는 의미를 명확하게 표현하기 어렵다. 이때 필수적 문장 성분을 생략하면 문장이 성립되지 않는다.

(1) 형은 아빠와 많이 닮았다. (○, ×)
(2) 누나는 동생에게 선물을 주었다. (○, ×)
(3) 나는 종일 집에서 동생과 놀았다. (○, ×)
(4) 그녀는 자신의 행운을 당연하게 여겼다. (○, ×)

---

01 × '시에서'는 주어이다.
02 ○ 03 ○ 04 ○
05 (1) ○ (2) ○ (3) × (4) ○

⑥ 관형어와 부사어의 공통점과 차이점

구분	관형어	부사어
공통점	꾸며 주는 역할을 함.	
차이점	· 단독으로 쓰이지 못함. · 필수 성분이 아님. · 주로 꾸밈을 받는 말 바로 앞에 놓임. 　예 멋진 선생님 · 보조사와 결합할 수 없음.	· 단독으로 쓰일 수 있음. · 필수 성분이 되는 경우도 있음. · 위치가 비교적 자유로움. 　예 동생이 집에 있다. 　　집에 동생이 있다. · 보조사와 결합할 수 있음.

3. 독립 성분 - 독립어

(1) **개념:** 문장 내의 다른 성분들과 직접적인 관련이 없는 문장 성분이다.

(2) **형식**

　① 감탄사　예 아아, 겨울인가!

　② 체언 + 호격 조사(아/야/이여)　예 민중이여, 궐기하라.

　③ 제시하는 말　예 청춘, 이것은 듣기만 하여도 가슴 설레는 말이다.

　④ 명령어나 의지를 표현하는 단어가 하나의 문장을 이룰 때

　　예 조용! / 어서! / 싫어! / 차렷!

(3) **특징:** 독립어를 생략해도 문장은 완전히 성립된다.

　　예 (야!) 드디어 우리가 기다리던 소풍날이 왔다.

(4) **종류**

　① 부름　예 철수야, 빨리 밥 먹으러 오너라.

　② 감탄　예 어머나, 벌써 꽃이 피었네!

　③ 응답　예 네, 제가 그 일을 하겠습니다.

3 문장의 짜임

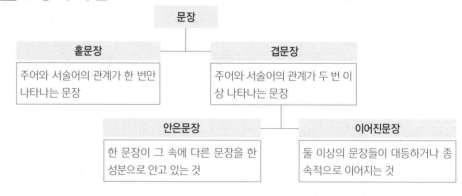

☑ **학습 체크**

01 제시어도 독립어가 된다. (○, ×)

02 '예, 아니요'처럼 대답하는 말도 독립어이다. (○, ×)

01 ○ 02 ○

1. 홑문장

'주어-서술어'의 관계가 한 번 성립하는 문장이다.

> **예** ・없어. (마침표가 찍혔다는 것은 발화 중에 사용되었다는 뜻이므로 문장으로 인정할 수 있다.)
> ・그런 사람이 어찌 그런 일을 해? ('그런'은 관형사이므로 서술어가 하나만 있는 홑문장이다.)
> ・나는 나만의 삶을 나만의 방식으로 산다. ('산다'만이 서술어이고, '삶'은 파생 명사이다. 주어는 '나는'이고, '나만의 삶'이 목적어, '나만의 방식으로'는 부사어가 된다.)

2. 겹문장®

'주어-서술어'의 관계가 두 번 이상 성립하는 문장이다. 겹문장의 구성 방식은 두 가지로, 문장 속의 한 성분이 되는 절을 안는 방식(안은문장) 또는 절과 절이 이어지는 방식(이어진문장)으로 겹문장이 구성된다.

(1) 안은문장과 안긴문장

다른 문장 속에 들어가 하나의 성분처럼 쓰이는 홑문장을 안긴문장이라 하며, 이 홑문장을 포함한 문장을 안은문장이라고 한다. 안긴문장은 크게 명사절, 관형절, 부사절, 서술절, 인용절로 나뉜다.

> **나는 그가 그녀를 사랑했음을 깨달았다.** ➡ '나는(주어) + 그가 그녀를 사랑했음을(목적어) + 깨달았다(서술어)'로 이루어진 문장이다. 또한 목적어는 '그가(주어) + 그녀를(목적어) + 사랑했다(서술어)'인 문장으로 이루어져 있다. 이 목적어 부분을 안긴문장이라고 하며, 문장을 품고 있는 전체 문장을 안은문장이라고 한다.

① **명사절을 안은 문장**: 명사절은 명사형 어미 '-(으)ㅁ, -기'가 붙어서 만들어진다. '-(으)ㅁ, -기'는 안긴문장을 명사형으로 만들어 주는데, 문장에서 주어, 목적어, 부사어 등 다양한 기능을 한다.

> **예** ・그녀가 마을 사람들을 속였음이 밝혀졌다. (주어)
> ・그가 성실한 사람임을 모르는 사람은 없다. (목적어)
> ・지금은 우리가 학교에 가기에 아직 이르다. (부사어)

② **관형절을 안은 문장**: 관형절은 관형사형 어미 '-(으)ㄴ, -는, -(으)ㄹ, -던'이 붙어서 만들어진다. 이 요소들은 과거, 현재, 미래, 회상의 시간을 표현하는 데 사용된다.

> **예** ・이 책은 내가 {읽은/읽는/읽을/읽던} 책이다.
> ・주원은 이마에 {흐른/흐르는/흐르던} 땀을 씻었다.

㉠ **관계 관형절**: 관형절의 수식을 받는 체언이 관형절의 한 성분이 되는 경우로, 수식받는 체언과 관형절 내의 성분이 동일하여서 관형절 내의 성분이 생략된다.

> **예** 내가 어제 책을 산 서점은 우리 집 옆에 있다. ➡ '내가 어제 (서점에서) 책을 샀다'라는 문장이 관형절로 안겨 있으며, 관형절 내의 성분 중 수식받는 체언과 동일한 요소인 '서점'은 생략된다.

㉡ **동격 관형절**: 관형절의 수식을 받는 체언이 관형절의 한 성분이 아니라 관형절 전체의 내용을 받아 주는 경우로, 관형절 자체가 수식을 받는 체언과 동일한 의미를 가졌기 때문에 관형절에 생략되는 성분이 없다.

> **예** 저는 제가 그분을 만난 기억이 없습니다. ➡ 관형절 '제가 그분을 만난'과 관형절의 꾸밈을 받는 체언 '기억'이 동격 관계에 있다.

🔍 겹문장의 구조

☑ 학습 체크

01 〈보기〉에 제시된 "안은문장"의 예로 적절한 것은 ○, 그렇지 않으면 ×에 표시하시오.

> **보기**
> 겹문장이 만들어지는 방식에는 크게 두 가지가 있다. 하나는 문장들이 서로 나란히 이어지는 방식이며 다른 하나는 문장이 다른 문장을 안는 방식이다. 전자의 방식으로 만들어진 문장을 이어진 문장, 후자의 방식으로 만들어진 문장을 안은 문장이라고 한다.

(1) 그것은 영이가 입을 옷이다.
 (○, ×)
(2) 우리는 돈 없이 여행을 떠났다.
 (○, ×)
(3) 결국 그 사람이 범인이었음이 밝혀졌다. (○, ×)
(4) 많이 바쁘시겠지만 꼭 참석해 주십시오. (○, ×)

---

(1) ○ (2) ○ (3) ○
(4) × '많이 바쁘시겠다', '꼭 참석해 주십시오'라는 두 문장이 연결 어미 '-지만'을 통해 이어진 문장이다.

③ **부사절을 안은 문장**: 부사절은 '-이, -게, -도록, -(아)서'에 의하여 절 전체가 부사어의 역할을 하며, 서술어를 수식하는 기능을 한다.

> 예 · 길이 비가 와서 질다.
> · 그는 솜씨 있게 생겼다.
> · 영희는 아는 것도 없이 잘난 척을 한다.
> · 철수는 발에 땀이 나도록 뛰었다.

④ **서술절을 안은 문장**: 절 전체가 서술어의 기능을 하는 것을 서술절이라고 한다. 서술절을 안은문장은 한 문장에 주어가 두 개 있는 것처럼 보인다. 서술절을 안은문장에서는 앞에 나오는 주어를 제외한 나머지 부분이 서술절에 해당한다. (특정한 절 표시가 따로 없음)

> 예 · 토끼는 앞발이 짧다.
> · 정아는 얼굴이 예쁘다.
> · 할아버지께서는 인정이 많으시다.

⑤ **인용절을 안은 문장**: 다른 사람의 말을 인용한 내용이 절의 형식으로 안기는 것으로, 주어진 문장을 그대로 직접 인용할 때에는 직접 인용 조사 '라고'가 붙고, 말하는 사람의 표현으로 바꾸어서 간접 인용할 때에는 간접 인용 조사 '고'가 붙는다.

> 예 · 영희는 당당하게 "무슨 일이지?"라고 말했다. (직접 인용절)
> · 우리는 인간이 누구나 존귀하다고 믿는다. (간접 인용절)

(2) 이어진문장

이어진문장은 둘 이상의 홑문장이 어떤 의미 관계로 이어지느냐에 따라 대등하게 이어진 문장과 종속적으로 이어진 문장으로 나뉜다.

① **대등하게 이어진 문장**: 앞 절과 뒤 절이 대등한 관계로 결합한 문장이다.

기능	연결 어미	예
나열	-고, -(으)며	비가 오고, 바람이 분다.
대조	-(으)나, -지만	그는 죽었으나, 예술은 살아 있다.
선택	-거나, -든지	점심에 밥을 먹든지 빵을 먹어라.

② **종속적으로 이어진 문장**: 앞 절과 뒤 절의 의미가 대등하지 못하고 종속적인 문장이다.

기능	연결 어미	예
조건, 가정	-(으)면, -거든	이 모자가 좋으면, 네가 가져라.
이유, 원인	-(아)서, -(으)므로, -(으)니까	콩쥐는 모자가 생겨서, 무척 기뻐했다.
의도	-(으)려고, -고자	너에게 주려고, 나는 선물을 샀다.
배경	-는데	콩쥐가 집에 가는데, 갑자기 누군가 달려왔다.
양보	-(으)ㄹ지라도	그가 안 올지라도, 우린 여기에 있을 것이다.

➕ **이어진문장의 특징**

1. 대등하게 이어진 문장
   (1) 앞 절과 뒤 절이 구조상, 의미상 대칭성이 있음.
   (2) 앞 절과 뒤 절의 순서 바꿈이 가능
   > 예 인생은 짧고 예술은 길다. → 예술은 길고 인생은 짧다.

2. 종속적으로 이어진 문장
   (1) 앞 절과 뒤 절의 순서를 바꾸면 문장의 의미가 달라지거나 비문이 됨.
   > 예 봄이 오면 꽃이 핀다. → 꽃이 피면 봄이 온다. (×)
   (2) 앞 절이 뒤 절 속으로 자리 옮김을 할 수 있음.
   > 예 봄이 오면 꽃이 핀다. → 꽃이, 봄이 오면, 핀다.
   ▶ 종속적으로 이어진 문장은 앞 절이 뒤 절 속으로 이동할 수 있다는 특성 때문에 부사절을 안은 문장으로 보기도 한다.

☑ **학습 체크**

01 안긴문장이 있는 것은 O, 그렇지 않으면 ×에 표시하시오.

(1) 나는 동생이 시험에 합격하기를 고대한다. (O , ×)
(2) 착한 영호는 언제나 친구들을 잘 도와준다. (O , ×)
(3) 아버지께서 나에게 내일 가족 여행을 가자고 말씀하셨다. (O , ×)
(4) 해진이는 울산에 살고 초희는 광주에 산다. (O , ×)

---

(1) O (2) O (3) O
(4) × '해진이는 울산에 산다', '초희는 광주에 산다'라는 두 문장이 연결 어미 '-고'를 통해 이어진 문장이다.

4 문법 요소

1. 종결 표현®

구분	설명	종결 표현	예
평서문	단순하게 진술하는 문장 표현	-ㅂ니다, -네, -(ㄴ)다, -아/-어	밥을 먹는다.
의문문	질문하며 대답을 요구하는 문장 표현	-ㅂ니까, -는가, -(느)냐	밥은 먹었느냐?
명령문	듣는 이가 어떤 행동을 하기를 요구하는 문장 표현	-십시오, -구려, -게, -아라/-어라	밥을 먹어라.
청유문	듣는 이에게 어떤 행동을 같이 할 것을 요청하는 문장 표현	-ㅂ시다, -세, -자	밥을 먹자.
감탄문	말하는 이의 느낌을 표현하는 문장 표현	-구려, -구면, -구나	밥을 먹는구나!

(1) 의문문

① **설명 의문문**: 의문사가 들어 있어 그에 대한 구체적인 설명을 요구하는 의문문

  예 누가 그 일을 했니? / 언제 출발할까?

② **판정 의문문**: 의문사 없이 단순한 긍정이나 부정의 대답을 요구하는 의문문

  예 이거 네가 만들었니? / 이따 집에 갈 거야?

③ **수사 의문문**: 의문문의 형식을 지니지만 직접적인 답을 요구하지 않고 화자가 이미 알고 있는 상황을 확인 또는 강조하는 의문문

  예 · 시험인데 일찍 일어나야 하지 않겠니? (명령)
    · 원하는 대로만 된다면 얼마나 좋을까? (강조)
    · 지난 휴가 때 동해에서 정말 즐거웠지? (확인)

(2) 명령문

① **직접 명령**: 화자와 청자가 대면한 상황에서 하는 명령. 명령형 종결 어미 '-아라/-어라'를 쓴다.

  예 성공하고 싶다면 실력을 쌓아라.

② **간접 명령**: 신문, 방송과 같은 대중 매체를 통해 불특정 다수를 대상으로 하는 명령. 명령형 종결 어미 '-(으)라'를 쓴다.

  예 성공하고 싶다면 실력을 쌓으라.

(3) 청유문: 화자가 청자에게 같이 행동할 것을 요청하는 문장이다. 청유문은 청유형 어미 '-(으)ㅂ시다, -자' 등이 붙는 서술어의 행동을 화자와 청자가 공동으로 하도록 권유하는 것인데, 간혹 청자만 행하기를 바라거나 화자만 행하기를 바랄 때도 쓰인다.

  예 · 공동으로 하도록 권유하는 경우: 같이 영화 보러 가자.
    · 청자만 행하기를 바라는 경우: (반장이 떠드는 친구에게) 조용히 좀 하자.
    · 화자만 행하기를 바라는 경우: (식사를 먼저 마친 사람들이 귀찮게 말을 걸 때) 밥 좀 먹읍시다.

🔍 **동사, 형용사의 종결 어미 차이**

동사이냐 형용사이냐에 따라 종결 어미에 조금씩 차이가 있다.

구분 (해라체)	동사	형용사, 명사 + 이다
평서문	· -는다 (예 먹는다) · -ㄴ다 (예 잔다)	-다 (예 맑다. 사람이다)
명령문	· -아라 (예 잡아라) · -어라 (예 읽어라)	없음
청유문	-자 (예 가자)	없음
감탄문	-는구나 (예 쓰는구나)	-구나 (예 예쁘구나)

상대높임법 등급에 따른 종결 표현

하십시오체	―십시오, ―나이다, ―올시다 등
하오체	―오, ―소, ―구려, ―리다 등
하게체	―게, ―네, ―나, ―는가, ―세 등
해라체	―어라, ―느냐, ―다, ―자, ―마 등
해요체	―어요, ―지요, ―군요, ―ㄹ게요 등
해체	―어, ―야, ―지, ―나 등

☑ **학습 체크**

01 상대 높임법의 등급이 다른 것을 고르시오.

> ㉠ 여보게, 어디 <u>가는가</u>?
> ㉡ 김 군, 벌써 봄이 <u>왔다네</u>.
> ㉢ 오후에 나와 같이 <u>산책하세</u>.
> ㉣ 어느덧 벚꽃이 다 <u>지는구려</u>.

02 주체 높임이 실현된 문장은 ○, 그렇지 않으면 ×에 표시하시오.

(1) 할아버지는 점심이 되면 낮잠을 주무셨다. (○ , ×)
(2) 영희는 할머니를 모시러 역으로 나갔다. (○ , ×)
(3) 선생님이 저녁을 드시던 접시는 유난히 커보였다. (○ , ×)
(4) 애초에 아버지는 눈이 밝으셨었다. (○ , ×)

03 다음 문장에 대한 설명이 옳으면 ○, 틀리면 ×에 표시하시오.

> 숙희야, 내가 선생님께 꽃다발을 드렸다.

(1) 주체 높임 표현이 사용되었다. (○ , ×)
(2) 상대 높임의 방법으로 해요체를 사용하였다. (○ , ×)

01 ㉣: ㉣은 예사 높임(하오체)이고 나머지는 예사 낮춤(하게체)이다.
02 (1) ○ (2) × (3) ○ (4) ○
03 (1) × 문장의 주체는 '나'로 높임의 대상이 아니다.
(2) × 상대 높임의 방법으로 해라체를 사용하였다.

---

2. 높임 표현

(1) 상대 높임법[®]: 말하는 이가 듣는 이를 높이거나 낮추어 말하는 방법이다. 상대 높임법은 종결 표현으로 실현되는데, 크게 격식체와 비격식체로 나뉜다.

① **격식체**: 의례적으로 쓰며 표현이 직접적이고 단정적이다. 격식을 차려 딱딱한 느낌을 준다.

구분	평서법	의문법	명령법	청유법	감탄법
아주 높임 (하십시오체)	· 갑니다 · 가십니다	· 갑니까? · 가십니까?	가십시오	가십시다	–
예사 높임 (하오체)	가(시)오	가(시)오?	· 가(시)오 · 가구려	갑시다	가는구려
예사 낮춤 (하게체)	· 가네 · 감세	· 가는가? · 가나?	가게	가세	가는구먼
아주 낮춤 (해라체)	간다	· 가냐? · 가니?	· 가(거)라 · 가렴 · 가려무나	가자	가는구나

② **비격식체**: 표현이 부드러워 편하고 친숙한 느낌을 준다.

구분	평서법	의문법	명령법	청유법	감탄법
두루 높임 해요체	가요	가요?	가(세/셔)요	가(세/셔)요	가(세/셔)요
두루 낮춤 해체(반말)	· 가 · 가지	· 가? · 가지?	· 가 · 가지	· 가 · 가지	· 가 · 가지

(2) 주체 높임법 主體(주인 주, 몸 체) 주된 행위를 하는 대상

① **개념**: 서술의 주체(주어)를 높이는 방법으로, 말하는 이보다 서술의 주체가 나이나 사회적 지위 등이 상위자일 때 사용한다. **예** 아버지께서 신문을 보신다.

② **주체 높임의 방법**

> 선어말 어미 '―(으)시―'를 통해 실현 : 용언의 어간 + ―(으)시― + 어말 어미
> 주체 높임 선어말 어미
>
> 일부 특수 어휘를 통해 실현 : 계시다, 잡수시다, 주무시다, 편찮으시다, 돌아가시다

③ **주체 높임의 적용 대상**

㉠ 말하는 이는 언제나 높임의 대상에서 제외된다.

㉡ 문장의 주어를 높일 때, 선어말 어미 '―(으)시―'와 주격 조사 '께서'를 함께 사용하는 것이 자연스럽다.

> **예** · 이것이 바로 생전에 당신<u>께서</u> 가장 아끼<u>시</u>던 벼루입니다.
> · 할아버지<u>께서는</u> 아버지의 사업을 도우<u>신</u>다.

㉢ 주체가 말하는 이보다 낮아도 문장 내의 대상보다 높으면 '―(으)시―'를 쓸 수 있다.

> **예** 자네가 우리 콩쥐의 <u>스승이시군</u>.

④ **주체 높임법의 제약**

㉠ 높임의 대상이 되는 인물을 말하는 이와 개별적 관계로 파악하여 공적·객관적으로 서술할 때에는 주체 높임법을 적용하지 않는다.

> **예** · 충무공은 뛰어난 전략가이다. → 공적·객관적 서술
> · 충무공은 뛰어난 전략가이셨다. → 사적·자신과의 친근 관계로 서술

㉡ 듣는 이와의 관계에 따라 '-(으)시-'가 쓰이기도 하고, 안 쓰이기도 한다.

> **예** '말하는 이 > 주체 > 듣는 이'일 때
> · 너희 아버지 돌아왔니? → 주체보다 말하는 이가 높기 때문에 주체 높임법을 적용하지 않았다.
> · 너희 아버지 돌아오셨니? → 주체보다 말하는 이가 높지만, 듣는 이가 주체보다 낮으므로 듣는 이를 고려하여 주체를 높여 표현했다.

⑤ **압존법^⑥**: 문장의 주체가 말하는 이보다는 높지만 듣는 이보다는 낮아, 그 주체를 높이지 못하는 어법이다. 압존법은 가족 간이나 사제 간처럼 사적인 관계에서 적용되고, 직장에서 쓰는 것은 어색하다. **예** 할아버지, 아버지가 왔습니다.

▶ 직장에서 압존법을 사용하는 것은 어색하므로 쓰지 않는다. 직장에서는 윗사람을 그보다 윗사람에게 지칭하는 경우, 예를 들어 평사원이 사장에게 과장을 서술할 경우 '과장님이'라 하고 서술어에 주체를 높이는 '-시-'를 넣어 '과장님이 이 일을 하셨습니다.'처럼 높여 말하는 것이 언어 예절에 맞는다.
> **예** 국장님, 과장님이 외부에 나갔습니다. (×) → 국장님, 과장님이 외부에 나가셨습니다. (○)

⑥ **간접 높임**

㉠ 주체를 간접적으로 높이는 표현법으로, 높여야 할 대상의 신체 부분이나 성품, 심리, 개인적 소유물에 '-(으)시-'를 붙여 간접 높임으로 표현한다.

> **예** · 그분은 귀가 밝으십니다.
> · 선생님의 말씀이 타당하십니다.

㉡ '있다'^⑥의 주체 높임 표현은 '-(으)시-'가 붙은 '있으시다'와 특수 어휘 '계시다' 두 가지가 있는데, 이 둘의 쓰임은 같지 않다.

> **예** · 아버지께서는 안방에 계시다.
> · 아버지께서는 걱정거리가 있으시다. → '있으시다'는 간접 높임에만 쓰인다.

㉢ 간혹 상대를 각별히 대접한다는 뜻에서 간접 높임을 지나치게 사용할 경우 언어생활의 오류를 범하게 된다.

> **예** · 사장님 눈에 먼지가 들어가셨다. (×) → 사장님 눈에 먼지가 들어갔다. (○)
> · 손님, 주문하신 햄버거 나오셨습니다. (×) → 손님, 주문하신 햄버거 나왔습니다. (○)

(3) 객체 높임법 客體(손 객, 몸 체) 행위가 미치는 대상

① **개념**: 목적어나 부사어가 지시하는 대상, 즉 서술의 객체를 높이는 방법이다.

② **객체 높임의 방법**: 서술의 대상(목적어나 부사어)을 높이는 어휘(드리다, 모시다, 여쭙다, 뵙다, 찾아뵙다 등)를 사용하여 실현한다.

> **나는 할아버지께 용돈을 드렸습니다.** → 서술의 대상인 '할아버지(부사어)'를 높이기 위해 '주다'의 높임 어휘인 '드리다'와 부사격 조사 '에게'의 높임말인 '께'를 쓴다.

> **예** · 과장님, 여쭈어볼 게 있어요.
> · 형님이 선생님을 모시고 집으로 왔다.

압존법

듣는 이 > 주체 > 말하는 이

↑
높여 표현하지 않음
(압존법)

'있다', '없다'의 높임 표현

구분	있다	없다
직접 높임	계시다	안 계시다
간접 높임	있으시다	없으시다

높임의 대상을 직접적으로 높여야 하는 경우가 아니라면 간접 높임 표현을 사용해야 한다.

예 · 손님, 사용 중에 불편한 점이 계시면 언제든 연락 주십시오. (×)
→ 있으시면 (○)
· 더 하실 말씀 안 계시면 저는 일어나겠습니다. (×)
→ 없으시면 (○)

☑ **학습 체크**

01 직접 높임 표현과 간접 높임 표현을 구분하시오.
(1) 이모는 눈이 밝으시다.
　(직접, 간접)
(2) 팀장님은 어디 가셨어요?
　(직접, 간접)

02 높임법의 쓰임이 적절한 것은 ○, 그렇지 않으면 ×에 표시하시오.
(1) 할머니께서는 항상 북녘을 바라보며 여기에 앉아 계셨습니다.
　(○, ×)
(2) 이제는 꽃가마에 누워 저 멀리 가십니다. (○, ×)
(3) "할머니! 아버지도 그 뜻을 압니다!" (○, ×)
(4) 할머니의 유지가 이곳에 머물러 계십니다. (○, ×)

01 (1) 간접, 높임의 대상인 '이모'의 신체 일부인 '눈'을 높임으로써 그 대상을 높이고 있으므로 간접 높임에 해당한다.
　(2) 직접
02 (1) ○　(2) ○　(3) ○　(4) ×

(4) 어휘 높임법

① 높임말: 상대방을 높이고자 할 때 사용한다.

직접 높임말	아버님, 선생님, 주무시다, 계시다, 잡수시다
간접 높임말	진지(밥), 댁(집), 따님(딸), 치아(이), 약주(술), 말씀(말)

② 낮춤말: 자기를 낮추고자 할 때 사용한다.

직접 낮춤말	저(나), 소생(나), 어미(어머니)
간접 낮춤말	졸고(원고), 말씀(말)

▶ '말씀'은 자신의 말을 가리킬 때에는 낮춤말로, 그 외에는 높임말로 쓰인다.
   예 당신은 제 말씀에는 전혀 귀를 기울이지 않으시는군요. (낮춤말)

3. 부정 표현

'안' 부정문	어떤 내용의 단순 부정, 또는 주어의 의지에 의한 부정 (의지 부정)	긴 부정문	'-지 아니하다(않다)'에 의한 부정문 예 영희는 운동을 하지 않았다.
		짧은 부정문	부사 '안(아니)'에 의한 부정문 예 영희는 운동을 안 했다.
'못' 부정문	주어의 능력 부족이나 외부 원인에 의한 부정 (능력 부정)	긴 부정문	'-지 못하다'에 의한 부정문 예 영희는 운동을 하지 못했다.
		짧은 부정문	부사 '못'에 의한 부정문 예 영희는 운동을 못 했다.
'말다' 부정문	명령문, 청유문에 쓰이는 부정 예 · 집에 가지 마라 / 말아라. (명령문)　　· 학교에 가지 말자. (청유문)		

▶ '아니하다, 못하다'는 명령문이나 청유문에 쓰이지 못한다. 명령문이나 청유문의 부정 표현은 '말다' 부정문을 통해서 나타낸다.
   예 · 공부하지 않아라. (×) → 공부하지 마라 / 말아라. (○)
   　· 공부하지 않자. (×) → 공부하지 말자. (○)

(1) '안' 부정문

① 부정의 방법

서술어가 '체언 + 이다'일 때 ── '이다' → '가/이 아니다'
　　예 이것은 책상이다. → 이것은 책상이 아니다. (이것은 안 책상이다. ×)

서술어가 '체언 + 하다'로 된 동사일 때 ── '체언 + 하다' → '체언 + 안 + 하다'
　　예 철수는 공부 안 해. (철수는 안 공부해. ×)

서술어가 동사나 형용사일 때
　── 동사나 형용사의 어간 + '-지 않다' (긴 부정문)
　　예 옷이 예쁘다. → 옷이 예쁘지 않다.
　── '안(아니)' + 동사나 형용사 (짧은 부정문)
　　예 옷이 예쁘다. → 옷이 안 예쁘다.

왼쪽 여백

⊕ **긴 부정문으로만 쓰는 경우**

'알다, 모르다'와 같은 일부 동사는 긴 부정 표현만 가능하다.
예 · 저도 그 고등학교 위치를 안 모릅니다. (×)
· 저도 그 고등학교 위치를 모르지 않습니다. (○)

⊕ **'안'과 '않-'의 비교**

1. 안: 부정 부사 '아니'의 준말(용언의 앞일 때에는 부사인 '안'을 사용)
   예 안 먹었다.

2. 않-: 부정 보조 용언의 어간 '아니하 -'의 준말(용언의 뒤일 때에는 보조 용언인 '않다'를 사용)
   예 먹지 않았다.

☑ **학습 체크**

01 부정 표현이 어색한 문장을 〈보기〉에서 골라 기호를 쓰시오. (2개)

보기
㉠ 그를 만나지 못해라.
㉡ 나는 그를 못 만났다.
㉢ 철수가 책을 안 읽었다.
㉣ 저도 그 사실을 안 모릅니다.

㉠ 명령문에는 '아니하다', '못하다' 대신에 '마/말아/마라/말아라'를 쓴다.
㉣ '모르다'는 짧은 부정 표현은 불가능하고, 긴 부정 표현만 가능하다.

② '안' 부정문의 제약: '견디다, 알다, 깨닫다'처럼 부정 의지의 표현이 어려운 동사에는 '못' 부정문이 쓰인다. 📮 영희는 추위를 못 견딘다. (영희는 추위를 안 견딘다. ×)

(2) '못' 부정문

① 부정의 방법

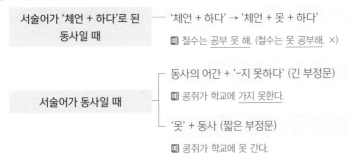

서술어가 '체언 + 하다'로 된 동사일 때 ── '체언 + 하다' → '체언 + 못 + 하다'

📮 철수는 공부 못 해. (철수는 못 공부해. ×)

서술어가 동사일 때 ── 동사의 어간 + '-지 못하다' (긴 부정문)

📮 콩쥐가 학교에 가지 못한다.

── '못' + 동사 (짧은 부정문)

📮 콩쥐가 학교에 못 간다.

② '못' 부정문의 제약: 형용사에는 쓰지 않는 것이 원칙이다. 형용사에 쓰이면 '기대에 미치지 못함을 아쉬워할 때'라는 뜻이 되며, 긴 부정문의 형태로 쓴다.

📮 콩쥐는 예쁘지 못하다.

(3) '말다' 부정문: 명령문은 '-지 마/마라/말아/말아라', 청유문은 '-지 말자'로 실현된다.

▶ 간접 명령문에서는 '-지 말라'가 쓰인다.

① '말다' 부정문의 제약

㉠ 서술어가 형용사인 문장에는 쓰이지 않는다. 📮 콩쥐야, 나쁘지 마라. (×)

㉡ 평서문, 의문문에는 대체로 쓰일 수 없다. 📮 학교에 가지 만다. (×)

② '말다' 부정문의 쓰임: 소망을 나타내는 '바라다, 원하다, 희망하다' 등의 동사가 오면 명령문이나 청유문이 아니더라도 '말다'를 쓸 수 있다.

📮 · 비가 오지 말기를 바랐다.
· 네가 오지 말고 그대로 있었으면 좋겠다.

4. 피동 표현과 사동 표현

(1) 능동과 피동 能動(능할 능, 움직일 동) (주어가) 직접 움직임 / 被動(당할 피, 움직일 동) (주어가) 움직임을 당함

① 개념: 동작이나 행위를 누가 하느냐에 따라 능동과 피동으로 나눌 수 있다.

능동(能動) ── 주어가 동작을 제 힘으로 하는 것

📮 고양이가 쥐를 물었다. → 능동문

피동(被動) ── 주어가 다른 주체에 의해서 동작을 당하게 되는 것

📮 쥐가 고양이에게 물렸다. → 피동문

🔍 능동문이 없는 피동문
· 날씨가 풀리다. (날씨를 풀다 ×)
· 열매가 열리다. (열매를 열다 ×)
· 구름이 걷히다. (구름을 걷다 ×)
· 옷이 못에 걸리다. (못이 옷을 걸다 ×)

② 피동문의 종류

ⓐ **파생적 피동문**: 파생 접사에 의한 피동문으로, 능동사의 어간에 피동 접미사 '-이-, -히-, -리-, -기-'나 '-되다'를 붙여서 만든다.

쥐가 고양이에게 물렸다. → 밑줄 친 부분은 '물- + -리-(피동 접미사) + -었- + -다'로 이루어져 있다.

예 · -이-: 임금이 깎이다.　　　　　　· -히-: 도둑이 경찰에게 잡히다.
　　· -리-: 집이 팔리다.　　　　　　　· -기-: 아이가 어머니에게 안기다.
　　· -되다: 이것은 저것과 관련된다.

ⓑ **통사적 피동문**: '-어지다, -게 되다'에 의해서 만들어진다.

새로운 말이 만들어지다. → 밑줄 친 부분은 '만들(다) + -어지다'로 이루어져 있다.

③ **이중 피동**: 한 용언에 피동법이 두 번 쓰인 표현이다. 피동 접사와 통사적 피동을 겹쳐 쓰는 것은 문법에 어긋나므로 지양해야 한다.

예 · 쥐가 고양이에게 잡혀지다. (잡히어지다: 피동 접미사 '-히-' + 통사적 피동 '-어지다')
　　· 곧 사실이 드러나게 되어지다. (통사적 피동 '-게 되다' + 통사적 피동 '-어지다')

▶ 참고로 '밝혀지다', '알려지다'는 이중 피동형이 아닌 표준어이다.

(2) 주동과 사동 主動(주인 주, 움직일 동) (주어가) 직접 움직임 / 使動(시킬 사, 움직일 동) (주어가) 동작이나 행동을 시킴

① **개념**: 동작이나 행위를 주어가 직접 하느냐, 다른 사람에게 하도록 하느냐에 따라 주동과 사동으로 나눌 수 있다.

주동(主動)	—— 주어가 동작을 직접 하는 것

예 아이가 밥을 먹는다. → 주동문

사동(使動)	—— 주어가 다른 대상에게 동작을 하도록 시키는 것

예 어머니가 아이에게 밥을 먹인다. → 사동문

② **사동문의 종류**

ⓐ **파생적 사동문**: 파생 접사에 의한 사동문으로, 주동사의 어간에 사동 접미사 '-이-, -히-, -리-, -기-, -우-, -구-, -추-'를 붙여서 만든다.

어머니가 아이에게 밥을 먹인다. → 밑줄 친 부분은 '먹- + -이-(사동 접미사) + -ㄴ다'로 이루어져 있다.

예 · -이-: 손주에게 밥을 먹이다.　　　　· -히-: 아이에게 책을 읽히다.
　　· -리-: 친구에게 소식을 알리다.　　　· -기-: 개그맨이 관객을 웃기다.
　　· -우-: 자는 사람을 깨우다.　　　　　· -구-: 쇠를 달구다.
　　· -추-: 실내 온도를 낮추다.

ⓑ **통사적 사동문**: '-게 하다'로 실현된다.

차를 멈추게 하다. → '멈추(다)'에 '-게 하다'가 붙어 사동문이 실현된다.

③ 파생적 사동문(단형 사동)과 통사적 사동문(장형 사동)의 의미 차이 구분하기

(가) ・어머니가 딸에게 옷을 입혔다.
     ・어머니가 딸에게 옷을 입게 하였다.

(나) ・선생님께서 철수에게 책을 읽히셨다.
     ・선생님께서 철수에게 책을 읽게 하셨다.

㉠ (가)와 같이 대개 파생적 사동문은 주어가 객체에게 직접적인 행위와 간접적인 행위를 한 것을 나타내고, 통사적 사동문은 간접적인 행위를 한 것을 나타낸다.

㉡ (나)와 같은 경우에는 파생적 사동문이든 통사적 사동문이든 모두 간접적 행위를 의미하는 것으로 해석된다.

(3) 피동과 사동의 구분 방법

구분	피동	사동

문장 서술어	서술어에 '-어지다'를 붙이면 자연스럽다.
	ⓐ ・쥐가 고양이에게 잡히다.
	   ・쥐가 고양이에게 잡혀지다.
	▶ 피동과 사동을 구분하기 위해 '-어지다'를 붙인 것이지 '잡혀지다'는 이중 피동이므로 비문이다.
		서술어에 '-게 하다'를 붙이면 자연스럽다.
		ⓐ ・엄마가 아이에게 밥을 먹이다.
		   ・엄마가 아이에게 밥을 먹게 하다.

목적어 여부	피동사 앞에 목적어가 없다. ▶ '뺏기다'와 같은 예외가 있으므로 주의한다.	사동사 앞에 목적어가 있다.

🔍 형태가 같은 피동사와 사동사

'안기다, 보이다, 잡히다, 업히다, 뜯기다, 물리다'처럼 피동사와 사동사의 형태가 같은 단어가 있다.

1. 안기다
  ⓐ 동생은 아버지에게 안겨서 차에 올랐다. (피동) / 엄마가 아빠에게 아이를 안긴다. (사동)
2. 보이다
  ⓐ 산이 보이다. (피동) / 사람들에게 친구들을 보이다. (사동)
3. 잡히다
  ⓐ 도둑이 경찰에게 잡히다. (피동) / 엄마가 아이에게 연필을 잡혔다. (사동)
4. 업히다
  ⓐ 아기가 아빠 등에 업혀 잠이 들었다. (피동) / 엄마가 아빠에게 아이를 업히다. (사동)
5. 뜯기다
  ⓐ 편지 봉투가 뜯긴 채 바닥에 떨어져 있었다. (피동) / 목동이 소에게 풀을 뜯기다. (사동)
6. 물리다
  ⓐ 사나운 개에게 팔을 물리다. (피동) / 개에게 막대기를 물리다. (사동)

☑ 학습 체크

01 밑줄 친 부분이 어법에 맞으면 ○, 그렇지 않으면 ✕에 표시하시오.

(1) 곡식을 잘 삭이면 맛있는 탁주를 만들 수 있다. (○, ✕)
(2) 아이가 어질러 놓은 장난감들이 발에 채였다. (○, ✕)

02 사동 접사는 타동사뿐 아니라 자동사나 형용사와도 결합할 수 있다.
(○, ✕)

---

01 (1) ✕ 삭히다: 김치나 젓갈 등의 음식물을 발효시켜 맛이 들게 하다('삭다'의 사동사).
  (2) ✕ 차이다: '차다'의 사동사는 '차이다'이다. '채이다'는 '차이다'의 잘못된 표현이다.

02 ○

04 의미론

1 의미의 종류

1. 중심적 의미와 주변적 의미

중심적 의미	단어가 지닌 여러 의미 중에서 기본적이고도 핵심적인 의미를 말하며, '사전적 의미'라고도 한다. 예 손을 물로 씻어라. (사람의 팔목 아랫부분)
주변적 의미	단어의 중심 의미가 확장되어 달라진 의미를 말하며, '문맥적 의미'라고도 한다. 예 손이 모자란다. (노동력) / 그와 손을 끊겠다. (관계)

2. 사전적 의미와 함축적 의미

사전적 의미	어떤 단어가 지니고 있는 가장 기본적이고 객관적인 의미 예 눈: 대기 중의 수증기가 차가운 기운을 만나 얼어서 땅 위로 떨어지는 얼음의 결정체
함축적 의미	사전적 의미에 덧붙어서 연상이나 관습 등에 의하여 형성되는 의미 예 눈: 깨끗하다, 순수하다, 희다, 차갑다

2 동음이의어, 다의어

1. 동음이의어 同音異義語(한가지 동, 소리 음, 다를 이, 옳을 의, 말씀 어) 소리는 같으나 뜻은 다른 단어

(1) **정의**: 두 개 이상의 단어가 서로 소리는 같으나 그 의미가 다른 경우를 동음이의 관계라 하고, 동음이의 관계에 있는 단어들을 동음이의어라고 한다.

(2) **특징**
   ① 우연히 소리가 같을 뿐, 소리에 담겨 있는 의미들은 서로 관련이 없다.
   ② 문맥과 상황에 따라 의미를 구별할 수 있다.
   ③ 사전에 실릴 때에는 별개의 단어로 실린다.

(3) **종류**
   ① 소리는 같으나 한자가 다른 단어

   이상(異狀): 평소와는 다른 상태 / 이상(理想): 생각할 수 있는 범위 안에서 가장 완전하다고 여겨지는 상태 → 두 단어는 [이:상]으로 소리가 같지만, 그 의미는 서로 다른 동음이의어이다.

② 소리의 길고 짧음에 따라 의미가 구별되는 단어

> **밤[밤]**: 해가 진 뒤부터 뜨기 전까지의 동안 / **밤[밤:]**: 밤나무의 열매 → 두 단어는 발음의 장단(長短)이 다르다. 따라서 소리의 길이에 따라 그 의미가 구분된다.

2. 다의어 多義語(많을 다, 옳을 의, 말씀 어) 의미가 많은 단어

(1) **정의**: 하나의 단어가 두 가지 이상의 관련된 의미로 쓰이는 경우를 다의 관계라 하고, 다의 관계에 있는 단어들을 다의어라고 한다.

(2) **특징**

① 주변 의미로 인해 의미가 많아진 것이며, 의미들 사이에 서로 관련이 있다.

② 문맥이나 상황을 고려하여 의미를 파악하는 것이 좋다.

③ 사전에서 한 단어 밑에 「1」, 「2」, 「3」 등으로 나타나며, 하나의 단어로 취급한다.

> **짚다**
> 「1」 바닥이나 벽, 지팡이 따위에 몸을 의지하다. ¶ 지팡이를 짚은 노인
> 「2」 손으로 이마나 머리 따위를 가볍게 눌러 대다. ¶ 맥을 짚다.
> 「3」 여럿 중에 하나를 꼭 집어 가리키다. ¶ 손가락으로 글자를 짚어 가며 가르치다.
> 「4」 상황을 헤아려 어떠할 것으로 짐작하다. ¶ 헛다리를 짚다.

3. 동음이의어와 다의어의 구별

동음이의어는 두 단어 사이에 공통된 의미가 전혀 없다. 반면, 다의어는 중심 의미에서 주변 의미들이 분화되었기 때문에 공통된 의미가 있으므로, 의미의 유사성(類似性)에 따라 구별할 수 있다.

3 문장 간의 의미 관계

1. 문장의 유의성

(1) 형식이 다른 둘 이상의 문장이 비슷한 의미로 쓰이는 관계를 유의 관계라고 한다.

(2) **유형**

① 능동문과 피동문으로 구성된 유의문

> **늑대가 양을 물었다. – 양이 늑대에게 물렸다.** → 능동문과 피동문은 나타내려는 궁극적인 진릿값은 동일하다고 볼 수 있지만, 의미의 초점은 다르다. 즉, 능동문의 경우 '늑대'에, 피동문의 경우 '양'에 의미의 초점이 있다.

> ▶ 다만, 능동문과 피동문이 항상 유의문으로 처리되는 것은 아니라는 점에 주의한다.

② 대립되는 서술어에 의해 주어와 부사어가 교체된 유의문

> **갑이 을에게 집을 샀다. – 을이 갑에게 집을 팔았다.** → '샀다', '팔았다'라는 대립되는 서술어에 의해 주어와 부사어가 교체된 유의문이다. 두 문장의 진릿값은 같으나 첫 번째 문장은 '갑', 두 번째 문장은 '을'에 의미의 초점이 있다는 차이가 있다.

☑ **학습 체크**

01 밑줄 친 부분이 다의 관계에 있는 것은 ○, 그렇지 않은 것은 ×에 표시하시오.

(1) 그는 의심하는 <u>눈</u>으로 나를 쳐다보았다.
봄이 오니 나뭇가지에 <u>눈</u>이 튼다.
(○, ×)

(2) 얘가 글씨를 또박또박 잘 <u>쓴다</u>.
어른에게는 존댓말을 <u>써야</u> 한다.
(○, ×)

(3) 어머니가 아끼시던 화초가 <u>죽었다</u>.
아저씨의 거칠던 성질이 요즈음은 많이 <u>죽었다</u>. (○, ×)

(4) 폭풍우가 <u>치는</u> 바람에 배가 출항하지 못한다.
나무가 가지를 많이 <u>쳐서</u> 제법 무성하다. (○, ×)

02 유의 관계에 있는 문장이면 ○, 그렇지 않으면 ×에 표시하시오.

(1) 철수는 책방에 갔다. – 철수는 서점에 갔다. (○, ×)

(2) 경찰이 도둑을 잡았다. – 도둑이 경찰에게 잡혔다. (○, ×)

01 (1) × '무엇을 보는 표정이나 태도'와 '새로 막 터져 돋아나려는 초목의 싹'이라는 뜻의 동음이의 관계이다.
(2) × '일정한 글자의 모양이 이루어지게 하다'와 '어떤 말이나 언어를 사용하다'라는 뜻의 동음이의의 관계이다.
(3) ○
(4) × '바람이 세차게 불다'와 '식물이 가지나 뿌리를 밖으로 돋아 나오게 하다'를 뜻하는 동음이의의 관계이다.

02 (1) ○ (2) ○

2. 문장의 반의성

(1) 둘 이상의 문장이 반대의 의미로 쓰이는 관계를 반의 관계라고 한다.

(2) 유형

① 반의어인 서술어에 의해 만들어진 반의문

그녀는 어제 차를 샀다. ↔ 그녀는 어제 차를 팔았다. ➔ 반의어인 서술어 '사다-팔다'의 사용에 의해 반의 관계를 가진다.

② 긍정문과 부정문의 대립에 의해 만들어진 반의문

그녀는 밥을 먹고 갔다. ↔ 그녀는 밥을 안 먹고 갔다. (짧은 부정문) / 그녀는 밥을 먹고 가지 않았다. (긴 부정문) ➔ 첫 번째 문장은 긍정문이고, 두 번째 이하 문장들은 부정문으로 반의 관계를 가진다.

3. 문장의 중의성

(1) 한 문장이 두 가지 이상의 의미를 나타내는 특성을 중의성이라고 한다.

(2) 유형

① 수식의 범위에 따른 중의성

내가 좋아하는 친구의 여동생을 만났다. ➔ '좋아하는'이 '친구'를 수식할 수도 있고 '여동생'을 수식할 수도 있다는 점에서 중의적이다.

② 주어와 목적어의 범위에 따른 중의성

철수가 보고 싶은 친구들이 많다. ➔ '철수가 보고 싶어 하는 친구들이 많다.'와 '철수를 보고 싶어 하는 친구들이 많다.'의 두 가지 의미를 지닌다.

③ 부정의 범위에 따른 중의성

이번 시험에서 몇 문제 풀지 못했다. ➔ '몇 문제를 못 풀었다.'와 '몇 문제밖에 못 풀었다.'의 두 가지 의미를 지닌다.

④ 동작의 진행과 완료에 따른 중의성

당시 그는 외투를 입고 있었다. ➔ 입고 있는 동작의 진행과 완료 상태 모두를 나타낸다.

4 의미 영역 변화

1. 의미 확대 (의미의 일반화)

어떤 단어의 의미 범주가 넓어지는 것

다리: 생물의 다리 → 생물 + 무생물의 다리 ➔ 책상다리 등 무생물의 다리도 '다리'라는 말을 사용한다.

예 · 선생: 교육자 → 교육자 + 존경받을 만한 사람
· 지갑(紙匣): 종이로 만든 것 → 종이, 가죽, 비닐로 만든 것
· 겨레: 친척, 종친 → 민족, 동족

2. 의미 축소 (의미의 특수화)

어떤 단어의 의미 범주가 축소되는 것

계집: 일반적인 여성 → 여성의 낮춤말 ➜ 현재 '계집'은 여성을 낮잡아 이르는 말로만 쓰인다.

예
- 얼굴: 형체 → 안면
- 놈: 사람 전체, 사람의 평칭 → 남자의 낮춤말, 남자의 비칭
- 뫼(메): 밥, 진지 → 제사 때의 밥만 의미
- 미인(美人): 남자와 여자에게 다 씀. → 예쁜 여인에게만 씀.

3. 의미 이동 (전성)

어떤 단어의 의미 자체가 달라지는 것

어리다: 어리석다. → 나이가 적다. ➜ '어리다'의 의미가 변화하였다.

예
- 방송(放送): 죄인을 풀어 주다. → 전파를 내보내다.
- 씩씩하다: 장엄하다, 엄숙하다 → 굳세고 위엄스럽다.
- 어엿브다: 불쌍하다 → 예쁘다

🔍 의미 변화의 원인

1. 언어적 원인: 한 단어가 다른 단어와 자주 인접하여 나타남으로써 그 의미까지 변화된 경우

    예 '별로'는 원래 '별로~아니다'로 쓰였지만, 지금은 '별로' 자체로도 부정적인 의미를 갖게 됨

2. 역사적 원인: 단어가 가리키는 대상이 변모하였음에도 불구하고 단어는 그대로 남아 있어 의미가 일어나는 경우

    예 '바가지'는 원래 박을 두 쪽으로 쪼개 만든 그릇이라는 뜻이었으나 지금은 플라스틱으로 만든 그릇이라는 의미도 가짐

3. 사회적 원인: 일반적인 단어가 특수 집단에서 사용되거나 반대로 특수 지단에서 사용되던 단어가 일반 사회에 사용됨으로써 의미에 변화가 일어나는 경우

    예 '영감'이라는 단어는 법조계에서는 '판사'나 '검사'를 가리킴

4. 심리적 원인: 비유적 용법, 완곡어 등에서 자주 사용되는 동안 해당 단어의 의미에 대한 인식이 변화하면서 단어의 의미까지 변화하게 된 경우

    예 '곰'이라는 단어가 비유적으로 반복 사용되면서 '우둔하다'라는 의미를 갖게 됨.

01

9급 출제기조 전환 예시문제

다음 글에서 추론한 내용으로 적절하지 않은 것은?

'밤하늘'은 '밤'과 '하늘'이 결합하여 한 단어를 이루고 있는데, 이처럼 어휘 의미를 띤 요소끼리 결합한 단어를 합성어라고 한다. 합성어는 분류 기준에 따라 여러 방식으로 나눌 수 있다. 합성어의 품사에 따라 합성명사, 합성형용사, 합성부사 등으로 나누기도 하고, 합성의 절차가 국어의 정상적인 단어 배열법을 따르는지의 여부에 따라 통사적 합성어와 비통사적 합성어로 나누기도 하고, 구성 요소 간의 의미 관계에 따라 대등합성어와 종속합성어로 나누기도 한다.

합성명사의 예를 보자. '강산'은 명사(강) + 명사(산)로, '젊은이'는 용언의 관형사형(젊은) + 명사(이)로, '덮밥'은 용언 어간(덮) + 명사(밥)로 구성되어 있다. 명사끼리의 결합, 용언의 관형사형과 명사의 결합은 (국어 문장 구성에서 흔히 나타나는 단어 배열법으로, 이들을 통사적 합성어)라고 한다. 반면 (용언 어간과 명사의 결합은 국어 문장 구성에 없는 단어 배열법인데 이런 유형은 비통사적 합성어)에 속한다. '강산'은 두 성분 관계가 대등한 관계를 이루는 대등합성어인데, '젊은이'나 '덮밥'은 앞 성분이 뒤 성분을 수식하는 종속합성어이다.

① 아버지의 형을 이르는 '큰아버지'는 종속합성어이다.

② '흰머리'는 용언 어간과 명사가 결합한 합성명사이다.

③ '늙은이'는 어휘 의미를 지닌 두 요소가 결합해 이루어진 단어이다.

④ 동사 '먹다'의 어간인 '먹'과 명사 '거리'가 결합한 '먹거리'는 비통사적 합성어이다.

02

9급 출제기조 전환 예시문제

다음 글의 ㉠의 사례가 포함되어 있지 않은 것은?

존경 표현에는 주어 명사구를 직접 존경하는 '직접존경'이 있고, 존경의 대상과 긴밀한 관련을 가지는 인물이나 사물 등을 높이는 ㉠'간접존경'도 있다. 전자의 예로 "할머니는 직접 용돈을 마련하신다."를 들 수 있고, 후자의 예로는 "할머니는 용돈이 없으시다."를 들 수 있다. 전자에서 용돈을 마련하는 행위를 하는 주어는 할머니이므로 '마련한다'가 아닌 '마련하신다'로 존경 표현을 한 것이다. 후자에서는 용돈이 주어이지만 할머니와 긴밀한 관련을 가진 사물이라서 '없다'가 아니라 '없으시다'로 존경 표현을 한 것이다.

① 고모는 자식이 다섯이나 있으시다.

② 할머니는 다리가 아프셔서 병원에 다니신다.

③ 언니는 아버지가 너무 건강을 염려하신다고 말했다.

④ 할아버지는 젊었을 때부터 수염이 많으셨다고 들었다.

03

다음 글에서 추론한 내용으로 가장 적절한 것은?

> 언어는 사회적 약속이기 때문에 개인이 함부로 바꿀 수 없다. 하지만 언어는 본질적으로 고정된 것이 아니기 때문에 살아있는 유기체처럼 변화 과정을 거친다. 언어의 변화 원인에는 언어적 원인, 역사적 원인, 사회적 원인, 심리적 원인 등이 있다. 이로 인해 단어의 의미 변화가 일어난다.
>
> 단어의 의미 변화는 대략 세 유형으로 나뉜다. '뫼(메)'는 '밥' 또는 '진지'를 뜻하였으나 오늘날에는 제사 때 신위 앞에 올리는 진지로 국한해서 쓰이고 있다. '지갑'은 원래 종이로 만든 것에만 사용하였지만 지금은 가죽이나 헝겊 따위로 만든 것도 모두 포함해서 사용한다. '어여쁘다'는 본래 '불쌍하다'라는 뜻이었으나 지금은 '아름답다'로 그 뜻이 바뀌었다.

① '지갑'의 의미가 변화한 것은 언어적 원인이 아니라 사회적 원인 때문이다.

② '얼굴'은 '형체'를 뜻하였으나 '안면'만을 가리키는 것으로 바뀐 것은 '지갑'의 의미 변화 유형과 같다.

③ '인정'은 '뇌물'을 뜻하였으나 '사람의 감정'을 뜻하는 것으로 바뀐 것은 '어여쁘다'의 의미 변화 유형과 같다.

④ '다리'는 원래 사람이나 동물의 신체 일부를 지시하였으나 무생물에도 사용하게 된 것은 '뫼(메)'의 의미 변화 유형과 같다.

01 합성어

해설 ② '흰머리'는 '용언의 관형사형(흰) + 명사(머리)'가 결합한 합성명사이므로, ②의 추론은 적절하지 않다.

오답 분석
① 2문단에서 '젊은이'는 용언의 관형사형과 명사가 결합한 합성명사이며, 앞 성분이 뒤 성분을 수식하는 종속합성어임을 알 수 있다. 따라서 '용언의 관형사형(큰) + 명사(아버지)'로 구성된 '큰아버지'가 종속합성어임을 추론할 수 있다.
③ 1문단에서 '밤하늘'과 같이 어휘 의미를 띤 요소끼리 결합한 단어를 합성어라 함을 알 수 있다. '늙은이'의 '늙은'은 '나이를 많이 먹은'을 의미하며, '이'는 '사람'을 의미하므로 '늙은이'는 어휘 의미를 지닌 두 요소가 결합한 단어임을 추론할 수 있다.
④ 2문단에서 용언 어간과 명사의 결합은 국어 문장 구성에 없는 단어 배열법이며, 이와 같이 결합된 단어를 비통사적 합성어라 함을 알 수 있다. 따라서 '동사의 어간(먹-) + 명사(거리)'가 결합한 단어인 '먹거리'가 비통사적 합성어임을 추론할 수 있다.

02 높임 표현

해설 ③ '언니는 아버지가 너무 건강을 염려하신다고 말했다'는 주어인 아버지를 높이기 위해 '염려한다고'가 아닌 '염려하신다고'로 존경 표현을 한 직접존경 문장이다. 따라서 ③은 ㉠ '간접존경' 사례에 해당하지 않는다.

오답 분석
① 고모는 자식이 다섯이나 있으시다(간접존경): 주어인 자식은 고모와 긴밀한 관련을 가진 대상이므로 '있으시다'로 존경 표현을 한 간접존경 문장이다.
② 할머니는 다리가 아프셔서 병원에 다니신다(간접존경): 주어인 다리는 할머니의 신체 부분이므로 '아프셔서'로 존경 표현을 한 간접존경 문장이다. 참고로, '다니신다'는 문장의 주체인 할머니를 높이기 위한 직접존경 표현이다.
④ 할아버지는 젊었을 때부터 수염이 많으셨다고 들었다(간접 존경): 주어인 수염은 할아버지의 신체 부분이므로 '많으셨다고'로 존경 표현을 한 간접존경 문장이다.

03 의미 영역 변화

해설 ③ '인정'과 '어여쁘다'는 모두 그 의미 자체가 달라진 것이므로 의미 이동에 해당한다.

오답 분석
① 제시문에서 '지갑'의 의미가 변화한 원인을 추론하기 어려우므로 적절하지 않다. 참고로, '지갑'은 과거에는 종이로만 만들었지만 지금은 가죽이나 헝겊 등 다양한 재료로 만들기 때문에, 지시 대상이 변화하면서 의미 변화를 이끌어 낸 것으로 역사적 원인에 의한 예로 볼 수 있다.
② '얼굴'은 의미 축소에 해당하나, '지갑'은 의미 확대에 해당한다.
④ '다리'는 의미 확대에 해당하나, '뫼(메)'는 의미 축소에 해당한다.

04

2022 국가직 9급

⊙ ~ ㉣의 사례로 적절하지 않은 것은?

단어의 의미가 변화하는 양상은 다양하다. 첫째, "아침 먹고 또 공부하자."에서 '아침'은 본래의 의미인 '하루 중의 이른 시간'을 가리키지 않고 '아침에 먹는 밥'이라는 의미로 쓰인다. '밥'의 의미가 '아침'에 포함되어서 '아침'만으로도 '아침밥'의 의미를 표현하게 된 것으로, ⊙ 두 개의 단어가 긴밀한 관계여서 한쪽이 다른 한쪽의 의미까지 포함하는 의미로 변화하게 된 경우이다. 둘째, '바가지'는 원래 박의 껍데기를 반으로 갈라 썼던 물건을 가리켰는데, 오늘날에는 흔히 플라스틱 바가지를 가리킨다. 이것은 ㉡ 언어 표현은 그대로인데 시대의 변화에 따라 지시 대상 자체가 바뀌어서 의미 변화가 발생한 경우이다. 셋째, '묘수'는 본래 바둑에서 만들어진 용어이지만 일상적인 언어생활에서도 '쉽게 생각해 내기 어려운 좋은 방안'이라는 의미로 사용된다. 이는 ㉢ 특수한 영역에서 사용되던 말이 일반화되면서 단어의 의미가 변화한 경우에 해당한다. 넷째, 호랑이를 두려워하던 시절에 사람들은 '호랑이'라는 이름을 직접 부르기 꺼려서 '산신령'이라고 부르기도 했는데, 이는 ㉣ 심리적인 이유로 특정 표현을 피하려다 보니 그것을 대신하는 단어의 의미에 변화가 생긴 경우이다.

① ㉠: '아이들의 코 묻은 돈'에서 '코'는 '콧물'의 의미로 쓰인다.

② ㉡: '수세미'는 원래 식물의 이름이었지만 오늘날에는 '그릇을 씻는 데 쓰는 물건'이라는 의미로 쓰인다.

③ ㉢: '배꼽'은 일반적으로 '탯줄이 떨어지면서 배의 한가운데에 생긴 자리'를 가리키지만 바둑에서는 '바둑판의 한가운데'라는 의미로 쓰인다.

④ ㉣: 무서운 전염병인 '천연두'를 꺼려서 '손님'이라고 불렀다.

05

다음 글에서 추론한 내용으로 적절하지 않은 것은?

누군가 '불[pul]'과 '이불[ibul]'이라는 단어를 말했다고 가정해 보자. 이 두 단어의 음성은 분명히 다르지만, 우리는 [p]와 [b]를 모두 'ㅂ'로 인식할 것이다. 이때 우리의 머릿속에서 같은 소리로 인식하는 추상적인 말소리를 '음운'이라고 한다.

음운의 가장 주요한 기능은 말의 뜻을 구별해 준다는 것이다. 만약 우리가 '풀[phul]'과 '불[pul]'이라는 음성을 들었다면 [ph]와 [p]를 각각 'ㅍ'와 'ㅂ'로 인식할 것이다. 즉 'ㅍ'와 'ㅂ'으로 인해 '풀'과 '불'이라는 단어의 뜻이 구별되는 것이다. 이처럼 두 음운이 별개의 음운인지 아닌지를 판단하기 위해서는 '최소 대립쌍'을 찾아야 한다. 최소 대립쌍이란 하나의 음운만 차이가 나는 것으로 인하여 그 뜻이 구별되는 단어의 묶음을 의미한다. 최소 대립쌍을 이루기 위해서는 조건이 있는데, 첫째, 두 단어의 분절 음운의 개수가 동일해야 한다는 것이다. 둘째, 의미 차이를 유발하는 두 음운의 성질이 자음 대 자음, 모음 대 모음과 같이 동일해야 한다는 것이다. 만약 두 조건 중 어느 하나라도 지켜지지 않는다면, 최소 대립쌍은 존재할 수 없다.

① '국'과 '구이'는 최소 대립쌍이 성립하지 않는다.

② '살'과 '알'은 'ㅅ'과 'ㅇ'의 차이에 의한 최소 대립쌍이다.

③ '밤'과 '밥'은 'ㅁ'와 'ㅂ'의 차이에 의한 최소 대립쌍이다.

④ '오이'와 '아이'는 'ㅗ'와 'ㅏ'의 차이에 의한 최소 대립쌍이다.

06

다음 글의 ㉠의 사례가 포함되어 있지 않은 것은?

> 관형사절을 안은문장은 한 절이 다른 절을 관형어로 안고 있는 문장이다. 관형사절은 용언의 어간에 관형사형 전성 어미 '-ㄴ/은', '-는', '-던', '-ㄹ/을'이 결합하여 만들어진다. 관형사절은 일반적으로 관계 관형사절과 ㉠ 동격 관형사절로 나뉜다.
>
> 관계 관형절은 형성 과정에서 동일한 명사구가 생략되는 과정을 거쳐 수식하는 명사구와 동일한 명사구가 빠져 있는 관형사절이다. 이때 생략된 명사구는 관계절 안에서 주어, 목적어, 부사어로 해석할 수 있다. 이와 달리 동격 관형절은 명사구가 생략되는 과정을 거치지 않아 한 문장의 모든 필수 성분을 완벽하게 갖춘 관형사절이다. 동격 관형절은 절의 의미가 관형절의 수식을 받는 명사구의 내용을 나타낸다는 특징이 있다.

① 그가 일본에서 한국으로 돌아왔다는 소문이 돌았다.

② A사가 신약을 개발한 사실이 아직 학계에 보고되지 않았다.

③ 부장님께서 새로 입사한 사원들을 전 직원에게 소개했다.

④ 50층짜리 건물이 순식간에 무너진 사건은 세간을 떠들썩하게 만들었다.

정답 및 해설

04 의미 영역 변화

해설 ③ '배꼽'은 일반적인 의미로 쓰이다가 '바둑'이라는 특수한 영역에서 사용되는 의미로 변화한 경우이므로 ⓒ의 사례로 적절하지 않다.

오답분석 ① '코'는 '콧물'과 긴밀한 관계를 지녀 '콧물'의 의미까지 포함하여 의미가 변화되었으므로 ㉠의 사례로 적절하다.

② '수세미'는 '식물'을 지시하다가 시대가 변화하면서 '그릇을 씻는데 쓰는 물건'으로 지시 대상이 바뀌어 의미가 변화하였으므로 ⓒ의 사례로 적절하다.

④ '손님'은 '천연두'를 꺼리는 심리적인 이유로 '천연두'를 대신하는 단어로 쓰이면서 의미가 변화하였으므로 ⓔ의 사례로 적절하다.

---

05 최소 대립쌍

해설 ② 제시문에 의하면 최소 대립쌍이 성립하기 위해서는 두 단어의 분절 음운 개수가 동일해야 하고, 의미 차이를 유발하는 두 음운의 성질이 동일해야 한다는 것을 알 수 있다. 이때 '살'은 분절 음운의 개수가 'ㅅ, ㅏ, ㄹ'로 3개이지만, '알'의 초성인 'ㅇ'은 음가가 없어 분절 음운의 개수가 'ㅏ, ㄹ'로 2개이다. 따라서 첫 번째 조건을 충족하지 못하므로, '살'과 '알'은 최소 대립쌍이 성립하지 않음을 추론할 수 있다.

오답분석 ① '국(ㄱ, ㅜ, ㄱ)'과 '구이(ㄱ, ㅜ, ㅣ)'의 분절 음운의 개수는 3개로 동일하므로 첫 번째 조건을 충족한다. 하지만 '국'과 '구이'의 의미 차이를 유발하는 음운은 각각 자음인 'ㄱ'과 모음인 'ㅣ'로 두 음운의 성질이 동일하지 않다. 따라서 두 번째 조건을 충족하지 못하므로 '국'과 '구이'는 최소 대립쌍이 성립하지 않음을 추론할 수 있다.

③ '밤(ㅂ, ㅏ, ㅁ)'과 '밥(ㅂ, ㅏ, ㅂ)'의 분절 음운 개수는 3개로 동일하고, '밤'과 '밥'의 의미 차이를 유발하는 음운인 'ㅁ'과 'ㅂ' 모두 자음이다. 따라서 최소 대립쌍이 성립하기 위한 모든 조건을 충족하므로 '밤'과 '밥'은 최소 대립쌍임을 추론할 수 있다.

④ '오이(ㅗ, ㅣ)'와 '아이(ㅏ, ㅣ)'의 분절 음운 개수는 2개로 동일하고, '오이'와 '아이'의 의미 차이를 유발하는 음운이 'ㅗ'와 'ㅏ'가 모두 모음이다. 따라서 최소 대립쌍이 성립하기 위한 모든 조건을 충족하므로 '오이'와 '아이'는 최소 대립쌍임을 추론할 수 있다.

---

06 문장의 짜임

해설 ③ '부장님께서 새로 입사한 사원들을 전 직원에게 소개했다'에서 '새로 입사한'은 '사원들이 새로 입사하다'에서 주어인 '사원들이'가 생략되고, 용언의 어간인 '입사하-'에 관형사형 전성 어미 '-ㄴ'이 결합하여 형성된 관형절이다. 이때 주어 '사원들이'가 삭제되는 과정을 거치므로 ③은 관계 관형절의 사례가 포함된 문장이다.

오답분석 ① ② ④는 관형사절 형성 과정에서 생략된 명사구가 없고 관형사절이 문장의 필수 성분을 모두 갖추었을 뿐만 아니라, 관형절의 의미가 그것이 수식하는 명사구의 내용을 나타낸다는 점에서 ㉠ '동격 관형사절'의 사례가 포함된 문장이다.

① '그가 일본에서 한국으로 돌아왔다는 소문이 돌았다'에서 '그가 ~ 돌아왔다는'은 용언의 활용형 '돌아왔다'에 관형사형 전성 어미 '-는'이 결합하여 '소문'의 내용을 나타내는 동격 관형사절이다.

② 'A사가 신약을 개발한 사실이 아직 학계에 보고되지 않았다'에서 'A사가 신약을 개발한'은 용언의 어간 '개발하-'에 관형사형 전성 어미 '-ㄴ'이 결합하여 '사실'의 내용을 나타내는 동격 관형사절이다.

④ '50층짜리 건물이 무너진 사건은 세간을 떠들썩하게 만들었다'에서 '그 건물이 무너진'은 용언의 어간 '무너지-'에 관형사형 전성 어미 '-ㄴ'이 결합하여 '사건'의 내용을 나타내는 동격 관형사절이다.

07

다음 글에서 추론한 내용으로 적절하지 않은 것은?

형태소란 '꽃'처럼 뜻을 가지는 가장 작은 말의 단위를 가리킨다. 형태소는 그 특성에 따라 종류가 구분되는데, 자립성 여부에 따라 자립 형태소와 의존 형태소로 나누어지고, 의미의 성격에 따라 실질 형태소와 형식 형태소로 나누어진다.

'꽃이 예쁘다'와 '재희가 소설을 읽었다'라는 문장을 예로 들고자 한다. '꽃', '재희'는 다른 형태소 없이 홀로 쓰일 수 있으므로 자립 형태소이다. '예쁘-', '-다', '이', '가', '소(小)', '설(說)', '을', '읽-', '-었-', '다'는 다른 형태소의 도움 없이는 홀로 쓰일 수 없으므로 의존 형태소이다. 한편, 한자가 국어 내에서 사용될 때, 해당 한자에 대응되는 고유어 어휘가 없는 경우에는 자립 형태소로, 그렇지 않은 경우에는 의존 형태소로 구분되는 것이 보편적이다. '소(小)'와 '설(說)'은 한자인데, 각각 '작다', '말씀'과 같이 대응되는 고유어 어휘가 있기 때문에 의존 형태소이다.

'꽃', '재희', '예쁘-', '소(小)', '설(說)', '읽-'은 동작, 상태 또는 구체적인 대상과 같이 실질적인 의미가 있으므로 실질 형태소, '이', '가', '을', '-었-', '-다'는 말과 말 사이의 형식적인 의미를 표현하기 때문에 형식 형태소라고 한다. 실질 형태소는 어휘적 의미를 표시한다는 점에서 어휘 형태소라고도 한다. 한편 말과 말 사이의 형식적 관계를 문법적 관계라 하므로 형식 형태소를 문법 형태소라 부르기도 한다.

① '아이가 돌다리를 건넜다'라는 문장에서 '가', '를', '-었-', '-다'는 문법 형태소이다.

② '산에 밤꽃이 가득 피었다'라는 문장에서 '산', '밤', '꽃', '가득', '피-'는 어휘 형태소이다.

③ '철수가 창문을 열었다'라는 문장에서 '창(窓)'과 '문(窓)'을 고유어로 바꾸어 쓰기 어렵다면 '창(窓)'과 '문(門)'은 의존 형태소에 해당한다.

④ '영희의 집에는 방이 한 개 있다'라는 문장에서 '방(房)'에 대응되는 고유어 어휘를 찾지 못했다면 자립 형태소이다.

08

2023 서울시 9급

〈보기〉의 밑줄 친 부분에서 공통으로 일어나는 음운 현상에 대한 설명으로 가장 옳지 않은 것은?

———— 〈보기〉 ————

이는 국회가 <u>국민</u>을 대변하는 기관으로서 정부에 책임을 <u>묻는</u> 것이다.

① 조음 위치가 바뀌는 음운 현상이다.

② 비음 앞에서 일어나는 음운 현상이다.

③ 동화 현상이다.

④ '읊는'에서도 일어나는 음운 현상이다.

09

2020 군무원 7급

다음 중 '잇몸소리'이면서 '파열음'인 것은?

① ㄴ   ② ㄷ

③ ㅅ   ④ ㅈ

10

밑줄 친 단어의 품사가 나머지 셋과 다른 것은?

① 여기에 <u>다섯</u> 명이 있다.

② 하나에 하나를 더하면 <u>둘</u>이다.

③ 선생님께서 <u>세</u> 번이나 말씀하셨다.

④ <u>열</u> 사람이 할 일을 그 혼자 해냈다.

② 3문단 1~2번째 줄에서 동작, 상태 또는 구체적인 대상과 같이 실질적인 의미가 있는 것은 실질 형태소임을 알 수 있고, 3문단 끝 3~4번째 줄에서 실질 형태소를 어휘 형태소라고 부른다는 것을 알 수 있다. '산', '밤', '꽃', '가득', '피-'는 동작, 상태 또는 구체적인 대상과 같이 실질적인 의미가 있으므로 실질(어휘) 형태소이다. 따라서 ②의 내용은 적절하다.

④ 2문단 끝 4~5번째 줄에 따르면 대응되는 고유어 어휘가 없는 한자는 자립 형태소이다. 이때, '방(房)'에 대응되는 고유어 어휘를 찾지 못했다는 것을 통해 '방(房)'이 자립 형태소임을 추론할 수 있다. 따라서 '방'이 자립 형태소라는 ④의 내용은 적절하다.

08 음운의 변동

해설 ① 〈보기〉의 '국민[궁민]'은 파열음 'ㄱ'이 비음 [ㅁ]을 만나 비음 [ㅇ]으로 발음되며, '묻는[문는]'은 파열음 'ㄷ'이 비음 [ㄴ]을 만나 비음 [ㄴ]으로 발음되는 비음화 현상이 나타난다. 이때 비음화는 조음 방법 동화에 해당하므로 조음 위치는 바뀌지 않는다. 따라서 ①의 설명은 옳지 않다.

- 국민[궁민]: 연구개음/파열음 'ㄱ' → 연구개음/비음 [ㅇ]
- 묻는[문는]: 치조음/파열음 'ㄷ' → 치조음/비음 [ㄴ]

오답 분석 ② '국민[궁민]'과 '묻는[문는]'의 비음화는 각각 비음 [ㅁ], [ㄴ] 앞에서 일어나는 음운 현상이다.

③ 비음화는 자음 동화 현상에 속한다.

④ '읊는'에서도 '국민', '묻는'과 같이 비음화 현상이 일어난다. '읊는[음는]'은 자음군 단순화로 인해 받침 'ㄿ'의 'ㄹ'이 탈락해 'ㅍ'이 남고 음절 끝소리 규칙에 의해 'ㅍ'는 [ㅂ]로 발음하게 된다. 이때 [ㅂ]은 비음 [ㄴ]의 영향을 받아 [ㅁ]으로 발음되므로 〈보기〉와 동일한 음운 현상인 비음화가 나타난다.

09 국어의 음운 체계

해설 ② 잇몸소리(치조음)이면서 파열음인 것은 'ㄷ, ㅌ, ㄸ'이므로 답은 ② 'ㄷ'이다.

오답 분석 ① 'ㄴ'은 잇몸소리(치조음)이며, 비음이다.

③ 'ㅅ'은 잇몸소리(치조음)이며, 마찰음이다.

④ 'ㅈ'은 센입천장소리(경구개음)이며, 파찰음이다.

10 품사의 구분

해설 ② 둘(수사) + 이다(조사): 이때 '둘'은 조사 '이다'와 결합하므로 '수사'이다.

오답 분석 ① ③ ④는 모두 의존 명사 '명, 번', 명사 '사람'과 함께 썼으므로 수 관형사이다.

① 다섯(수 관형사) + 명(의존 명사)

③ 세(수 관형사) + 번(의존 명사)

④ 열(수 관형사) + 사람(명사)

정답 및 해설

07 형태소

해설 ③ 2문단 끝 4~5번째 줄에 따르면 대응되는 고유어 어휘가 없는 한자는 자립 형태소이다. 이때, '창문(窓門)'에서 '창(窓)'과 '문(門)'을 고유어로 바꾸어 쓰기 어렵다는 것을 통해 '창(窓)'과 '문(門)'이 자립 형태소임을 추론할 수 있다. 따라서 '창(窓)'과 '문(門)'이 의존 형태소라는 ③의 추론은 적절하지 않다.

오답 분석 ① 3문단 3~4번째 줄에서 말과 말 사이의 형식적인 의미를 표현하는 것은 형식 형태소임을 알 수 있고, 3문단 끝 1~2번째 줄에서 형식 형태소를 문법 형태소라고 부른다는 것을 알 수 있다. '가', '를', '-었-', '-다'는 말과 말 사이의 형식적인 의미를 표현하므로 형식(문법) 형태소이다. 따라서 ①의 내용은 적절하다.

정답 07 ③ 08 ① 09 ② 10 ②

2장 국어학 학습 점검 문제 81

2장 국어학 해커스공무원 국어 2권 문법+음운+어휘

11

2024 국가직 9급

다음을 참고할 때, 단어의 종류가 같은 것끼리 짝 지어진 것은?

> 어떤 구성을 두 요소로만 쪼개었을 때, 그 두 요소를 직접구성 요소라 한다. 직접구성요소가 어근과 어근인 단어는 합성어라 하고 어근과 접사인 단어는 파생어라 한다.

① 지우개 – 새파랗다

② 조각배 – 드높이다

③ 짓밟다 – 저녁노을

④ 풋사과 – 돌아가다

12

2023 지방직 9급

㉠ ~ ㉢을 설명한 내용으로 적절하지 않은 것은?

> ○ ㉠지원은 자는 동생을 깨웠다.
> ○ 유선은 도자기를 ㉡만들었다.
> ○ 물이 ㉢얼음이 되었다.
> ○ ㉣어머나, 현지가 언제 이렇게 컸지?

① ㉠: 동작의 주체를 나타내는 주어이다.

② ㉡: 주어와 목적어를 요구하는 서술어이다.

③ ㉢: 서술어를 꾸며주는 부사어이다.

④ ㉣: 문장의 다른 성분과 직접적으로 관련을 맺지 않는 독립어이다.

13

2022 서울시 9급(2월)

〈보기〉의 ㉠을 포함하고 있는 안은문장은?

> ───── <보기> ─────
> 관형사가 문장에 쓰이면 관형어로 기능한다. 그래서 관형사는 항상 관형어로 쓰인다. 즉 관형사는 문장에서 관형어로서 체언을 수식한다. 그런데 관형사만 관형어로 쓰이는 것이 아니라 ㉠관형사절이 관형어로 쓰이기도 한다. 즉 관형사절이 체언을 수식한다.

① 그는 갖은 양념으로 맛을 내었다.

② 꽃밭에는 예쁜 꽃이 활짝 피었다.

③ 오랜 가뭄 끝에 비가 내렸다.

④ 사무실 밖에서 여남은 명이 웅성대고 있었다.

14

2022 지방직 7급

밑줄 친 단어가 다의어 관계로 묶인 것은?

① 무를 강판에 갈아 즙을 내었다.
  고장 난 전등을 새것으로 갈아 끼웠다.

② 안개에 가려서 앞이 잘 안 보인다.
  음식을 가리지 말고 골고루 먹어야 한다.

③ 긴장이 되면 입술이 바짝바짝 탄다.
  벽난로에서 장작불이 활활 타고 있다.

④ 이 경기에서 지면 결승 진출이 좌절된다.
  모닥불이 지면 한기가 느껴지기 시작한다.

15

2021 서울시 9급

의미 변화에 대한 설명으로 가장 옳지 않은 것은?

① '겨레'는 근대 국어에서 '친족'을 뜻하였는데 오늘날에는 '민족'을 뜻하여 의미가 확대되었다.

② '얼굴'은 중세 국어에서 '형체'를 뜻하였는데 오늘날에는 '안면'을 뜻하여 의미가 축소되었다.

③ '어리다'는 중세 국어에서 '어리석다'를 뜻하였는데 오늘날에는 '나이가 적다'를 뜻하여 의미가 상승하였다.

④ '계집'은 중세 국어에서 '여자'를 뜻하였는데 오늘날에는 '여자를 낮잡아 이르는 말'로 의미가 하락하였다.

정답 및 해설

11 합성어와 파생어

해설 ① '지우개'와 '새파랗다'는 모두 직접구성요소가 어근과 접사인 파생어이다. 따라서 답은 ①이다.

- 지우개(파생어): '지우다'의 어근에 '그러한 행위를 하는 간단한 도구'의 뜻을 더하는 접미사 '-개'가 결합한 파생어이다.
- 새파랗다(파생어): '파랗다'의 어근에 '매우 짙고 선명하게'의 뜻을 더하는 접두사 '새-'가 결합한 파생어이다.

오답 분석 ② · 조각배(합성어): '조각+배'의 구성으로 어근으로만 이루어진 합성어이다.
- 드높이다(파생어): '(드-+ 높-)+-이- + -다' 구성의 파생어이다. '높다'의 어근에 '심하게'의 뜻을 더하는 접두사 '드-'가 붙어 파생어 '드높다'가 되었고, 여기에 '사동'의 뜻을 더하는 접미사 '-이-'가 추가로 결합한 파생어이다.
③ · 짓밟다(파생어): '밟다'의 어근에 '마구', '함부로', '몹시'의 뜻을 더하는 '짓-'이 결합한 파생어이다.
- 저녁노을(합성어): '저녁+노을'의 구성으로 어근으로만 이루어진 합성어이다.
④ · 풋사과(파생어): 어근 '사과'에 '처음 나온', 또는 '덜 익은'의 뜻을 더하는 접두사 '풋-'이 결합한 파생어이다.
- 돌아가다(합성어): '돌-(용언의 어간)+-아(연결 어미)+가다(용언)'의 구성으로, '돌다'와 '가다'가 어미 '-아'로 연결된 통사적 합성어이다.

12 문장 성분

해설 ③ ⓒ '얼음이'는 불완전 서술어 '되다'가 필요로 하는 문장 성분으로, 보어에 해당한다. 보어는 주어와 목적어 이외에 문장에서 필수적으로 나타나는 주성분으로, '되다, 아니다' 앞에 조사 '이/가'가 붙는 것을 말한다.

오답 분석 ① ⊙ '지원은'은 서술어 '깨웠다'의 주체인 주어이다.
② ⓒ '만들었다'는 주어 '유선은'과 목적어 '도자기를'을 요구하는 두 자리 서술어이다.
④ ⓔ '어머나'는 어느 성분과도 직접적인 관련이 없는 독립된 성분으로, 독립어이다.

13 문장의 짜임

해설 ②〈보기〉의 ⊙ '관형사절'을 안은 문장은 ②이다.
- 꽃밭에는 예쁜 꽃이 활짝 피었다: 밑줄 친 '예쁜'은 문장 '(꽃이) 예쁘다'의 어간 '예쁘-'에 관형사형 전성 어미 '-(으)ㄴ'이 붙어 '꽃'을 수식하는 관형사절이다.

오답 분석 ① ③ ④ 모두 관형사가 쓰인 홑문장이다.
① 그는 갖은 양념으로 맛을 내었다: 이때 '갖은'은 '골고루 다 갖춘, 또는 여러 가지'를 뜻하는 관형사이다.
③ 오랜 가뭄 끝에 비가 내렸다: 이때 '오랜'은 '이미 지난 동안이 긴'을 뜻하는 관형사이다.
④ 사무실 밖에서 여남은 명이 웅성대고 있었다: 이때 '여남은'은 '열이 조금 넘는 수'를 뜻하는 관형사이다.

14 다의어와 동음이의어

해설 ③ '입술이 바짝바짝 탄다'의 '타다'와 '장작불이 활활 타고 있다'의 '타다'는 의미적으로 유사성이 있으므로 다의어 관계로 볼 수 있다.
- 입술이 바짝바짝 탄다: 이때 '타다'는 '물기가 없어 바싹 마르다'를 의미한다.
- 장작불이 활활 타고 있다: 이때 '타다'는 '불씨나 높은 열로 불이 붙어 번지거나 불꽃이 일어나다'를 의미한다.

오답 분석 ① ② ④ 모두 의미적 유사성이 없으므로 소리는 같으나 뜻이 다른 동음이의어 관계이다.
① · 무를 강판에 갈아: 이때 '갈다'는 '날카롭게 날을 세우거나 표면을 매끄럽게 하기 위하여 다른 물건에 대고 문지르다'를 의미한다.
- 전등을 새것으로 갈아 끼웠다: 이때 '갈다'는 '이미 있는 사물을 다른 것으로 바꾸다'를 의미한다.
② · 안개에 가려서 앞이 잘 안 보인다: 이때 '가리다'는 '보이거나 통하지 못하도록 막히다'를 의미한다.
- 음식을 가리지 말고: 이때 '가리다'는 '음식을 골라서 먹다'를 의미한다.
④ · 이 경기에서 지면: 이때 '지다'는 '내기나 시합, 싸움 따위에서 재주나 힘을 겨루어 상대에게 꺾이다'를 의미한다.
- 모닥불이 지면: 이때 '지다'는 '불이 타 버려 사위어 없어지거나 빛이 희미하여지다'를 의미한다.

15 의미 영역 변화

해설 ③ '어리다'의 의미가 '어리석다'에서 '나이가 적다'의 의미로 변화한 것은 단어의 의미 자체가 달라진 경우이므로 '의미 이동'에 해당한다.

제4편

문학

1장 문학 필수 이론

2장 문학 필수 작품

1장

문학 필수 이론

01 문학의 이해

1 문학의 특성

1. 언어성(言語性): 문학은 언어 예술이며, 문학의 언어는 함축성과 다의성을 지닌 심미적 표현이므로 언어가 가지는 미적 요소에 주목해야 한다.

2. 개성(個性): 문학은 개인 체험의 주관적 표현이므로 개성적·독창적이다.

3. 보편성(普遍性)과 항구성(恒久性): 문학은 인류의 공통적인 정서를 다루므로, 위대한 문학 작품은 시공(時空)을 초월하여 누구에게나 보편적 감동을 준다.

4. 허구성(虛構性)과 개연성(蓋然性): 문학은 '개연성이 있는 허구의 세계'이다. 즉 문학의 세계는 작가의 상상을 통해 구성되지만, 현실에서 있을 법한 이야기로 꾸며진다.

2 문학 감상(비평)의 관점

1. 문학 비평의 개념

문학 작품의 구조 및 가치, 작가의 창작 방법, 세계관 등을 일정한 기준에 따라 검토하고 판단하는 일을 가리켜 문학 비평(문예 비평)이라 한다.

2. 문학 비평의 종류

(1) 관심 방향에 따른 분류

① **외재적 비평:** 작품에 영향을 끼치는 여러 가지 외부적인 요인을 중시하여, 이들과 작품의 관계를 연관지어 다루는 비평이다.

㉠ **표현론(생산론)적 관점:** "작품은 작가의 자기표현이다."
- 작품이 작가와 맺는 관계를 중요시하는 관점이다.
- 문학을 '작가의 체험과 사상의 반영물'로 보는 견해로, 작품 속에 작가의 체험, 사상, 감정 등이 표현되어 있다고 믿는다.

㉡ **반영론적 관점:** "문학은 현실 세계의 반영이다."
- 문학을 현실의 모방 내지 반영으로 보고, 문학 작품과 작품의 대상이 되는 현실 세계와의 관계를 중시하는 관점이다.
- 반영론의 궁극적인 목적은 현실의 어떠한 측면이 작품에 어떤 방법으로 재구성되어 표현되었는지를 살펴보는 데 있다.

☑ **학습 체크**

01 문학은 일상 생활과는 전혀 다른 세계를 구축한다. (○, ×)

╌╌╌╌╌╌╌╌╌╌╌╌╌╌╌╌╌╌

× 문학은 일상 생활에 기반을 둔 '개연성이 있는 허구의 세계'이다.

ⓒ **효용론(수용론)적 관점**: "작품이 독자에게 어떠한 의미를 주는가."
- 작품과 독자의 관계를 중시하는 관점으로 독자의 문제에 관심을 기울인다.
- 수용자는 단순한 독자의 의미를 넘어 '능동적 참여자'로 확장된 개념이다.
- 수용론에서는 독자가 작품을 수용함으로써 의미가 구현된다는 점을 들어 독자의 역할을 중시한다.

② **내재적 비평(절대주의적 관점)**: 작품 이외의 사실에 대한 고려를 배제하고 언어, 문체, 운율, 구성, 표현 기법, 미적 가치 등의 작품 내부적 요소를 분석하는 비평이다.

ⓐ **구조주의**
- 작품을 생명력을 가진 하나의 독립체로 보고, 작품의 가치를 내부에서 찾으려 하는 관점이다.
- 작품의 부분들을 유기적으로 통합하고 있는 구조를 분석함으로써 작품이 지닌 아름다움을 찾아내는 데 주력한다.
- 작품의 내적 가치를 절대적으로 여기며, 문학 작품은 과학적이고 객관적이므로 구조 분석을 통해 올바르게 이해할 수 있다고 여긴다.

ⓑ **형식주의**
- 작품을 독자적인 의미를 가진 대단히 복잡한 조직체로 파악한다.
- 정밀한 언어 분석을 중시하며, 작품에 쓰인 낱말과 문장, 소리, 이미지, 상징, 비유 등이 작품 전체의 문맥 속에서 어떻게 작용하는가에 관심을 둔다.
- 러시아에서 발생한 후 미국의 신비평(新批評, New Criticism)ⓠ으로 계승되어 발전하였다.
- **장점**: 문학 작품을 치밀하게 분석하여 미적 가치를 밝힐 수 있다.
- **한계**: 치밀한 분석에 치중한 나머지 시 장르와 같은 짧은 형식의 장르에 관심이 치우쳤으며, 작품을 사회적·역사적 상황으로부터 분리시키므로 작품의 총체적인 이해가 어렵다.

③ **종합주의적 관점**: 통합적 관점으로, 외재적 관점과 내재적 관점을 섞어 작품을 비평하고 감상하는 방법이다. 다각도에서 총체적으로 작품을 이해하고자 하며, 문학 작품 감상 시 작품의 특성에 맞게 다양한 관점들을 적용함으로써 작품 이해의 폭을 넓히려 한다.

3 문학의 미적 범주

'현실(있는 것)'과 '이상(있어야 할 것)'이 어떤 관계를 맺고 있느냐에 따라, 미적 범주를 '숭고미, 우아미, 비장미, 골계미'의 네 가지로 분류할 수 있다.

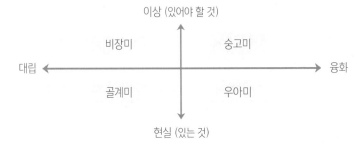

신비평

1930년대에 일어나 20여년간 미국을 중심으로 전개된 비평 활동으로, 예술 작품의 내재적 가치를 강조하고 독립적인 의미 단위로서의 개별 작품에 관심의 초점을 두었다. 꼼꼼하고 분석적인 독서를 통해 사고하고 언어의 특징을 밝히는 것을 강조했다. 한국의 경우에는 1930년대 후반에 신비평 경향의 비평가로 최재서와 김기림 등이 등장하였다.

☑ **학습 체크**

01 제시된 문장의 문학 감상 관점을 〈보기〉에서 골라 기호를 쓰시오.

> **보기**
> ㉠ 표현론적 관점 ㉡ 반영론적 관점
> ㉢ 효용론적 관점 ㉣ 절대주의적 관점

(1) 사투리를 사용하여 등장인물에 생생함을 부여하고 있다. (   )
(2) 두 집안의 흥망성쇠를 대조하여 해방 직후의 사회상을 표현하고 있다. (   )
(3) 격동의 역사를 살아온 인물의 생애를 통해 참다운 삶의 자세를 배울 수 있다. (   )
(4) 주인공의 비극적 죽음을 통해 민족사에 대한 작가의 비판적 인식을 드러내고 있다. (   )

(1) ㉣ (2) ㉡ (3) ㉢ (4) ㉠

1. 숭고미(崇高美)

경건하고 엄숙한 분위기를 자아냄으로써 고고한 정신의 경지를 체험할 수 있게 해 주는 미의식으로, 현실을 자신이 바라는 이상과 일치시키려는 상황에서 나타난다.

> 다시 천고(千古)의 뒤에
> 백마 타고 오는 초인이 있어
> 이 광야에서 목놓아 부르게 하리라.
>
> – 이육사, '광야'

▶ 이 작품에서 '백마 타고 오는 초인'이 조국 광복이라는 민족의 이상을 실현시킬 존재를 상징한다는 점에서 숭고미를 느낄 수 있다.

2. 우아미(優雅美)

조화롭고 균형을 갖춘 대상에서 느끼는 아름다움으로, 고전적인 기품과 멋을 드러내는 미의식이다. 현실이 이상과 융합되어 일치하는 상황에서 드러난다.

> 紅塵(홍진)에 뭇친 분네 이 내 生涯(생애) 엇더ᄒᆞᆫ고, 녯 사ᄅᆞᆷ 風流(풍류)ᄅᆞᆯ 미ᄎᆞᆯ가 못 미ᄎᆞᆯ가.
> 번거롭고 속된 세상   생활   따를까
> 天地間(천지간) 男子(남자) 몸이 날만ᄒᆞᆫ 이 하건마ᄂᆞᆫ, 山林(산림)에 뭇쳐 이셔 至樂(지락)을 ᄆᆞᄅᆞᆯ
>   많건마는
> 것가. 數間茅屋(수간 모옥)을 碧溪水(벽계수) 앏픠 두고, 松竹(송죽) 鬱鬱裏(울울리)예 風月主人
>   작은 초가   푸른 시냇물   앞에   빽빽하게 우거진 속에
> (풍월주인) 되여셔라.
> 자연을 즐기는 사람
>
> – 정극인, '상춘곡(賞春曲)'

▶ 이 작품의 화자는 산림에 묻혀 사는 삶에 대해 만족감을 드러내고 있다. 이 만족감은 화자가 원하는 삶과 현재 자신의 삶이 일치하는 데에서 오는 것이므로 우아미가 나타난다.

3. 비장미(悲壯美)

슬픔이 극에 달한 상태나 한(恨)의 정서 표출로 인해 형상화되는 미의식으로, 고귀한 인간의 행위와 의지가 비극적인 모습을 보일 때 성립된다. 즉 현실과 이상이 조화를 이루지 못해 어긋나는 상황에서 비장미가 드러난다.

> 아홉이나 남아 되던 오랩동생을
> 죽어서도 못 잊어 차마 못 잊어
> 야삼경(夜三更) 남 다 자는 밤이 깊으면
> 이 산 저 산 옮아 가며 슬피 웁니다.
>
> – 김소월, '접동새'

▶ 이 작품에서 '접동새'는 동생들 때문에 미처 떠나지 못하는 누나를 상징하며 밤마다 구슬프게 우는 소리인 '접동/접동/아우래비 접동'은 누나의 한을 효과적으로 드러내며 비장미를 형성한다.

4. 골계미(滑稽美)

풍자나 해학 등의 수법에 의해 우스꽝스러운 상황이나 인간상을 구현하는 미의식으로, 현실의 규범이나 부정적인 대상을 비판하거나 추락시켜 웃음을 자아낸다.

> 붉가버슨 兒孩(아해)ㅣ들리 거믜쥴 테를 들고 기川(천)으로 往來(왕래)ᄒᆞ며,
> 붉가숭아 붉가숭아 져리 가면 죽ᄂᆞ니라. 이리 오면 ᄉᆞᄂᆞ니라. 부로나니 붉가숭이로다.
> 아마도 世上(세상) 일이 다 이러ᄒᆞᆫ가 ᄒᆞ노라.
>
> 이정신의 시조

▶ 이 작품은 아이들이 고추잠자리를 잡는 놀이를 세태에 풍자적으로 비유하여 서로 속이고 모함하는 세상 사람들의 태도와 약육강식의 세태를 풍자하고 있다.

4 문예 사조의 전개

1. 고전주의(古典主義, Classicism)

(1) **발생**: 17~18세기, 고대 그리스·로마 고전에 대한 관심과 아리스토텔레스의 《시학(詩學)》에 대한 면밀한 주석과 함께 시작되었다.

(2) **특징**: 고대 그리스와 로마의 고전 작품들을 모범으로 삼고, 당시 작품들의 특성을 재현하려는 경향을 보인다. 이성과 합리성에 대한 믿음을 바탕으로 조화(調和)·균제(均齊)① · 전아(典雅)② 등의 형식적 균형과 완성의 미를 추구하였다.

(3) **한계**: 지나친 형식주의, 독창성과 역사성의 결여 등

(4) **대표적 작품**: 괴테의 '파우스트', 셰익스피어의 '햄릿' · '리어왕' · '맥베스' · '오셀로', 코르네유의 '르 시드', 몰리에르의 '인간 혐오자' · '수전노', 라신의 '페드르', 드라이든의 '사랑하기 때문에', 밀턴의 '실락원', 스위프트의 '걸리버 여행기' 등

2. 낭만주의(浪漫主義, Romanticism)

(1) **발생**: 고전주의의 몰개성적 성격에 반발하여 18세기 말부터 19세기 초에 독일과 프랑스에서 일어나 영국으로 전파되었다.

(2) **특징**: 형식이나 질서의 구속을 거부하고, 합리적인 사고방식이나 이성보다는 인간의 마음속에서 자연스럽게 우러나오는 사상과 감정을 지향한다. 이국적인 것과 현존하지 않는 것에 대한 동경이 나타난다.

(3) **대표적 작품**: 워즈워스의 '수선화', 뒤마의 '몬테크리스토 백작', 괴테의 '젊은 베르테르의 슬픔', 호손의 '주홍 글씨', 빅토르 위고의 '레미제라블', 바이런의 '해적' 등

(4) **우리나라의 경향**: 1920년대에 퇴폐적 낭만주의를 표방한 《폐허》와 감상적 낭만주의를 표방한 《백조》 등의 동인들에 의해 낭만시 운동이 전개되었다.

3. 사실주의(寫實主義, Realism)

(1) **발생**: 낭만주의의 비현실적인 성격에 반발하여 19세기 중·후반에 일어난 문예 사조로, 현실적 사물을 정확하게 관찰하고 객관적으로 묘사하려는 경향을 보인다.

(2) **특징**: 사물을 객관적으로 관찰하여 과장이나 왜곡 없이 구체적으로 표현하였으며, 대상을 미화하지 않고 추악한 모습까지 그대로 묘사하였다.

(3) **대표적 작품**: 발자크의 '인간희극' · '고리오 영감', 스탕달의 '적(赤)과 흑(黑)', 플로베르의 '보바리 부인', 모파상의 '여자의 일생', 디킨스의 '올리버 트위스트', 새커리의 '허영의 시장', 도스토옙스키의 '죄와 벌'

(4) **우리나라의 경향**: 동인지 《창조》를 중심으로 사실주의적 경향이 일어났다. 1920년대에는 김동인 · 현진건, 1930년대에는 염상섭 · 채만식이 사실주의적 경향의 작품을 창작하였다.

4. 자연주의(自然主義, Naturalism)

(1) **발생**: 19세기 사실주의 영향으로 자연 과학적 결정론에 바탕을 두고 발생하였으며, 인간은 자연 법칙에 종속된다는 기계론적 결정론과 진화론, 환경 결정론의 영향을 받았다.

(2) **특징**: 인간도 자연물처럼 자연 법칙에 따라 일생이 운명적으로 결정된다고 보는 입장이다.

(3) **대표적 작품**: 에밀 졸라(자연주의의 창시자)의 '목로주점', 모파상의 '비곗덩어리', 입센의 '인형의 집', 하디의 '테스', 존 스타인벡의 '분노의 포도' 등

(4) **우리나라의 경향**: 염상섭의 '표본실의 청개구리', 김동인의 '감자' 등이 대표적인 자연주의경향의 작품이다.

5. 유미주의(唯美主義, Aestheticism)

(1) **발생**: 미의 창조를 궁극적인 목표로 하여 19세기 후반에 나타난 사조이다. 탐미주의라고도 하며, 넓은 개념의 낭만주의에 포함된다.

(2) **특징**: 아름다움을 최고의 가치로 여기며, 예술이 도덕적, 윤리적, 정치적 기준에 의해 평가되어서는 안 된다고 주장한다. 자연 배격, 형식과 기교·인공적인 것·감각적인 것의 중시, 개성의 신장 등을 목표로 하므로 퇴폐주의적·악마주의적 경향이 나타나기도 한다.

(3) **대표적 작품**: 포의 '애너벨 리', 보들레르의 《악의 꽃》·《파리의 우울》, 오스카 와일드의 '도리언 그레이의 초상'·'살로메' 등

(4) **우리나라의 경향**: 김동인의 '광화사'·'광염소나타', 김영랑의 '모란이 피기까지는', 이효석의 '분녀(粉女)'·'장미 병들다'·'화분(花粉)', 서정주의 《화사집(花蛇集)》 등이 대표적인 유미주의 경향의 작품이다.

6. 상징주의(象徵主義, Symbolism)

(1) **발생**: 사실주의와 자연주의의 외면적·객관적 성격에 대한 반발로 19세기 말~20세기 초에 유럽 전역으로 퍼졌으며, 사물·정서 등을 상징을 통해 표현하였다.

(2) **특징**: 사실주의에 반발하고 낭만주의를 계승한 것으로, 낭만주의가 감각적 대상에서 쾌감을 느끼는 데 그친 반면, 상징주의는 이상을 추구하였다.

(3) **대표적 작품**: 말라르메의 '목신의 오후', 베를렌의 《화려한 향연》, 랭보의 '지옥의 계절', 예이츠의 '꿈' 등

(4) **우리나라의 경향**: 《태서문예신보》(1918)를 통해 김억 등이 프랑스 상징주의파 시들을 번역하여 소개하였다. 김억, 황석우, 주요한 등이 상징주의파에 속한다.

7. 모더니즘(Modernism)

19세기 후반과 20세기 초에 융성했던 사실주의와 자연주의에서 벗어나려는 노력에 따라 발생하였다. 모더니즘 작품들은 공통적으로 현대성을 추구하며, 기계 문명과 도시적 삶 속에서 개체화된 인간의 모습을 탐구한다. 또한 새로운 기법을 통해 현실의 복잡성을 그려내었다.

☑ **학습 체크**

01 《폐허》와 《백조》는 자연주의 계열의 동인지이다. (○, ×)

02 보들레르와 김억은 유미주의의 대표적인 시인이다. (○, ×)

03 우리나라의 경우 《태서문예신보》를 통해 상징주의가 도입되었다. (○, ×)

----

01 × 《폐허》와 《백조》는 낭만주의 계열의 동인지이다.
02 × 보들레르는 유미주의 시인이나, 김억은 상징주의 계열의 시인이다.
03 ○

(1) 이미지즘(Imagism)

① **발생**: 제1차 세계 대전 말기부터, 낭만주의에 반발하여 영미 시인들이 주창한 신시(新詩) 운동으로 발생하였다.

② **특징**: 추상적이고 개념적인 언어를 거부하고, 시각적이고 구체적인 이미지로 시를 표현함으로써 의미를 정확히 전달하고자 하였다.

③ **대표적 작품**: 에즈라 파운드의 《가면》·《캔토스》 등

④ **우리나라의 경향**: 1934년에 김기림과 최재서가 우리나라에 소개하였고, 이후 김기림, 정지용, 김광균 등이 이미지즘 경향의 작품을 창작하였다.

(2) 초현실주의(超現實主義, Surrealism)

① **발생**: 제1차 세계 대전 직후부터 제2차 세계 대전 발발 직후까지 약 20년간 프랑스를 중심으로 일어난 예술 운동으로, 다다이즘®과 프로이드의 영향을 받아 발생하였다.

② **특징**: 자동기술법®과 자유 연상 기법 등의 창작 방법으로 무의식의 세계를 표출하였으며, '의식의 흐름'® 수법으로 작품 속 인물의 의식 세계를 가감없이 드러내었다.

③ **대표적 작품**: 제임스 조이스의 '율리시스', 버지니아 울프의 '세월', 프루스트의 '잃어버린 시간을 찾아서' 등

④ **우리나라의 경향**: 대표적으로 이상의 '날개'·'오감도' 등이 초현실주의에 속한다.

(3) 주지주의(主知主義, Intellectualism)

① **발생**: 제1차 세계대전 이후 사회적 혼란과 무질서로 인해 만연했던 주정주의, 탐미주의적 경향에 대한 반발로 발생하였다.

② **특징**: 감각과 정서보다 지성(이성)을 중시하였으며, 시각적(회화적) 요소를 강조하였다. 그리고 전통적 질서의 회복과 현대 문명의 위기 극복을 추구하였다.

③ **대표적 작품**: 엘리엇의 '황무지'·'칵테일 파티' 등

④ **우리나라의 경향**: 1930년대에 김기림, 이양하, 최재서에 의해 소개된 후 김광균, 정지용, 장만영 등의 시인들이 주지주의 경향의 작품을 선보였다.

8. 실존주의(實存主義, Existentialism)

(1) 발생: 제2차 세계 대전 이후 프랑스를 중심으로 나타났으며, 전후(戰後)의 황폐한 현실 속에서의 실존적 불안을 배경으로 한다.

(2) 특징: 고유한 주체로서 실존하는 개인을 자각하는 데에서 출발하는 문예 사조로, 인간을 사유의 대상이 아닌 사유의 원천으로 파악한다. 객관적이고 결정론적인 권위를 부정하고 인간의 자유와 주체성을 최고의 가치로 여기며, 실존적 자각(자아 발견)과 건설적인 휴머니즘을 추구하였다.

(3) 대표적 작품: 사르트르의 '구토'·'자유에의 길', 카뮈의 '이방인'·'페스트', 카프카의 '변신'·'심판'·'고찰' 등

(4) 우리나라의 경향: 광복 직후를 배경으로 하는 김성한의 '5분간', 오상원의 '유예', 6·25 이후 창작된 장용학의 '요한 시집', 손창섭의 '비 오는 날', 이범선의 '오발탄' 등이 대표적인 실존주의 경향의 작품이다.

🔍 **다다이즘(Dadaism)**

제1차 세계 대전 중에 나타나 1920년대에 성행한 전위적 예술 운동. 전쟁의 폭력성과 전쟁의 원인이 된 기술 문명을 거부하였으며, 모든 사회적·예술적 전통을 부정하고 반이성(反理性), 반도덕, 반예술을 표방하였다.

🔍 **자동기술법**

의식이나 의도가 없이 무의식의 세계를 대할 때 거기서 솟구쳐 오르는 이미지를 그대로 기록하는 방법이다. 프로이드의 무의식 개념을 응용한 것으로, 무의식적으로 지껄이는 독백 등을 이성적인 판단이나 윤리적 편견, 비판이나 수정 없이 그대로 기록하여 인간의 무의식적 심리 상태를 나타낸다.

🔍 **의식의 흐름**

등장인물의 머릿속에 떠오르는 생각이나 기억, 스치듯 느끼는 느낌, 그 밖의 자유로운 연상을 그대로 기록하는 기법. 무의식적으로 떠오르는 생각들을 다듬지 않고 그대로 서술하므로, 논리적 비약이나 문법적 오류가 나타나기도 한다.

☑ **학습 체크**

01 모더니즘 계열의 시인을 〈보기〉에서 골라 기호를 쓰시오. (2개 이상 선택 가능)

보기	
㉠ 한용운	㉡ 이상
㉢ 채만식	㉣ 김동인
㉤ 김기림	㉥ 손창섭
㉦ 정지용	㉧ 김광균

(   )

⊷⊷⊷⊷⊷⊷⊷⊷⊷⊷⊷⊷⊷⊷⊷⊷⊷⊷⊷

㉡, ㉤, ㉦, ㉧

1 서정 갈래

1. 시의 이해

(1) 시의 정의

인간의 사상과 정서를 운율이 있는 언어로 압축하여 표현한 언어 예술이다.

- 詩言志(시언지): 시는 뜻을 말로 나타낸 것이다. → 書經
- 시는 운율적 언어에 의한 모방이다. → Aristoteles
- 시는 힘찬 감정이 자유롭게 분출된 것이다. → W. Wordsworth
- 시는 미의 운율적 창조이다. → E. A. Poe
- 시는 체험이다. → R. M. Rilke
- 시는 기본적으로 인생에 대한 비평이다. → Matthew Arnold
- 시는 영원한 진실 속에 표현된 삶의 이미지이다. → P. B. Shelly

(2) 시의 특성

① **음악성**: 시는 내부에 운율을 가지고 있어 읽을 때 말의 가락을 느낄 수 있다.

② **형상성**: 비유, 상징 등의 다양한 표현법을 통해 시의 이미지를 나타낸다.

③ **함축성**: 시어는 지시적 의미 외에 다양하고 함축적인 의미를 내포하며, 시는 압축된 형식미를 갖추고 있다.

2. 시의 갈래

(1) 형식에 따른 갈래

① **정형시(定型詩)**: 형식과 규칙에 맞추어 지은 시로, 외형률이 나타난다. **예** 시조, 가사, 한시 등

② **자유시(自由詩)**: 정형시가 지닌 형식적 제약에서 벗어난 자유로운 형식의 시로, 행과 연의 구별이 있고 내재율이 나타난다.

③ **산문시(散文詩)**: 연과 행의 구별이 없다. **예** 주요한의 '불놀이', 박두진의 '해', 신동엽의 '산문시 1' 등

> 벌목정정(伐木丁丁)이랬거니 아람드리 큰 솔이 베어짐 직도 하이 골이 울어 메아리 소리 쩌르렁 돌아옴 직도 하이 다람쥐도 좇지 않고 멧새도 울지 않아 깊은 산 고요가 차라리 뼈를 저리우는데 눈과 밤이 종이보다 희고녀! 달도 보름을 기다려 흰 뜻은 한밤 이 골을 걸음이란다? 윗절 중이 여섯 판에 여섯 번 지고 웃고 올라간 뒤 조찰히 늙은 사나이의 남긴 내음새를 줍는다? 시름은 바람도 일지 않는 고요에 심히 흔들리우노니 오오 견디랸다 차고 올연(兀然)히 슬픔도 꿈도 없이 장수산 속 겨울 한밤내 ─　　　 ─ 정지용, '장수산1'

(2) 내용에 따른 갈래

① 서정시(抒情詩): 개인의 주관적 정서를 표현한 시

② 서사시(敍事詩): 일정한 사건을 서술하는 서사적 구조의 시

예 이승휴의 '제왕운기', 이규보의 '동명왕편', 김동환의 '국경의 밤' 등

③ 극시(劇詩): 운문으로 표현된 희곡 형태의 시 예 셰익스피어의 '햄릿', 괴테의 '파우스트' 등

(3) 태도에 따른 갈래

① 주정시(主情詩): 개인의 자유로운 정서와 감정을 중요시하는 시

② 주지시(主知詩): 감정보다 냉철한 지성이나 이성을 중시하는 입장에서 쓴 시. 현실에 대한 비판 의식이 강하게 작용하는 경우가 많다.

> 아무도 그에게 수심(水深)을 일러 준 일이 없기에
> 흰 나비는 도무지 바다가 무섭지 않다.
>
> 청(靑)무우밭인가 해서 내려갔다가는
> 어린 날개가 물결에 절어서
> 공주처럼 지쳐서 돌아온다.
>
> 삼월(三月)달 바다가 꽃이 피지 않아서 서글픈
> 나비 허리에 새파란 초생달이 시리다. – 김기림, '바다와 나비'

③ 주의시(主意詩): 인간의 의지적인 측면을 주된 내용으로 하는 시

> 내 죽으면 한 개 바위가 되리라.
> 아예 애련(愛憐)에 물들지 않고 / 희로(喜怒)에 움직이지 않고
> 비와 바람에 깎이는 대로 / 억년(億年) 비정(非情)의 함묵(緘默)에
> 안으로 안으로만 채찍질하여 / 드디어 생명도 망각하고
> 흐르는 구름 / 머언 원뢰(遠雷)
> 꿈꾸어도 노래하지 않고
> 두 쪽으로 깨뜨려져도 / 소리하지 않는 바위가 되리라. – 유치환, '바위'

(4) 목적에 따른 갈래

① 순수시(純粹詩): 개인의 주관적 정서나 언어의 아름다움에 관심을 가진 시

> 모란이 피기까지는, / 나는 아직 나의 봄을 기다리고 있을 테요.
> 모란이 뚝뚝 떨어져 버린 날, / 나는 비로소 봄을 여읜 설움에 잠길 테요.
> – 김영랑, '모란이 피기까지는'

② 경향시(목적시): 특정한 이념이나 목적이 뚜렷하게 나타난 시. 경향파나 프로 문학파 시의 주된 경향이다.

> 순이야, 누이야! / 근로하는 청년, 용감한 사내의 연인아!
> 생각해 보아라, 오늘은 네 귀중한 청년인 용감한 사내가
> 젊은 날을 부지런한 일에 보내던 그 여윈 손가락으로
> 지금은 굳은 벽돌담에다 달력을 그리겠구나!
> 또 이거 봐라, 어서.
> 이 사내도 네 커다란 오빠를……
> 남은 것이라고는 때 묻은 넥타이 하나뿐이 아니냐! – 임화, '네거리의 순이'

3. 시의 화자(시적 자아, 서정적 자아)

시인의 생각과 느낌을 시 안에서 효과적으로 전달해 주는 인물을 '시적 화자', '시적 자아', '서정적 자아'라고 한다.

(1) 화자의 역할: 시인의 분신, 또는 대리인의 역할을 한다.

(2) 화자의 종류: 남성 · 여성 화자, 여성화한 남성 화자, 남성화한 여성 화자, 표층 · 심층 화자 등

(3) 화자의 어조

① **화자의 어조가 약화되는 경우:** 대상을 그림 그리듯이 묘사하는 경우

> 포도는 달빛이 스며 고웁다.
> 포도는 달빛을 머금고 익는다.
>
> 순이, 포도 넝쿨 아래 어린 잎새들이
> 달빛에 젖어 호젓하구나.
>
>   – 장만영, '달 · 포도 · 잎사귀'

    ▶ 달빛이 비치는 뜰의 정경을 감각적 이미지를 통해 묘사한 시로, 비교적 화자의 어조가 약하게 드러난다.

② **화자의 어조가 강하게 드러나는 경우:** 남성적, 여성적, 풍자적, 해학적, 설득적, 독백적, 영탄적 어조 등이 다양하게 나타난다.

> 검은 그림자 쓸쓸하면 / 마침내 호수 속 깊이 거꾸러져 / 차마 바람도 흔들진 못해라
>
>   – 이육사, '교목'

    ▶ 이 시에서 화자는 강인하고 의지적인 남성적 어조를 통해 죽음도 불사하겠다는 단호한 결의를 드러내고 있다.

4. 시의 운율

(1) 운율의 효과

① 소리의 규칙적인 질서에 의하여 형식적 쾌감을 주고, 깊은 인상을 남긴다.

② 일상의 언어에 새로운 감각을 더함으로써 시적 감동을 일으킨다.

③ 시의 개성과 독특한 어조를 형성한다.

(2) 운율의 형성 방법

특정한 음운의 반복, 일정한 음절 수의 반복, 비슷한 통사 구조의 반복, 의성어 · 의태어와 같은 음성 상징어의 사용 등을 통해 운율이 형성된다.

(3) 운율의 종류

① **외형적 운율(外形律):** 겉으로 드러나는 객관적 성질의 운율이다.

    ㉠ **음위율(音位律):** 압운(押韻)①에 의한 운율로, 일정 위치에 같은 운을 두는 것을 뜻한다.

    ㉡ **음성율(音聲律):** 음성의 강약 · 고저 · 장단 등을 통해 규칙적으로 반복되는 리듬을 형성하는 것으로, 한시에서는 가능하나 우리 시에서는 실현되기 어려운 운율이다.

    ㉢ **음수율(音數律):** 일정한 음수 단위의 규칙적인 반복으로 생기는 운율이다.

운(韻)과 율(律)

운(韻) 일정한 위치에서 같거나 비슷한 음이 규칙적으로 반복되는 것을 뜻한다.

율(律) 고저, 장단, 강약이 규칙적으로 반복되는 것을 뜻한다.

어휘 사전

① **압운(押韻):** 시가에서 시행의 일정한 자리에 동일한 운을 규칙적으로 다는 일. 또는 그 운.

학습 체크

01 다음 시에 나타난 어조로 적절한 것을 (1)~(4)에서 각각 고르시오.

> 그 열렬한 고독 가운데
> 옷자락을 나부끼고 호올로 서면
> 운명처럼 반드시 '나'와 대면케 될지니
> 하여 '나'란 나의 생명이란
> 그 원시의 본연한 자태를 다시 배우지 못하거든
> 차라리 나는 어느 사구(砂丘)에 회한 없는 백골을 쪼이리라.

(1) 남성적 / 여성적
(2) 단정적 / 영탄적
(3) 회화적 / 독백적

- - - - - - - - - - - - - - - - - - -

(1) 남성적 (2) 단정적 (3) 독백적

• 그립다 / 말을 할까 / 하니 그리워. / 그냥 갈까 / 그래도 / 다시 더 한 번……
　　　7　　　　　5　　　　　　7　　　　　5
　　　　　　　　　　　　　　　　　　　　　　　　　　　– 김소월, '가는 길'

• 蓬萊山(봉래산) 第一峰(제일봉)에 落落長松(낙락장송) 되엿다가
　　3　　　　　　4　　　　　　4　　　　　　4
白雪(백설)이 滿乾坤(만건곤)홀 제 獨也靑靑(독야청청) 흐리라.　– 성삼문의 시조
　3　　　　5　　　　　　　　4　　　　　　3

▶ 김소월의 '가는 길'에서는 7·5조, 성삼문의 시조에서는 3·4(4·4)조의 율격이 나타난다.

ⓒ **음보율**(音步律): 한 행을 일정한 간격으로 끊어 읽음으로써 형성되는 리듬감이다.

• 나 보기가 / 역겨워 / 가실 때에는
　제1음보　　제2음보　　제3음보
말없이 / 고이 보내 / 드리오리다　　　　　　　　　　– 김소월, '진달래꽃'
제1음보　　제2음보　　제3음보

• 이 몸이 / 주거 주거 / 일백 번 / 고쳐 주거　　　　　– 정몽주, '단심가'
제1음보　　제2음보　　제3음보　　제4음보

▶ 김소월의 '진달래꽃'에서는 3음보, 정몽주의 '단심가'에서는 4음보의 율격이 나타난다.

ⓔ **통사율**(統辭律): 유사한 문장 구조나 문법 구조가 반복되어 형성되는 운율이다.

가슴 속에 하나 둘 새겨지는 별을 / 이제 다 못 헤는 것은
쉬이 아침이 오는 까닭이오, / 내일(來日) 밤이 남은 까닭이오,
아직 나의 청춘(靑春)이 다하지 않은 까닭입니다.　　– 윤동주, '별 헤는 밤'

▶ '~이 ~한 까닭이다'라는 문장 구조가 반복적으로 제시되었다.

② **내재적 운율**(內在律): 자유시나 산문시에서 느껴지는 율격으로, 겉으로 드러나지 않지만 은근하게 느껴지는 주관적 율격이다.

　ⓐ 내용의 흐름이나 시어의 배치 등을 통해 잠재적으로 형성된다.

　ⓑ **산문율**: 산문시에 내재하는 자유로운 율격

노을이 지는 언덕 위에서 그대 가신 먼 곳 머언 나라를 뚤어지도록 바라다보면 해가 저물어 밤은 깊은데 하염없어라 출렁거리는 물결 소리만 귀에 적시어 눈썹 기슭애 번지는 불꽃 피눈물 들어 어룽진 동정 그리운 사연 아뢰려 하여 벙어리 가슴 쥐어뜯어도 헛바늘일래 말을 잃었다 땅을 구르며 몸부림치며 궁그르다가 다시 일어나 열리지 않는 말문이련가 하늘 우러러 돌이 되었다.　– 김관식, '석상(石像)의 노래'

5. 시의 표현(수사법)

(1) 비유(比喩, metaphor)

① **개념**: 표현하고자 하는 대상을 다른 사물에 빗대서 표현하는 방법이다.

② **특징**: 비유에는 표현하고자 하는 것(원관념)과 비유하는 사물(보조 관념)의 상관 관계가 성립된다. 따라서 원관념과 보조 관념 사이에는 유추가 될 수 있는 유사성이 있어야 한다.

③ **종류**

　ⓐ **직유**(直喩): 원관념을 보조 관념에 직접적으로 연결시키는 방법으로, '처럼', '같이', '듯' '인 양'등의 연결어를 사용한다.

소년(少年)아 네가 났다니 / 맑은 넋에 깃들여 / 박꽃처럼 자랐어라　– 이육사, '소년에게'

☑ **학습 체크**

01 다음 작품에 나타난 음수율과 음보율을 쓰시오.

> 기심 매러 갈 적에는 갈뽕을 따 가지고
> 기심 매고 올 적에는 올뽕을 따 가지고
> 삼간방에 누어 놓고 청실 홍실 뽑아 내서
> 강릉 가서 날아다가 서울 가서 매어다가
> 하늘에다 베틀 놓고 구름 속에 이매 걸어
> 함경나무 바디집에 오리나무 북게다가
> 짜궁짜궁 짜아 내어 가지잎과 몹거워라.

(1) 음수율: ＿＿＿＿＿＿＿
(2) 음보율: ＿＿＿＿＿＿＿

----
(1) 4·4(3·4)조 (2) 4음보
'기심 매러/갈 적에는/갈뽕을/따 가지고'와 같이 끊어 읽으므로 4·4(3·4)의 음수율과 4음보의 율격이 나타난다.

ⓛ **은유(隱喩)**: 원관념과 보조 관념을 'A는 B이다(계사 은유)' 또는 'A의 B(동격 은유)'의 형태로 연결하는 비유법으로, 연결어는 사용되지 않는다.

> 마음은 제 고향 지니지 않고 / 머언 항구(港口)로 떠도는 구름.　　　　－ 정지용, '고향'

> ▶ '마음(원관념)'을 '구름(보조관념)'에 비유하고 있으며, 이는 'A는 B'의 형태로 동격 은유가 사용된 예에 해당한다.

ⓒ **대유(代喩)**: 대상의 일부 속성으로 전체를 나타내는 표현법이다.

ⓐ **환유(換喩)**: 사물의 속성이나 특징으로 그 사물을 대표한다.

> 흰 수건이 검은 머리를 두르고 / 흰 고무신이 거친 발에 걸리우다 // 흰 저고리 치마가 슬픈 몸집을 가리고 / 흰 띠가 가는 허리를 질끈 동이다.　　　　－ 윤동주, '슬픈 족속'

> ▶ '흰 수건', '흰 고무신', '흰 저고리 치마', '흰 띠'는 '백의'를 즐겨 입던 우리 민족의 일부 속성을 들어 우리 민족 전체를 나타내고 있다.

ⓑ **제유(提喩)**: 사물의 일부분으로 그 사물 전체를 대표한다.

> 빼앗긴 들에도 봄은 오는가?　　　　－ 이상화, '빼앗긴 들에도 봄은 오는가'

> ▶ '조국' 혹은 '국토'를 '들'이라는 부분적인 요소로 대표하여 나타내고 있다.

ⓔ **의인(擬人)**: 인간이 아닌 사물이나 관념에 인격을 부여해서 사람인 것처럼 표현하는 비유법이다.

> • 백발(白髮)이 제 몬저 알고 즈럼길노 오더라.　　　　－ 우탁의 시조
> • 도화(桃花)야 떠나지 마로럼 어주자(魚舟子) 알가 하노라.　　　　－ 이황의 시조

> ▶ 무생물인 '백발'과 '도화'를 마치 사람처럼 의인화하였다.

ⓜ **활유(活喩)**: 생명체가 아닌 대상에 생명이나 동작을 부여해서 살아 있는 것처럼 표현하는 방법이다.

> • 바다는 뿔뿔이 / 달아나려고 했다.　　　　－ 정지용, '바다 9'
> • 모든 산맥들이 / 바다를 연모(戀慕)해 휘달릴 때도　　　　－ 이육사, '광야'

> ▶ '바다'와 '산맥들'을 각각 뿔뿔이 달아나려고 하는 존재, 바다를 연모해 휘달리는 존재에 비유하여 살아있는 것처럼 표현하였다.

ⓗ **풍유(諷喩)**

ⓐ 원관념을 숨기고 보조 관념만으로 뒤에 숨겨진 본래의 의미를 암시하는 방법으로, '우의법(寓意法)'이라고도 한다.

ⓑ 상징과 유사하나 풍자와 비판, 교훈성이 강하게 나타난다는 점이 다르다.

ⓒ 동물이나 무생물에 빗대어 표현하는 경우가 많으며, 속담이나 격언에서 보편적으로 사용된다.

- 원숭이도 나무에서 떨어진다.
- 간밤의 부던 ᄇᆞ람에 눈서리 치단말가.
  낙락장송이 다 기우러 가노ᄆᆡ라.
  ᄒᆞ믈며 못다 핀 곳이야 닐러 므슴 ᄒᆞ리오.　　　　　　　　　　　　　－ 유응부의 시조

　▶ 첫 번째 예는 속담으로, 아무리 어떤 일에 익숙한 사람이라도 실수할 수 있다는 뜻을 '원숭이'
　　라는 동물에 빗대어 표현한 것이다. 그리고 두 번째 예에서는 간신에게 충신이 위협받는 계유
　　정난을 눈서리에 낙락장송이 기우는 상황으로 빗대어 암시하였다.

ⓐ **인유**(引喩, allusion): 고전, 역사, 고사, 전설 등에서 널리 알려진 인물, 스토리, 시구
　등을 인용하는 비유법이다.

　　纖雲(섬운)이 四捲(사권)ᄒᆞ고 믈결이 채 잔 적의
　　하ᄂᆞᆯ의 도든 ᄃᆞᆯ이 솔 우희 걸려거든 올라시니
　　잡다가 ᄲᅡ딘 줄이 謫仙(적선)이 헌ᄉᆞ홀샤　　　　　　　　　　　　－ 정철, '성산별곡'

　▶ 달을 잡으려다 물에 빠졌다는 적선(이태백)의 고사를 인용하였다.

ⓒ **중의**(重義): 한 단어로 두 가지 이상의 의미를 나타내는 방법이다.

　　청산리(靑山裏) 벽계수(碧溪水)ㅣ야 수이 감을 자랑 마라.
　　일도 창해(一到滄海)ᄒᆞ면 도라오기 어려오니,
　　명월(明月)이 만공산(滿空山)ᄒᆞ니 수여 간들 엇더리.　　　　　　－ 황진이의 시조

　▶ '벽계수(碧溪水)'는 '푸른 시냇물' 또는 조선의 왕족 중 한 명인 '벽계수'를 의미한다.

ⓩ **의성**(擬聲): 사람이나 사물의 소리를 그대로 묘사하여 그 소리나 상태를 실제와 같이
　표현하는 방법이다.

　　처……ㄹ썩, 처……ㄹ썩, 척, 쏴……아. / 때린다, 부순다, 무너 버린다.
　　　　　　　　　　　　　　　　　　　　　　　　　　　　　－ 최남선, '해(海)에게서 소년에게'

ⓩ **의태**(擬態): 사물의 모양이나 태도를 그대로 모방하여 표현하는 방법이다.

　　연분홍 송이송이 못내 반가와
　　나비는 너훌너훌 춤을 춥니다.　　　　　　　　　　　　　　　　　　－ 김억, '연분홍'

(2) 강조(強調)

① 과장(誇張)

　㉠ 사물의 수량이나 상태, 성질 또는 글의 내용을 실제보다 더 늘리거나 줄여서 표현하
　　는 방법이다.
　㉡ 시적 감정의 진실성을 나타내는 데 효과적이다.
　㉢ 불가능한 상황을 설정한 경우는 모두 과장법에 해당한다.

② 반복(反復)

　㉠ 같은 단어나 구절, 문장을 반복하여 뜻을 강조하는 방법이다.
　㉡ 의미를 강조하거나 율격을 형성할 때에 흔히 사용한다.

☑ **학습 체크**

01 제시된 문장에 나타난 표현법을 고
르시오.

(1) 새 짐승 슬피 울고 산 바다도 찡그
　리고 (의인 / 풍유)

(2) 지렁이도 밟으면 꿈틀한다.
　(의인 / 풍유)

----

(1) 의인　(2) 풍유

③ **열거(列擧)**: 내용적으로 연결되거나 비슷한 어휘나 구절을 늘어놓음으로써 서술하는 내용을 강조하는 방법이다.

> 별 하나에 **추억**과 / 별 하나에 **사랑**과 / 별 하나에 **쓸쓸함**과
> 별 하나에 **동경**과 / 별 하나에 **시**와 / 별 하나에 **어머니, 어머니**
>
>   – 윤동주, '별 헤는 밤'

▶ 같은 어휘나 어구를 늘어놓는 것은 '열거법'이 아니고 '반복법'이다.

④ **점층(漸層)**: 내용의 비중이나 정도를 한 단계씩 높여서 뜻을 점점 강하고 깊게 표현하는 방법이다. 독자의 감정을 자연스럽게 절정으로 이끌어 올릴 수 있다는 장점이 있다.

> 이 몸이 주거주거 일백 번(一百番) 고쳐 주거
> 백골(白骨)이 진토(塵土) 되여 넉시라도 잇고 업고,
> 님 향(向)한 일편단심(一片丹心)이야 가실 줄이 이시랴.   – 정몽주의 시조

▶ '점강법'은 한 구절 한 구절의 내용이 작아지고 좁아지고 약해져서, 고조된 감정을 점점 가라앉게 하는 표현 방법이다.

⑤ **연쇄(連鎖)**: 앞 구절의 말을 다시 다음 구절에 연결시켜 연쇄적으로 잇는 방법으로, 글에 변화를 줌으로써 흥미를 일으키는 방법이다.

> 고인(古人)도 날 몯 보고 나도 고인 몯 뵈.
> 고인(古人)을 몯 뵈도 녀던 길 알픠 잇닉.
> 녀던 길 알픠 잇거든 아니 녀고 엇뎔고.   – 이황, '도산십이곡'

⑥ **영탄(詠嘆)**: 슬픔, 기쁨 등 벅찬 감정을 강조하여 감탄의 형태로 표현하는 방법이다.

> 아아 누구던가
> 이렇게 슬프고도 애달픈 마음을
> 맨 처음 공중에 달 줄을 안 그는   – 유치환, '깃발'

⑦ **비교(比較)**: 성질이 비슷한 대상을 서로 비교하여, 그 차이를 통해 어느 한쪽을 강조하는 방법이다. 흔히 '만큼', '보다' 등의 비교격 조사를 사용한다.

> 아! 강낭콩꽃보다도 더 푸른 / 그 물결 위에
> 양귀비꽃보다도 더 붉은 / 그 마음 흘러라.   – 변영로, '논개'

⑧ **대조(對照)**: 서로 반대되는 내용을 맞세워 강조함으로써 선명한 인상을 주는 방법이다.

㉠ 단어의 대조 **예** 인생은 짧고 예술은 길다.

㉡ 의미의 대조
    예 산천은 의구(依舊)하되 인걸(人傑)은 간 듸 업다. → 세상사의 무상함과 자연의 불변함을 대조

㉢ 색상의 대조
    예 들길은 마을에 들자 붉어지고 / 마을 골목은 들로 내려서자 푸르러진다 → 붉은색과 푸른색의 대조

㉣ 감각의 대조
    예 차가운 가슴에 따스한 손길이 닿으면 → 냉·온 감각의 대조

(3) 변화(變化)

① **역설(逆說, paradox)**: 논리적으로 모순되는 진술을 통해, 그 이면의 중요한 진리를 드러내는 표현을 가리킨다.

☑ 학습 체크

01 제시된 시구에 나타난 표현법을 〈보기〉에서 골라 기호를 쓰시오. (2개 이상 선택 가능)

보기		
㉠ 과장	㉡ 반복	㉢ 열거
㉣ 점층	㉤ 연쇄	㉥ 영탄

(1) 그대들 돌아오시니 / 피 흘린 보람 찬란히 돌아오시니! (   )

(2) 삼각산이 일어나 더덩실 춤이라도 추고 한강물이 뒤집혀 용솟음 칠 그날이 (   )

(3) 거봐, 너도 북어지 너도 북어지 너도 북어지 / 귀가 먹먹하도록 부르짖고 있었다. (   )

02 제시된 시구에 나타난 표현법을 고르시오.

(1) 나는 아직 기다리고 있을 테요, 찬란한 슬픔의 봄을 (반어 / 역설)

(2) 겨울은 강철로 된 무지갠가 보다. (반어 / 역설)

---

01 (1) ㉥ (2) ㉠ (3) ㉡
02 (1) 역설 (2) 역설

- 나는 아직 기다리고 있을 테요, 찬란한 슬픔의 봄을　　　　　　　– 김영랑, '모란이 피기까지는'
- 겨울은 강철로 된 무지갠가 보다.　　　　　　　　　　　　　　　　　– 이육사, '절정'

② **반어(反語, irony)**: 작가가 드러내고자 하는 의도와 표현이 상반되도록 함으로써 정서를 심화시키는 기법이다.

- 죽어도 아니 눈물 흘리오리다.　　　　　　　　　　　　　　　　　　– 김소월, '진달래꽃'
- 먼 훗날 당신이 찾으시면 / 그때에 내 말이 "잊었노라"　　　　　– 김소월, '먼 후일'

③ **도치(倒置)**

  ㉠ 문장의 어순을 바꾸어서 내용을 강조하는 방법이다.

  ㉡ 국어의 문장은 '주어 + 목적어(보어) + 서술어'의 순서로 나타나는 것이 일반적인 형식인데, 이 순서가 바뀐 형태가 도치법이다.

  > 대동강 물이야 언제나 마르려나 ◀──────┐
  > 이별 눈물 해마다 푸른 물결 보태나니. ◀── 도치　　　　　　　　　– 정지상, '송인'

④ **문답(問答)**

  ㉠ 묻고 답하는 형식을 통해 특정 문장이나 글을 전개하는 방법이다.

  ㉡ 변화와 강조의 효과를 위해 자문자답(自問自答) 형식으로 표현한다.

  > 사랑(思郞)이 엇써터니 둥고더냐 모지더냐
  > _{사랑의 속성에 대한 물음}
  > 길더냐 져르더냐 발일넌냐 조힐너냐
  > 각별(各別)이 긴 줄은 모로듸 씃 간 듸를 몰닉라
  > _{사랑의 속성에 대한 대답(=긴 줄은 아니 끝은 모르겠음)}　　　– 작자 미상의 시조

⑤ **설의(設疑)**

  ㉠ 결론이나 단정 부분을 의문 형식으로 표현하여 그 의미를 강조하는 방법으로, 좀 더 효과적으로 상대방을 납득시키고자 할 때 쓰인다.

  ㉡ 문장 형식은 의문문이지만 설명이나 행동을 요구하는 의문이 아니라, 이미 알고 있는 사실을 되묻는 형식의 표현 기교이다.

  > 가마귀 검다ᄒ고 白鷺(백로)야 ㅣ 웃지마라
  > 것치 거믄들 속조차 거믈소냐
  > 아마도 것 희고 속 거믈손 너뿐인가 긴가 ᄒ노라　　　　　　　　– 이직의 시조

⑥ **대구(對句)**: 비슷한 구조의 어구나 문장을 짝을 맞추어 늘어놓는 표현 방법으로, '대우법'이라고도 한다.

  > 말 업슨 청산(靑山)이요, 태(態) 업슨 유수(流水) ㅣ로다.
  > 갑 업슨 청풍(淸風)이요, 님조 업슨 명월(明月)이라.
  > 이 중(中)에 병(病) 업슨 이 몸이 분별(分別) 업시 늘그리라.　　　– 성혼의 시조

⑦ **돈호(頓呼)**: 대상의 이름을 불러서 주의를 환기시키는 방법이다.

  > 아이야 우리 식탁엔 은쟁반에
  > 하이얀 모시 수건을 마련해 두렴　　　　　　　　　　　　　　　– 이육사, '청포도'

☑ **학습 체크**

01 제시된 시구에 나타난 표현법을 〈보기〉에서 골라 기호를 쓰시오.

> **보기**
> ㉠ 도치　　㉡ 문답　　㉢ 설의
> ㉣ 대구　　㉤ 돈호

(1) 님 向(향)한 一片丹心(일편단심)
　　이야 가실 줄이 이시랴. (　　)
(2) 가쁜 숨결을 드내쉬노니, 박나비처럼, (　　)

---

(1) ㉢ (2) ㉠

⑧ **생략(省略):** 독자에게 여운이나 암시를 주기 위하여, 문장의 구절을 간결하게 줄이거나 빼 버리는 방법이다.

> 그립다 / 말을 할까 / 하니 그리워.
> 그냥 갈까 / 그래도 / 다시 더 한 번…….
> — 김소월, '가는 길'

⑨ **인용(引用):** 다른 사람의 말이나 글, 격언 등을 빌려와 내용을 풍부하게 하거나 변화를 주는 방법이다.

> 누이는 놀란 듯이 치어다보며 / "오매, 단풍 들것네."
> — 김영랑, '오매 단풍 들것네'

⑩ **시적 허용:** 시적 파격(詩的破格)이라고도 하며, 일상어에서는 비문법적인 단어나 문장이어도 시에서는 시적 효과를 위해 허용하는 것을 말한다.

> 자줏빛 굵은 대공 하이얀 꽃이 벌고
> — 이병기, '난초 4'

(4) 상징(象徵, symbol)

① **개념:** 추상적인 관념이나 사상을 구체적인 사물로 나타내는 표현 기법이다.

② **특징**

   ⊙ 상징은 원관념은 숨기고 보조 관념만 드러난다.

   ⓛ 비유에서는 원관념과 보조 관념이 '1:1'의 유추적 관계를 보이지만, 상징에서는 원관념과 보조 관념이 '1:다(多)'의 다의적 관계를 이룬다.

③ **종류**

   ⊙ **관습적 상징(사회적·제도적 상징):** 일정한 세월을 두고 사회적 관습에 의해 공인되고 널리 보편화된 상징이다. 🔘 십자가 → 기독교, 비둘기 → 평화, 칼 → 무력

   ⓛ **개인적 상징(창조적·문화적 상징):** 관습적 상징을 시인의 독창적 의미로 변용시켜 문화적 효과를 얻는 상징이다.

> 黃雀何方來去飛   참새야 어디서 오가며 나느냐,
> 一年農事不曾知   일 년 농사는 아랑곳하지 않고,
> 鰥翁獨自耕耘了   늙은 홀아비 홀로 갈고 맸는데,
> 耗盡田中禾黍爲   밭의 벼며 기장을 다 없애다니.
> — 이제현, '사리화'

    ▶ '참새'는 탐관오리, '늙은 홀아비'는 수탈을 당하는 힘없는 농민들을 상징한다.

   ⓒ **원형적 상징:** 시대와 지역을 초월하여 인류 전체나 특정 민족, 특정 문화에 빈번하게 되풀이되어 나타나는 상징이다.
   🔘 물 → 생명, 생산, 깨끗함, 풍요, 정화, 사랑, 부드러움, 성장 등

(5) 감정 이입

자신의 감정을 타인이나 사물에 이입하여 대상도 자신과 같은 감정을 느끼는 것처럼 표현하는 방법이다.

> 천만 리 머나먼 길히 고은 님 여희웁고 / 니 무움 둘 되 업셔 냇ᄀ의 안쟈시니,
> 져 믈도 니 온 곳후여 우러 밤길 녜놋다.
> — 왕방연의 시조

    ▶ 화자의 슬픈 심정을 냇물에 이입하여 냇물이 울며 가는 것으로 표현하고 있다.

⊕ 비유와 상징의 차이

구분	비유	상징
원관념	드러남	드러나지 않음
의미 해석	하나의 의미로 해석	다양한 의미로 해석 가능
원관념- 보조관념 관계	유사성 있음	유사성 없음

⊕ 감정 이입과 객관적 상관물의 구분

감정 이입은 화자의 정서가 이입된 대상만을 가리키고, 객관적 상관물은 화자의 정서에 기여하는 모든 대상을 가리킨다. 따라서 객관적 상관물은 감정 이입을 포함하는 상위 개념이다. (감정 이입 ⊂ 객관적 상관물)

☑ 학습 체크

01 밑줄 친 시어 중 감정 이입에 해당하는 것에 ○를, 해당하지 않는 것에 ×를 하시오.

(1) 산에서 우는 <u>작은 새여.</u> / 꽃이 좋아 / 산에서 / 사노라네. (○, ×)

(2) <u>가마귀</u> 눈비 마즈 희논 듯 검노미라. / 夜光明月(야광명월)이 밤인들 어두오랴. (○, ×)

------

(1) ○ (2) ×

(6) 객관적 상관물

감정을 환기시키는 모든 사물을 가리킨다. 시적 화자와 동일한 감정뿐만 아니라 대조적인 감정을 떠올리게 하는 것도 객관적 상관물이다.

> 여보소 공중에 / 저 기러기 / 공중엔 길 있어서 잘 가는가?
> – 김소월, '길'

▶ 나그네 신세인 화자의 처지와 대조적으로 기러기는 하늘을 일정한 방향으로 날아가는데, 화자는 이를 부러워하며 슬픔에 잠긴다. 즉 기러기는 방황하는 화자의 슬픔을 심화하는 객관적 상관물이다.

(7) 자동기술법(의식의 흐름 기법)

인간 내면 세계의 깊은 생각, 관념, 의식을 아무런 제약이나 질서 없이 의식의 흐름에 따라 표출하는 표현 기법이다.

> 거울때문에나는거울속의나를만져보지를못하는구료마는
> 거울아니었던들내가어찌거울속의나를만나보기만이라도했겠소
>
> 나는지금거울을안가졌소마는거울속에는늘거울속의내가있소
> 잘은모르지만외로된사업(事業)에골몰할게요
> – 이상, '거울'

(8) 선경 후정(先景後情)

작품의 전반부에는 풍경이나 사물의 외양 등 눈에 비치는 모습을 제시하고, 후반부에는 화자의 정서를 표출하는 전개 방식이다.

> 보슬보슬 봄비는 못에 내리고 / 찬 바람이 장막 속 스며들 제
> 뜬시름 못내 이겨 병풍에 기대니 / 송이송이 살구꽃 담 위에 지네.
> – 허난설헌, '봄비'

▶ 작품의 기구와 승구에서는 공간적 배경(못)과 시간적 배경(봄)을 제시하고, 후반부인 전구에서는 화자의 고독하고 아쉬운 정서를 제시하고 있다.

6. 시의 심상(心象, image)

(1) 심상의 기능

① **구체성**: 추상적 관념을 구체적 언어로 생동감 있게 전달한다.

② **함축성**: 여러 가지 의미와 느낌을 함축적으로 표현해 준다.

③ **직접성**: 경험과 사물을 감각적이고 구체적으로 나타내어 뚜렷하고 직접적인 인상을 준다.

(2) 심상의 종류

① **시각적 심상**: 색채, 명암, 모양, 움직임 등 눈을 통해 떠올리는 이미지

> • 흰 발톱에 찢긴 / 산호(珊瑚)보다 붉고 슬픈 생채기!
> – 정지용, '바다9'
> • 금방울과 같이 호동그란 고양이의 눈에 / 미친 봄의 불길이 흐르도다.
> – 이장희, '봄은 고양이로다'

② **청각적 심상**: 소리의 감각에 호소하는 이미지

> • 전나무 우거진 마을 / 집집마다 누룩을 디디는 소리,
> – 오장환, '고향 앞에서'
> • 님이여, 사랑이여, 옛 오동(梧桐)의 숨은 소리여.
> – 한용운, '찬송'

③ **미각적 심상**: 맛의 감각을 이용한 이미지

- 메마른 입술에 쓰디쓰다. — 정지용, '고향'
- 우리는 草野(초야)에 뭇쳐시니 밉고 쓴 줄 몰뇌라. — 작자 미상의 시조

④ **후각적 심상**: 냄새의 감각을 이용한 이미지

- 달은 과일보다 향그럽다. — 장만영, '달·포도·잎사귀'
- 하늘을 스치는 알 수 없는 향기는 누구의 입김 입니까? — 한용운, '알 수 없어요'

⑤ **촉각적 심상**: 사물이 피부에 닿는 감촉과 관련된 이미지

꽃가루와 같이 부드러운 고양이의 털에 — 이장희, '봄은 고양이로다'

⑥ **공감각적 심상(감각의 전이)**: 두 종류 이상의 감각이 결합되어 이루어진 이미지, 즉 감각이 전이되어 표현된 심상을 말한다.

- 나비 허리에 새파란 초생달이 시리다. (시각의 촉각화) — 김기림, '바다와 나비'
- 옛이야기 지줄대는 실개천 (시각의 청각화) — 정지용, '향수(鄕愁)'
- 노란 달이 아마존 강물 속에 향기롭게 출렁이고 (시각의 촉각화) — 최승호, '아마존 수족관'
- 나는 향기로운 님의 말소리에 귀먹고 (청각의 후각화) — 한용운, '님의 침묵'

2 서사 갈래

1. 소설의 이해

(1) 소설의 정의

소설은 현실에서 있을 법한 허구적인 이야기를 소설 속 사건의 전개나 인물을 통해 현실의 이야기인 것처럼 만들어 전달하는 산문 문학의 한 장르이다.

(2) 소설의 특성

① **허구성**: 현실의 요소를 반영하여 가공한 이야기이다.

② **진실성**: 허구적인 이야기를 통하여 인생의 참모습을 추구한다.

③ **예술성**: 예술의 한 형식이므로 예술미와 형식미를 갖추어 표현한다.

④ **서사성**: 이야기를 산문 형식을 갖추고, 시간의 흐름에 따라 표현한다.

2. 소설의 요소

소설의 3요소	→	주제	+	구성	+	문체
소설 구성의 3요소	→	인물	+	사건	+	배경

3. 소설의 구성(構成, plot)

(1) 구성의 개념

① 주제를 효과적으로 표현하기 위하여 사건을 인과 관계에 따라 유기적으로 배치하는 것으로, 플롯(plot)이라고도 한다.

② 소설의 예술미를 형성하기 위해 논리적·인과적으로 배열된 사건의 구조이다.

③ 복선 등을 이용하여 사건에 필연성을 부여한다.

▶ 복선은 앞으로 다가올 상황에 대한 암시이다. 대개 복선의 목적은 독자들의 흥미를 유발하여 작품의 재미를 강화시키고, 독자들이 앞으로 전개될 사건을 우발적 사건이 아닌 필연적인 것으로 느끼게 하기 위함이다.

(2) 구성의 단계

발단	작품의 도입 단계로 등장인물이 소개되고, 배경이 제시됨. 사건의 실마리가 암시됨

⇩

전개	갈등이 본격적으로 전개되는 단계로, 갈등과 분규가 발생함. 인물의 성격이 변화·발전함 복선, 암시, 생략, 서스펜스 등이 있음.

⇩

위기	사건의 극적 반전을 가져오는 모멘트(어떤 일의 원인)가 나타나는 부분으로, 갈등이 고조·심화되어 절정에 이르는 계기가 되는 단계임

⇩

절정	갈등과 분규가 가장 격렬해지고 최고조에 이르는 단계로, 사건 해결의 분기점이 되는 단계임. 작품 전체의 의미가 제시되며 위기가 반전됨

⇩

결말	사건이 마무리되고 갈등과 분규가 해결됨. 주인공의 운명이 결정되는 단계임

(3) 구성의 유형

① 이야기의 개수에 따라

㉠ **단일 구성**(단순 구성, simple plot): 한 가지 이야기만이 전개되는 구성으로, 주로 단편 소설에서 보이는 구성이다.

㉡ **복합 구성**(복잡 구성, intricate plot): 두 가지 이상의 이야기가 복합적으로 얽혀 전개되는 구성으로, 주로 장편 소설에서 보이는 구성이다.

㉢ **피카레스크식 구성**: 동일한 인물이 독립된 각각의 이야기에 등장하여, 동일한 주제와 배경하에 사건을 전개하는 구성이다. 각각의 이야기는 독립적이지만 전체적으로는 긴밀한 관계를 맺고 있다.

　　데 홍명희의 '임꺽정': 주인공 임꺽정이 전국을 돌아다니며 역사 속 실존 인물들을 만나는 독립적인 에피소드가 여러 편 이어져 있다.

㉣ **옴니버스식 구성**: 옴니버스는 '합승 마차'라는 뜻이다. 합승 마차가 다른 각각의 승객을 태우고 동일한 종착역을 향해 달리듯, 작은 주제와 인물이 다른 이야기들을 하나의 거대한 주제 아래에 모아놓은 구성이다.

　　데 봉산탈춤: 각 과장이 '양반의 허위에 대한 비판', '가부장적 질서에 대한 풍자' 등을 작은 주제로 삼고 있으나, 전체적으로 봉건 사회에 대한 비판과 풍자, 근대 시민 의식의 발현 등을 큰 주제로 하고 있다. 그리고 각 과장에 따라 등장인물 역시 다르다. (양반 과장은 양반 삼형제와 말뚝이, 취발이가 등장하고, 미얄 과장은 미얄과 영감, 덜머리집이 등장함)

㉤ **액자식 구성**: '내부 이야기'와 '외부 이야기'로 이루어지는 구성이다.

　　ⓐ '내부 이야기'는 주제를 구현하는 핵심 이야기이며, '외부 이야기'는 사건의 신빙성 확보를 위한 액자 이야기이다.

　　ⓑ 내부 이야기와 외부 이야기에서 시점이 다르게 나타나며, 특히 내부 이야기는 신빙성을 위해 서술자와의 거리를 유지하고 사건을 객관적으로 서술한다.

☑ **학습 체크**

01 다음 설명이 가리키는 구성의 유형을 〈보기〉에서 골라 기호를 쓰시오.

보기
　㉠ 피카레스크식 구성
　㉡ 옴니버스식 구성
　㉢ 액자식 구성

(1) 이야기 속에 또 다른 이야기가 들어 있는 구성이다. (　　)
(2) 동일한 인물이 등장하여 각각 다른 사건을 연속적으로 전개하는 구성이다. (　　)
(3) 인물과 사건이 다른 독립된 몇 개의 이야기를 하나의 주제를 중심으로 모은 구성이다. (　　)

(1) ㉢ (2) ㉠ (3) ㉡

"자, 노형의 경험담이나 한번 들어 봅시다. 감출 일이 아니면 한번 이야기해 보쇼."

"머, 감출 일은……."

"그럼, 어디 들어 봅시다그려."

그는 다시 하늘을 쳐다보았다. 그러나 좀 있다가,

"하디요."

하면서 내가 담배를 붙이는 것을 보고 자기도 대에 담배를 붙여 물고 이야기를 꺼낸다.

"닞히디두 않는 십구 년 전 팔월 열하룻날 일인데요."

하면서 그가 이야기한 바는 대략 이와 같은 것이다.

그가 살던 마을은 영유 고을서 한 이십 리 떠나 잇는, 바다를 향한 조고만 어촌이다. 그의 살던 조고만 마을(서른 집쯤 되는)에서는 그는 꽤 유명한 사람이었다.

그의 부모는 모두 열댓 세 났을 때 돌아갔고, 남은 사람이라고는 곁집에 딴살림하는 그의 아우 부처와 그 자기 부처뿐이었다. 그들 형제가 그 마을에서 제일 부자이고 또 제일 고기잡이를 잘하였고 그중 글이 있었고 배따라기도 그 마을에서 빼나게 그 형제가 잘 불렀다.

- 김동인, '배따라기'

▶ '노형의 경험담'이 서술된 부분을 내부 이야기로, 현재 '나'와 '그'가 만나 이야기하는 부분을 외부 이야기로 하는 액자식 구성을 취하고 있다.

② 사건의 진행 방식에 따라

ㄱ **평면적 구성**(진행적 구성): 사건이 과거, 현재, 미래의 시간적 흐름에 따라 순차적으로 진행되는 구성이다. 🔟 고전 소설의 일대기적 구성

ㄴ **입체적 구성**(분석적 구성): 사건을 시간적 순서에 따라 전개하지 않고 시간을 역행시켜 진행하는 구성으로, 현대 소설이나 심리주의 소설에서 자주 보이는 구성이다.

4. 소설의 문체(文體, style)와 어조(語調, tone)

(1) 소설의 문체

문체는 문장에 나타난 작가의 개성적인 특징(style)을 가리킨다. 소설의 문체는 지문과 등장인물의 대화를 통해 구체화되는데, 구체적인 요소로는 '서술, 묘사, 대화'가 있다.

① **서술**(敍述, narration): 작가가 인물, 사건, 배경 등을 직접 이야기하는 방식으로, 추상적·해설적·요약적으로 사건을 표현하므로 사건이 진행된다.

1945년 8월 15일, 역사적인 날. / 이날도 신기료장수 방삼복은 종로의 공원 건너편 응달에 앉아서 구두 징을 박으면서 해방의 날을 맞이하였다. 그러나 삼복은 감격한 줄도 기쁜 줄도 모르겠었다. 지나가는 행인이 서로 모르던 사람끼리면서 덥석 서로 껴안고 기뻐하고 눈물을 흘리고 하는 것이 삼복은 속을 모르겠고 차라리 쑥스러 보일 따름이었다.

- 채만식, '미스터 방'

② **묘사**(描寫, description): 작가는 인물, 사건, 배경 등을 그림을 그리듯 구체적, 사실적으로 서술함으로써 독자에게 생생한 이미지를 전달한다.

길은 지금 긴 산허리에 걸려 있다. 밤중을 지난 무렵인지 죽은 듯이 고요한 속에서 짐승 같은 달의 숨소리가 손에 잡힐 듯이 들리며, 콩포기와 옥수수 잎새가 한층 달에 푸르게 젖었다. 산허리는 온통 메밀밭이어서 피기 시작한 꽃이 소금을 뿌린 듯이 흐뭇한 달빛에 숨이 막힐 지경이다. 붉은 대공이 향기같이 애잔하고 나귀들의 걸음도 시원하다.

- 이효석, '메밀꽃 필 무렵'

☑ **학습 체크**

01 다음 글에 사용된 문체의 요소를 고르시오.

'삶'은 이 동네에는 커다란 암종이었다. '삶' 때문에 아무리 농사에 사람이 부족한 때라도 젊고 튼튼한 몇 사람은 동네의 젊은 부녀를 지키기 위하여 동네 안에 머물러 있지 않을 수 없었다. '삶' 때문에 부녀와 아이들은 아무리 더운 여름 저녁이라도 길에 나서서 마음놓고 바람을 쏘여 보지를 못하였다. '삶' 때문에 동네에서는 닭의 가리며 돼지 우리를 지키기 위하여 밤을 새우지 않을 수 없었다.

- 김동인, '붉은 산'

(서술 / 묘사 / 대화)

서술: '삶'을 대하는 마을 사람들의 태도를 요약적으로 제시하였다.

③ **대화(對話, dialogue):** 등장인물의 말로 표현되는 것으로 사건 전개, 인물 성격 및 심리 제시의 역할을 하며, 스토리와 유기적으로 결합하여 극적으로 상황을 제시한다.

> "글쎄, 왜 못 잡수시는 약주를 잡수셔요. 그러면 몸에 축이 나지 않아요."
> 하고 아내는 남편의 이마에 흐르는 진땀을 씻는다.
> 이취자(泥醉者)는 머리를 흔들며, / "아니야, 아니야, 그런 말을 듣자는 것이 아니야."
> 하고 아까 일을 추상하는 것처럼, 말을 끊었다가 다시금 말을 이어,
> "옳지, 누가 나에게 술을 권했단 말이요? 내가 술을 먹고 싶어서 먹었단 말이오?"
> "자시고 싶어 잡수신 건 아니지요. 누가 당신께 약주를 권하는지 내가 알아 낼까요?
> 저…… 첫째는 홧증이 술을 권하고, 둘째는 '하이칼라'가 약주를 권하지요."
>
> – 현진건, '술 권하는 사회'

(2) 소설의 어조

① **어조의 개념:** 서술자의 정서적 태도와 느낌, 또는 작품에서 언어에 의해 나타나는 분위기나 기분(mood)을 어조라고 한다.

② **어조의 종류**

㉠ **해학적 어조:** 익살과 해학이 중심을 이루는 어조

> 계집애가 나물을 캐러 가면 갔지 남 울타리 엮는 데 쌩이질을 하는 것은 다 뭐냐. 그것도 발소리를 죽여 가지고 등 뒤로 살며시 와서
> "얘! 너 혼자만 일하니?" / 하고 긴치 않은 수작을 하는 것이다.
> 어제까지도 저와 나는 이야기도 잘 않고 서로 만나도 본척만척하고 이렇게 점잖게 지내던 터이련만, 오늘로 갑작스레 대견해졌음은 웬일인가. 항차 망아지만 한 계집애가 남 일하는 놈 보구…….
> "그럼 혼자 하지 떼루 하듸?" / 내가 이렇게 내배알는 소리를 하니까
> "너, 일하기 좋니?" / 또는,
> "한여름이나 되거든 하지 벌써 울타리를 하니?"
> 잔소리를 두루 늘어놓다가 남이 들을까 봐 손으로 입을 틀어막고는 그 속에서 깔깔대인다. 별로 우스울 것도 없는데, 날씨가 풀리더니 이놈의 계집애가 미쳤나 하고 의심하였다.
>
> – 김유정, '동백꽃'

▶ 점순이는 '나'에게 호감을 드러내지만 '나'는 그것을 알아차리지 못한다. 작가는 이러한 어리숙하고 눈치 없는 '나'의 행동과 말을 해학적 어조로 서술하여 웃음을 유발하고 있다.

㉡ **냉소적 어조:** 차가운 태도가 주를 이루는 어조

> 그 견본을 가지고 미군 부대를 찾아다니며 초상화의 주문을 맡는다는 것이었다. 대학에서 영문과를 전공한 것이 아주 헛일은 아니었다고 하며 동욱은 닝글닝글 웃었다. 동욱의 그 닝글닝글한 웃음을 원구는 이전부터 몹시 꺼렸다. 상대방을 조롱하는 것 같은 그러면서도 자조적이요, 어쩐지 친애감조차 느껴지는 그 닝글닝글한 웃음은 원구에게 어떤 운명적인 중압을 암시하여 감당할 수 없이 마음이 무거워지는 것이었다.
>
> – 손창섭, '비 오는 날'

▶ 동욱의 '닝글닝글한 웃음'은 무기력한 자신에 대한 자조이자 자신을 비참한 지경에 빠뜨린 세상에 대한 냉소이다. 작가는 냉소적인 어조를 통해 전후의 무기력하고 허무한 삶을 드러내고 있다.

© **반어적 어조**: 진술의 표리를 다르게 하거나 상황이 대조됨으로써 나타나는 어조

> "이년아, 죽었단 말이냐, 왜 말이 없어?" / "……."
> "으응, 또 대답이 없네, 정말 죽었나 보이."
> 이러다가, 누운 이의 흰 창이 검은 창을 덮은, 위로 치뜬 눈을 알아보자마자,
> "이 눈깔! 이 눈깔! 왜 나를 바루 보지 못하고 천정만 바라보느냐, 응?"
> 하는 말끝엔 목이 메었다. 그러자 산 사람의 눈에서 떨어진 닭의 똥 같은 눈물이 죽은 이의 뻣뻣한 얼굴을 어룽어룽 적시인다. 문득 김 첨지는 미친 듯이 제 얼굴을 죽은 이의 얼굴에 한데 비벼대며 중얼거렸다.
> "설렁탕을 사다 놓았는데 왜 먹지를 못하니, 왜 먹지를 못하니…… 괴상하게도 오늘은 운수가 좋더니만……."
> – 현진건, '운수 좋은 날'

▶ 이 소설에서 '운수 좋은 날'은 도리어 아내가 죽은 '운수 나쁜 날'을 의미한다는 점에서, 반어적 어조를 띤다.

@ **풍자적 어조**: 부정적 현실이나 인물에 대해 비판하는 어조

> "…… 오죽이나 좋은 세상이여? 오죽이나……"
> 윤 직원 영감은 팔을 부르걷은 주먹으로 방바닥을 땅 — 치면서 성난 황소가 영각을 하듯 고함을 지릅니다.
> "화적패가 있너냐? 부랑당 같은 수령(守令)들이 있너냐?…… 재산이 있대야 도적놈의 것이오, 목숨은 파리 목숨 같던 말세(末世)년 다 — 지내가고오…… 자 — 부아라, 거리거리 순사요 골골마다 공명헌 정사(政事), 오죽이나 좋은 세상이여…… 남은 수십만 명 동병(動兵)을 히여서, 우리 조선놈 보호히여 주니, 오죽이나 고마운 세상이?…… 으응?…… 제 것 지니고 앉어서 편안하게 살 세상, 이걸 태평천하라구 하는 것이여, 태평천하!…… 그런데 이런 태평천하에 태어난 부잣집놈의 자식이 더군다나 왜 지가 땅땅거리구 편안하게 살 것이지, 어찌서 지가 세상 망쳐 놀 부랑당패에 참섭을 헌담말이여, 으응?"
> – 채만식, '태평천하'

▶ 윤 직원 영감은 우리 민족이 궁핍과 고난을 겪고 있는 일제 치하의 시대를 '태평천하'라고 말함으로써 현실 인식의 문제점을 드러내고 있다. 작가는 이러한 윤 직원 영감의 말과 행동을 풍자적 어조로 서술함으로써 당시의 반민족적 인물들을 비판하고 있다.

5. 소설의 인물(人物, character)

(1) 인물의 유형

① **중요도에 따라**

㉠ **주요 인물**: 사건을 이끄는 중심인물, 즉 주인공이다.

㉡ **주변 인물**: 사건의 진행을 돕거나 주인공을 돋보이게 하는 인물이다.

② **역할에 따라**

㉠ **주동 인물**: 주인공으로서 중심적 역할을 수행하는 인물이다.
> 예 '춘향전'의 성춘향과 이몽룡

㉡ **반동 인물**: 주인공과 대립하여 갈등을 일으키는 인물이다.
> 예 '춘향전'의 변학도

③ **성격에 따라**

㉠ **전형적 인물**: 어떤 계층이나 집단의 보편적인 성격을 대표하는 인물이다.

㉡ **개성적 인물**: 독자적인 성격의 인물로, 독특한 개성을 지닌다.

④ 성격 변화 여부에 따라

　　㉠ **평면적 인물**(정적, 2차원적 인물): 성격의 변화를 보이지 않는 인물이다.

　　㉡ **입체적 인물**(동적, 발전적, 원형적, 3차원적 인물): 자연적 환경, 사회적 상황 등의 영향
　　　으로 사건의 진전에 따라 성격의 변화를 보이는 인물이다.

(2) 인물의 제시 방법

① **직접 제시**(분석적, 해설적, 편집자적, 논평적 제시)

　　㉠ 서술자가 인물의 특성을 직접 설명하는 방법이다.
　　　→ 말하기(telling)

　　㉡ 인물의 성격에 대한 서술자의 주관이 개입될 수 있다.

　　㉢ 짧은 시간 안에 인물의 성격을 전달할 수 있으나, 독자의 상상력이 제한된다는 단점
　　　이 있다.

② **간접 제시**(극적, 장면적 제시)

　　㉠ 인물의 행동과 대화를 장면으로 보여 줌으로써 인물의 성격을 간접적으로 알 수 있게
　　　하는 방법이다.
　　　→ 보여 주기(showing)

　　㉡ 인물의 성격을 객관적으로 전달한다.

　　㉢ 극적 효과가 극대화되고 독자의 상상력을 자극할 수 있으나, 사건의 진행이 느려진다
　　　는 단점이 있다.

> 아버지는 아들의 뒤를 쫓아 이내 개울에서 들어왔다. …(중략)…
> "나무다리가 있는데 건 왜 고치시나요?"
> "너두 그런 소릴 허는구나, 나무가 돌만 허다든? 넌 그 다리서 고기 잡던 생각두 안
> 나니? 서울루 공부 갈 때 그 다리 건너서 떠나던 생각 안 나니? 시쳇사람들은 모두
> 인정이란 게 사람헌테만 쓰는 건 줄 알드라! 내 할아버니 산소에 상돌을 그 다리로
> 건네다 모셨구, 내가 천잘 끼구 그 다리루 글 읽으러 댕겼다. 네 어미두 그 가말 타구
> 내 집에 왔어. 나 죽건 그 다리루 건네다 묻어라…… 난 서울 갈 생각 없다."
> 　　　　　　　　　　　　　　　　　　　　　　　　　　　　　　　　　　－ 이태준, '돌다리'

▶ 아버지의 말을 통해, 그에게 '돌다리'는 단순한 다리가 아닌 가족의 역사와 추억이 담겨 있는
　소중한 것임을 알 수 있다. 이를 통해 실리보다 인정을 중시하는 아버지의 성격을 알 수 있다.

(3) 인물의 갈등

① **내적 갈등**: 개인 내부의 심리적 모순이나 대립에 의해 생기는 갈등이다.

> 무슨 목적으로 아내는 나를 밤이나 낮이나 재웠어야 됐나?
> 나를 조금씩 조금씩 죽이려던 것일까?
> 나를 밤이나 낮이나 재워놓고 그리고 아내는 내가 자는 동안에 무슨 짓을 했나?
> 　그러나 또 생각하여 보면 내가 한 달을 두고 먹어 온 것은 아스피린이었는지도 모른다. 아
> 내는 무슨 근심되는 일이 있어서 밤이면 잠이 잘 오지 않아서 정작 아내가 아달린을 사용한
> 것이나 아닌지, 그렇다면 나는 참 미안하다.　　　　　　　　　　　　　　　 － 이상, '날개'

▶ '나'의 내부에서 자신에게 아달린을 먹인 아내를 의심하는 마음과 아내를 믿고 싶은 마음이 갈등
　을 일으키고 있다.

    ㉠ **개인과 개인의 갈등**: 소설 속에서 중심 역할을 하는 인물과 그에 반대되는 지점에 있는 인물 사이의 갈등이다.

> "부려만 먹구 왜 성례 안 하지유!"
> 나는 이렇게 호령했다. 허지만, 장인님이 선뜻 오냐 낼이라두 성례시켜 주마 했으면 나도 성가신 걸 그만두었을지 모른다. 나야 이러면 때린 건 아니니까 나중에 장인 쳤다는 누명도 안 들을 터이고 얼마든지 해도 좋다.
> 한번은 장인님이 헐떡헐떡 기어서 올라오드니 내 바짓가랭이를 요렇게 노리고서 담박 웅켜잡고 매달렸다. 악, 소리를 치고 나는 그만 세상이 다 팽그르 도는 것이
> "빙장님! 빙장님! 빙장님!" / "이 자식! 잡어먹어라, 잡어먹어!"
>   – 김유정, '봄·봄'

    ▶ 점순이와의 성례 문제를 둘러싼 '나'와 장인의 갈등이 해학적으로 표현되어 있다.

    ㉡ **개인과 사회의 갈등**: 개인이 살아가면서 겪는 사회 윤리나 제도와의 갈등으로, 개인의 욕구가 사회의 보편적 욕구와 상충될 때 발생한다.

> "아가, 너는 재상의 첩이 좋으냐, 여염집의 부인이 좋으냐? 아비, 어미가 있는데 부끄러울 게 뭐냐. 네 생각을 말해 보아라." / 채봉이 예사 여염집 처녀 같았으면 부모의 말이라 뭐라고 대꾸하지 않았을 터이지만, 원래 학식도 있을 뿐 아니라 장필성과의 일을 잠시도 잊지 않고 있는지라. 게다가 부모가 하는 얘기를 다 들은 터라 조금도 서슴지 않고 얼굴을 바로 하고 대답한다.
> "차라리 닭의 입이 될지언정 소의 뒤 되기는 바라는 바가 아닙니다."
>   – 작자 미상, '채봉감별곡'

    ▶ '김 진사'는 출세를 위해 자신의 딸인 '채봉'을 '허 판서'의 첩으로 보내고자 한다. 하지만 이미 '필성'을 마음에 두고 있는 '채봉'은 부모의 말을 따르지 않는다. 이러한 갈등은 자식이 부모의 뜻을 따라야 한다는 봉건주의적 가치관에서 연유한 것이므로 개인과 사회의 갈등에 해당한다.

    ㉢ **개인과 운명과의 갈등**: 개인의 삶이 운명에 의해 좌우됨으로 인해 유발되는 갈등이다.

> 여인이 양생에게 말했다. / "제가 법도를 어겼다는 것은 저도 잘 알고 있습니다. …(중략)… 지난번 절에 가서 복을 빌고 부처님 앞에서 향불을 사르며 박명했던 한평생을 혼자서 탄식하다가 뜻밖에도 삼세(三世)의 인연을 만나게 되었으므로, 소박한 아내가 되어 백년의 높은 절개를 바치려고 하였습니다. 술을 빚고 옷을 기워 평생 지어미의 길을 닦으려 했었습니다만, 애달프게도 업보(業報)를 피할 수가 없어서 저승길을 떠나야 하게 되었습니다. 즐거움을 미처 다하지도 못하였는데 슬픈 이별이 닥쳐왔습니다."
>   – 김시습 '만복사저포기'

    ▶ 이미 죽은 사람인 '여인'이 '양생'의 아내가 되어 평생을 함께하고자 하였으나, 업보를 피하지 못하고 저승으로 돌아가야 하는 운명에 순응하는 장면이므로, 개인과 운명의 갈등에 해당한다.

6. 소설의 배경(背景, setting)

(1) 배경의 기능

    ① 사건에 사실성을 부여하며 현장감을 높여 준다.

    ② 작품의 전반적인 분위기를 조성한다.

    ③ 인물의 심리나 사건의 전개를 암시하는 역할을 한다.

☑ **학습 체크**

01 다음 글에서 인물이 겪는 외적 갈등의 양상을 쓰시오.

> 그의 고향은 대구에서 멀지 않은 K군 H란 외딴 동리였다. 한 백 호 남짓한 그곳 주민은 전부가 역둔토(驛屯土)를 파먹고 살았는데, 역둔토로 말하면 사삿집 땅을 부치는 것보다 떨어지는 것이 후하였다. 그러므로 넉넉지는 못할망정 평화로운 농촌으로 남부럽지 않게 지낼 수 있었다. 그러나 세상이 뒤바뀌자 그 땅은 전부가 동양척식 주식회사의 소유에 들어가고 말았다. 직접으로 회사에 소작료를 바치게 되었으면 그래도 나으련만 소위 중간 소작인이란 것이 생겨나서 저는 손에 흙 한 번 만져 보지 않고 동척엔 소작인 노릇을 하며, 실작인에게는 지주 행세를 하게 되었다. 동척에 소작료를 물고 나서 또 중간 소작인에게 긁히고 보니, 실작인의 손에는 소출의 삼 할도 떨어지지 않았다. 그 후로 "죽겠다", "못 살겠다"하는 소리는 중이 염불하듯 그들의 입길에서 오르내리게 되었다.

개인과 (　　　)의 갈등

01 개인과 사회의 갈등: '세상이 뒤바뀌자(식민지 지배가 시작되자)' 수탈로 인해 주민들이 땅을 빼앗겼다는 것으로 보아 개인과 사회의 갈등임을 알 수 있다.

④ 배경 자체로 상징적인 의미를 나타내기도 한다.

⑤ 주제를 드러내는 역할을 한다.

⑥ 인물의 성격과 사고, 행위에 신빙성을 부여해 준다.

> 새침하게 흐린 품이 눈이 올 듯하더니, 눈은 아니 오고 얼다가 만 비가 추적추적 내리었다. 이 날이야말로 동소문 안에서 인력거꾼 노릇을 하는 김 첨지에게는 오래간만에도 닥친 운수 좋은 날이었다.   – 현진건, '운수 좋은 날'

▶ 추적추적 내리는 겨울비는 음산하고 불안한 분위기를 형성하고 있다. 그리고 눈이 올 것이라 예상하였으나 얼다가 만 비가 내리는 상황은, 박 첨지의 운수 좋은 날이 반전될 것임을 암시하고 있다.

> 일청 전쟁(日淸戰爭)의 총소리는 평양 일경이 떠나가는 듯하더니, 그 총소리가 그치매 사람의 자취는 끊어지고 산과 들에 비린 티끌뿐이라.   – 이인직, '혈의 누'

▶ '청일 전쟁'이라는 실제 역사적 사건을 배경으로 사용하여 사건에 현실감을 부여하고 있다.

(2) 배경의 종류

① **자연적 배경**: 인물의 행위와 사건이 일어나는 구체적인 시간과 장소를 말한다. 이는 자연 상태 그대로의 배경과 인공적으로 조성된 환경을 모두 포함하는 개념이다.

② **사회적 배경**: 인물을 둘러싼 사회 현실과 정치적, 종교적, 문화적 환경을 의미한다.

③ **심리적 배경**: 논리를 초월하여 확대된 시·공간으로, 인물이 놓인 심리적 상황이나 독특한 내면세계를 의미한다. 심리주의 소설에 많이 등장하는 배경이다.

④ **상황적 배경**: 인간이 처해 있는 외부적 상황을 암시하고 상징함으로써, 주제를 드러내는 배경을 의미한다. 실존주의 소설에 많이 등장하는 배경이다.

> 이래저래 피곤한 하루였다. 남폿불을 켤 것도 없이 우리 가족은 일찌감치 자리를 펴고 누웠다. 조그만 방 하나가 우리 가족이 차지한 공간의 전부였다. 바닥도 벽도 천장도 죄다 판자쪽으로 둘러친, 그것은 방이라기보다 흡사 커다란 나무 궤짝 같은 느낌을 주었다. 그나마 세간살이들이 차지하고 남은 공간엔 도무지 네 식구가 발을 뻗고 누울 재간이 없었다. 나는 결국 윗목에 놓인 장롱 위에다 따로 요때기를 깔고 이층 잠을 자기로 했다.   – 이동하, '장난감 도시'

▶ 도시로 상경한 '나'의 가족이 극심한 빈곤을 겪는 상황을 통해, 6·25 전쟁 직후의 비참했던 어린 시절을 드러내고 있다.

7. 소설의 시점(視點, point of view)

(1) 시점의 개념: 서술자가 대상이나 사건을 바라보는 위치와 시각을 의미한다.

(2) 시점의 종류

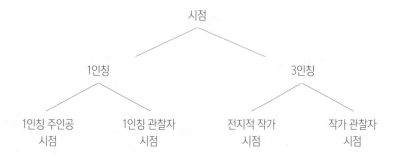

시점
├─ 1인칭
│   ├─ 1인칭 주인공 시점
│   └─ 1인칭 관찰자 시점
└─ 3인칭
    ├─ 전지적 작가 시점
    └─ 작가 관찰자 시점

① 1인칭 주인공 시점

㉠ 1인칭 주관적 시점, 1인칭 서술자 시점, 1인칭 주동자 시점이라고도 한다.

㉡ 작품 속 서술자가 자기 자신의 이야기를 함으로써 독자에게 신뢰감과 친근감을 준다.

㉢ 심리가 정밀하게 표현되므로 주인공의 내면세계를 그리는 데 효과적이다.

㉣ 독자는 주인공이 본 것, 느낀 것만을 알 수 있다.

㉤ 서간체 소설, 일기체 소설, 자전적 소설, 심리 소설 등에 주로 이용된다.

> 김 군! 군은 이러한 말을 편지마다 썼지? 나는 군의 뜻을 잘 알았다. 내 사랑하는 나의 가족을 위하여 동정하여 주는 군에게 내 어찌 감사치 않으랴? 정다운 벗의 충고에 나는 늘 울었다. 그러나 그 충고를 들을 수 없다. 듣지 않는 것이 군에게는 고통이 되는지, 분노가 되는지? 나에게 있어서는 행복일는지도 알 수 없는 까닭이다.
> 김 군! 나도 사람이다. 정애(情愛)가 있는 사람이다. 나의 목숨 같은 내 가족이 유린받는 것을 내 어찌 생각지 않으랴? 나의 고통을 제삼자로서는 만 분의 일이라도 느낄 수 없을 것이다. 나는 이제 나의 탈가한 이유를 군에게 말하고자 한다. 여기 대하여 동정(同情)과 비난(非難)은 군의 자유이다.
> — 최서해, '탈출기'

② 1인칭 관찰자 시점

㉠ 1인칭 관찰자 서술, 1인칭 목격자 시점이라고도 한다.

㉡ 작품 속 부수적 인물인 '나'가 관찰자의 입장에서 주인공의 이야기를 서술한다.

㉢ '나'의 눈에 비친 외부 세계만이 서술되며, 주인공의 심리는 나타나지 않는다.

㉣ 서술의 초점은 '나'가 아니라 주인공에게 있다.

> 한참 동안 어머니는 아무 말씀도 없었습니다. 그러나 한참 후에,
> "옥희야, 너 하나문 그뿐이다." / "엄마." / 어머니는 다시 대답이 없으셨습니다.
> 하루는 밤에 아저씨 방에서 놀다가 졸려서 안방으로 들어오려고 일어서니까 아저씨가 하아얀 봉투를 서랍에서 꺼내어 내게 주었습니다.
> "옥희, 이거 갖다가 엄마 드리고 지난간 달 밥값이라구, 응."
> 나는 그 봉투를 갖다가 어머니에게 드렸습니다. 어머니는 그 봉투를 받아 들자 갑자기 얼굴이 파랗게 질렸습니다. 그 전날 달밤에 마루에 앉았을 때보다도 더 새하얗다고 생각되었습니다. 어머니는 그 봉투를 들고 어쩔 줄을 모르는 듯이 초조한 빛이 나타났습니다.
> — 주요섭, '사랑 손님과 어머니'

③ 전지적 작가 시점

㉠ 3인칭 전지적 시점, 전지적 작가 서술이라고도 한다.

㉡ 서술자는 전지전능한 위치에서 각 인물의 심리 상태를 서술한다.

㉢ 서술자가 작품 속에 직접 개입하여 사건을 진행시키고 인물을 논평하기도 한다.

▶ 편집자적 논평: 서술자가 사건이나 인물에 대해 자신의 견해를 밝히는 것이다. 주로 전지적 작가 시점에서 나타나며, 특히 판소리계 소설에서 빈번히 볼 수 있다.

㉣ 작가가 자신의 사상과 인생관을 직접 드러낼 수 있다.

㉤ 독자의 상상력을 제한할 가능성이 있다.

일동의 정신은 긴장하였다. 더구나 영채는 아직도 이러한 큰 문제를 논란하는 것을 듣지 못하였다. '어떻게 하면 저들을 구제하나?' 함은 참 큰 문제였다. 이러한 큰 문제를 논란하는 형식과 병욱은 매우 큰 사람같이 보였다. 영채는 두자미(杜子美)며, 소동파(蘇東坡)의 세상을 근심하는 시구를 생각하고, 또 오 년 전 월화와 함께 대성 학교장의 연설을 듣던 것을 생각하였다. 그때에는 아직 나이 어려서 분명히 알아듣지는 못하였거니와, '여러분의 조상은 결코 여러분과 같이 못생기지는 아니하였습니다.' 할 때에 과연 지금 날마다 만나는 사람은 못생긴 사람들이다 하던 생각이 난다. 영채는 그 말과 형식의 말에 공통한 점이 있는 듯이 생각하였다.

– 이광수, '무정'

④ **작가 관찰자 시점**

ㄱ 3인칭 관찰자 시점, 3인칭 제한적 시점이라고도 한다.

ㄴ 서술자가 외부 관찰자의 위치에서 객관적 태도로 서술하는 방법이다.

ㄷ 외부 관찰적 입장에서 서술할 뿐, 해설이나 평가를 하지 않는다.

ㄹ 단편 소설에서 극적 효과를 얻고자 할 때 효과적인 시점이다.

ㅁ 겉으로 드러난 부분만을 서술하므로, 독자의 상상력이 개입될 부분이 많다.

왕 서방은 와들와들 떨었다. 왕 서방은 복녀의 손을 뿌리쳤다.

복녀는 쓰러졌다. 그러나 곧 다시 일어섰다. 그가 다시 일어설 때는 그의 손에는 얼른얼른 하는 낫이 한 자루 들리어 있었다.

"이 되놈, 죽어라, 죽어라, 이놈, 나 때렸디! 이놈아, 아이고, 사람 죽이누나."

그는 목을 놓고 처울면서 낫을 휘둘렀다. 칠성문 밖 외딴 밭 가운데 홀로 서 있는 왕 서방의 집에서는 일장의 활극이 일어났다. 그러나 그 활극도 곧 잠잠하게 되었다. 복녀의 손에 들리어 있던 낫은 어느덧 왕 서방의 손으로 넘어가고, 복녀는 목으로 피를 쏟으면서 그 자리에 고꾸라져 있었다. / 복녀의 송장은 사흘이 지나도록 무덤으로 못 갔다. 왕 서방은 몇 번을 복녀의 남편을 찾았다. 복녀의 남편도 때때로 왕 서방을 찾아갔다. 둘의 새에는 무슨 교섭하는 일이 있었다.

사흘이 지났다.

밤중에 복녀의 시체는 왕 서방의 집에서 남편의 집으로 옮겨졌다.

– 김동인, '감자'

⑤ **시점의 혼합**: 일부 소설에서는 시점이 혼용되기도 한다. 특히 액자 소설의 경우, 1인칭과 3인칭 시점이 혼합되어 쓰이는 경우가 있다.

소녀가 남기고 간 그림 — 이것을 할아버지께서는 '무녀도'라 불렀지만 — 과 함께 내가 할아버지로부터 전해들은 이야기는 다음과 같다.

경주읍에서 성밖으로 십여 리 나가서 조그만 마을이 있었다. 여민촌 혹은 잡성촌이라 불리어지는 마을이었다. 이 마을 한구석에 모화(毛火)라는 무당이 살고 있었다. 그녀가 사는 집은 도깨비굴 같기만 했다. 이 도깨비굴같이 낡고 헐리인 집 속에 무녀 모화와 그 딸 낭이는 살고 있었다.

– 김동리, '무녀도'

▶ 액자 소설로, 외부 이야기는 1인칭 주인공 시점, 내부 이야기는 전지적 작가 시점으로 서술되었다.

☑ **학습 체크**

01 작가 관찰자 시점은 서술자의 태도가 객관적이다. (O, X)

02 작가 관찰자 시점은 독자에게 신뢰감과 친근감을 준다. (O, X)

03 전지적 작가 시점은 독자의 상상력이 개입할 부분이 많다. (O, X)

04 다음 글의 시점을 쓰시오.

> 수재는 군말 없이 고분하였다. 시키는 대로 땅에 무릎을 꿇고 벽채로 군버력을 긁어낸 다음 다시 파기 시작한다. 영식이는 치다 나머지 버력을 짊어진다. 커단 걸때를 뒤툭거리며 사다리로 기어오른다.

(   )

----

01 ○
02 X 1인칭 주인공 시점에 대한 설명이다.
03 X 전지적 작가 시점은 작가가 이야기의 모든 것을 설명하므로 독자의 상상력을 제한할 가능성이 있다.
04 작가 관찰자 시점

3 교술 갈래

1. 수필의 이해

(1) 수필의 정의

인생이나 자연에 대한 체험, 생각, 느낌을 특별한 형식의 제약 없이 산문 형식으로 쓰는 글이다.

(2) 수필의 특성

① **자유로운 형식**: 수필은 형식이 자유롭고 구성과 내용상의 제약이 없는 특성을 가지고 있으며, 일기체, 서간체, 담화체 등 다양한 산문으로 쓰인다.

② **다양한 소재**: 수필은 인생이나 사회, 역사, 자연 등 이 세계의 모든 것에 대해 자유자재로 서술하므로, 소재가 광범위하다.

③ **개성적·고백적인 글**

ㄱ 수필에는 작가의 독특한 인생관, 세계관, 사상이나 감정이 잘 드러나 있다.

ㄴ 수필의 내용은 다분히 주관적·주정적이고, 독백에 가까운 것이 많다.

ㄷ 이와 같은 특성들 때문에 수필을 가리켜 '개성의 문학'이라고도 한다.

2. 수필의 갈래

(1) 서정적 수필

일상생활이나 자연에서 느낀 희(喜)·노(怒)·애(哀)·락(樂)·애(愛)·오(惡)·욕(欲) 등의 정서를 주정적·주관적으로 표현한다.

> 그러나 이러한 때 ─ 푸른 하늘과 찬란한 태양이 있고, 황홀(恍惚)한 신록이 모든 산, 모든 언덕을 덮는 이때, 기쁨의 속삭임이 하늘과 땅, 나무와 나무, 풀잎과 풀잎 사이에 은밀히 수수(授受)되고, 그들의 기쁨의 노래가 금시라도 우렁차게 터져 나와, 산과 들을 흔든 듯한 이러한 때를 당하면, 나는 곁에 비록 친한 동무가 있고, 그의 재미있는 이야기가 있다 할지라도, 이러한 자연에 곁눈을 팔지 않을 수 없으며, 그의 기쁨의 노래에 귀를 기울이지 아니할 수 없게 된다. …(중략)…
> 그리고 또, 사실 이즈음의 신록에는, 우리의 마음에 참다운 기쁨과 위안을 주는 이상한 힘이 있는 듯하다. 신록을 대하고 있으면, 신록은 먼저 나의 눈을 씻고, 나의 머리를 씻고, 나의 가슴을 씻고, 다음에 나의 마음의 구석구석을 하나하나 씻어낸다.
> ─ 이양하, '신록 예찬'

(2) 교훈적 수필

교훈적인 내용을 담은 수필로, 내용이나 문체가 중후하며 작가의 신념과 삶의 태도 등이 강하게 드러나 있다.

> 금년은 을축년(乙丑年)이다. 소의 해라고 한다. 만물에는 각각 다소의 덕(德)이 있다. 쥐 같은 놈까지도 밤새도록 반자 위에서 바스락거려서 사람에게,
> "바쁘다!" / 하는 교훈을 주는 덕이 있다. 하물며 소는 짐승 중에 군자다. 그에게서 어찌해 배울 것이 없을까. 사람들아! 소해의 첫날에 소의 덕을 생각하여, 금년 삼백육십오 일은 소의 덕을 배우기에 힘써 볼까나.
> ─ 이광수, '우덕송'

▶ 소의 덕성을 찬양하면서 사람들에게 소의 덕성을 본받을 것을 권장하고 있다.

(3) 희곡적 수필

체험이나 사건의 내용 자체에 극적인 요소들이 있어서 대화나 작품의 내용 전개가 희곡적으로 이루어지는 수필이다. 사건의 전개가 소설과 같이 유기적이며, 극적인 효과를 위해 현재 시제의 문장을 사용한다.

> 내가 상해에서 본 일이다. 늙은 거지 하나가 전장에 가서 떨리는 손으로 일 원짜리 은전 한 닢을 내놓으면서, / "황송하지만 이 돈이 못 쓰는 것이나 아닌지 좀 보아 주십시오."
> 하고 그는 마치 선고를 기다리는 죄인과 같이 전장 사람의 입을 쳐다본다. 전장 주인은 거지를 물끄러미 내려다보다가, 돈을 두들겨 보고
> '좋소.' 하고 내어 준다. 그는 '좋소'라는 말에 기쁜 얼굴로 돈을 받아서 가슴 깊이 집어넣고 절을 몇 번이나 하며 간다. 그는 뒤를 자꾸 돌아다보며 얼마를 가더니, 또 다른 전장을 찾아 들어갔다.
> 품 속에 손을 넣고 한참을 꾸물거리다가 그 은전을 내어 놓으며,
> "이것이 정말 은으로 만든 돈이오이까?"
> 하고 묻는다. 전장 주인도 호기심 있는 눈으로 바라보더니,
> "이 돈을 어디서 훔쳤어?" / 거지는 떨리는 목소리로,
> "아닙니다, 아니에요." / "그러면 길바닥에서 주웠다는 말이냐?"
> "누가 그렇게 큰 돈을 빠뜨립니까? 떨어지면 소리는 안 나요? 어서 도로 주십시오."
> 거지는 손을 내밀었다. 전장 사람은 웃으면서 '좋소.' 하고 던져 주었다. － 피천득, '은전 한 닢'

(4) 서사적 수필

인간 세계나 자연계의 어떤 사실에 대하여 필자의 주관을 배제하고, 객관적으로 서술하는 수필이다. 내용의 사실성·현실성·정확성을 추구하므로 날카로운 관찰, 세심한 조사, 올바른 지식이 필요하며, 이야기를 전하는 방식으로 쓰인다.

> 겨울이 오니 땔나무가 있을 리 만무하다. 동지 설상(雪上) 삼척 냉돌에 변변치도 못한 이부 자리를 깔고 누웠으니, 사뭇 뼈가 저려 올라오고, 다리 팔 마디에서 오도독 소리가 나도록 온 몸이 곧아오는 판에, 사지를 웅크릴 대로 웅크리고 안간힘을 꽁꽁 쓰면서 이를 악물다 못해 박 박 갈면서 하는 말이,
> "요놈, 요 괘씸한 추위란 놈 같으니, 네가 지금은 이렇게 기승을 부리지마는, 어디 내년 봄에 두고 보자."
> 하고 벼르더라는 이야기가 전하지마는, 이것이 옛날 남산골 '딸깍발이'의 성격을 단적(端的)으로 가장 잘 표현한 이야기다. 사실로는 졌지마는 마음으로는 안 졌다는 앙큼한 자존심, 꼬장꼬장한 고지식, 양반은 얼어 죽어도 겻불은 안 쬔다는 지조(志操), 이 몇 가지가 그들의 생활 신조였다. 실상, 그들은 가명인(假明人)이 아니었다. 우리나라를 소중화(小中華)로 만든 것은 어쭙지 않은 관료들의 죄요, 그들의 허물이 아니었다. 그들은 너무 강직하였다. － 이희승, '딸깍발이'

4 극 갈래

1. 희곡

(1) 희곡의 개념

무대 상연을 전제로 한 연극의 대본으로, 배우, 무대, 관객과 함께 연극의 요소가 된다.

(2) 희곡의 특성

① **무대 상연을 전제로 한 문학**: 희곡은 무대 상연을 전제로 한 연극의 각본이다.

② **대사의 문학:** 희곡은 등장인물의 대사를 통해 줄거리가 전개된다.

③ **현재화된 인생 표현:** 희곡은 모든 이야기를 현재화하여 표현하는 문학 장르이다.

④ **갈등과 분규의 문학:** 희곡은 등장인물 간의 대립과 갈등, 분규 등을 기반으로, 극적으로 내용을 전개하여 주제를 전달한다.

⑤ **희곡의 컨벤션 (인습, 관습, convention):** 희곡은 관객이나 독자들과 다음과 같은 암묵적 약속을 한 것을 전제로 한다.

　㉠ 배우는 분장한 인물이지만 실제 인물로 생각한다.

　㉡ 등장인물의 독백과 방백을 다른 등장인물은 듣지 못한다고 여긴다.

　㉢ 무대는 가공의 장소이지만 현실의 장소로 받아들인다.

(3) 희곡의 요소

① **형식적(외적) 구성 요소**

　㉠ **해설(解說):** 희곡의 맨 처음에 나오는 일종의 지시문으로, 등장인물, 장소, 무대 등을 설명해 주는 부분이다.

　㉡ **지문(地文):** 대화 사이에 삽입되어 인물의 동작, 표정 등을 설명하거나 조명, 효과음 등을 지시하는 글이다.

　㉢ **대사(臺詞):** 인물 간에 주고받는 말이나 인물의 혼잣말을 가리킨다.

② **내용적(내적) 구성 요소**

　㉠ **인물:** 의지적, 전형적, 개성적인 성격을 지닌다.

　㉡ **행동:** 일정한 주제하에 행동(사건의 줄거리)이 통일되어야 한다. 서술 없이 배우의 연기만으로 인간의 행동을 표출하므로 생략·압축·집중이라는 특성이 나타난다.

　㉢ **주제:** 인생의 단면(斷面)을 나타내어야 한다.

(4) 희곡의 구성(plot)

① **희곡의 형식적 구분 단위**

　㉠ **막(幕, act):** 하나의 막은 몇 개의 장으로 이루어지며, 연극 및 희곡의 길이와 행동을 구분하는 개념이다.

　㉡ **장(場, scene):** 막의 하위 단위이며, 희곡의 기본 단위이다. 배경이 바뀌고, 인물의 등장이나 퇴장으로 구분된다.

2. 시나리오

(1) 시나리오의 개념

상영을 전제로 한 영화의 각본으로, 영화 제작 기법에 따라 플롯을 구체적·극적으로 구성하고, 배우의 행동이나 대사 등을 상세하게 표현하는 글이다.

(2) 시나리오의 특징

① 주로 대사와 행동으로 표현된다.

② 특수한 시나리오 용어가 사용된다.

③ 장면 전환이 자유롭고 등장인물의 수에 제한을 받지 않는다.

④ 예정된 시간 내에 상영될 수 있도록 내용이 구성된다.

☑ **학습 체크**

01 희곡은 과거형 시제로 표현된다. (○, ×)

02 희곡은 무대 상연과 영화 상영을 위한 문학이다. (○, ×)

03 희곡은 작품의 길이, 등장인물의 수, 장소에 제약이 있다. (○, ×)

04 방백은 등장인물과 관객들 모두에게 들리지 않도록 약속한 독백이다. (○, ×)

- - - - - - - - - - - - - - - - - -
01 × 희곡은 현재형 시제로 표현된다.
02 × 희곡은 무대 상연을 위한 문학이다. 영화 상영을 위한 문학은 시나리오이다.
03 ○
04 × 방백은 등장인물에게만 들리지 않고 관객들에게는 들리도록 약속된 독백이다.

⑤ 인물의 심리는 직접적인 묘사가 불가능하고, 장면과 대사에 의해 간접적으로 묘사된다.

⑥ 시나리오는 여러 가지 기법으로 촬영한 후 스크린 위의 영상으로 촬영 결과를 보여주게 되므로 희곡이 지닌 여러 가지 제약을 극복할 수 있다.

(3) 시나리오의 구성 단위

컷(Cut), 숏(Shot)	⇨	신(Scene)	⇨	시퀀스(Sequence)
한 번의 연속 촬영으로 찍은 장면		• 영화의 최소 단위 • 같은 장소와 시간 내에서 이루어지는 일련의 장면		몇 개의 신(장면)이 모여 이루어진 화면

(4) 시나리오의 용어

C.U.(Close up)	화면에 크게 보이게 확대해서 찍는 것
D.E.(Double Exposure)	이중 노출. 두 화면이 겹쳐지는 것
E(Effect)	효과음
F.I.(Fade In)	화면이 천천히 밝아지는 것
F.O.(Fade Out)	화면이 천천히 어두워지는 것
Ins.(Insert)	삽입 화면. 화면과 화면 사이에 사진, 그림, 편지 등을 삽입하는 것
M(Music)	효과 음악
NAR.(Narration)	해설. 화면 밖에서 들려오는 대사
O.L.(Over Lap)	한 화면이 사라질 때, 뒤에 화면이 포개어지며 나타나는 기법
PAN(Panning)	카메라를 이동시켜 장면을 상하좌우로 찍는 것
S#(Scene Number)	장면 번호
Montage(몽타주)	따로 촬영한 화면을 붙여서 하나의 장면이나 내용으로 만드는 일

(5) 시나리오와 희곡의 비교

구분	시나리오	희곡
차이점	• 영화의 대본으로, 스크린을 통해서 상영됨 • 평면적, 영상적 예술임 • 필름 등의 형태로 영구 보존됨 • 시간과 공간의 제약을 덜 받음 • 등장인물의 수에 거의 제약이 없음 • 표현의 폭이 희곡보다 큼 • 컷과 신, 시퀀스로 구성됨 • 문학적 독자성이 약함	• 연극의 대본으로, 무대에서 공연·상연됨 • 입체적, 행위적 예술임 • 공연 내용은 일회성을 띰 • 시간과 공간의 제약을 받음 • 등장인물의 수에 제약이 있음 • 표현에 한계가 있음 • 막과 장으로 구성됨 • 문학적 독자성이 강함
공통점	• 음성 언어에 의한 종합 예술임 • 행동과 대사가 중시됨 • 직접적인 심리 묘사가 불가능하며, 연기를 통해 간접적으로 심리를 묘사함	

☑ **학습 체크**

01 시나리오는 영화의 대본으로, 스크린을 통해 상영된다. (O, X)

02 시나리오는 희곡에 비해 시간과 공간의 제약이 크다. (O, X)

----

01 O
02 X 시나리오는 희곡에 비해 시간과 공간의 제약을 덜 받는다.

01

괄호 안에 들어갈 단어를 순서대로 바르게 나열한 것은?

한국 문학의 미적 범주에서 눈에 띄는 전통으로 풍자와 해학이 있다. 풍자와 해학은 주어진 상황에 순종하기보다 그것을 극복하고자 하는 건강한 삶의 의지에서 나온 (㉠)을(를) 통해 드러난다. (㉠)은(는) '있어야 할 것'으로 행세해 온 관념을 부정하고, 현실적인 삶인 '있는 것'을 그대로 긍정한다. 이때 있어야 할 것을 깨뜨리는 것에 관심을 집중한 것이 (㉡)이고, 있는 것이 지닌 긍정에 관심을 집중하는 것이 (㉢)이다.

	㉠	㉡	㉢
①	골계(滑稽)	해학(諧謔)	풍자(諷刺)
②	해학(諧謔)	풍자(諷刺)	골계(滑稽)
③	풍자(諷刺)	해학(諧謔)	골계(滑稽)
④	골계(滑稽)	풍자(諷刺)	해학(諧謔)

02

<보기>에 나타난 작품 감상의 관점으로 가장 옳은 것은?

─ <보기> ─

나는 지금도 이광수의 『무정』 작품을 읽으면 가슴이 뜨거워지는 것을 느껴. 특히 결말 부분에서 주인공 이형식이 "옳습니다. 우리가 해야지요! 우리가 공부하러 가는 뜻이 여기 있습니다. 우리가 지금 차를 타고 가는 돈이며 가서 공부할 학비를 누가 주나요? 조선이 주는 것입니다. 왜? 가서 힘을 얻어오라고, 지식을 얻어 오라고, 문명을 얻어 오라고 …… 그래서 새로운 문명 위에 튼튼한 생활의 기초를 세워 달라고 …… 이러한 뜻이 아닙니까?"라고 부르짖는 부분에 가면 금방 내 가슴도 울렁거려 나도 모르게 "네, 네, 네"라고 대답하고 싶단 말이야. 이 작품은 이 소설이 나왔던 1910년대 독자들의 가슴만이 아니라 아직 강대국에 싸여 있는 21세기 우리 시대 독자들에게도 조국을 생각하는 마음에 큰 감동을 주고 있다고 생각해.

① 반영론적 관점
② 효용론적 관점
③ 표현론적 관점
④ 객관론적 관점

03

<보기>에서 설명한 소설의 시점으로 가장 옳은 것은?

─ <보기> ─

소설 속의 한 등장인물이 이야기를 말하는 것으로, 부수적인 인물이 작품 속에서 주인공의 이야기를 말한다. 주인공의 환경이나 행동 등을 관찰자의 입장에서 객관적으로 서술할 수 있다.

① 일인칭 주인공 시점
② 일인칭 관찰자 시점
③ 전지적 작가 시점
④ 작가 관찰자 시점

04

(가)와 <보기>의 공통적 특징으로 가장 적절한 것은?

(가) 가노라 삼각산(三角山)아 다시 보쟈 한강수(漢江水) l 야
　고국산천(故國山川)을 써나고쟈 ᄒ랴마ᄂ
　시절(時節)이 하 수상(殊常)ᄒ니 올동말동 ᄒ여라

－ 김상헌

─ <보기> ─

간다 간다 나는 간다 너를 두고 나는 간다
잠시 뜻을 얻었노라 까불대는 이 시운이
나의 등을 내밀어서 너를 떠나가게 하니
일로부터 여러 해를 너를 보지 못할지나
그 동안에 나는 오직 너를 위해 일하리니
나 간다고 슬퍼 마라 나의 사랑 한반도야

－ 안창호, '거국가'

① 도치법과 설의법을 통해 시적 화자의 안타까움을 드러내고 있다.
② 대유법과 의인법을 사용하여 고국에 대한 애정을 표현하고 있다.
③ 대구와 대조의 방식을 사용하여 시적 화자의 불안감을 형상화하고 있다.
④ a-a-b-a의 반복과 과장법을 통해 화자의 답답한 마음을 드러내고 있다.

05

다음 중 문학 용어에 대한 설명으로 가장 적절하지 않은 것은?

① '자연주의'는 개인의 자유로운 사상과 감정의 표현을 중시하며, 현실의 제약으로부터 탈피하여 꿈과 이상을 추구하고자 하는 사조이다.

② '반영론적 관점'은 문학과 사회의 연관성에 초점을 맞춰 작품을 해석하는 관점을 의미한다.

③ '패관문학'은 민간에서 수집한 이야기를 윤색하여 창작한, 흥미 본위의 문학을 말한다.

④ '세태소설'은 특정한 시기의 풍속이나 사회의 한 단면이 변모하는 모습을 제시하는 데 초점을 맞추는 소설을 의미한다.

정답 및 해설

01 문학의 미적 범주

해설 ④ 괄호 안에 들어갈 단어를 순서대로 나열하면 'ⓐ 골계(滑稽) – ⓑ 풍자(諷刺) – ⓒ 해학(諧謔)'이므로 답은 ④이다.
- ⓐ: 풍자와 해학을 모두 포괄하면서, '있어야 할 것'을 부정하고, '있는 것'을 긍정하는 미적 범주가 들어가야 하므로 ⓐ에는 '골계'가 들어가야 한다.
- ⓑ, ⓒ: 풍자와 해학은 모두 웃음을 불러일으키기 위한 문학적 장치라는 점에서 유사하나, 대상을 바라보는 시선에서 차이가 있다. 풍자는 대상이 지닌 결점이나 악행을 부정적인 것으로 인식하고 이를 비판적인 시선으로 바라보며 웃음을 유발하는 반면, 해학은 대상을 비판 또는 비난의 시선으로 바라보기 전에 대상에 대해 호감과 연민을 느끼게 하여 웃음을 유발한다. 따라서 '있어야 할 것'을 깨뜨리는 것에 집중하는 ⓑ에는 '풍자'가, '있는 것'이 지닌 긍정에 관심을 집중하는 ⓒ에는 '해학'이 들어가야 한다.

02 문학 감상의 관점

해설 ② <보기>는 이광수의 '무정'을 읽은 독자가 작품을 통해 느낀 감동에 대해 서술한 글이므로, 이에 해당하는 작품 감상의 관점으로 가장 옳은 것은 ② '효용론적 관점'이다. '효용론적 관점'은 작품 외적인 세계와 작품을 연결하여 이해하는 외재적 관점 중 하나로, 독자를 중심으로 작품을 감상하는 방법이다.

오답분석 ① 반영론적 관점: 외재적 관점에 해당하며 작품이 현실 세계를 어떻게 반영하고 있는지 분석하는 방법이다.

③ 표현론적 관점: 외재적 관점에 해당하며 작가가 자신의 체험, 사상, 감정 등을 작품에 어떻게 표현하였는지 분석하는 방법이다.

④ 객관론적 관점: 작품 외적인 요소와는 무관하게 문학 작품의 내재적인 요소만을 분석하는 방법이다.

03 소설의 시점

해설 ② <보기>는 '일인칭 관찰자 시점'에 대한 설명이다. '일인칭 관찰자 시점'은 작품 속 인물인 '나'가 관찰자의 입장에서 주인공에 대해 서술하는 시점을 말한다. 서술의 초점은 '나'가 아니라 주인공에게 있으며 독자는 '나'의 서술을 통해 주인공의 심리나 성격을 추측하게 된다.

오답분석 ① 일인칭 주인공 시점: 작품 속 주인공인 '나'가 자신의 이야기를 서술하는 시점이다.

③ 전지적 작가 시점: 서술자가 전지전능한 입장에서 작품 속 등장인물들의 내면 심리, 성격, 행동 등을 서술하는 시점이다.

④ 작가 관찰자 시점(3인칭 관찰자 시점): 서술자가 외부 관찰자의 입장에서 객관적인 태도로 서술해 나가는 방식이다.

04 수사법

해설 ② (가)에서는 '삼각산'과 '한강수'를, <보기>에서는 '한반도'를 통해 우리나라를 나타내고 있다.(대유법) 또한 이를 의인화하여 각각의 대상에게 말하듯이 표현함으로써(의인법) 고국에 대한 애정을 강조하였다. 따라서 (가)와 <보기>의 공통적 특징으로 가장 적절한 것은 ②이다.

오답분석 ① (가)와 <보기>는 문장의 어순을 바꾸어 내용을 강조하는 도치법을 사용해 고국을 떠나는 화자의 안타까운 심정을 표현한 것은 맞으나, 설의법은 사용되지 않았다.

③ (가)의 초장에서 대구를 이루는 것은 맞으나 대조의 방식은 사용되지 않았다. 또한 <보기>는 대구와 대조의 방식이 모두 사용되지 않았으며, (가)와 <보기>에서 화자의 불안감이 표현된 부분은 찾아볼 수 없다.

④ <보기>의 '간다 간다 – 나는 간다 – 너를 두고 – 나는 간다'가 a – a – b – a 구조를 이루는 것은 맞으나, 과장법은 사용되지 않았다. 또한 (가)는 a – a – b – a 반복과 과장법이 모두 사용되지 않았으며, (가)와 <보기>에서 화자의 답답함이 표현된 부분은 찾아볼 수 없다.

05 문학 용어

해설 ① 낭만주의 사조에 대한 설명이므로 적절하지 않다. '자연주의'는 인간도 자연물처럼 자연 법칙에 따라 일생이 운명적으로 결정된다고 보는 사조로, 염상섭의 '표본실의 청개구리', 김동인의 '감자' 등이 이에 속한다.

06

2016 기상직 9급

다음 작품을 절대주의적 관점으로 이해하지 않은 것은?

> 먼 후일 당신이 찾으시면
> 그때에 내 말이 "잊었노라."
>
> 당신이 속으로 나무라면
> "무척 그리다가 잊었노라."
>
> 그래도 당신이 나무라면
> "믿기지 않아서 잊었노라."
>
> 오늘도 어제도 아니 잊고
> 먼 후일 그때에 "잊었노라."
>
> – 김소월, '먼 후일'

① 가정적 상황을 통해 화자의 정서를 드러내고 있다.

② 대상인 '당신'에 화자가 꿈꾸던 조국 광복을 투영하고 있다.

③ 반어적 진술을 활용하여 화자의 정서를 강조하고 있다.

④ 반복과 변조의 기법을 사용하여 시상을 전개하고 있다.

07

2015 경찰직(2차)

<보기>는 문학의 소통 구조이다. 표현론적 관점에서 '봄·봄'을 감상한 것으로 가장 적절한 것은?

① 이 작품은 1930년대 일제 강점기 하층민들이 소작농으로 전락해 어떤 삶을 살았는지를 알 수 있게 해.

② 작가 김유정은 강원도가 고향이야. 그래서 '짜증, 안죽' 등의 토속적 어휘와 사투리를 사용해 향토적인 느낌을 불러일으켰어.

③ '나'와 장인의 갈등, 점순이의 이중적인 태도로 인한 상황 반전, 절정을 결말에 삽입한 역순행적 구성 등은 작품의 해학성을 부각시키고 있어.

④ '나'와 장인이 화해를 한 것처럼 보이지만 현실의 문제가 근본적으로 해결된 상태가 아니기에 욕심 많은 장인이 앞으로도 '나'를 속일 것이라고 짐작할 수 있어.

08

다음 시의 ① ~ ②에서 역설적 표현이 사용된 것은?

> ① 매운 계절(季節)의 채찍에 갈겨
>
> 마침내 북방(北方)으로 휩쓸려 오다.
>
> 하늘도 그만 지쳐 끝난 고원(高原)
>
> ⓒ 서릿발 칼날진 그 위에 서다.
>
> 어데다 무릎을 꿇어야 하나
>
> ⓒ 한 발 재겨 디딜 곳조차 없다.
>
> 이러매 눈 감아 생각해 볼밖에
>
> ② 겨울은 강철로 된 무지갠가 보다.
>
> — 이육사, '절정'

① ⑦

② ⓒ

③ ⓒ

④ ②

정답 및 해설

06 문학 감상의 관점

해설 ② '조국 광복'은 제시된 시가 쓰였던 시대적 배경인 일제 강점기와 관련되므로 ②는 반영론적 관점으로 이해한 예에 해당한다.

오답분석 ① ③ ④ 모두 작품 내부적 요소인 표현 기법 등을 분석하고 있으므로 절대주의적 관점(내재적 관점)에 해당한다.

07 문학 감상의 관점

해설 ② 표현론적 관점은 <보기>의 '문학의 소통 구조'에서 작가가 작품에 미치는 영향을 중시하는 관점이다. ②는 '봄·봄'의 작가인 김유정의 출신이 작품에 미친 영향을 분석하고 있으므로 표현론적 관점에 해당한다.

오답분석 ① 반영론적 관점

③ 내재적 관점

④ 효용론적 관점: 이어질 내용에 대해 독자가 짐작하고 있으므로 독자와 작품의 관계를 중시하는 효용론적 관점에 해당한다.

08 수사법

해설 ④ '역설'은 논리적으로 모순되는 진술을 통해, 그 이면의 중요한 진리를 드러내는 표현 방법이다. 이러한 역설적 표현이 사용된 것은 ②로, 싸늘하고 비정한 이미지의 '강철'과 희망적인 이미지의 '무지개'를 결합하여 극한 상황을 초극하려는 화자의 의지를 드러내고 있다. 따라서 답은 ④이다. 참고로, 수식어와 피수식어 사이에 모순이 발생하는 경우도 역설에 해당한다.

오답분석 ① ② ③은 모두 일제 강점하의 가혹한 현실을 나타낸 시구로, 역설적 표현은 나타나지 않는다.

2장

문학 필수 작품

01 고전 문학

1 고대 가요

정읍사(井邑詞) | 어느 행상인의 아내

출제 키워드
① '정읍사'에 대한 문학사적 정보
② 시조 형식과의 유사성

간단 작품 설명 백제 시대의 노래로, 가사는 조선 전기에 편찬된 《악학궤범》에 전하고 배경 설화는 《고려사》악지에 실려 있다. 행상을 나간 뒤 돌아오지 않는 남편의 안전을 기원하는 아내의 간절한 마음이 담겨 있다.

작품 해제

출전 《악학궤범》
갈래 고대 가요, 서정시
성격 서정적, 여성적, 기원적
주제 행상을 나간 남편의 안전을 기원함.
의의 ① 현전하는 유일한 백제 노래
② 한글로 기록된 고대 가요 중 가장 오래된 작품
③ 시조 형식의 기원이 되는 작품

돌하 노피곰 도두샤
　기원의 대상 (↔ 즌 틱)
어긔야 머리곰 비취오시라
　　　멀리멀리
어긔야 어강됴리 / 아으 다롱디리
　　　　　여음구, 조흥구
　　→ 달에게 남편의 안전을 기원함.
져재 녀러 신고요 → 남편의 신분을 알 수 있음. (행상)
　시장
어긔야 즌 틱룰 드틱욜셰라
　　　위험한 곳 (↔ 달)
어긔야 어강됴리
　　　→ 남편에게 나쁜 일이 닥칠까 걱정함.

어느이다 노코시라
어긔야 내 가논 틱 졈그룰셰라
① 임 ② 화자인 '나' ③ 임과 '나'
어긔야 어강됴리 / 아으 다롱디리
　　　→ 남편이 무사히 귀가하기를 소망함.

> 달님이시여! 높이높이 돋으시어
> 멀리멀리 비추어 주십시오.
> 시장에 가 계신가요?
> 진 곳을 디딜까 두렵습니다.
> 어느 곳에나 (짐을) 놓으십시오.
> 내 (임) 가는 곳에 (날이) 저물까 두렵습니다.

☑ **학습 체크**

01 이 노래에 대한 설명으로 옳지 않은 것은?
① 시어의 대칭 구조가 드러난다.
② 형식상 시조와 유사한 부분이 나타난다.
③ 화자는 임의 부재를 슬퍼하며 탄식하고 있다.
④ '달'은 절대적 존재인 천지신명으로 기원의 대상이 된다.

02 고전 시가의 하나인 정읍사에 대한 설명으로 옳지 않은 것은?
① 백제 시대에 창작된 것으로 알려졌다.
② 행상 나간 남편의 무사 귀환을 빌고 있다.
③ 한글로 기록된 가장 오래된 가요다.
④ 주술성을 지녀 집단적으로 불렸다.
⑤ 고려 시대에 속요로 불렸다.

01 ③ 화자는 행상 나간 남편을 염려하며 전전긍긍하고 있으며, 남편이 안전하게 돌아오기를 기원하고 있다. 임의 부재를 슬퍼하고 탄식하는 부분은 나타나지 않는다.
▶ 오답 체크
① '돌(밝음)'과 '즌 틱(어둠)'가 대칭 구조를 이루고 있다.

02 ④ '정읍사'는 행상 나간 남편이 무사히 돌아오기를 바라는 아내의 염려와 기다림이 담긴 개인 서정시이다.

이해와 감상

🔑 **키워드**
'정읍사'에 대한 문학사적 정보

① 백제 가요. 참고로 백제 가요는 '정읍사(井邑詞)'와 2000년에 발견된 '숙세가(宿世歌)' 이 두 작품만 전한다.
② 한글로 기록되어 전하는 가요 중 가장 오래된 노래
③ 구전(口傳)되다가 조선 전기에 편찬된 《악학궤범》에 고려 가요와 함께 실려 전한다. 고려 시대를 거쳐 조선 시대까지 불렸다.

🔑 **키워드**
시조 형식과의 유사성

후렴구를 제외하고 '정읍사'의 구절들을 정리하면 3장 6구의 평시조 형식과 유사한 형태를 확인할 수 있다. 이 때문에 이 작품을 시조 형식의 기원으로 보기도 한다.

> 돌하 노피곰 도두샤 / 머리곰 비취오시라.　　　　　　 – 초장
> 져재 녀러신고요. / 즌 틱룰 드틱욜셰라.　　　　　　 – 중장
> 어느이다 노코시라. / 내 가논 틱 졈그룰셰라.　　　　 – 종장

배경 설화
정읍은 전주의 속현이다. 현의 사람이 행상하러 나간 지 오래도록 돌아오지 않았다. 그의 처가 산 위의 돌에 올라서서 바라보면서 그의 남편이 밤에 가다가 해를 당할까 염려하여 진흙물의 더러움에 부쳐서 노래를 지었는데 세상에 전하기를 고개에 올라가 남편을 바라본 돌이 있다고 한다.
　　　　　　　　　　　　　　　　　– 《고려사》악지2 삼국 속악 백제 정읍

2 향가

제망매가(祭亡妹歌) | 월명사

간단 작품 설명 신라 경덕왕 때 승려 월명사가 누이의 명복을 빌기 위해 지은 10구체 향가이다. 뛰어난 비유를 통해 개인의 고뇌를 인간의 보편적 운명과 괴로움으로 확대시키고, 이를 종교적으로 승화시켰다.

출제 키워드
① 죽음에 대한 화자의 태도
② 비유적 표현

生死路隱
생 사 로 은

此矣有阿米次肹伊遣
차 의 유 아 미 차 힐 이 견

吾隱去內如辭叱都
오 은 거 내 여 사 질 도

毛如云遣去內尼叱古
모 여 운 견 거 내 니 질 고

於內秋察早隱風未
어 내 추 찰 조 은 풍 미

此矣彼矣浮良落尸葉如
차 의 피 의 부 량 락 시 엽 여

一等隱枝良出古
일 등 은 지 량 출 고

去奴隱處毛冬乎丁
거 노 은 처 모 동 호 정

阿也彌陀刹良逢乎吾
아 야 미 타 찰 량 봉 호 오

道修良待是古如
도 수 량 대 시 고 여

생사(生死) 길흔
삶과 죽음

이에 이샤매 머뭇거리고,
'여기'의 준말. 이승

나는 가ᄂᆞ다 말ㅅ도

몯다 니르고 가ᄂᆞ닛고.
아쉬움, 안타까움의 정서

➡ 죽은 누이에 대한 추모의 정

어느 ᄀᆞᄋᆞᆯ 이른 ᄇᆞᄅᆞ매
누이의 요절 암시

이에 뎌에 ᄠᅳ러딜 닙ᄀᆞᆫ, ➡ 직유
죽은 누이

ᄒᆞᄃᆞᆫ 가지라 나고 ➡ 은유
같은 부모, 형제지간을 비유적으로 표현함.

가논 곧 모ᄃᆞ론뎌.
서방 정토, 극락세계

아야, 미타찰(彌陀刹)아 맛보올 나
10구체 향가의 낙구

도(道) 닷가 기드리고다.
불도 (극락왕생의 도)   의지적 자세

➡ 삶의 허무함과 무상함

➡ 인간적 고뇌에 대한 종교적 승화

삶과 죽음의 길은 / 여기(이승)에 있음에 머뭇거리고 / 나(죽은 누이)는 간다는 말도 못다 이르고 갔는가? / 어느 가을 이른 바람에 / 여기저기에 떨어지는 나뭇잎처럼 같은 나뭇가지(한 어버이)에 나고서도 / (네가) 가는 곳을 모르겠구나.
아아, 극락세계에서 만나 볼 나는 / 불도(佛道)를 닦으며 기다리겠노라.

이해와 감상

🔑 **키워드**
죽음에 대한 화자의 태도

화자는 누이의 갑작스러운 죽음을 접하고 슬픔과 허망함을 느끼지만, 이러한 감정을 감상적으로 드러내지 않고, 삶과 죽음을 인간 보편의 문제로 승화시켜 깊이 있게 성찰하고 있다. 이는 종교적 믿음으로 인간적인 슬픔을 초월함으로써 누이의 죽음을 수용하고 있는 것이다.

죽음 = 자연의 질서·섭리
↓
슬픔과 허무를 느낌.
↓ 시간의 경과
종교적 믿음으로 극복

🔑 **키워드**
비유적 표현

시어	의미
이른 바람	누이의 요절
잎	피를 나눈 형제, 유한한 생명에서 벗어나지 못하는 인간
한 가지	같은 부모, 한 핏줄

배경 설화

월명사는 일찍이 죽은 누이를 위하여 재를 올리고 향가를 지어 그를 제사하였다. 문득 세찬 바람이 불어 종이돈을 날려 서쪽으로 사라지게 하였다.   – 《삼국유사》 권5 제7감통 월명사도솔가

작품 해제

출전 《삼국유사》
갈래 10구체 향가
성격 서정적, 애상적, 추모적, 종교적
주제 죽은 누이의 명복을 빌고 추모함
사상적 배경 불교의 윤회 사상
특징 ① 숭고한 불교적 신앙심이 나타나 있는 노래
② 뛰어난 문학적 비유
③ 삶과 죽음의 문제에 대한 깊은 성찰과 종교적 승화
④ 시간의 경과에 따른 시상 전개
의의 표현 기교와 서정성이 가장 뛰어난 두 향가 작품 중 하나임(다른 한 작품은 '찬기파랑가')

☑ 학습 체크

01 이 작품에 대한 설명으로 옳지 않은 것은?
① 'ᄠᅳ러딜 닙'은 죽은 누이를 의미한다.
② 3구의 '나'와 9구의 '나'는 모두 화자를 나타낸다.
③ 'ᄇᆞᄅᆞᆷ'은 어떤 결과를 가져오는 원인으로 작용하고 있다.
④ '미타찰(彌陀刹)'은 화자의 슬픔을 종교적으로 승화한 소재이다.

02 이 작품에 대한 설명으로 적절한 것은?
① 시적 대상과의 재회에 대한 소망을 담고 있다.
② 반어적 표현을 통해 화자의 정서를 부각하고 있다.
③ 세속의 인연에 미련을 두지 않은 구도자의 자세를 드러내고 있다.
④ 상황 인식 – 객관적 서경 묘사 – 종교적 기원의 3단 구성으로 되어 있다.

---

01 ② 9구의 '나'는 시적 화자를 가리키는 것이 맞지만, 3구의 '나'는 죽은 누이를 가리킨다.

02 ① 제시된 작품의 시적 대상은 죽은 누이이다. 9~10구에는 죽은 누이에 대한 슬픔을 불교적 믿음으로 극복하며 내세에서 누이와 재회할 것을 기대하는 화자의 소망이 드러난다.

청산별곡(靑山別曲) | 작자 미상

작품 해제

출전 《악장가사》, 《시용향악보》
갈래 고려 가요
성격 현실 도피적, 애상적, 낙천적
배경 불안한 사회상 속 고려인들의 자연에 대한 동경과 현실 도피 사상
주제 현실에의 체념, 삶의 터전을 잃은 유랑민의 슬픔, 임을 잃은 여인의 처절한 삶과 임을 향한 그리움
구성 전(全) 8연의 분연체, 후렴구가 있음
운율 3·3·2조, 3음보

간단 작품 설명 고도의 상징과 비유적 표현을 통해 고려 민중들의 삶의 고통과 비애를 진솔하게 그려 낸 작품으로, '서경별곡'과 함께 문학성이 뛰어난 고려 가요 중 하나로 꼽힌다.

살어리 살어리랏다 靑山(청산)애 살어리랏다
속세와 대비, 화자의 이상향
멀위랑 ᄃ래랑 먹고 靑山(청산)애 살어리랏다
소박한 음식
얄리얄리 얄랑셩 얄라리 얄라
후렴구 (음악적 효과)

살겠노라 살겠노라. 청산에서 살겠노라.
머루와 다래를 먹고 청산에서 살겠노라.

중심 내용_ 청산에 살고 싶은 소망

우러라 우러라 새여 자고 니러 우러라 새여
일어나
널라와 시름 한 나도 자고 니러 우니노라 / 얄리얄리 얄라셩 얄라리 얄라
너보다 시름이 많은

우는구나 우는구나 새여, 자고 일어나서 우는구나 새여.
너보다 걱정이 많은 나도 자고 일어나서 울고 있노라.

중심 내용_ 고독한 삶에 대한 슬픔

날아가던 새, 갈던 사래(밭)
가던 새 가던 새 본다 믈 아래 가던 새 본다
'보다'의 의문형으로 보기도 함.   속세에 대한 미련
잉 무든 장글란 가지고 믈 아래 가던 새 본다 / 얄리얄리 얄라셩 얄라리 얄라
이끼 묻은 쟁기, 날이 무딘 병기

가던 새 가던 새 본다(보았느냐?). 물 아래 가던 새를 본다(보았느냐?).
이끼 묻은 쟁기를 가지고, 물 아래로 가던 새를 본다(보았느냐?).

중심 내용_ 속세에 대한 미련과 번민

이링공 뎌링공 ᄒ야 나즈란 디내와손뎌
이럭저럭   낮을   지내 왔지만
오리도 가리도 업슨 바므란 또 엇디 호리라 / 얄리얄리 얄라셩 얄라리 얄라
올 사람도 갈 사람도   밤: 고독감이 가장 커지는 시간

이럭저럭 하여 낮은 지내 왔건만,
올 사람도 갈 사람도 없는 밤은 또 어찌할 것인가.

중심 내용_ 고독한 삶에 대한 슬픔

어듸라 더디던 돌코 누리라 마치던 돌코
어디에다   운명적 비애 상징
믜리도 괴리도 업시 마자셔 우니노라 / 얄리얄리 얄라셩 얄라리 얄라
극한의 고독

어디에다 던지던 돌인가, 누구를 맞히려던 돌인가.
미워할 이도 사랑할 이도 없이 (그 돌에) 맞아서 울고 있노라.

중심 내용_ 삶에 대한 운명적 고독과 체념

☑ **학습 체크**

01 시적 화자와의 관계를 고려할 때, 밑줄 친 시어 중 2연의 '새'와 의미가 유사한 것은?

① 설월이 만창한데 바람아 부지 마라 / 예리성 아닌 줄을 판연히 알건마는 / 그립고 아쉬운 적이면 행여 권가 하노라

② 마음아 너는 어이 매양에 젊었는다 / 내 늙을 적이면 넌들 아니 늙을 쏘냐 / 아마도 너 좃녀 다니다가 남 우일까 하노라

③ 千萬里(천만리) 머나먼 길헤 고은 님 여희옵고, / 닉 ᄆ음 둘 ᄃᆡ 업셔 냇ᄀᆞ의 안쟈시니, / 져 믈도 닉 온 곳ᄒᆞ여 우러 밤길 녜놋다.

④ 갓 버서 松枝(송지)에 걸고 九節竹杖(구절죽장) 巖上(암상)에 두고 / 潁水川邊(영수 천변)에 귀 씻고 누어시니 / 乾坤(건곤)이 날ᄃᆞ려 니르기를 홈ᄀᆡ 늙쟈 ᄒᆞ더라

---

③ 2연의 '새'와 ③의 '믈(물)'은 모두 시적 화자의 슬픈 감정이 이입된 대상이므로 의미가 유사하다.
· 2연의 '새': 고독한 삶으로 인한 비애감이 이입됨.
· ③의 '믈(물)': 단종을 향한 애달픈 마음이 이입됨.

▶ 오답 체크
① '바람'은 시적 화자가 '긔(그이)'가 오는 소리인 것으로 착각하는 대상이다.
② '마음'은 시적 화자가 청자로 설정한 시어로, 늙은 화자의 몸과 비교되는 대상이다.
④ '乾坤(건곤)'은 화자가 늙어 가는 공간인 자연이며, 함께 늙는 동반자적 존재이다.

살어리 살어리랏다 바ᄅ래 살어리랏다
　　　　　　　　자연, 속세와 대비되는 공간
ᄂᆞᄆᆞ자기 구조개랑 먹고 바ᄅ래 살어리랏다 / 얄리얄리 얄라셩 얄라리 얄라
　　소박한 음식

살겠노라 살겠노라. 바다에서 살겠노라.
나문재, 굴, 조개를 먹고, 바다에서 살겠노라.

중심 내용_ 바다(자연)에 살고 싶은 마음

가다가 가다가 드로라 에졍지 가다가 드로라
　　　　　　　듣노라　외딴 부엌
사ᄉ미 짒대예 올아셔 奚琴(히금)을 혀거를 드로라 / 얄리얄리 얄라셩 얄라리 얄라
　　　　　　　　　　　켜는 것을

가다가 가다가 듣노라. 외딴 부엌을 지나가다가 듣노라.
사슴(사슴으로 분장한 광대)이 장대에 올라가서 해금을 켜는 것을 듣노라.

중심 내용_ 기적을 바라는 절박한 삶

가다니 비브른 도긔 설진 강수를 비조라
　　　현실의 괴로움을 초극하게 하는 매개물　빚는구나
조롱곳 누로기 ᄆᆡ와 잡ᄉᆞ와니 내 엇디ᄒᆞ리잇고 / 얄리얄리 얄라셩 얄라리 얄라
　조롱박꽃　누룩이　붙잡으니　　체념적 자세

가더니 (배가) 불룩한 술독에 진한 술을 빚는구나.
조롱박꽃 모양의 누룩이 매워 (나를) 붙잡으니, 나는 어찌하리.

중심 내용_ 술로 삶의 고뇌를 풂.

☑ **학습 체크**

01 '청산별곡'에 대한 설명으로 적절하지 않은 것은?
① 현실의 모순에 대한 풍자가 두드러진다.
② 현실 도피적인 삶의 태도가 드러난다.
③ 울림소리를 여음구로 사용하여 밝은 느낌을 준다.
④ 공간의 대칭 구조가 나타난다.

──────────────

① '청산별곡'에서는 고통스러운 현실에서 도피하고자 하는 마음과 체념의 정서가 주를 이룬다. 현실의 문제를 드러내어 풍자하는 부분은 없다.

이해와 감상

🔑 **키워드**
운율을 형성하는 요소

운율 형성 요소	예
울림소리('ㄹ', 'ㅇ' 등)의 반복적 사용	얄리얄리 얄랑셩, 이링공 뎌링공
유사한 어구와 문장 구조의 반복 (a-a-b-a 구조)	살어리(a) 살어리랏다(a) 靑山(청산)에(b) 살어리랏다(a)
후렴구(여음)의 반복	얄리얄리 얄랑셩(얄라셩) 얄라리 얄라
매 구가 3·3·2조 3음보로 끊어짐.	살어리(1음보) 살어리(2음보) 랏다(3음보)

🔑 **키워드**
시어의 상징적 의미

연	시어	의미	연	시어	의미
1연	청산	화자의 이상향, 현실 도피처	5연	돌	피할 수 없는 운명
2연	새	화자의 분신, 감정 이입의 대상	6연	바다	새로운 이상향
3연	새	속세에 대한 미련	7연	사슴	기적의 매개물, 기적을 바라는 절박함.
4연	밤	절망과 고독의 시간	8연	강술	현실의 괴로움을 잊기 위한 매개체, 구원의 매개체

🔑 **키워드**
내용상의 대칭 구조

이 작품의 5연과 6연을 서로 바꾸면 '청산에서의 삶'을 노래한 전반부와 '바다에서의 삶'을 노래한 후반부가 구조적 대칭을 이루는 것을 확인할 수 있다.

청산		바다
· 1연: 청산, 머루와 다래		· 6연: 바다, 나문재, 굴과 조개
· 2연: 자고 일어나 울다	대칭 구조	· 5연: 돌에 맞아 울다
· 3연: 물 아래 가던 새		· 7연: 해금을 켜는 사슴
· 4연: 밤, 고독, ᄯ 엇디 호리라		· 8연: 술, 체념, 내 엇디 ᄒᆞ리잇고

4 시조

우국·충절

작품 해제

가 오백 년 도읍지를
　출전 《병와가곡집》
　성격 회고적, 감상적
　주제 고려 왕조에 대한 회고와 인생의 무상함
　표현 대조법, 영탄법, 비유법

나 흥망이 유수ㅎ니
　출전 《청구영언》
　성격 회고적, 감상적
　주제 고려 왕조를 회고하면서 느끼는 무상감
　표현 ① 은유, 영탄, 중의법
　　② 선경후정
　　③ 시각적, 청각적 이미지 사용

다 풍상이 섯거 친 날에
　출전 《해동가요》, 《병와가곡집》
　성격 의지적, 우의적, 유교적
　제재 황국화
　주제 역경과 고난에 굴하지 않는 절개
　표현 은유법

라 삼동에 뵈옷 닙고
　출전 《병와가곡집》
　성격 상징적, 유교적
　주제 임금의 죽음을 슬퍼함
　표현 상징적, 비유적 표현

☑ **학습 체크**

01 **가**의 ㉠과 아래 밑줄 친 ㉡을 사자성어로 표현했을 때, 가장 적절한 것은?

　출하리 잠을 드러 ㉡ 쑴의나 보려 ㅎ니, 바람의 디눈닙과 풀 속에 우는 즘생, 므스 일 원수로서 잠조차 쌔오눈다.　- 허난설헌, '규원가'

① ㉠ - 노심초사(勞心焦思)
　㉡ - 오매불망(寤寐不忘)
② ㉠ - 일장춘몽(一場春夢)
　㉡ - 풍수지탄(風樹之嘆)
③ ㉠ - 노심초사(勞心焦思)
　㉡ - 각주구검(刻舟求劍)
④ ㉠ - 일장춘몽(一場春夢)
　㉡ - 오매불망(寤寐不忘)

④ (가)에서는 망한 나라(고려)의 도읍지에서 인간사의 허무함을 느끼고 있고, '규원가'에서는 꿈에서조차 임을 그리워하고 있으므로 ㉠, ㉡에 어울리는 사자성어는 ④이다.

간단 작품 설명 이 시조들은 모두 조선 전기에 창작된 것으로, 고려 왕조에 대한 회고와 새로운 왕조에 대한 충성심을 엿볼 수 있는 작품들이다. (가)와 (나)는 망해 버린 고려 왕조를 회고하며 무상감을 토로하는 작품이고, (다)와 (라)는 조선의 임금에 대한 절개와 애정이 드러나는 작품이다.

가 五百年(오백 년) 都邑地(도읍지)를 匹馬(필마)로 도라드니,
　　　　고려의 옛 도읍지　　　한 필의 말. 벼슬을 하지 않은 신세를 의미함.
山川(산천)은 依舊(의구)ㅎ되 人傑(인걸)은 간 듸 업다.
　　옛날 그대로 변함이 없음.　뛰어난 인재
어즈버, 太平烟月(태평연월)이 ㉠ 쑴이런가 ㅎ노라.　- 길재
아아 (감탄사)　근심이나 걱정이 없는 편안한 세월(고려의 전성기)

　오백 년 이어 온 고려의 옛 서울에 한 필의 말을 타고 들어가니,
　산천의 모습은 예나 다름이 없지만 인걸은 간 데 없다.
　아아, 고려의 태평했던 시절이 한낱 꿈처럼 허무하도다.

나 興亡(흥망)이 有數(유수)ㅎ니 滿月臺(만월대)도 秋草(추초)ㅣ로다.
　　운수가 정해져 있으니　　고려 왕실의 궁터　　가을 풀 (황폐함)
五百年(오백 년) 王業(왕업)이 牧笛(목적)에 부쳐시니,
　　　　　　　　　목동의 피리 소리　깃들어 있으니
夕陽(석양)에 지나는 客(객)이 눈물계워 ㅎ노라.　- 원천석

　나라가 흥하고 망하는 것이 운수에 달렸으니 고려의 궁터인 만월대도 가을 풀만이 우거져 있구나.
　오백 년 고려 왕조의 업적이 목동의 피리 소리에 담겨 있으니,
　석양에 지나가는 나그네가 눈물겨워 하는구나.

다 風霜(풍상)이 섯거 친 날에 ㄹ 픠온 黃菊花(황국화)를
　　　바람과 서리　　섞어
金盆(금분)에 ㄹ득 담아 玉堂(옥당)에 보닉오니,
　　귀한 화분　　　　　홍문관
桃李(도리)야, 곳이온 양 마라, 님의 쯧을 알괘라.　- 송순
복숭아꽃과 자두꽃　　꽃인 체

　바람과 서리가 섞여 내린 날에 갓 핀 노란 국화를
　(명종이) 귀한 화분에 가득 담아 옥당(홍문관)에 보내 주시니,
　복숭아꽃, 자두꽃아, 꽃인 척도 하지 마라, 임이 이 꽃을 보낸 뜻을 알겠구나.

라 三冬(삼동)에 뵈옷 닙고 巖穴(암혈)에 눈비 마자
　추운 겨울 석 달　　베옷　　비위 굴 (은사가 지내는 곳)
구름 낀 볏뉘도 쐰 적이 업건마눈,
　　　햇볕, 임금의 은총
西山(서산)에 ㅎ지다 ㅎ니 눈물겨워 ㅎ노라.　- 조식
임금(중종)의 승하

　한겨울에 삼베옷을 입고 바위 굴에서 눈비 맞으며 (벼슬 없이 산중에 은거하며)
　구름 사이로 비치는 햇볕도 쐰 적이 없건마는, (임금의 은혜를 입지 못했지마는)
　서산에 해가 졌다(임금의 승하)는 소식을 들으니 눈물을 이기지 못하겠구나.

이해와 감상

가 오백 년 도읍지를 _ 길재

🔑 **키워드**
시어의 대조를
통한 무상감 강조

작가가 고려의 도읍지였던 개성에서 느낀 감회를 읊고 있는 작품이다. 불변하는 자연과 변하는 인간사를 대조함으로써 허무함과 망국의 한(恨)을 강조하고 있다.

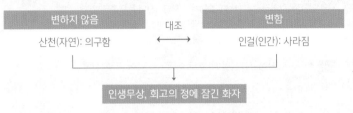

변하지 않음	대조	변함
산천(자연): 의구함	⟷	인걸(인간): 사라짐

↓

인생무상, 회고의 정에 잠긴 화자

나 흥망이 유수ㅎ니 _ 원천석

🔑 **키워드**
망국의 한(恨)을
나타내는 한자 성어

이 시조에서는 회한의 정조를 띠는 '추초, 목적, 석양, 객' 등의 시어를 사용하여 나라(고려)를 잃은 선비의 한(恨)을 형상화하고 있다. 고국의 멸망을 한탄하는 화자의 정서를 나타내는 한자 성어는 다음과 같다.

망국지한 (亡國之恨)	나라가 망하여 없어진 것에 대한 한(恨)
맥수서유 (麥秀黍油)	'보리의 이삭과 기장의 윤기'라는 뜻으로, 고국의 멸망을 탄식함.
맥수지탄 (麥秀之歎)	고국의 멸망을 한탄함을 이르는 말. 기자(箕子)가 은(殷)나라가 망한 뒤에도 보리만은 잘 자라는 것을 보고 한탄하였다는 데서 유래함.
서리지탄 (黍離之歎)	'나라가 멸망하여 옛 궁궐 터에는 기장만이 무성한 것을 탄식한다'라는 뜻으로, 세상의 영고성쇠가 무상함을 탄식하며 이르는 말

다 풍상이 섯거 친 날에 _ 송순

🔑 **키워드**
대조적 시어의
의미

'황국화'는 풍상을 이기고 피는 꽃으로 고난과 시련 속에서도 지조와 절개를 지키는 자세를 상징한다. 이에 반해 '도리(桃李)'는 봄에 잠깐 피었다 지는 꽃으로 변절과 배신을 상징한다. 따라서 '금분에 담긴 황국화'는 소중히 여겨야 하는 지조를 상징하며, 시적 화자는 '황국화'와 '도리(桃李)'를 대조하여 임금(명종)에 대한 지조와 절개를 지키겠다는 의지를 드러내고 있다.

국화 (지조와 절개)	대조	도리 (변절과 배신)
	⟷	

라 삼동에 뵈옷 닙고 _ 조식

🔑 **키워드**
시어의
상징적 의미

벼슬을 물리치고 지리산 자락에 은거하던 화자가 중종 임금의 승하 소식을 듣고 읊었다는 시조이다. 상징적 시어를 통해 임금의 승하를 애도하는 뜻을 참신하게 표현하였다.

뵈옷, 암혈	화자가 벼슬을 하고 있지 않음.
구름 낀 볏뉘도 쐰 적이 업건마ᄂᆞᆫ	· 볏뉘: 햇볕의 기운, 임금의 은혜 · 벼슬을 하지 않은 몸이라 임금의 은총을 입은 바가 없음.
서산에 ᄒᆞ지다	· ᄒᆞ: 임금(중종) · 임금께서 승하하셨음.

☑ 학습 체크

01 나 에 드러난 화자의 정서와 가장 가까운 것은?

① 서리지탄(黍離之歎)
② 만시지탄(晩時之歎)
③ 망양지탄(亡羊之歎)
④ 비육지탄(髀肉之歎)

02 ㉠~㉣에 대한 설명으로 적절하지 않은 것은?

> 삼동(三冬)에 ㉠베옷 입고 암혈(巖穴)에 ㉡눈비 맞아
> 구름 낀 볏뉘도 쐰 적이 없건마는
> ㉢서산에 해 지다 하니 ㉣눈물겨워 하노라.

① ㉠ 화자의 처지나 생활을 추측할 수 있게 한다.
② ㉡ 화자와 중심 대상 사이를 연결하는 매개체이다.
③ ㉢ 화자가 머물고 있는 공간과 구별되는 공간이다.
④ ㉣ 상황에 대한 화자의 감정이 직접 표출되고 있다.

---

01 ① 고국의 멸망을 한탄하고 있는 화자의 정서와 가장 가까운 것은 '서리지탄(黍離之歎)'이다. '서리지탄(黍離之歎)'은 '나라가 멸망하여 옛 궁궐 터에는 기장만이 무성한 것을 탄식한다'라는 뜻으로, 인생이나 사물의 번성하고 쇠락함이 무상한 것을 탄식하는 말이다.

▶ **오답 체크**
② 만시지탄(晩時之歎): 시기를 놓쳐 기회를 잃었음을 안타까워하는 탄식
③ 망양지탄(亡羊之歎): 갈림길이 너무 많아 잃어버린 양을 찾을 길이 없음을 탄식한다는 뜻으로, 학문의 길이 여러 갈래여서 한 분야의 진리도 얻기 어려움.
④ 비육지탄(髀肉之歎): 재주를 발휘할 때를 얻지 못하여 헛되이 세월만 보내는 것을 한탄함.

02 ② ㉡은 화자와 중심 대상 사이를 연결하는 매개체가 아니다. 눈비를 맞으며 살아간다는 것은 화자의 처지가 가난함을 말하는 것이다.

작품 해제

가 이화에 월백ᄒ고

출전 《청구영언》, 《가곡원류》, 《병와가곡집》

성격 서정적, 애상적

주제 봄날 밤의 애상적 정서

표현 ① 의인법
② 선경후정
③ 시각적, 청각적 이미지의 사용

나 말 업슨 청산이요

성격 풍류적, 한정가, 전원적, 달관적

주제 자연과 더불어 사는 즐거운 삶

표현 의인법, 대구법

다 추강에 밤이 드니

출전 《청구영언》

성격 낭만적, 탈속적, 풍류적, 한정가

주제 가을 밤의 풍류와 정취

라 집 방석 내지 마라

출전 《병와가곡집》

성격 풍류적, 전원적

주제 산촌 생활에서 누리는 안빈낙도의 삶

표현 대립적 시어 사용

간단 작품 설명 (가)는 고려 말, (나)~(다)는 조선 전기, (라)는 조선 후기에 창작된 시조이다. (가)~(라)는 모두 자연을 배경으로 하고 있는데, (가)는 자연이 화자의 정서를 돕는 서정적 공간, (나)는 자연이 삶의 공간이면서 이상적인 공간으로 나타난다. 한편 (다)에서는 자연에서의 풍요로운 삶이나 생활의 여유가, (라)에서는 자연 속에서 소박하게 살고자 하는 태도가 드러난다.

출제 키워드
가 주요 시어의 기능
나 화자가 지향하는 삶
다 자연을 대하는 화자의 태도
라 화자의 정서 및 태도

가 梨花(이화)에 月白(월백)ᄒ고 銀漢(은한)이 三更(삼경)인 제
　　　　　　　　　배꽃　　　　　　　　　은하수　　　　밤 11시~오전 1시
一枝春心(일지춘심)을 子規(자규) | 야 아랴마ᄂᆞᆫ, → 의인법
한 가지에 어려 있는 봄날의 정서　소쩍새, 청각적 이미지
多情(다정)도 病(병)인 냥ᄒ여 ᄌᆞᆷ 못 드러 ᄒ노라.
　정이 많음.　　　　　　　　　　　　　　　　　　　　－ 이조년

(하얗게 핀) 배꽃에 달빛이 희게(환하게) 비치고 은하수는 삼경을 알리는 때에
한 가지에 어린 봄날의 정서를 소쩍새는 알랴마는, (알고서 저리 우는 것일까마는)
정이 많은 것도 병인 양하여 (나는) 잠 못 들어 하노라.

나 말 업슨 靑山(청산)이오 態(태) 업슨 流水(유수)로다
　　　　말이 없는　　　　　　　　　　모양
갑 업슨 淸風(청풍)이오 님ᄌ 업슨 明月(명월)이로다
값이 없는　　　　　　　주인이 따로 없는 ┌ 세상 물정에 대한 바른 생각이나 판단
이 즁에 病(병) 업슨 이 몸이 分別(분별) 업시 늘그리라.　　　　　－ 성혼
　　　　　　　　　　　　　　분별 └ 자연을 벗 삼아 살고자 함.

말이 없는 청산이요, 모양이 없는 흐르는 물이로다.
값이 없는 맑은 바람이요, 주인이 없는 밝은 달이로다.
이 가운데 병 없는 이 몸이 아무 걱정 없이 늙으리라.

다 秋江(추강)에 밤이 드니 물결이 ᄎᆞ노ᄆᆡ라.
　　　가을 강
낙시 드리치니 고기 아니 무노ᄆᆡ라.
無心(무심)ᄒᆞᆫ ᄃᆞᆯ빗만 싯고 뷘 ᄇᆡ 저어 오노ᄆᆡ라.　　　－ 월산 대군
욕심 없는, 사심 없는

가을 강에 밤이 되니 물결이 차갑구나.
낚시를 드리우니 물고기가 물지 않는구나.
욕심 없는 달빛만 싣고 빈 배 저어 오는구나.

라 집 方席(방석) 내지 마라, 落葉(낙엽)엔들 못 안즈랴.
　　　　　　　　　　　관솔에다 붙인 불
솔불 혀지 마라, 어제 진 ᄃᆞᆯ 도다온다.
　　커지　　　　　　　돌아 온다
아ᄒᆡ야, 薄酒山菜(박주산채)ㄹ망졍 업다 말고 내여라.　　　－ 한호
　　　　변변치 않은 술과 산나물 안주

짚으로 만든 방석을 내지 마라, 낙엽엔들 앉지 못하겠느냐.
관솔불을 켜지 말아라, 어제 졌던 밝은 달이 다시 떠오른다.
아이야, 변변치 않은 술과 산나물 안주라도 좋으니 없다고 하지 말고 내오너라.

☑ 학습 체크

01 괄호에 들어갈 한자어로 옳은 것은?

梨花에 月白ᄒ고 銀漢이 三更인 제
一枝春心을 (　　)ㅣ야 아랴마ᄂᆞᆫ,
多情도 병인 냥ᄒ여 ᄌᆞᆷ 못 드러 ᄒ
노라.　　　　　－ 이조년, '多情歌'

① 子規　　② 細雨
③ 陰雨　　④ 錦繡

----

① 괄호에는 의인화되어 화자의 정서를 알아 주는 존재로, 애상적 정서를 내포하는 시어가 들어가야 한다. 이 조건을 만족하는 한자어로는 '소쩍새'를 뜻하는 '子規(자규)'가 옳다.

▶ 오답 체크
② 細雨(세우): 가랑비
③ 陰雨(음우): 몹시 음산하게 오는 비. 또는 오래 내리는 궂은비
④ 錦繡(금수): 수를 놓은 비단. 또는 아름답고 화려한 옷이나 직물

가 이화에 월백ᄒ고 _ 이조년

🔑 키워드
주요 시어의 기능

'다정가(多情歌)'라고도 불리는 작품이다. 이 시조에서는 '이화, 월백, 은한'과 같은 백색(白色)의 이미지와, '삼경, 자규' 등의 시어를 통해 봄밤의 애상적인 분위기를 형성하고 있다. 이러한 분위기를 형성하기 위해 각 시어가 하고 있는 기능은 다음과 같다.

시어	기능	
이화(梨花)	배꽃이 피는 시기인 봄(5월경)을 나타냄.	시간적 배경인 '봄밤'을 나타냄.
월백(月白), 은한(銀漢)	달이 뜨고 은하수가 흐르는 한밤중을 나타냄.	
삼경(三更)	시간을 구체적으로 나타냄. (밤 11시~오전 1시)	화자의 애상적 정서를 청각적으로 형상화함.
자규(子規)	고독의 정서와 처절한 애원의 이미지를 내포함.	

나 말 업슨 청산이요 _ 성혼

🔑 키워드
화자가
지향하는 삶

화자는 속세의 명리(名利)에서 벗어나 자연과 물아일체(物我一體)되는 삶을 살고 싶은 뜻을 노래하고 있다. 즉 속세와 자연의 가치를 대조함으로써 세속적인 가치에 대한 관조와 달관의 자세를 드러내고, 자연적 가치를 지향하고 있는 것이다.

말, 태, 값, 임자	대조	청산, 유수, 청풍, 명월
인위적 가치	←→	자연적 가치

화자가 궁극적으로 지향하는 것 →

다 추강에 밤이 드니 _ 월산 대군

🔑 키워드
자연을 대하는
화자의 태도

화자는 고기를 잡지 못하고 빈 배에 달빛만 싣고 오지만 아쉬워하지 않는다. 이는 화자가 소유에 대한 욕망에서 자유롭다는 것을 의미한다. 그리고 '뷘 빅', '무심훈 둘빗'과 같은 시어는 세속적인 욕심을 버린 화자의 내면을 의미하는 것으로, 비어 있는 것이 오히려 가득 찬 것을 의미할 수 있다는 역설적 진리를 나타낸다.

빈 배의 공허감 (무욕의 경지) ── 달빛(자연)의 충만함

↓

물욕(物慾)과 명리(名利)를 버리고 자연 속에서 유유자적하는 삶의 즐거움

라 집 방석 내지 마라 _ 한호

🔑 키워드
화자의 정서
및 태도

인위적인 것을 배격하고 자연적인 것을 추구하고자 하는 사대부의 소박한 풍류가 잘 드러나 있는 작품이다. 특히 종장의 '박주산채(薄酒山菜)'는 무욕(無慾)의 정신과 안빈낙도(安貧樂道)의 자세를 내포하고 있다.

인위적 요소 – 배격	대조	자연적 요소 – 추구
짚 방석, 솔불	←→	낙엽, 달, 박주산채

연정·이별

간단 작품 설명 (가), (나)는 조선 전기에 활동한 기녀인 황진이의 작품이다. 황진이의 시조는 대부분 남녀 간의 사랑과 이별을 주제로 하며, 임에 대한 그리움을 참신한 은유와 감각적인 언어로 그려 낸다. (다)는 조선 전기에 활동한 기녀인 계랑의 시조로, 여성 특유의 섬세한 감각과 우리말의 묘미를 느낄 수 있다. (라)는 황진이와 인연을 맺었던 서경덕의 시조로, 황진이를 향한 그리움을 형상화한 작품이다.

출제 키워드
가 이별 후 화자의 정서
나 '벽계수'와 '명월'의 중의적 의미
다 시간적·공간적 거리감의 형상화
라 임을 향한 화자의 정서

가 어져 내 일이야 그릴 줄을 모로ᄃᆞ냐.
　　아이! (감탄사)　　　　　그리워할 줄을 몰랐더냐 (회한)
　　이시랴 ᄒᆞ더면 가랴마ᄂᆞᆫ 제 구ᄐᆞ여
　　　　　　　　　　　　　　　　　　제 ┌ ① 제 = 나: 내가 굳이 보내고 그리워함. (행간 걸침)
　　　　　　　　　　　　　　　　　　　　└ ② 제 = 임: 임이 굳이 갔겠느냐. (도치법)
　　보내고 그리는 情(정)은 나도 몰라 ᄒᆞ노라.
　　자존심과 연정 사이의 내적 갈등　　　　　　　　　　　　　　　　　　　　　　　　　　　　– 황진이

아이! 내가 한 일이여. 그리워하게 될 줄을 몰랐단 말인가?
있으라 말했다면 가셨으랴마는 제가 구태여
보내고 나서 그리워하는 내 마음을 나도 잘 모르겠구나.

나 靑山裏(청산리) 碧溪水(벽계수)ㅣ야 수이 감을 자랑마라.
　　　　　　　　　　　　　쉽게, 빨리 감. (순간성, 일회성)
　　一到滄海(일도 창해)ᄒᆞ면 도라오기가 어려오니,
　　한번 넓은 바다에 이르면
　　明月(명월)이 滿空山(만공산)ᄒᆞ니 수여 간들 엇더리. □: 중의적 표현
　　　　　　　　　빈 산에 가득 찼으니　　　　　　　　　　　　　　　　　　　　　　　　　– 황진이

청산 속에 흐르는 푸른 시냇물아, 쉽게 흘러감을 자랑 마라.
한번 넓은 바다에 이르면 돌아오기가 어려우니,
밝은 달이 빈 산(적막한 산)에 가득 찼으니 쉬어 간들 어떠리.

다 梨花雨(이화우) 흣쑬릴 제 울며 잡고 離別(이별)ᄒᆞᆫ 님, ┐
　　비 오듯 떨어지는 배꽃, 과거　　　　　　　　　　　　　　　│시간의
　　秋風落葉(추풍낙엽)에 저도 날 싱각ᄂᆞᆫ가.　　　　　　　　 │흐름
　　　　　　　　　　현재　　　　　　생각하는가　　　　　　　　┘
　　千里(천 리)에 외로온 쑴만 오락가락 ᄒᆞ노매.
　　임과의 심리적 거리　　　　　　　　　　　　　　　　　　　　　　　　　　　　　　　　　– 계랑

배꽃이 비처럼 흩날리던 때에 서로 울며 손을 잡고 헤어진 임,
가을바람에 나뭇잎 떨어지는 이때에 임도 나를 생각하고 계실까?
천 리 길 떨어진 곳에서 외로운 꿈만 오락가락하는구나.

라 ᄆᆞᆷ이 어린 後(후)ㅣ니 ᄒᆞᄂᆞᆫ 일이 다 어리다. ┄ 일반적 진술 ┐
　　　 어리석은　　　　　　　찾아올 뜻이 있겠는가마는　　　　　　　　│ 연역적
　　萬重雲山(만중 운산)에 어닉 님 오리마ᄂᆞᆫ,　　　　　　　　　　　　│ 시상 전개
　　임과의 만남을 가로막는 장애물 → 과장법을 통한 시적 화자의 정서 강조 ┄ 구체적 진술 ┘
　　지ᄂᆞᆫ 닙 부ᄂᆞᆫ ᄇᆞ람에 힝여 건가 ᄒᆞ노라.
　　　　　　　　　　　혹시나 그이인가　　　　　　　　　　　　　　　　　　　　　　　　– 서경덕

마음이 어리석은 뒤이니 하는 일이 다 어리석다.
겹겹이 구름이 쌓인 산속에 어찌 임이 찾아오겠느냐마는,
떨어지는 나뭇잎 소리와 부는 바람 소리에도 행여나 임인가 하고 생각하노라.

가 어져 내 일이야 _ 황진이

🔑 **키워드**

이별 후
화자의 정서

사랑하는 임을 보내고 후회하는 심정을 노래하고 있다. 시적 화자는 자존심과 연정 사이에서 오는 심리적 갈등을 순우리말로 섬세하게 표현하였다. 특히 '제 구틔여'라는 표현을 통해, 임이 없는 상황에 대한 안타까움과 후회의 정서를 효과적으로 드러내고 있다.

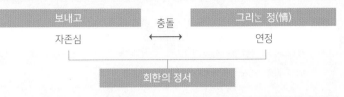

보내고	충돌	그리는 정(情)
자존심	↔	연정

회한의 정서

나 청산리 벽계수ㅣ야 _ 황진이

🔑 **키워드**

'벽계수'와 '명월'의
중의적 의미

'벽계수'와 '명월'은 자연물과 사람의 이름을 중의적으로 가리키는 시어이다. 황진이는 중의적인 시어를 사용하고 자연물을 의인화하여 표현함으로써, 한번 늙거나 죽으면 젊은 시절로 돌아올 수 없으니 현재의 인생을 즐길 것을 권유하고 있다. 이는 현세(現世, 현재 살아 있는 이 세상)의 삶에 가치를 두는 현세적 가치관과 연결된다.

벽계수 (碧溪水)	① 푸른 시냇물 ② 사람 이름 (왕실 종친 의 한 사람)	일도창해하면 돌아오기 어려움. →	한번 늙거나 죽으면 젊은 시절로 돌아올 수 없음.
명월 (明月)	① 밝은 달 ② 황진이 (황진이의 기 명이 '명월'임)	만공산하니 쉬어 간들 어떠리. →	향락에 대한 권유 (현세적 가치관)

다 이화우 흣쁘릴 제 _ 계랑

🔑 **키워드**

시간적·공간적
거리감의 형상화

떠난 후 소식이 없는 유희경을 그리워하며 계랑이 읊었다는 노래이다. 화자와 임 간의 거리를 나타내기 위해, 이 시에서는 봄에서 가을로의 계절 변화를 통해 시간적 거리감을 나타내고 있으며, 동시에 '천 리'라는 시어로 공간적 거리감을 형상화하고 있다. 그리고 봄과 가을에 공통적으로 내재된 하강의 이미지(이화우, 추풍낙엽)는 이별의 정서를 심화시키고 있다.

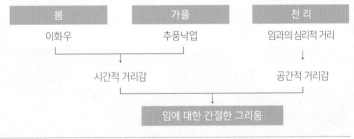

봄	가을	천 리
이화우	추풍낙엽	임과의 심리적 거리
↓	↓	↓
시간적 거리감		공간적 거리감

임에 대한 간절한 그리움

라 모음이 어린 후ㅣ니 _ 서경덕

🔑 **키워드**

임을 향한
화자의 정서

도학자였던 작가가 임(황진이)을 기다리는 마음을 진솔하게 표현한 노래이다. 임과 화자 사이의 장애물인 '萬重雲山(만중 운산)'은 기다림의 정감을 고조시키고 있으며, 자연의 미세한 움직임에도 혹시 임의 발자국 소리인가 하는 시적 화자의 모습에서는 인간 본연의 순수한 감정이 드러난다.

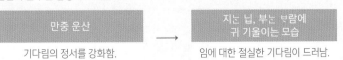

만중 운산	→	지는 닙, 부는 브람에 귀 기울이는 모습
기다림의 정서를 강화함.		임에 대한 절실한 기다림이 드러남.

☑ **학습 체크**

01 다음 글이 설명하고 있는 '이것'의 표현 방법이 반영되어 있지 않은 것은?

> 이것은 다른 의미를 암시하기 위해 말이나 동음이의어를 해학적으로 사용하는 표현 방법으로, 말이나 문자를 소재로 하는 유희를 의미한다. 이때 이것은 이중의 의미를 나타내는 명칭을 중심으로 사용되거나 유사한 음운을 반복하기도 한다. 낱말의 소리들에 대한 관심을 토대로 발생하는 이것은 차츰 해학을 목적으로 하게 된다.

① 잔 들고 혼자 먼 산을 바라보니 / 그리던 님이 온다고 반가움이 이러하랴 / 말씀도 웃음도 아녀도 못내 좋아 하노라 　　　 - 윤선도
② 청산리 벽계수야 수이 감을 자랑 마라 / 일도 창해하면 돌아오기 어려우니 / 명월이 만공산하니 쉬어간들 어떠리 　　　 - 황진이
③ 매아미 맵다 울고 쓰르라미 쓰다 우네 / 산채를 맵다는가 박주를 쓰다는가 / 우리는 초야에 묻혔으니 맵고 쓴 줄 몰라라 　　　 - 이정신
④ 북창이 맑다거늘 우장 없이 길을 가니 / 산에는 눈이 오고 들에는 찬비로다 / 오늘은 찬비 맞았으니 얼어 잘까 하노라 　　　 - 임제

---

① 제시문의 '이것'은 언어유희를 가리키는데, ①에는 언어유희가 나타나지 않는다.
▶ **오답 체크**
② '벽계수'와 '명월'이 이중의 의미를 나타내므로 언어유희가 반영되었다.
③ '매아미'와 '맵다', '쓰르라미'와 '쓰다'에서 유사한 음운이 반복되므로 언어유희가 반영되었다.
④ '찬비'는 자연 현상인 '찬비'와 기녀인 '한우'를 가리킨다. 따라서 이중의 의미를 나타내므로 언어유희가 반영되었다.

가 붉가버슨 아해ㅣ들리

성격 풍자적

주제 약육강식의 세태 풍자

표현 ① 중의법, 언어유희
② '붉가숭이(발가벗은 아이들)'가 '붉가숭이(고추잠자리)'를 잡는 역설적 상황을 제시

나 댁들에 동난지이 사오

출전 《병와가곡집》

성격 해학적, 풍자적

제재 게젓

주제 현학적 태도(학식이 있음을 자랑하는 태도)에 대한 풍자

표현 ① 대화체의 사용
② 돈호법
③ 서민들의 상거래 모습을 익살스럽게 표현

다 귀쏘리 져 귀쏘리

성격 연정가, 연모가

주제 가을밤에 임을 그리는 외로운 여인의 마음

표현 ① 의인법, 반복법, 반어법, 감정 이입
② 잠 못 드는 외로운 여인의 마음을 귀뚜라미에 의탁

라 창 내고쟈 창을 내고쟈

성격 해학적, 구체적, 의지적

주제 삶의 답답함에서 벗어나고 싶음

표현 ① 열거법, 반복법
② 웃음을 통해 고통을 극복하려는 해학적 표현

사설시조

간단 작품 설명 조선 후기에는 작자층이 평민층까지 확대되면서 내용적·형식적 제약이 크게 완화된 갈래인 사설시조가 출현하였다. (가), (나)는 세태 풍자, (다)는 임에 대한 그리움, (라)는 민중들의 삶과 고뇌에 대한 내용을 담고 있다.

가 붉가버슨 兒孩(아해)ㅣ들리 거믜쥴 테를 들고 기川(천)으로 往來(왕래)ᄒ며,
막대로 거미줄을 걸어 감아서 만든 곤충을 잡는 테
「붉가숭아 붉가숭아 져리 가면 죽ᄂ니라. 이리 오면 ᄉᄂ니라. 부로나니 붉가숭이로다.」
　　　　고추잠자리　　　　　　　　　　　　　　　　　　　　　　　부르는 이
아마도 世上(세상) 일이 다 이러ᄒ가 ᄒ노라.
　　　　　　　　　　　　　　　　　　　　　　　　　　　　　　- 이정신
「　」부분: 고추잠자리를 잡기 위한 감언이설(甘言利說), 역설적 상황, 언어유희

발가벗은 아이들이 거미줄 테를 들고 개천으로 왔다 갔다 하며 / "발가숭아 발가숭아, 저리 가면 죽고 이리 오면 산다." 하고 부르는 이가 발가숭이 아이들이로구나. / 아마도 세상일이 다 이러한가 하노라.

나 「宅(댁)들에 동난지이 사오. 져 쟝ᄉ야 네 황후 긔 무서시라 웨ᄂ다 사쟈.
　　여러분!　　　　　　두 눈　　　그것이
外骨內肉(외골 내육) 兩目(양목)이 上天(상천) 前行後行(전행 후행) 小(소)아리 八足(팔족)
겉이 딱딱하고 속이 무름.　　　　　　　　　진하지 않은 간장　　앞뒤로 가는
大(대)아리 二足(이족) 淸醬(청장) ᄋᆞ스슥ᄒᄂᆞ 동난지이 사오.」
「　」부분: 한자어를 무분별하게 사용하여 잘난 체하는 현학적 태도가 드러난 부분
「쟝스야 하 거복이 웨지 말고 게젓이라 ᄒ렴은.
　너무 거북하게　　　　　　　　　「　」부분: 게젓 장수의 현학적인 태도를 비판함.
　　　　　　　　　　　　　　　　　　　　　　　　　　　　　- 작자 미상

사람들아, 동난젓 사오. 저 장수야, 네 물건 그 무엇이라 외치느냐? 사자.
밖은 단단하고 안은 물렁하며, 두 눈은 위로 솟아 하늘을 향하고, 앞뒤로 기는 작은 발 여덟 개, 큰 발 두 개, 맑은 간장에 (씹으면) 아스슥 소리가 나는 동난젓 사오.
장수야, 그렇게 거북하게 말하지 말고 게젓이라 하려무나.

다 귀쏘리 져 귀쏘리 어엿부다 져 귀쏘리
감정이 이입된 대상 (동병상련의 대상)　「불쌍하다
어인 귀쏘리 지ᄂ 돌 새ᄂ 밤의 긴 소리 쟈른 소리 節節(절절)이 슬픈 소리 제 혼자 우러
녜어 紗窓(사창) 여왼 ᄌᆞᆷ을 술쓰리도 ᄭᆡ오ᄂ고야.
　　　잠을 깨우는 귀뚜라미에 대한 원망 (반어)
「두어라, 제 비록 微物(미물)이나 無人洞房(무인동방)에 내 ᄠᅳᆺ 알 리ᄂ 너ᄲᅢᆫ인가 ᄒ노라.」
「　」부분: 귀뚜라미에게 동병상련을 느끼는 화자　　　　　아는 이　　　- 작자 미상

귀뚜라미, 저 귀뚜라미, 불쌍하다 저 귀뚜라미,
어찌된 귀뚜라미가 지는 달 새는 밤에 긴 소리 짧은 소리, 마디마디 슬픈 소리로 저 혼자 계속 울어, 비단 창문 안에 살짝 든 잠을 알뜰히도 깨우는구나.
두어라, 제 비록 미물이지만 임 없는 외로운 밤에 내 심정 알 이는 너뿐인가 하노라.

라 窓(창) 내고쟈 窓(창)을 내고쟈 이내 가슴에 窓(창) 내고쟈
　　　답답함을 해소해 주는 매개체
고모장지 셰살장지 들장지 열장지 암돌져귀 수돌져귀 빈목걸새 크나큰 쟝도리로 쑥싹
　　　　　　들어 올려 여는 장지　　　　　　　　문고리에 꿰는 쇠
바가 이내 가슴에 窓(창) 내고쟈
잇다감 하 답답ᄒᆯ 제면 여다져 볼가 ᄒ노라.
　이따금 몹시　　　　　　　　　　　　　　　　　　　　　　- 작자 미상

창 내고자 창을 내고자 이내 가슴에 창을 내고자
고모장지 세살장지 들장지 열장지(문의 종류) 암톨쩌귀 수톨쩌귀(문 닫는 데 쓰이는 도구) 배목걸새(문고리에 꿰는 쇠) 크나큰 장도리로 뚝딱 박아 이내 가슴에 창을 내고자
이따금 몹시 답답할 때면 여닫아 볼까 하노라.

이해와 감상

가 붉가버슨 아해ㅣ들리 _ 이정신

🔑 키워드
약육강식의
세태 풍자

어린아이가 잠자리를 잡는 단순한 놀이를 통해 서로가 서로를 모해(謀害)하는 세상을 풍자하고 있다. 그리고 어린아이가 잠자리를 잡기 위해 잠자리에게 이리 와야 산다고 속이는 역설적 상황을 설정하여, 약육강식의 세태를 비판하고 있다.

붉가숭이 (발가숭이 아이들)	속여서 잡으려 함.	붉가숭이 (고추잠자리)
모해(謀害)하는 자	→	모해(謀害)받는 자

약육강식(弱肉强食)의 험난한 세태 풍자

나 댁들에 동난지이 사오 _ 작자 미상

🔑 키워드
유식한 체하는
세태 풍자

서민들의 상거래 모습을 사실적으로 제시하고 있으며, 게젓 장수와 손님의 대화를 통해 게젓 장수의 현학적 태도와 허세를 풍자하고 있다. 특히 종장에서 드러나는 손님의 폭로를 통해 독자들의 웃음을 유발하고 있다.

게젓 장수	대화	손님
유식한 한자 어구를 총동원하여 '게'를 장황하게 묘사	—	장사꾼의 현학적 표현과 허위 의식을 비판

다 귀쏘리 져 귀쏘리 _ 작자 미상

🔑 키워드
'귀뚜라미'의 역할

독수공방하며 외로워하는 화자의 심정을 가을밤에 우는 귀뚜라미 소리에 의탁하여 표현(감정 이입)하고 있다. 여기서 귀뚜라미는 화자의 외로움을 달래 주는 유일한 대상으로, 화자는 귀뚜라미에게 동병상련(同病相憐)의 정을 느끼고 있다.

중장의 귀뚜라미		종장의 귀뚜라미
'나'의 잠을 깨우는 원망스러운 존재	→	외로움을 대변해 주는 존재 (同病相憐)

라 창 내고쟈 창을 내고쟈 _ 작자 미상

🔑 키워드
표현상의 특징

화자는 답답한 마음을 꽉 막힌 '방'에 비유하고, 여기에 '창'을 만들어 답답한 심정을 해소하고 싶은 소망을 표현하고 있다. 이와 같이 이 작품에는 세상살이의 힘겨움에서 벗어나고 싶은 마음을 기발한 발상을 통해 웃음으로 극복하고자 하는 해학적 태도가 나타나 있다.

표현법	표현법이 나타난 부분
답답한 '마음(가슴)'을 '방'에 비유(비유법)	이내 가슴에 窓(창) 내고쟈
장지문의 종류, 부속품 열거 (열거법)	고모장지 셰살장지 들장지 열장지 암돌져귀 수돌져귀 비목걸새 크나큰 장도리로
해학적 표현	이내 가슴에 窓(창) 내고쟈 ~ 잇다감 하 답답홀 제면 여다져 볼가 흐노라.

☑ **학습 체크**

01 나의 주제로 알맞은 것은?
① 참언에 대한 경계
② 현학적 세태 비판
③ 혈육을 그리워하는 정
④ 시장에서 느껴지는 정감

....

② 게젓 장수의 현학적인 면을 꼬집는 풍자가 돋보이는 사설시조이다.

출전 《진본 청구영언》
연대 조선 명종 20년(1565)
성격 회고적, 교훈적
주제 자연과 더불어 유유자적하게
　　　살고 싶은 소망과 학문 수양에
　　　대한 변함없는 의지
표현 설의법, 대구법, 반복법

도산십이곡(陶山十二曲) | 이황

출제 키워드
제9곡과 제10곡의
'녀던 길'의 의미

간단 작품 설명 퇴계 이황이 벼슬에서 물러나 도산 서원에서 후학(後學)을 양성할 때 지은 연시조로, '언지(言志)' 6곡과 '언학(言學)' 6곡으로 나뉜다.

제1곡 (언지 1)

「이런들 엇더ᄒᆞ며 뎌런들 엇더ᄒᆞ료」 「」 부분: 삶을 달관적으로 바라보는 태도

草野愚生(초야 우생)이 이러타 엇더ᄒᆞ료 / ᄒᆞ믈며 泉石膏肓(천석고황)을 고텨 므슴ᄒᆞ료
자신을 겸손하게 낮추어 부르는 말　　　　　　　자연의 아름다움을 사랑하고 즐기고 싶은 성벽. 연하고질(煙霞痼疾)

이런들 어떠하며 저런들 어떠하랴?
시골에 묻혀 사는 어리석은 사람이 이렇게 산다고 해서 어떠하랴?
하물며 자연을 사랑하는 이 고질병처럼 된 버릇을 고쳐 무엇하랴?

중심 내용_ 자연을 향한 극진한 사랑

제9곡 (언학 3)

古人(고인)도 날 몯 보고 나도 古人(고인) 몯 뵈
학문과 덕이 높은 성현(聖賢)　　학문 수양의 의지
古人(고인)을 몯 봐도 녀던 길 알ᄑᆡ 잇ᄂᆞᆫ　　　　　　　　연쇄법
책을 통해 성현의 뜻을 파악할 수 있다는 의미
「녀던 길 알ᄑᆡ 잇거든 아니 녀고 엇뎔고」
「」 부분: 자기 수양과 학문에 정진하고자 하는 의지

성현도 날 못 보고 나 또한 성현을 뵙지 못하네.
성현을 못 뵈어도 그분들이 가던 길이 앞에 있네.
가던 길이 앞에 있는데 아니 가고 어찌할 것인가?

중심 내용_ 성현들의 삶을 따르고자 하는 의지

제10곡 (언학 4)

학문 수양의 길(↔ 년 되)
「當時(당시)에 녀던 길흘 몃 히를 ᄇᆞ려 두고

어듸 가 ᄃᆞ니다가 이제아 도라온고」 「」 부분: 학문을 밀리하고 벼슬을 지낸 자신의 지난날을 후회함.

이제아 도라오나니 년 ᄃᆡ ᄆᆞᄋᆞᆷ 마로리
다른 곳 (벼슬, 입신양명)(↔ 녀던 길)

당시에 행하던 학문 수양의 길을 몇 해나 버려두고 / 어디 가 다니다가 이제야 돌아왔는가?
이제야 돌아왔으니 딴 마음 두지 않으리라.

중심 내용_ 학문 수양에 힘쓰겠다는 다짐

☑ 학습 체크

01 <보기>의 밑줄 친 부분과 가장 가까운 내용을 담은 시조는?

보기

　성현의 경전을 읽고 자기를 돌이켜 보아서 환히 이해되지 않는 것이 있거든 모름지기 성현이 준 가르침이란 반드시 사람이 알 수 있고 행할 수도 있는 것에 대하여 말한 것임을 생각하라. 성현의 말과 나의 소견이 다르다면 이것은 내가 힘쓴 노력이 철저하지 못한 까닭이다. 성현이 어찌 알기 어렵고 행하기 어려운 것으로 나를 속이겠는가? 성현의 말을 더욱 믿어서 딴 생각이 없이 간절히 찾으면 장차 얻는 바가 있을 것이다.

① 십년 ᄀᆞ온 칼이 갑리(匣裏)에 우노미라. / 관산(關山)을 ᄇᆞ라보며 ᄯᆡᄯᆡ로 몬져 보니 / 장부(丈夫)의 위국공훈(爲國功勳)을 어닉 ᄯᆡ에 드리올고.
② 구곡(九曲)은 어드미고 문산(文山)에 세모(歲暮)커다. / 기암괴석(奇巖怪石)이 눈속에 뭇쳣세라. / 유인(遊人)은 오지 안이ᄒᆞ고 볼썻업다 ᄒᆞ드라.
③ 강호(江湖)에 겨월이 드니 눈 기픠 자히 남다. / 삿갓 빗기 쓰고 누역으로 오슬 삼아, / 이 몸이 칩지 아니ᄒᆞ옴도 역군은(亦君恩)이샷다.
④ 고인(古人)도 날 못 보고 나도 고인 못 봬. / 고인을 못 봐도 녀돈 길 알ᄑᆡ 잇늬. / 녀돈 길 알ᄑᆡ 잇거든 아니 녀고 엇졀고.

④ <보기>와 ④ 모두 성현의 가르침을 따라 학문 수양에 정진해야 한다는 내용을 담고 있다.

이해와 감상

🔑 키워드
제9곡과 제10곡의
'녀던 길'의 의미

이 작품은 전체를 전반부 '언지(言志)' 6곡과 후반부 '언학(言學)' 6곡으로 나눌 수 있다. '언지'에서는 도산 서원 주변의 풍경에서 느끼는 감흥이 제시되고, '언학'에서는 학문 수양에 대한 심경이 나타난다. 이때 '언학'에 해당하는 제9곡과 제10곡의 '녀던 길'은 학문 수양에 대한 화자의 의지를 뜻하므로, 성현들의 삶을 따라 학문을 수양하고자 하는 화자의 태도를 의미한다.

만흥(漫興) | 윤선도

세속과 자연에 대한 화자의 태도

간단 작품 설명 작가가 유배에서 풀려난 후 전라남도 해남 금쇄동에 은거하면서 지은 연시조로, 자연과 합일되는 물아일체적 경지가 나타나 있다.

출전 《고산유고》 중 〈산중신곡(山中新曲)〉
연대 조선 인조 20년(1642)
갈래 평시조, 연시조(전 6수)
성격 자연 친화적, 한정가
주제 자연에 묻혀 사는 즐거움과 임금에 대한 은혜
표현 우리말의 묘미를 잘 살림

제1수

山水間(산수간) 바회 아래 뛰집을 짓노라 ᄒᆞ니, / 그 몰론 ᄂᆞᆷ들은 웃는다 ᄒᆞ다마ᄂᆞᆫ,
_{현실이나 세속을 초탈한 곳}
어리고 햐암의 뜻듸는 내 分(분)인가 ᄒᆞ노라.
_{세상 물정에 어둡고 어리석은 시골뜨기 (자신을 낮추는 겸손한 표현)}

산수간 바위 아래에 띠집을 지으려 하니, / 내 뜻을 모르는 남들은 비웃는다지만,
어리석고 세상 물정 모르는 내 생각으로는 내 분수에 맞는 일로 여겨지노라.

중심 내용 자연에 묻혀 안분지족하며 사는 삶

제2수

보리밥 풋ᄂᆞ 믈을 알마초 머근 後(후)에, / 바횟굿 믉ᄀᆞ의 슬ᄏᆞ지 노니노라.
_{실컷}
㉠그나믄 녀나믄 일이야 부를 줄이 이시랴.
_{부러워할 까닭이}

보리밥과 풋나물을 알맞게 먹은 후에, / 바위 끝이나 물가에서 실컷 노니노라.
그 밖에 다른 일이야 부러워할 까닭이 있으랴.

중심 내용 안빈낙도의 삶

제3수

잔 들고 혼자 안자 먼 뫼흘 ᄇᆞ라보니, / 그리던 님이 오다 반가옴이 이러ᄒᆞ랴
말ᄉᆞᆷ도 우움도 아녀도 몬내 됴하ᄒᆞ노라.

잔을 들고 혼자 앉아 먼 산을 바라보니, / 그리워하던 임이 온들 반가움이 이보다 더하겠는가?
말하지도 웃지도 아니하여도 (나는) 그를 한없이 좋아하노라.

중심 내용 자연에 몰입하여 지냄.

제4수

누고셔 三公(삼공)도곤 낫다ᄒᆞ더니 萬乘(만승)이 이만ᄒᆞ랴.
_{만 개의 수레를 부리는 천자(황제)}
이제로 헤어든 巢父許由(소부허유)ㅣ 냑돗더라.
_{자연을 즐기며 산 고대 중국의 인물들} _{영리하더라, 약았더라}
아마도 林泉閑興(임천한흥)을 비길 곳이 업세라.
_{자연 속에서 느끼는 한가한 흥취 (주제어)}

누군가 (자연이) 삼정승보다 낫다 하더니 일만 수레를 가진 천자(天子)라고 한들 이만큼 좋겠는가?
이제 생각해 보니 소부와 허유가 영리하도다.
아마도 자연 속에서 노니는 즐거움은 비할 데가 없으리라.

중심 내용 강호 한정의 삶에 대한 보람

🔑 학습 체크

01 이 작품의 ㉠과 가장 잘 통하는 것을 다음 시에서 찾으면 무엇인가?

> 남으로 창을 내겠소.
> 밭이 한참갈이
> 괭이로 파고
> 호미론 김을 매지요.
> 구름이 꼬인다 갈 리 있소.
> 새 노래는 공으로 들으랴오.
> 강냉이가 익걸랑
> 함께 와 자셔도 좋소.
> 왜 사냐건
> 웃지요.
> ― 김상용, '남으로 창을 내겠소'

① 창　　　② 김
③ 구름　　④ 강냉이

02 이 작품의 각 연에 어울리는 말로 가장 적절하지 않은 것은?
① [제1수] ― 안분지족(安分知足)
② [제2수] ― 안빈낙도(安貧樂道)
③ [제3수] ― 이심전심(以心傳心)
④ [제4수] ― 강호한정(江湖閑情)

01 ③ ㉠과 '구름'은 모두 세속적인 삶을 의미한다.
▶ 오답 체크
① ② ④ 모두 자연에 순응하는 삶, 또는 자연에서의 소박한 삶을 의미한다.

02 ③ 제3수에서는 말과 웃음이 없는 '먼 산'에 대한 화자의 일방적인 애정이 드러나므로, '이심전심(以心傳心)'은 어울리지 않는 말이다. 화자는 먼 산(자연)의 경치를 즐기면서 만족감을 드러내고 있으므로, 제3수에서는 '물아일체(物我一體)'를 지향하는 삶의 모습이 나타난다.

이해와 감상

🔍 **키워드**
세속과 자연에 대한 화자의 태도

이 작품에서 화자는 어지러운 현실에서 벗어나 자연에 묻혀 사는 은사(隱士)의 모습으로 나타난다. 즉 화자는 자연에 몰입된 생활을 하고 있으며, '세속(현실, 벼슬길)'보다 '자연'을 우위에 두고 지향하는 태도를 보이고 있다. 여기에서, 자연 속에서 유유자적하며 살아가는 삶이 속세에서 부귀영화를 누리는 것보다 낫다는 자부심을 엿볼 수 있다.

관동별곡(關東別曲) | 정철

작품 해제

출전 《송강가사》
연대 조선 선조 때(1580)
갈래 양반 가사, 기행 가사, 서정 가사, 정격 가사
성격 서정적, 서경적, 지사적
주제 연군, 애민의 정, 관동 지방의 절경 유람
구성 시간과 여정에 따른 추보식 구성
특징 ① 충의, 애민, 신선 사상
② 호방하고 남성적인 기상
표현 영탄법, 대구법, 생략법
의의 우리말 구사력이 뛰어난 가사 문학의 대표작

간단 작품 설명 송강 정철이 강원도 관찰사로 부임하여 금강산과 관동 지방을 여행하며 아름다운 경치와 그에 따른 감흥을 읊은 가사이다.

㉠江강湖호애 病병이 깁퍼 竹듁林님의 누엇더니, 關관東동 八팔百빅 里니에 方방面면을
　　　　　　　　　　　　　　전남 창평 └갈수록　　　　　　　　　강원도 지방　　　　관찰사 직분
맛디시니, 어와 聖셩恩은이야 가디록 罔망極극ᄒᆞ다. 「延연秋츄門문 드리드라 慶경會회
　　　　　　　　　　임을 향한 충정　　　　　　　　　　　　　달려 들어가
南남門문 ᄇᆞ라보며, 下하直직고 믈너나니 ㉡玉옥節졀이 알픠 셧다.」平평丘구驛역 ᄆᆞᆯ을
　　　　　　　　　　　　　　　「」부분: 생략과 비약에 의한 내용 전개　　　　　　　경기도 양주
ᄀᆞ라 黑흑水슈로 도라드니, 蟾셤江강은 어듸메오 稚티岳악이 여긔로다.

> 자연을 사랑하는 마음이 병이 되어 깊어져 은거지(창평)에서 지내고 있었는데, (선조 임금님께서) 팔백 리나 되는 강원도 관찰사의 직책을 맡겨 주시니, 아아, 임금님의 은혜야말로 갈수록 끝이 없다. 경복궁의 서쪽 문인 연추문으로 달려 들어가 경회루 남쪽 문을 바라보며 (임금님께) 하직하고 물러나니, 관찰사의 신표인 옥절이 앞에 서 있다. 평구역(양주)에서 말을 갈아타고 흑수(여주)로 돌아드니, 섬강(원주)은 어디인가? 치악(원주)이 여기로구나.
>
> **중심 내용_** 관찰사로 임명받아 부임지로 향하는 여정길에 오름. (서사)

昭쇼陽양江강 ᄂᆞ린 믈이 어드러로 든단 말고. ㉢孤고臣신 去거國국에 白빅髮발도 하도 할샤.
소양강을 통해 한강, 한양을 연상함으로써 임금이 계신 곳을 떠올림. = 연군지정
東동州쥐 밤 계오 새와 北븍寬관亭뎡의 올나ᄒᆞ니, 三삼角각山산 第뎨一일峰봉이 ᄒᆞ마면 뵈리
　　　　　　　　　　　　　　　　　　　　　　　　　　한양, 임금이 계시는 곳
로다. ㉣弓궁王왕 大대闕궐 터희 烏오鵲쟉이 지지괴니, 千쳔古고 興흥亡망을 아ᄂᆞᆫ다 몰ᄋᆞᆫ다.
　　　　　　　　　　옛날 이름과　　　　　　　　　　　　　　　　　　다시
㉤淮회陽양 녜 일홈이 마초아 ᄀᆞ틀시고. 汲급長댱孺유 風풍彩치를 고텨 아니 볼 게이고.

> 소양강에서 흘러내리는 물이 어디로 흘러든다는 말인가? 임금 곁을 떠나는 외로운 신하가 근심이 많기도 많구나. 동주(철원)에서의 밤을 겨우 새우고 북관정에 오르니, (한양에 있는) 삼각산의 가장 높은 봉우리가 웬만하면 보일 것도 같구나. 궁예가 나라를 세웠던 대궐 터에 까마귀와 까치가 지저귀니, 천고의 흥망을 알고 우짖는가 모르고 우짖는가? 이곳의 회양이라는 이름이 (중국 한나라의) 회양의 옛날 이름과 공교롭게도 같구나. (한나라 회양 태수로 선정을 베풀었다는) 급장유의 모습을 나에게서 다시 볼 것 아닌가?
>
> **중심 내용_** 관할 지역 순회와 포부 (본사 1)

營영中듕이 無무事ᄉᆞ호고 時시節졀이 三삼月월인 제, 花화川쳔 시내길히 楓풍岳악으로
　　관찰사가 직무를 보던 관아 안　└자신의 선정 과시　　　　　　　　　　　　　금강산
버더 잇다. 行ᄒᆡᆼ裝장을 다 썰티고 石셕逕逕경의 막대 디퍼, 百빅川쳔洞동 겨틱 두고 萬만
　　　　　　　　　　　　　　　　　　돌이 많고 좁은 길　지팡이
瀑폭洞동 드러가니, 銀은 ᄀᆞᄐᆞᆫ 무지게 玉옥 ᄀᆞᄐᆞᆫ 龍룡의 초리, 섯돌며 쑴ᄂᆞᆫ 소리 十십
　　　　　　　　　　　　　　　　　　　　　　　　　섞어 돌며
里리의 ᄌᆞ자시니, 들을 제ᄂᆞᆫ 우레러니 보니ᄂᆞᆫ 눈이로다. 金금剛강臺ᄃᆡ 민 우層층의 仙션
　　　　　　　　퍼져 있으니　　　폭포의 소리와 모습 (비유적 표현)
鶴학이 삿기 치니, 春츈風풍 玉옥笛뎍聲셩의 첫ᄌᆞᆷ을 ᄭᆡ돗던디, 縞호衣의 玄현裳샹이 半반
　　　　　새끼　　　　　　　　　　　　　　　　　　　　흰 비단 저고리와 검은 치마 차림. 학의 모습을 비유적으로 이르는 말
空공의 소소 ᄯᅳ니, 西셔湖호 넷 主쥬人인을 반겨셔 넘노ᄂᆞᆫ 듯.
송나라 사람 임포가 서호에서 매화를 아내로, 학을 아들로 삼고 살았다는 고사 인용

> 감영 안이 무사하고 시절이 삼월 호시절인 때, 화천으로 가는 시냇길이 금강산으로 뻗어 있다. 행장을 간편히 하고, 돌길에 지팡이를 짚고 백천동 곁을 지나서 만폭동 골짜기에 들어가니, 은 같은 하얀 무지개, 옥같이 고운 용의 꼬리처럼, 아름다운 폭포가 섞여 돌며 뿜어내는 소리가 십 리 밖까지 퍼졌으니, 멀리서 들을 적에는 우렛소리 같더니 가까이서 바라보니 온통 하얀 눈과 같구나. 금강산 맨 꼭대기에서 선학이 새끼를 치니, 봄바람에 들려오는 옥피리 소리에 첫 잠을 깨었던지, 흰 저고리와 검은 치마로 단장한 것 같은 학이 공중에 솟아 뜨니, 서호의 옛 주인이었던 임포를 반기듯 나를 반겨서 넘노는 듯하구나.
>
> **중심 내용_** 만폭동의 절경과 금강대의 선학 (본사 1)

☑ 학습 체크

01 다음 중 밑줄 친 ㉠~㉤ 부분의 의미를 잘못 설명한 것은?

① ㉠ 자연을 사랑하는 마음이 깊음을 말한다.

② ㉡ '옥절'은 옥으로 만든 부신(符信)으로 예전에, 관직을 제수할 때에 받던 증서이다.

③ ㉢ 외로운 신하가 임금의 곁을 떠나니 백발(걱정)이 많음을 말한다.

④ ㉣ 궁예의 대궐 터에 까마귀가 지저귀는데, 지금은 고인이 된 궁예에게 천고의 흥망을 아는지, 모르는지를 묻고 있다.

⑤ ㉤ 선정(善政)을 베풀고 싶은 화자의 포부를 드러낸 부분이다.

··

④ 화자는 '오작(烏鵲)', 즉 까마귀와 까치에게 천고의 흥망을 아는지, 모르는지를 묻고 있다.

▶ 오답 체크

⑤ '급장유'는 중국 회양의 태수(太守)로 선정을 베풀었던 인물이다. 화자는 '회양'이라는 지명이 마침 같음을 언급하고, 급장유와 같은 선정을 베풀고 싶다는 포부를 나타내고 있는 것이다.

小쇼香향爐노 大대香향爐노 눈 아래 구버보고, 正졍陽양寺亽 眞진歇헐臺딕 고텨 올나
　　　　　　　　　　　　　　　　　　　　　작가가 있는 곳　　　　다시
안준마리 廬녀山산 眞진面면目목이 여긔야 다 뵈ᄂᆞ다. 어와 造조化화翁옹이 헌亽토 헌亽
앉으니　　金剛山의 꾸밈 없는 모습을 뜻함.　　　　　　　　　　　다양한 산봉우리의 모습에 감탄함.
홀샤. 「늘거든 쮜디 마나 셧거든 솟디 마나」. 芙부蓉용을 고잣ᄂᆞᆫ 듯 白빅玉옥을 믓것ᄂᆞᆫ 듯,
　　「」부분: 금강산 봉우리의 다채로운 모습을 우리말로 효과적으로 표현함.
東동溟명을 박ᄎᆞᄂᆞᆫ 듯 北북極극을 괴왓ᄂᆞᆫ 듯. 놉흘시고 望망高고臺딕 외로올샤 穴혈望망
동해　　　　　　　　'임금'의 상징적 표현
峰봉이 하늘의 추미러 므ᄉ 일을 ᄉᆞ로리라, 千쳔萬만劫겁 디나ᄃᆞ록 구필줄 모ᄅᆞᄂᆞᆫ다. 어
　　　하늘에 치밀어 무슨 일을 아뢰려고
와 너여이고 너 가ᄐᆞ니 ᄯᅩ 잇ᄂᆞᆫ가. 開기心심臺딕 고텨 올나 衆듕香향城셩 ᄇᆞ라보며, 萬만
　　　　　　　　　　　　　　　　　　다시 올라
二이千쳔峰봉을 歷녁歷녁히 혀여ᄒᆞ니, 峰봉마다 ᄆᆡ쳐 잇고 긋마다 서린 긔운, ᄆᆞᆰ거든 조티
　　　　　　　　분명히, 똑똑히　　　　　　　　　　　　　　　　　산의 정기　　　깨끗하지 말거나
마나 조커든 ᄆᆞᆰ디 마나. 뎌 긔운 흐터 내야 人인傑걸을 ᄆᆞᆫᄃᆞᆯ고쟈. 形형容용도 그지업고
　　　　　　　　　　　　　　　　　　　　우국지정(憂國之情)
軆톄勢셰도 하도 할샤. 天텬地디 삼기실 제 自ᄌᆞ然연이 되연마ᄂᆞᆫ, 이제 와 보게 되니 有유
　　　형세, 기세　　　많기도 많구나
情졍도 有유情졍ᄒᆞᆯ샤. →영탄법

소향로봉과 대향로봉을 눈 아래 굽어보고, 정양사 진헐대에 다시 올라 앉으니, 중국의 여산과도 같이 아름다운 금강산의 진면목이 여기에서 다 보인다. 아아, 조물주의 솜씨가 야단스럽기도 야단스럽구나. 저 수많은 봉우리들은 나는 듯하면서도 뛰는 듯하고, 우뚝 서 있는 것 같다가도 솟는 듯하여 변화무쌍하구나. 연꽃을 꽂아 놓은 듯, 백옥을 묶어 놓은 듯, 동해를 박차는 듯, 북극을 괴어 놓은 듯하구나. 높기도 하구나 망고대여, 외롭구나 혈망봉은 하늘에 치밀어 무슨 일을 아뢰려고 오랜 세월 지나도록 굽힐 줄을 모르는가? 아, 너로구나. 너같이 지조가 높은 것이 또 있겠는가? 개심대에 다시 올라 중향성 바라보며, 만이천 봉을 똑똑히 헤아려 보니, 봉마다 맺혀 있고 끝마다 서린 기운, 맑거든 깨끗하지나 말거나 깨끗하거든 맑지나 말거나 하지, 저 맑고 깨끗한 기운을 흩어 내어 뛰어난 인재를 만들고 싶구나. 생김새도 한이 없고, 형세도 다양하기도 하구나. 천지가 생겨날 때에 (만이천 봉이) 저절로 이루어진 줄로만 알았었는데, 이제 와서 보게 되니 (각 봉우리마다) 조물주의 뜻이 깃들어 있는 듯하구나.

중심 내용_ 진헐대와 개심대에 올라 바라본 금강산의 경치 (본사 1)

毗비盧로峰봉 上샹上샹頭두의 올라 보니 긔 뉘신고. 東동山산 泰태山산이 어ᄂᆞ야 놉돗
　　　　　　　　꼭대기　　　　　　　　　　　　　　　　　　　어느 것이
던고. 魯노國국 조븐 줄도 우리ᄂᆞᆫ 모ᄅᆞ거든, 넙거나 넙은 天텬下하 엇씨ᄒᆞ야 젹닷 말고.
어와 뎌 디위ᄅᆞᆯ 어이ᄒᆞ면 알 거이고. 오ᄅᆞ디 못ᄒᆞ거니 ᄂᆞ려가미 고이ᄒᆞᆯ가. 圓원通통골
ᄀᆞᄂᆞᆫ 길로 獅ᄉᆞ子ᄌᆞ峰봉을 ᄎᆞ자가니, 그 알ᄑᆡ 너러바회 化화龍룡쇠 되여셰라. 千쳔年년 老
좁은 길　　　　　　　　　　　　　　　　　　　　　이어 있으니
노龍룡이 구비구비 서려 이셔, 晝듀夜야의 흘녀 내야 滄창海ᄒᆡ예 니어시니, 「風풍雲운을 언
　　　　　　　　　　　　　　　　　　　　　　　바람과 구름, 시기 (중의적 표현)
제 어더 三삼日일雨우를 디련ᄂᆞᆫ다. 陰음崖애예 이온 플을 다 살와 내여ᄉᆞ라.」
　　　　　　　　고통받는 백성　　　살려　　　　　　　　　「」부분: 선정에의 포부

비로봉 정상에 올라가 본 사람이 그 누구이신가? (공자님은 동산에 올라 노나라가 작음을 알고 태산에 올라 천하를 작다고 했으니) 동산과 태산 중 어느 것이 더 비로봉보다 높던가? 노나라가 좁은 줄도 우리는 모르겠거늘, 넓고도 넓은 천하를 어찌해서 작다고 했는가? 아, 공자의 저 높은 정신적 경지를 어찌하면 알 수 있을까? 오르지도 못하는데 내려감이 이상할까? 원통골의 좁은 길로 사자봉을 찾아가니 그 앞에 넓은 바위가 화룡소가 되었구나. 마치 천 년 묵은 늙은 용이 굽이굽이 서려 있는 것같이 밤낮으로 물을 흘려 내어 넓은 바다에 이었으니, (저 용은) 바람과 구름을 언제 얻어 흡족한 비를 내리려느냐? 그늘진 벼랑에 시들어 있는 풀을 모두 살려 내려무나.

중심 내용_ 비로봉과 화룡소에서 느낀 감회 (본사 1)

磨마訶하衍연 妙묘吉길祥샹 雁안門문재 너머 디여, 외나모 써근 ᄃᆞ리 佛블頂뎡臺딕 올
　　　　　　　　　　　　　　　내려가　　　　　　　　화자가 현재 머물고 있는 곳
라ᄒᆞ니, 千쳔尋심絶졀壁벽을 半반空공애 셰여 두고, 銀은河하水슈 한 구비ᄅᆞᆯ 촌촌이 버
오르니　　　　　　　　　　　　　　　　　　　　　　　마디마디
혀내여, 실ᄀᆞ티 플텨이셔 뵈ᄀᆞ티 거러시니, 圖도經경 열두 구비 내 보매ᄂᆞᆫ 여러히라. 李니
　　　　　　　　　　　　　　　　　　　　십이 폭포
謫뎍仙션 이제 이셔 고텨 의논ᄒᆞ게 되면, 廬녀山산이 여긔도곤 낫단 말 못ᄒᆞ려니.
　　이백　　　　　　　　　　　　　　　　여기보다

🔍 **관동별곡의 여정(서사~본사 1)**

전라도 창평 – 한양 – 평구(양주)역 – 흑수(여주) – 섬강, 치악(원주) – 소양 강(춘천) – 동주(철원) – 회양 – 금강 산(만폭동 – 금강대 – 진헐대 – 개심 대 – 화룡소 – 불정대(십이 폭포)

☑ **학습 체크**

01 다음의 '관동별곡'을 읽고 작품의 순서를 배열할 때, 옳게 배열된 것은?

(가) 강호애 병이 깁퍼 튝님의 누엇더 니, 관동 팔빅 니에 방면을 맛디 시니, 어와 성은이야 가디록 망 극ᄒᆞ다.

(나) 회양 녜 일홈이 마초아 ᄀᆞ톨시 고. 급댱유 풍ᄎᆡ를 고텨 아니 볼 게이고. 영듕이 무亽ᄒᆞ고 시졀이 삼월인 제, 화쳔 시내길히 풍악 으로 버더 잇다.

(다) 쇼양강 ᄂᆞ린 믈이 어드러로 든 단 말고. 고신 거국에 빅발도 하 도 할샤. 동쥐 밤 계오 새와 북관 뎡의 올나ᄒᆞ니, 삼각산 뎨일봉이 ᄒᆞ마면 뵈리로다.

(라) 궁왕 대궐 터히 오쟉이 지지괴니. 천고 흥망을 아ᄂᆞᆫ다 몰ᄋᆞᆫᄃᆞ다.

(마) 연츄문 드리ᄃᆞᆯ아 경회 남문 ᄇᆞ 라보며, 하직고 믈너나니 옥졀이 알ᄑᆡ 셧다. 평구역 물을 ᄀᆞ라 흑 슈로 도라드니, 섬강은 어듸메오 티악이 여긔로다.

① (가) – (나) – (다) – (라) – (마)
② (가) – (다) – (나) – (마) – (라)
③ (가) – (다) – (라) – (마) – (나)
④ (가) – (마) – (나) – (다) – (라)
⑤ (가) – (마) – (다) – (라) – (나)

⑤ 전라도 창평에서 강원도 관찰사를 제수 받은 후, 한양에서 임금을 뵙고 관동 지 방으로 출발하여 평구역(양주), 흑수(여 주), 치악(원주), 소양강(춘천), 동주(철 원), 회양을 거쳐 가는 여정이다. 이에 따라 배열된 것은 ⑤이다.

마하연, 묘길상, 안문재를 넘어 내려가 외나무 썩은 다리를 건너 불정대에 오르니, (조물주가) 천 길이나 되는 절벽을 공중에 세워 두고, 은하수 큰 굽이를 마디마디 잘라 내어, 실같이 풀어서 베처럼 걸어 놓았으니, 도경에는 열두 굽이로 그려진 폭포가 내가 보기에는 그보다 더 많아 보이는구나. 이태백이 지금 살아 있어서 다시 의논하게 되면, 여산 폭포가 여기보다 낫다는 말은 못할 것이다.

중심 내용_ 십이 폭포의 절경 (본사 1)

<u>山산中듕</u>을 민양 보랴 <u>東동海히</u>로 가쟈스라. <u>籃남興여</u> <u>緩완步보</u>ᄒ야 <u>山산映영樓누</u>의 올
　　　　내금강　항상, 늘　　　　가자꾸나 (청유형 어미 사용)　천천히 걸음. 또는 느린 걸음
나ᄒ니, <u>玲녕瓏롱 碧벽溪계와 數수聲셩 啼뎨鳥됴</u>는 <u>離니別별</u>을 怨원ᄒ는 듯, <u>旌졍旗긔</u>를
　　　　　　　　　　　　　금강산을 떠나면서 느끼는 아쉬운 마음 (감정 이입)
썰티니 <u>五오色ᄉᆡᆨ</u>이 넘노ᄂᆞᆫ 듯, <u>鼓고角각</u>을 섯부니 <u>海히雲운</u>이 다 것ᄂᆞᆫ 듯. <u>鳴명沙사</u>길 니
　　　　　　　　　　　　　　　　　　　　　　　북과 피리
근물이 <u>醉취仙션</u>을 빗기 시러, 바다흘 겻티 두고 <u>海히棠당花화</u>로 드러가니, <u>白ᄇᆡᆨ鷗구</u>야
　　　취한 신선 (화자 자신)　비스듬히　　　　　　해당화가 피어 있는 곳으로
ᄂᆞ디 마라 네 버딘 줄 엇디 아ᄂᆞᆫ.
물아일체(物我一體), 자연 친화 의식

내금강 산중의 경치만 매양 보겠는가? 이제는 동해로 가자꾸나. 남여를 타고 천천히 걸어서 산영루에 오르니, 눈부시게 반짝이는 푸른 시냇물과 여러 가지 소리로 우짖는 새는 나와의 이별을 원망하는 듯하고, 깃발을 휘날리니 오색 기폭이 넘나들며 노니는 듯, 북과 피리를 섞어 부니 바다의 구름이 모두 걷히는 듯하도다. (밟을 때마다 소리를 내는) 모랫길에 익숙한 말이 취한 신선을 비스듬히 실어 바다를 곁에 두고 해당화 핀 꽃밭으로 들어가니, 갈매기야 날지 마라, 내가 너의 벗인 줄 어찌 아느냐?

중심 내용_ 동해로 가는 길에서 느낀 회포 (본사 2)

<u>金금蘭난窟굴</u> 도라드러 <u>叢총石셕亭뎡</u> 올라ᄒ니, <u>白ᄇᆡᆨ玉옥樓누</u> 남은 기동 다만 네히 셔
잇고야. <u>工공倕슈</u>의 셩녕인가 <u>鬼귀斧부</u>로 다ᄃᆞᆷᄆᆞᆫ가. 구ᄐ야 <u>六뉵面면</u>은 므어슬 <u>象샹톳던</u>
　　　　　　　　　　귀신의 도끼라는 뜻으로, 신기한 연장이나 훌륭한 세공(細工)을 이르는 말　　　　　본뜬 것인가
고. <u>高고城셩</u>을란 뎌만큼 두고 <u>三삼日일浦포</u>를 ᄎᆞ자가니, <u>丹단書셔</u>는 <u>宛완然연</u>ᄒ되 <u>四ᄉ仙</u>
　　　저만큼 두고 (고성에는 가지 않음)　　　　　　　　　　　　　　　　　　영랑, 술랑, 남랑, 안상
션은 어ᄃᆡ 가니. 예 사흘 머믄 <u>後후</u>의 어ᄃᆡ 가 또 머믈고. <u>仙션遊유潭담 永영郞낭湖호</u> 거
긔나 가 잇ᄂᆞᆫ가. <u>淸쳥澗간亭뎡 萬만景경臺ᄃᆡ</u> 몃 고ᄃᆡ 안돗던고.
　　　　　　　　　　　　　　　　　　　앉았던가

금난굴 돌아들어 총석정에 올라가니, 백옥루의 기둥이 네 개만 서 있는 듯하구나. (옛날 중국의 명장인) 공수가 만든 작품인가, (조화를 부리는) 귀신의 도끼로 다듬었는가? 구태여 여섯 면으로 된 돌기둥은 무엇을 본떴던가? 고성을 저만큼 두고 삼일포를 찾아가니, (신라의 국선이었던 영랑의 무리가 남석으로 갔다는) 붉은 글씨는 바위에 뚜렷한데 (이 글을 쓴 영랑, 남랑, 술랑, 안상) 사선은 어디 갔는가? 여기서 사흘 동안 머무른 뒤에 어디 가서 또 머물렀던고? 선유담, 영랑호 거기에나 가 있는가? 청간정, 만경대 몇 곳에 앉았던가?

중심 내용_ 총석정의 절경과 삼일포에서의 감회 (본사 2)

[가]
<u>梨니花화</u>는 불셔 디고 졉동새 슬피 울 제, <u>洛낙山산 東동畔반</u>으로 <u>義의相샹臺ᄃᆡ</u>예 올
　　　늦은 봄임을 알 수 있음. (계절적 배경 제시)　　　동쪽 언덕
라안자, <u>日일出출</u>을 보리라 밤듕만 니러ᄒ니, <u>祥샹雲운</u>이 집ᄑᆡᄂᆞᆫ 동 <u>六뉵龍뇽</u>이 바퇴
　　　　　　　　　　　　　일출의 장관　　　　　「 」부분: 우국지정(憂國之情)
ᄂᆞᆫ 동, 바다ᄒᆡ ᄯᅥ날 제ᄂᆞᆫ <u>萬만國국</u>이 일위더니, <u>天텬中듕</u>의 티쓰니 <u>毫호髮발</u>을 혜리로
다. 「아마도 <u>녈구름</u> 근쳐의 머믈셰라.」 <u>詩시仙션</u>은 어ᄃᆡ 가고 <u>咳ᄒᆡ唾타</u>만 나맛ᄂᆞ니. 天
　　　　간신　　　　　머믈두렵다　　　이백
텬地디間간 <u>壯장</u>ᄒᆞᆫ 긔별 <u>ᄌ</u>셔히도 흘셔이고.
　　　　　　　　소식

배꽃은 벌써 지고 접동새 슬피 울 때에, 낙산사 동쪽 언덕으로 의상대에 올라앉아 해돋이를 보려고 한밤중쯤 일어나니, 상서로운 구름이 뭉게뭉게 피어나는 듯, 여섯 마리 용이 해를 떠받치는 듯, 바다에서 해가 떠날 적에는 온 세상이 흔들리더니, 하늘에 치솟아 뜨니 가는 터럭도 모두 셀 수 있을 만큼 매우 환하다. 혹시나 지나가는 구름(간신)이 해(임금)의 근처에 머무를까 두렵구나. 이태백은 어디 가고, 그의 시만 남았느냐? 천지간 굉장한 소식이 (그의 시에) 자세히도 표현되었구나.

중심 내용_ 의상대에서 일출을 바라봄. (본사 2)

☑ 학습 체크

01 [가]에서 문맥상 의미가 대조를 이루는 것끼리 가장 잘 연결한 것은?
① 日일出출 - 詩시仙션
② 梨니花화 - 접동새
③ 六뉵龍뇽 - 녈구름
④ 東동畔반 - 萬만國국
⑤ 祥샹雲운 - 天텬中듕

- - - - - - - - - -

③ '六뉵龍뇽'은 해(임금)를 떠받치는 존재이므로 충신을 의미하고, '녈구름'은 해(임금)의 근처에 머물까 두렵다고 하였으므로 간신을 의미한다. 따라서 '六뉵龍뇽'과 '녈구름'은 의미상 대조를 이룬다.

斜샤陽양 峴현山산의 躑텩躅튝을 므니불와, 羽우蓋개芝지輪륜이 鏡경浦포로 ᄂᆞ려가니, 十십 리 氷빙紈환을 다리고 고텨 다려, 長댱松숑 울흔 소개 슬ᄀᆞ장 펴뎌시니, 믈결도 자도 잘샤 모래를 혜리로다. 孤고舟쥬 解ᄒᆡ纜람ᄒᆞ야 亭뎡子ᄌᆞ 우ᄒᆡ 올나가니, 江강門문橋교 너믄 겨틱 大대洋양이 거긔로다. 從동容용ᄒᆞ다 이 氣긔像샹 闊활遠원ᄒᆞ다 뎌 境경界계, 이도곤 ᄀᆞ준 ᄃᆡ 쏘 어듸 잇닷 말고. 紅홍粧장 古고事ᄉᆞ를 헌ᄉᆞ타 ᄒᆞ리로다. 江강陵능 大대都도護호 風풍俗속이 됴흘시고. 節절孝효旌졍門문이 골골이 버러시니, 比비屋옥可가封봉이 이제도 잇다 ᄒᆞ다.

(글자 옆 주석들)
석양 / 철쭉 / 녹색의 새털로 된, 왕후(王侯)의 수레를 덮던 덮개. 또는 그 수레 / 호수의 잔잔한 수면 (은유법) / 헤아리겠도다 / 배를 띄워 / 동해 / 경포호 / 바다 / 경포보다 / 설의법 / 야단스럽다 / 지금도

> 석양이 비치는 현산의 철쭉꽃을 잇달아 밟아 신선이 탄다는 수레를 타고 경포로 내려가니, 십 리나 뻗어 있는 얼음같이 깨끗한 비단을 다리고 다시 다린 것같이 맑고 잔잔한 호숫물이 큰 소나무가 둘러싼 속에서 마냥 펼쳐져 있으니, 물결이 잔잔하기도 잔잔하여 모래알까지도 헤아릴 만하구나. 한 척의 배를 띄워 정자 위에 올라가니, 강문교 넘은 곁에 동해가 거기로구나. 조용하구나 이 (경포의) 기상이여, 넓고 아득하구나 저 (동해의) 경계여, 이곳보다 아름다운 경관을 갖춘 곳이 또 어디에 있단 말인가? 옛날 홍장의 사랑 이야기가 오히려 야단스럽다 하겠구나. 강릉 대도호부의 풍속이 좋기도 하구나. 충신, 효자, 열녀를 표창하기 위해 세운 정문이 고을마다 널려 있으니 즐비하게 늘어선 집마다 일일이 벼슬을 줄 만하다는 요순 시절의 태평성대가 지금도 있다고 할 것이로다.

중심 내용_ 경포호의 절경과 강릉의 미풍양속 (본사 2)

眞진珠쥬館관 竹듁西셔樓루 五오十십川천 ᄂᆞ린 믈이, 太태白빅山산 그림재를 東동海ᄒᆡ로 다마 가니, 「출하리 漢한江강의 木목覓멱의 다히고져.」「王왕程뎡이 有유限ᄒᆞᆫ고 風풍景경이 못 슬믜니, 幽유懷회도 하도 할샤 客긱愁수도 둘 듸업다. 仙션槎사를 씌워 내여 斗두牛우우로 向향ᄒᆞᆯ살가, 仙션人인을 ᄎᆞᄌᆞ려 丹단穴혈의 머므살가.」㉠天텬根근을 못내 보와 望망洋양亭뎡의 올은말이, 바다 밧근 하늘이니 하늘 밧근 므서신고. ㉡ᄀᆞ득 노흔 고래 뉘라셔 놀내관ᄃᆡ, 블거니 쑴거니 어즈러이 구ᄂᆞᆫ디고. ㉢銀은山산을 것거 내여 六뉵合합의 ᄂᆞ리ᄂᆞᆫ 듯, 五오月월 長댱天텬의 ㉣白빅雪셜은 므ᄉᆞ 일고.

(주석들)
흘러내린 / 남산 / 」부분: 연군지정 / 신선이 타는 뗏목, 울진의 옛 이름 (중의법) / 싫지 않으니 / 마음속에 깊이 품은 생각 / 객지에서 느끼는 쓸쓸함, 시름 / 북두성과 견우성 / 」부분: 현실과 이상 간의 내적 갈등 / 결국 못 보아 / 온 세상

> 진주관(삼척) 죽서루 아래 오십천에서 흘러내리는 물이 태백산 그림자를 동해로 담아가니, 차라리 (그 물줄기를 임금께서 계신) 한강의 남산에 닿게 하고 싶구나. 관리의 여행길은 유한하고, 풍경은 볼수록 싫증 나지 않으니 그윽한 회포가 많기도 많고 나그네의 시름을 달랠 길 없구나. 신선이 탄다는 뗏목을 띄워 북두칠성과 견우성으로 향해 볼까? 사선을 찾으러 단혈에나 가서 머무를까? 하늘 끝을 끝내 보지 못하여 망양정에 오르니, 바다 밝은 하늘인데 하늘 밝은 무엇인가? 가뜩이나 성난 고래(파도)를 누가 놀라게 하였기에, 불거니 뿜거니 하면서 어지럽게 구는 것인가? 은산(파도)을 꺾어 내어 온 세상에 흩뿌려 내리는 듯, 오월의 하늘에서 백설(파도의 포말)은 무슨 일인가?

중심 내용_ 죽서루에서의 객수와 망양정에서의 전망 (본사 2)

져근덧 밤이 드러 風풍浪낭이 定뎡ᄒᆞ거ᄂᆞᆯ, 扶부桑상 咫지尺척의 明명月월을 기드리니, 瑞셔光광 千쳔丈댱이 뵈ᄂᆞᆫ 듯 숨ᄂᆞᆫ고야. 「珠쥬簾렴을 고텨 것고 玉옥階계를 다시 쓸며, 啓계明명星셩 돗도록 곳초 안자 ᄇᆞ라보니,」白빅蓮년花화 ᄒᆞᆫ 가지를 뉘라셔 보내신고. 일이 됴흔 世셰界계 ᄂᆞᆷ대되 다 뵈고져. 流뉴霞하酒쥬 ᄀᆞ득 부어 ᄃᆞᆯ드려 무론 말이, 英영雄웅은 어듸 가며 四ᄉᆞ仙션은 긔 뉘러니, 아ᄆᆞ나 맛나 보아 녯긔별 뭇쟈 ᄒᆞ니, 仙션山산東동海ᄒᆡ예 갈 길히 머도 멀샤.

(주석들)
잠깐 사이에 / 가라앉거늘 / 해 뜨는 곳 / 가까운 곳 / 」부분: 자세를 경건하게 함. / 곧게 / 달 (원관념) / 애민의 정서 / 신선이 마시는 술 / 달은 / 이백 / 옛 소식 / 멀기도 멀구나

☑ **학습 체크**

01 ㉠~㉣에 대한 풀이로 가장 적절한 것은?
① ㉠ 은하수   ② ㉡ 성난 파도
③ ㉢ 태백산   ④ ㉣ 흰 갈매기

----
② 'ᄀᆞ득 노흔 고래'는 '가뜩이나 성난 고래'라는 뜻으로, 성난 파도를 비유한 말이다.

▶ 오답 체크
① 天텬根근: 하늘의 끝
③ 銀은山산: 흰 파도
④ 白빅雪셜: 물보라

⊕ 관동별곡의 여정(본사 2~결사)

금강산(산영루) – 동해 관동 팔경(금 란굴 – 총석정 – 삼일포 – 의상대 – 경 포 – 죽서루 – 망양정)

☑ 학습 체크

01 다음 ㉠~㉣ 중 "先憂後樂"과 가 장 밀접한 표현은?

① ㉠　② ㉡　③ ㉢　④ ㉣

02 다음은 가사 문학의 일반적인 특 징을 정리한 것이다. 이 작품과 가장 관련이 없는 것은?

> 가사는 ㉮4음보격 연속체 율문의 운문 문학의 일종이면서도 다양한 내 용들을 폭넓게 수용한다는 점에서 일 반적인 서정시와 판이한 갈래다. 특 히, 양반 가사의 경우에는 ㉯자기의 체험과 흥취를 낭만적으로 표현하거 나 ㉰자신의 정치적 신념을 보다 자 유롭게 노래하거나 ㉱벼슬길이 막힌 것에 대한 좌절감을 문학으로 승화하 고자 하기도 했다.

① ㉮　② ㉯　③ ㉰　④ ㉱

---

01 ③ '선우후락(先憂後樂)'은 세상의 근 심할 일은 남보다 먼저 근심하고 즐 거워할 일은 남보다 나중에 즐거워 한다는 뜻으로, ㉠~㉣ 중 이와 밀 접한 부분은 '수많은 백성들을 (선정 을 통해) 다 취하게 만들겠다'로 풀 이되어, 애민 정신과 선정에 대한 포 부가 나타나는 ㉢이다.

02 ④ 벼슬길이 막힌 것에 대한 좌절감은 드러나지 않는다.

잠깐 사이에 밤이 되어 바람과 물결이 가라앉거늘, 해 뜨는 곳으로부터 가까운 곳에서 떠오를 명월을 기다리 니, 상서로운 달빛이 보이는 듯하다가 숨는구나. 구슬로 만든 발을 다시 걷어 올리고, 옥 같은 섬돌을 다시 쓸 며 샛별이 돋아올 때까지 꼿꼿이 앉아서 바라보니, 흰 연꽃(달) 한 가지를 누가 보내 주셨는가? 이렇게 좋은 세상을 남들에게 모두 보이고 싶구나. (온 백성에게 은혜가 골고루 미치도록 선정을 베풀고 싶어라) 신선주를 가득 부어 달에게 묻는 말이, "영웅(이백)은 어디 갔으며 사선은 그 누구이던가." 아무나 만나 보아 옛 소식을 묻고자 하니, 선산이 있다는 동해로 갈 길이 멀기도 하구나.

중심 내용_ 망양정에서 바라본 월출과 신선에 대한 동경 (결사)

松숑根근을 베여 누어 풋줌을 얼픗 드니, 쑴애 ᄒᆞᆫ 사ᄅᆞ미 날ᄃᆞ려 닐온 말이, 그ᄃᆡ를 내
　　소나무 뿌리　　　　　　　　　　　　선잠
모ᄅᆞ랴 ㉠上샹界계예 眞진仙션이라. 黃황庭뎡經경 一일字ᄌᆞ를 엇디 그릇 닐거 두고, 人인
　　　　　　　　　　　　　　도가의 경문　　　　　　　　　술 국자 (비유적 표현)
間간의 내려와서 우리를 ᄯᆞᆯ오ᄂᆞᆫ다. 져근덧 가디 마오 이 술 ᄒᆞᆫ 잔 머거 보오. ㉡北북斗두星
　　　　　　　　　　　　술 (비유적 표현)　　　　잠시
셩 기우려 滄챵海ᄒᆡ水슈 부어 내여, 저 먹고 날 머겨ᄂᆞᆯ 서너 잔 거후로니, 和화風풍이 習습
　　　　　　　　　　　　　　　　　　　　　　　　　　　　　　기울이니
習습ᄒᆞ야 兩냥腋익을 추혀 드니, 九구萬만 里리 長댱空공애 져기면 ᄂᆞᆯ리로다. 이 술 가져
　　산들산들하여　　　　　　　　　　　　　　　　　　　　웬만하면 날겠도다
다가 四ᄉᆞ海ᄒᆡ예 고로 ᄂᆞ화, ㉢億억萬만 蒼챵生ᄉᆡᆼ을 다 醉취케 밍근 後후의, 그제야 고텨
맛나 ᄯᅩ ᄒᆞᆫ 잔 ᄒᆞ쟛고야. 말 디쟈 鶴학을 ᄐᆞ고 九구空공의 올나가니, 空공中듕 玉옥簫쇼
소리 어제런가 그제런가. 나도 줌을 ᄭᆡ여 바다홀 구버보니, ㉣기픠를 모ᄅᆞ거니 ᄀᆞ인들 엇
　　　　　　밝은 달, 임금의 은총 (중의적 표현)　　　온 세상
디 알리. 明명月월이 千쳔山산 萬만落낙의 아니 비쵠 ᄃᆡ 업다.
　　　　　　　　3·5·4·3의 음수율로, 정격 가사의 특징이 나타남.

소나무 뿌리를 베고 누워 선잠이 얼핏 드니, 꿈에 한 사람이 나에게 이르는 말이 "그대를 내가 모르랴? 그대는 하늘나라의 참 신선이라. 황정경 한 글자를 어찌 잘못 읽어 인간 세상에 내려와서 우리를 따르는가? 잠시 가 지 마오. 이 술 한 잔 먹어 보오." 북두칠성을 기울여서 푸른 바닷물을 부어 내어 자기부터 먹고 나에게도 먹이 거늘 서너 잔 기울이니, 훈훈한 바람이 산들산들 불어와 양 겨드랑이를 치켜드니, 구만 리나 되는 멀고 높은 하 늘에 웬만하면 날 것 같은 기분이로다. "이 술 가져다가 온 세상에 골고루 나누어 수많은 백성들을 다 취하게 만든 후에, 그때에야 다시 만나 또 한 잔 하자꾸나." 말이 끝나자 신선은 학을 타고 아득한 창공으로 올라가니, 공중에서 들려오는 옥피리 소리가 어제던가 그제던가. 나도 잠에서 깨어 바다를 굽어보니, 깊이를 모르는데 그 끝인들 어찌 알겠는가. 밝은 달빛이 온 세상에 아니 비친 곳이 없다.

중심 내용_ 꿈속 신선과의 만남과 선정에의 포부 (결사)

이해와 감상

🔑 키워드
화자의
유교적·도교적 면모

이 작품에서는 공간 이동(산 → 바다)에 따라 화자가 보여 주는 면모가 달라진다. 산에서는 충의, 우국, 애민 등을 지향하는 유교적 충의 사상이 나타나며, 이는 위정자로서의 책임 의식과 관련된다. 이와 반대로 바다에서는 자연에 대한 몰입과 도 취를 추구하는 도교적 신선 사상이 나타나는데, 이는 개인으로서의 면모로 볼 수 있다.

🔑 키워드
여정에 따른
화자의 정서

서사	관찰사 부임과 관내 순력	· 강원도 관찰사가 되어 원주에 부임함. · 목민관으로서 선정에의 포부를 드러냄. · 전라도 창평 → 한양 → 평구역 → 흑수 → 섬강, 치악 → 소양강 → 동주 → 회양
본사	금강산과 관동 팔경(동해) 유람	· 금강산 유람: 관찰사로의 포부와 연군, 애민 사상이 드러남. · 관동팔경(동해) 유람: 인간 본연의 모습이 드러남.
결사	동해의 달맞이	꿈속에서 신선을 만나 관찰사로서의 임무를 다하고 나서 자연을 즐기고자 함. (관찰자로서의 책임과 개인으로서의 풍류 사이에서 갈등하던 것이 해결됨)

---

6 한시

제가야산독서당(題伽倻山讀書堂) | 최치원
송인(送人) | 정지상

간단 작품 설명 (가)는 최치원이 가야산에 은거할 때 지은 작품이고, (나)는 송별시(送別詩)의 절조(絶調)라 일컬어진다. 두 시 모두 '물'을 제재로 삼아 정서를 표현하였다.

가
狂奔疊石吼重巒
광 분 첩 석 후 중 만
人語難分咫尺間
인 어 난 분 지 척 간
常恐是非聲到耳
상 공 시 비 성 도 이
故教流水盡籠山
고 교 류 수 진 롱 산

첩첩 바위 사이를 미친 듯 달려 겹겹 봉우리 울리니,   *청각적 이미지*
급격히 흐르는 물살을 비유함. (활유법)
→ 자연의 소리 (기)

지척에서 하는 말소리도 분간하기 어렵네.
→ 인간의 소리를 차단하는 물소리 (승)

늘 시비(是非)하는 소리 귀에 들릴세라,
→ 세속을 멀리하고 싶은 마음 (전)

짐짓 흐르는 물로 온 산을 둘러 버렸다네.
→ 세상과 단절함. (결)

나
雨歇長堤草色多
우 헐 장 제 초 색 다
送君南浦動悲歌
송 군 남 포 동 비 가
大同江水何時盡
대 동 강 수 하 시 진
別淚年年添綠波
별 루 년 년 첨 록 파

비 갠 긴 둑에 풀빛이 고운데,   *이별의 한이 깊음.*
→ 비 온 후의 정경 (기)

남포에서 임 보내며 슬픈 노래 부르네.   *이별의 노래*
→ 이별의 슬픈 노래 (승)
이별의 눈물

「대동강 저 물은 어느 때나 마르겠나
① 나의 눈물 ② 이별하는 사람들의 눈물   └설의적 표현
→ 무정한 대동강 물 (전)

해마다 흘린 이별 눈물이 푸른 물결 보태니.」
이별의 정한 (과장법, 중의적 표현)   「」부분: 도치법
→ 이별의 한의 고조 (결)

이해와 감상

가 제가야산독서당 _ 최치원

🔑 **키워드**
'물'의 기능

이 작품에서 '물'은 화자와 속세를 가로막아 단절시키는 기능을 한다. 따라서 '물'은 화자가 머무는 자연 공간을 의미함과 동시에, 세상의 번잡한 시비를 잠재워 화자의 내면적 갈등을 해소해 주는 소재로 볼 수 있다.

자연
(작가가 은둔하는 공간)

단절
물

인간 세상
(시비(是非)하는
소리가 들리는 공간)

나 송인 _ 정지상

🔑 **키워드**
슬픔을
심화하는 소재

이 작품에서 비 갠 후의 아름다운 풍경은 임과 이별하는 화자의 참담한 심정과 대조되어, 화자의 감정을 고조시킨다. 또한 '비, 대동강, 푸른 물결'은 모두 '눈물'의 이미지와 연결되어, 임과 이별하는 화자의 슬픔을 심화하는 기능을 하고 있다.

비 + 대동강 + 물결 = 눈물
↓
이별의 정한(情恨)을 심화함.

○● 작품 해제

가 제가야산독서당
- **출전** 《동문선》
- **연대** 통일 신라 말기(9세기)
- **갈래** 7언 절구(七言絶句)
- **성격** 상징적, 서정적
- **주제** 속세와 떨어져 산중에 은거하고 싶은 마음
- **구성** 기승전결의 4단 구성
- **표현** 대조법, 활유법

나 송인
- **출전** 《동문선》, 《파한집》
- **연대** 고려 인종 때(12세기)
- **갈래** 7언 절구(七言絶句)
- **성격** 서정적, 송별시(送別詩), 애상적
- **주제** 이별의 슬픔
- **구성** ① 기승전결의 4단 구성
  ② 서경(敍景, 기구와 전구)과 서정(敍情, 승구와 결구)의 조화
- **표현** ① 대조법, 도치법, 과장법, 설의법
  ② 시각적 이미지의 활용
- **의의** 당나라 왕유(王維)의 시 '송원이사안서(送元二使安西)'와 함께 이별시의 압권이라 칭송됨.

☑ **학습 체크**

01 가 의 형식적 갈래로 적절한 것은?
① 5언 율시 ② 5언 절구
③ 7언 율시 ④ 7언 절구

02 나 의 정서로 가장 적절한 것은?
① 心心相印 ② 教外別傳
③ 麥秀之嘆 ④ 戀戀不忘

---

01 ④ 한 구(句)를 이루는 글자 수가 5개인 것을 5언, 7개인 것을 7언이라 한다. 이때 구(句)수가 총 4구인 것을 '절구'라 하고 총 8구인 것을 '율시'라 한다. 이 한시는 한 구의 글자 수가 7자이고, 총 4구로 이루어져 있으므로 '7언 절구'에 해당한다.

02 ④ 이별의 정한을 다룬 시이므로 '그리워서 잊지 못함'이라는 뜻의 '戀戀不忘(연연불망)'이 가장 적절하다.
▶ **오답 체크**
① 心心相印(심심상인): 말없이 마음과 마음으로 뜻을 전함.
② 教外別傳(교외별전): 말이나 글에 의하지 않고 바로 마음에서 마음으로 전하여 진리를 깨닫게 하는 법

7 설화

단군 신화(壇君神話) | 작자 미상

작품 해제

출전 《삼국유사》
갈래 건국 신화
성격 신화적, 민족적, 서사적
주제 단일 민족의 역사성과 홍익인
간의 이념
구성 ① '환인 – 환웅 – 단군'의 삼
대기(三代記) 구성
② 천부 지모형 화소, 천손 하
강형 화소가 나타남
의의 ① 홍익인간의 건국 이념을
제시함
② 우리 민족이 천손의 혈통
이라는 민족적 자부심을
고취함

간단 작품 설명 우리 민족 최초의 고대 국가인 고조선의 건국 신화로, 건국 이념인 '홍익인간(弘益人間)'을 제시하고, 우리 민족이 천손(天孫)의 혈통임을 일깨워 주는 작품이다.

출제 키워드
① '단군 신화'에 나타난 고조선의 건국 이념
② 소재의 상징적 의미

"고기(古記)"에는 이렇게 전한다.

옛날에 환인(桓因)—제석(帝釋)을 이른다.—의 서자(庶子) 환웅(桓雄)이 항상 천하(天下)에 뜻을 두고 세상을 몹시 바랐다. 아버지가 아들의 뜻을 알고, 삼위태백(三危太伯)을 내려다보니, 인간 세계를 널리 이롭게 할 만했다. 이에 ㉠천부인(天符印) 세 개를 주어 인간의 세계를
<small>홍익인간의 건국이념으로 인본주의 정신이 드러남.   환웅이 신성한 권능을 지녔음을 알려주는 물건</small>
다스리게 했다.

중심 내용_ 인간 세계로 내려온 환웅

환웅은 무리 3천 명을 거느리고 태백산(太伯山) — 지금의 묘향산 — 꼭대기의 신단수(神
<small>천상계와 지상계를 연결해 주는 신성한 장소의 표지</small>
壇樹) 아래로 내려왔다. 이곳을 신시(神市)라 불렀다. 이분을 환웅 천왕(桓雄天王)이라 한다.
<small>환웅이 하늘과 연결되어 있음을 나타내는 명칭으로, 제정일치(祭政一致) 시대의 통치자였음이 드러남.</small>
그는 ㉡풍백(風伯)·우사(雨師)·운사(雲師)를 거느리고, ㉢곡식·수명·질병·형벌·선악 등을
<small>바람, 비, 구름을 주관하는 존재 – 농경 생활을 중시했다.</small>
주관하고, 모든 ㉣인간의 삼백예순여 가지 일을 주관하여 ㉤인간 세계를 다스리고 교화(敎化)
<small>재세이화(在世理化)</small>
했다.

중심 내용_ 인간 세상을 질서 있게 다스리는 환웅

이때, 곰 한 마리와 범 한 마리가 같은 굴에서 살고 있었는데, 그들은 항상 환웅에게 사람
<small>토템과 관련지어 해석할 때 각각 곰과 범을 숭배하는 부족을 의미함.</small>
이 되기를 빌었다. 그러자 환웅이 신령한 쑥 한 심지와 마늘 스무 개를 주면서 말했다.
<small>주술적 성격을 지닌 소재</small>
"너희들이 이것을 먹고 백 일 동안 햇빛을 보지 않으면 곧 사람이 될 것이다."
<small>사람이 되기 위한 통과 의례, 금기</small>

중심 내용_ 인간이 되고 싶어하는 곰과 범

곰과 범이 이것을 받아서 먹고 조심한 지 삼칠일(21일) 만에 곰은 여자의 몸이 되었으나,
<small>민속적 금기</small>
범은 조심을 잘못해서 사람이 되지 못했다. 웅녀(熊女)는 혼인할 상대가 없었으므로 항상 단
<small>토템과 관련지어 해석할 때 곰을 숭배하는 부족이 범을 숭배하는 부족을 이겼다고 해석함.</small>
수(壇樹) 밑에서 아이 배기를 축원했다. 환웅이 이에 임시로 변하여 그녀와 혼인했더니 이내
<small>이주족인 환웅의 무리가 토착민인 곰을 숭배하는 무리와 결합함.</small>
잉태해서 아들을 낳았다. 이름을 단군왕검(檀君王儉)이라 하였다.
<small>천상계의 신성한 혈통인 환웅과 지상계를 대표하는 곰의 정기를 이어받은 특별한 존재</small>

중심 내용_ 환웅과 웅녀의 결합으로 태어난 단군

「단군왕검은 중국 요(堯)임금이 즉위한 지 50년인 경인년(庚寅年) — 요(堯)가 즉위한 원년(元年)은 무진년(戊辰年)이니 50년은 정사(丁巳)이지, 경인(庚寅)이 아니다. 아마 잘못된 부분이 있는 듯하다. — 에 평양성(平壤城) — 지금의 서경(西京) — 에 도읍하고 비로소 조선(朝鮮)이라고 불렀다.」 또 도읍을 백악산(白岳山) 아사달(阿斯達)로 옮기니 그곳을 궁홀산(弓
<small>고조선의 도읍지 - 아침에 해가 비치는 곳이라는 뜻</small>
「 」 부분: 나라 이름, 건국 연도, 도읍지 등이 제시됨. - 건국 신화의 성격이 드러남.

☑ **학습 체크**

01 '단군 신화'에 대한 설명 중 가장
적절하지 않은 것은?
① 홍익인간이라는 건국 이념을 찾
을 수 있다.
② 이 신화를 통해 우리 신화의 원
형과 당시 사회의 성격을 살펴볼
수 있다.
③ 이 신화는 우리 민족이 세운 최초
의 국가인 고조선의 천지 창조 신
화이다.
④ 환웅과 웅녀가 결합하여 시조인
단군이 탄생하였다는 점에서 우
리나라가 천손에 의해 건국되었
음을 밝히고 있다.

③ 단군 신화는 신의 아들 환웅이 지상에
내려와 국가를 건설하는 내용의 '건국
신화'이지, 만물을 만든 '천지 창조 신
화'는 아니다.

忽山) — 일명 방홀산(方忽山) — 이라고도 하고 금미달(今彌達)이라고도 한다. <u>그는 1천5백</u>

<u>년 동안 여기에서 나라를 다스렸다.</u> 주(周)나라 호왕(虎王)이 즉위한 기묘년(己卯年)에 기자
비현실적 내용으로 신성성을 강조함.　　　　　　　　　　　　　　무왕(武王)　　　　　　　　중국 은나라 주왕의 친척

(箕子)를 조선에 봉하니, 단군은 장당경(藏唐京)으로 옮겼다가 뒤에 돌아와서 아사달(阿斯達)
고조선　　　　　　　　　황해도 구월산 밑에 있던 지명

에 숨어서 산신(山神)이 되니, 나이는 1천9백8세였다고 한다.
　　　제정일치 시대의 군장(君長)이 신격화(神格化)되는 것을 보여줌. '단군 신화'의 신성성

중심 내용_ 고조선을 다스리다 산신이 된 단군

☑ **학습 체크**

01 ㉠ ~ ㉤ 중 환웅이 지닌 제사장으로서의 신성한 권능을 의미하는 것은?

① ㉠, ㉡　　　　② ㉢, ㉣

③ ㉣, ㉤　　　　④ ㉠, ㉤

─────────────

① ㉠과 ㉤은 모두 주술적인 힘과 관련되므로, 환웅의 제사장으로서의 신성한 권능을 의미한다. 반면 ㉢, ㉣, ㉤은 모두 인간 세계의 왕(王)이 하는 일이므로, 환웅의 제왕으로서의 성격을 나타내 주는 부분이다.

이해와 감상

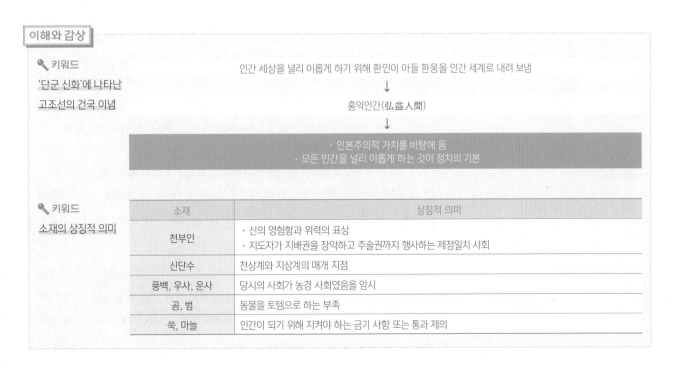

🔑 **키워드**

'단군 신화'에 나타난 고조선의 건국 이념

인간 세상을 널리 이롭게 하기 위해 환인이 아들 환웅을 인간 세계로 내려 보냄

↓

홍익인간(弘益人間)

↓

· 인본주의적 가치를 바탕에 둠
· 모든 인간을 널리 이롭게 하는 것이 정치의 기본

🔑 **키워드**

소재의 상징적 의미

소재	상징적 의미
천부인	· 신의 영험함과 위력의 표상 · 지도자가 지배권을 장악하고 주술권까지 행사하는 제정일치 사회
신단수	천상계와 지상계의 매개 지점
풍백, 우사, 운사	당시의 사회가 농경 사회였음을 암시
곰, 범	동물을 토템으로 하는 부족
쑥, 마늘	인간이 되기 위해 지켜야 하는 금기 사항 또는 통과 제의

갈래 판소리계 소설, 설화 소설
성격 해학적, 서민적
주제 형제간의 우애, 조선 후기 사회의 경제적모순(빈부격차의 모순)
배경 ① 시간: 조선 후기
② 공간: 충청도, 경상도, 전라도의 경계
의의 ① '춘향전', '심청전'과 더불어 3대 판소리계 소설
② 평민 문학으로, 인물들의 삶을 해학적으로 표현함

'흥보전'의 발전 과정

방이 설화, 박 타는 처녀 설화(설화) → 흥보가(판소리) → 흥보전(고전 소설) → 연의 각(신소설)

☑ **학습 체크**

01 [가]에서 ㉠~㉣의 한자 표기로 옳은 것은?

	㉠	㉡	㉢	㉣
①	代錢	撤床	用處	各産
②	垈田	徹狀	庸處	各算
③	代錢	撤床	用處	各散
④	臺前	徹狀	庸處	各算
⑤	垈田	撤狀	用處	各散

③ ㉠~㉣의 한자 표기로 옳은 것은 ③ '代錢 - 撤床 - 用處 - 各散'이다.
· 代錢(대신할 대, 돈 전): 물건 대신으로 주는 돈
· 撤床(거둘 철, 평상 상): 음식상이나 제사상을 거두어 치움.
· 用處(쓸 용, 곳 처): 돈이나 물품 등의 쓸 곳
· 各散(각각 각, 흩을 산): 저마다 따로 따로 흩어짐.
▶ 오답 체크
① 各産(각각 각, 낳을 산): 한 가족이면서 각기 따로 살림을 차림. 또는 그 살림(흥보는 이미 가정을 갖추고 있으므로 두 형제가 따로 살림을 차린다는 말은 적절하지 않다. 따라서 '各産(각산)'은 ㉣에 적절하지 않다.)
② 垈田(집터 대, 밭 전): 텃밭. 또는 집터와 밭을 아울러 이르는 말

---

8 고전 소설

흥보전(興甫傳) | 작자 미상

간단 작품 설명 각각 도덕적 인물, 반도덕적 인물을 대표하는 흥보와 놀보를 주인공으로 하여, 형제간의 우애와 권선징악의 주제를 형상화한 판소리계 소설이다. 해학성과 서민성이 두드러지게 나타난다.

[가]

이째 놀보난 셰간 전답(田畓) 다 차지하고 져 혼자 호의호식(好衣好食)하며「제 부모의 유산을 독차지한 놀부
모 제 부모 제사를 지내여도 제물(祭物)은 아니 작만하고 ㉠대젼으로 노코 지내난대
제사 음식 「」부분: 음식 대신 돈을 놓고 제사를 지내는 놀부의 모습
면 편 갑이라, 과실 갑이면 과실 갑이라 각각 써서 버려 놋코, 제사를 ㉡철상 후에 하난
나열해 놓고
말이, / "이번 제사에도 아니 쓰노라 하엿건만 황초 갑 오 푼은 지징무쳐(指徵無處)일셰"
받아 낼 곳이 없음.
하난 텬하의 몹슬 놈이,

일일은 생각하니 흥보에 가쇽(家屬)을 내여쫓치면 양식도 만이 엇고 ㉢용처도 덜할지라.
식구
져의 부부 의론하고 흥보를 불너 일은 말이,

「"형뎨라 하난 것은 어려셔난 갓치 살되 실가(室家)를 갓촌 후난 각기 생애하야 사난
형제 가정을 갖춘 후엔
것이 쩟쩟한 법이니 너난 쳐자를 다리고 나가 살나."」「」부분: 흥보를 내쫓고 재산을 독차지하려는 놀보의 수작
흥보 쌈작 놀나 울며 왈(曰),

"형뎨난 슈족(手足) 갓흐니 우리 단 두 형뎨 ㉣각산하야 살면 돈목지의(敦睦之誼) 업
두텁고 화목한 정
스리니, 형쟝(兄丈)은 다시 생각하옵소셔."

놀보 본대 집 한 간 변통하야 쥬고 나가란 것이 아니라 건(乾)으로 배송(拜送)내랴 하다가
쫓아내려
흥보의 착한 말을 들으니 불량한 심새 불니 듯하난지라 눈을 부릅쓰고 팔둑을 쏩내여 왈,
남의 일을 시기하거나 방해하려는 심술궂은 마음
"이놈 흥보야, 잘 사라도 내 팔자요 못 사라도 내 팔자니, 형을 엇지 길게 쓰더먹고 매양
살냐 하나냐? 잡말 말고 어셔 나가거라."

흥보에 어진 마음 생각하니 형의 심법(心法)이 발셔 이러하니 만일 요란(搖亂)이 굴어 남
이 알진대 형의 흉이 더 드러날지라. 잠잠코 져의 방으로 도라와 안해와 나갈 일을 의론하
니, 흥보 안해 쏘한 현숙(賢淑)한 부인이라 쟝부(丈夫)의 뜻을 바다 한마대 원망이 업시 락
루(落淚)하며 하난 말이,
눈물을 흘림.
"싀아주바니씌셔 져리하니 아니 나갈 길 전혀 업고, 나가자 하니 방 한구석이 업스니, 어
린 자식들과 어대로 가셔 의지하리."

십허 이렁져렁 밤을 새우고 동방이 밝난지라. 놀보 놈이 방 압해 이르러 호통하대,
「"이놈 흥보야, 내 어제 일넛거든 엇지 하자고 아니 나가난다. 네 이졔로 아니 나가면
난장박살(亂杖撲殺)하야 내여쪼치리라."」「」부분: 놀보의 고약한 심보가 드러나는 부분
매를 치고 때려죽임.

중심 내용 놀보의 욕심 때문에 놀보의 집에서 쫓겨나게 된 흥보네 가족

이럿시 구박하니 일시를 어이 견대리오. 흥보 아모 대답 아니하고 안해와 어린 것들을
다리고 지향 업시 문을 나니 갈바이 망연(茫然)코나. 산언덕 밋해 가셔 움을 파고 모여 안져
아무 생각 없이 정신이 멍함.
밤을 새우고 아무리 생각하야도 갈 곳은 업고 좌지불쳔(坐之不遷) 이곳의 슈간모옥(數間
어떤 자리에 오래 앉아서 다른 데로 옮기지 않음. 몇 칸 안 되는 작은 초가
茅屋)이라도 짓고 사난 슈밧게 다른 변통은 업스니 집을 지려 할새, 만첩청산(萬疊靑山)

매우 큰 아름드리나무. 또는 그러한 재목
드러가셔 큰아큰 대부동을 와루렁쏭탕 직근동 베여 내여 안방, 대청, 즁채, 사랑 네모번듯
방 안 벽의 아랫부분   본채의 앞다나 좌우에 딸린 반 칸 너비의 칸살
입구 자로 짓되 션자 춘여, 굽도리, 바리 밧침, 내외 분합, 물님퇴, 살미 살창, 가로다지 분벽
선(先) 자를 박아 끝이 부채 모양으로 된 추녀   대청 앞쪽 전체에 드리는 긴 창살문   촛가지로 싸서 살을 박아 만든 창문
쥬란(粉壁朱欄) 고대광실(高臺廣室) 짓난 거시 아니라, 낫 한 가락을 들게 가라 지게의 쇠자
하양게 꾸민 벽과 붉은 칠을 한 난간
지고 묵은 밧치라면 쪼차 다니며 슈슈대 쌍대를 모조리 비여 질머리고 도라와셔 집을 짓난
대, 비슷한 언덕의다 집터를 광으로 싹가 놋코 집 한 채를 짓난다. 안방, 대청, 행랑, 몸채를
말집으로 한나졀의 지어 필역(畢役)하고 도라보니 슈슈대 반짐이 그져 남앗구나. 「안방을 볼
말[斗]만큼 작은 집   토목이나 건축 따위의 공사를 마침.
작시면 엇지 너르던지 누어 발을 쌔드면 발목이 벽 밧그로 나가니 착고 찬 놈도 갓고, 방에서
죄인의 발을 채워 두는 데 사용하는 나무로 된 형구(刑具)
맛모르고 이러스면 목아지가 집웅 밧그로 나가니 휘쥬잡기의 잡히여 칼 슨 놈도 갓고, 잠결
감옥의 형리(刑吏)
에 게지개를 켜량이면 발은 마당 밧그로 나가고 두 쥬먹은 두 벽으로 나가고, 엉덩이난 울
타리 밧그로 나가 동리 사람들이 출입시(出入時)에 것친다고 이 궁덩이 불너드리란난 소래
걸리거나 막힌다고
의 쌈작 놀나 이러 안자 대셩통곡(大聲痛哭)하난 말이,」
「　」부분: 흥보네 살림살이가 매우 빈궁함을 과장되면서도 해학적으로 표현한 구절
"애고 답답 셔름이야, 이 노릇을 엇지 할고. 엇던 사람 팔자 조와 대광보국숭록대부(大匡
輔國崇祿大夫), 삼공륙경(三公六卿) 되여 잇셔 고대광실 조흔 집의 부귀공명(富貴功名)
조선 시대 정일품의 품계
삼정승과 육조 판서
누리면셔 금의옥식(錦衣玉食) 싸여 잇고, 나 갓흔 팔자 어이 이리 곤궁하야 말만 한 오막
비단옷과 흰 쌀밥
사리 일신은 난용(難容)하니 집웅 마루에 별이 뵈고 청천한운 셰한시(靑天寒雲細雨時)에
우대량(雨大量)이 방즁(房中)이라. 문 밧게 셰우 오면 방 안은 굴근 비 오고, 압문은 살이
업고 뒤문은 외(椳)만 나마 동지셧달 셜한풍(雪寒風)이 살 쏘드시 드러오고 어린 자식 젓
흙을 바르기 위해 벽 속에 엮어 만든 가는 나뭇가지
달나고, 자란 자식 밥 달나니 참아 스러 못 살겟다."

중심 내용_ 흥보 가족이 새로 살게 된 집의 외양과 빈궁한 살림

☑ 학습 체크

01 이 작품의 주제와 가장 관련이 있는 것은?

① 내 일 망녕된 줄 내라 하여 모랄 손가. / 이 마음 어리기도 님 위한 탓이로세. / 아뫼 아무리 일러도 임이 혜여 보소서.

② 春山(춘산)에 눈 녹인 바룸 건듯 불고 간 듸 업다. / 져더덧 비러다가 마리 우희 불니고져. / 귀 밋티 히묵은 서리를 녹여 볼가 ᄒ노라.

③ 동기로 세 몸 되어 한 몸같이 지내다가 / 두 아운 어디 가서 돌아올 줄 모르는고. / 날마다 석양 문외에 한숨 겨워 하노라.

④ 靑草(청초) 우거진 골에 자는다 누엇는다. / 紅顔(홍안)을 어듸 두고 白骨(백골)만 무쳣는이. / 盞(잔)자바 勸(권)하리 업스니 그를 슬허하노라.

③ 이 작품은 형제간의 우애에 대해 이야기하고 있다. 이와 가장 관련이 깊은 시조는 '혈육을 그리는 정'을 노래한 ③이다.

▶ 오답 체크
① 임(임금)을 향한 충성심
② 늙음에 대한 한탄
④ 황진이의 죽음에 대한 애도

이해와 감상

🔑 키워드
당시 시대상과 관련된 작품의 주제

흥보전에서는 표면적인 주제와 이면적인 주제가 동시에 나타나는데, 표면적으로는 선량한 흥보와 악독한 놀보의 대비를 통해 권선징악의 주제가 나타나고, 마지막에 흥보와 놀보가 화해하는 장면을 통해서는 형제간의 우애라는 주제가 부각된다. 하지만 조선 후기의 사회적 배경을 고려할 때, 표면적 주제의 이면에는 놀보로 대표되는 신흥 부농 지주층과 흥보로 대표되는 빈농층의 대립과 갈등이 나타나 있음을 알 수 있다. 또는 흥보를 몰락한 양반으로 보고, 해당 계층의 허위와 가식을 풍자한 것으로 파악할 수도 있다.

조선 후기 신분 사회의 변동
경제적 이행으로 인한 몰락 농민과 천부(賤富)의 등장

흥보		놀보
·도덕적 인물 ·토지가 없는 농촌 빈민층, 유랑 농민	대립 ↔	·비도덕적 인물 ·새롭게 나타난 신흥 부농, 반도덕적 지주

🔑 키워드
작품의 해학성

흥보전은 판소리계 소설 가운데서도, 서민적인 어휘나 과장된 표현 등을 통해 해학성을 극대화한 작품이다. 흥보 가족의 삶은 극도로 곤궁하지만, 해학적 표현을 통해 슬픔과 고통, 인간적 고뇌 등 모든 부정적 감정을 웃음으로 승화시키고 있다. 그리고 흥보가 신세 한탄을 하는 부분에서는, 탐욕스러운 놀보와 순종적인 흥보의 심성을 극명히 대조·과장함으로써 두 인물의 성격을 강조하고 웃음을 유발하고 있다.

전체 줄거리
흥보와 놀보라는 형제가 살았는데, 형인 놀보가 부모의 유산을 독차지하고 흥보를 내쫓았다. 흥보는 갖은 고생을 하며 처자식과 살아가다가 어느 날 제비 한 마리가 다리를 다친 것을 도와주게 된다. 이듬해에 제비는 박씨를 물고 와 흥보에게 주는데, 그 박씨를 심어 열린 박을 타자 온갖 금은보화가 쏟아져 나와 흥보는 큰 부자가 된다. 이 소식을 듣고 놀보는 일부러 제비의 다리를 부러뜨린 후 치료해 주어 박씨를 얻는다. 하지만 그 박씨를 심어 열린 박을 타자 오물과 괴물이 튀어나온다. 이를 계기로 놀보는 잘못을 뉘우치고 흥보와 우애 있게 지낸다.

춘향전(春香傳) | 작자 미상

간단 작품 설명 신분을 초월한 남녀 간의 사랑을 그린 판소리계 소설로, 여인의 정절(貞節)이라는 유교적 덕목과 부패한 지배층에 대한 응징 등의 주제가 드러나 있다.

근읍(近邑) 수령이 모여든다. 운봉 영장(營將), 구례, 곡성, 순창, 옥과, 진안, 장수 원님이 차례로 모여든다. 좌편에 행수 군관(行首軍官), 우편에 청령 사령(聽令使令), 한가운데 ㉠본관(本官)은 주인이 되어 하인 불러 분부하되,

"관청색(官廳色) 불러 다담(茶啖)을 올리라. 육고자(肉庫子) 불러 큰 소를 잡고, 예방(禮房)
　　　　　　　손님을 대접하기 위해 내놓는 다과
불러 고인(鼓人)을 대령하고, 승발(承發) 불러 차일(遮日)을 대령하라. 사령 불러 잡인(雜
　　　악생과 악공　　　　　　　　　　　　　　　　　　햇볕을 가리기 위해 치는 포장
人)을 금하라."

이렇듯 요란할 제, 기치(旗幟) 군물(軍物)이며 육각 풍류(六角風流) 반공에 떠 있고, 녹의
　　　　　　　　　군에서 쓰는 깃발
홍상(綠衣紅裳) 기생들은 백수나삼(白手羅衫) 높이 들어 춤을 추고, 지야자 두덩실 하는 소
　　　　　　　　　　희고 아름다운 손과 얇고 가벼운 비단으로 만든 적삼
리 어사또 마음이 심란하구나.

"여봐라, 사령들아. 네의 ㉡원전(員前)에 여쭈어라. 먼 데 있는 걸인이 좋은 잔치에 당하
　　　　　　　　　　　　　　　　　　　암행어사로 출두한 몽룡이 자신의 신분을 숨김.
였으니 주효(酒肴) 좀 얻어먹자고 여쭈어라."
　　　술과 안주

저 사령 거동 보소.
　　판소리 사설체의 문체적 특징
"어느 양반이관대, 우리 ㉢안전(案前)님 걸인 혼금(閽禁)하니 그런 말은 내도 마오."
　　　　　　　　　　　　　　　　　　잡인의 출입을 금함.

등 밀쳐 내니 「어찌 아니 ㉣명관(名官)인가.」 운봉이 그 거동을 보고 본관에게 청하는 말이,
　　　　　　　　　　　　　　　　　「」 부분: 반어적 표현

"저 걸인의 의관은 남루하나 양반의 후예인 듯하니, 말석에 앉히고 술잔이나 먹여 보냄이 어떠하뇨?"

본관 하는 말이

"운봉 소견대로 하오마는……."

하니 '마는' 소리 훗입맛이 사납겄다. 어사 속으로, '오냐, 도적질은 내가 하마. 오라는 네가
　　　　　　　　　운봉의 뜻에 따르는 것이 탐탁지 않음.
져라.'

운봉이 분부하여

"저 양반 듭시래라."

중심 내용 변 사또의 생일잔치로 근읍 수령들이 모여 호화롭게 즐기고 있을 때 끼어드는 이몽룡

어사또 들어가 단좌(端坐)하여 좌우를 살펴보니, 당상(堂上)의 모든 수령 다담을 앞에
　　　　　　단정하게 앉음.
놓고 진양조 양양(洋洋)할 제 어사또 상을 보니 어찌 아니 통분하랴. 「모 떨어진 개상판에
　　　소리가 아주 느린 속도로 우렁차고 씩씩하게 퍼질 때
닥채 저붐, 콩나물, 깍두기, 막걸리 한 사발 놓았구나.」 상을 발길로 탁 차 던지며 운봉의 갈
　　　'젓가락'의 방언　　　　　　　　　　「」 부분: 형편없는 음식을 내놓으며 어사또를 푸대접함.
비를 직신, / "갈비 한 대 먹고지고."

"다라도 잡수시오."

하고 운봉이 하는 말이

"이러한 잔치에 풍류로만 놀아서는 맛이 적사오니 차운(次韻) 한 수씩 하여 보면 어떠
　　　　　　　　　　　　　　　　　　　　　　　남이 지은 시에서 문자를 따 시를 지음.
하오?" / "그 말이 옳다."

하니 운봉이 운(韻)을 낼 제, 높을 고(高) 자, 기름 고(膏) 자 두 자를 내어 놓고 차례로 운을 달 제,

어사또 하는 말이,

[가] "걸인도 어려서 추구권(抽句卷)이나 읽었더니, 좋은 잔치 당하여서 주효를 포식하고 그
좋은 구절을 모아서 적은 책
저 가기 무렴(無廉)하니 차운 한 수 하사이다."
염치가 없으니

운봉이 반겨 듣고 필연(筆硯)을 내어 주니 좌중(座中)이 다 못하여 글 두 귀(句)를 지었
붓과 벼루
으되, 민정(民情)을 생각하고 본관의 정체(政體)를 생각하여 지었것다.

"금준미주(金樽美酒)는   천인혈(千人血)이요,   옥반가효(玉般佳肴)는   만성고(萬姓膏)라.
금으로 만든 술통, 맛이 좋은 술   옥으로 만든 쟁반의 맛이 좋은 요리
촉루락시(燭淚落時) 민루락(民淚落)이요, 가성고처(歌聲高處) 원성고(怨聲高)라."

이 글 뜻은, '금동이의 아름다운 술은 일만 백성의 피요, 옥소반의 아름다운 안주는 일
만 백성의 기름이라, 촛불 눈물 떨어질 때 백성 눈물 떨어지고, 노랫소리 높은 곳에 원
망 소리 높았더라.'

이렇듯이 지었으되, 본관은 몰라보고 운봉이 이 글을 보며 속마음에 / '아뿔싸, 일이 났다.'
변 사또의 어리석음.   걸인 행색을 한 자가 암행어사임을 눈치챔.

이때, 어사또 하직하고 간 연후에 공형(公兄) 불러 분부하되,

"야야, 일이 났다."

「공방(工房) 불러 포진(鋪陣) 단속, 병방(兵房) 불러 역마(驛馬) 단속, 관청색 불러 다담
방석, 요, 돗자리
단속, 옥 형리(刑吏) 불러 죄인 단속, 집사(執事) 불러 형구(刑具) 단속, 형방(刑房) 불러 문
「 」 부분: 4·4조의 운문적 요소가 드러나는 구절
부(文簿) 단속, 사령 불러 합번(合番) 단속,」 한참 이리 요란할 제 물색없는 저 본관이
나중에 참고하거나 검토할 문서와 장부 벼슬아치들이 모여 함께 숙직하던 일
"여보, 운봉은 어디를 다니시오?"

"소피(所避)하고 들어오오." / 본관이 분부하되,
오줌을 누고
"춘향을 급히 올리라." / 고 주광(酒狂)이 난다.

중심 내용_ 탐관오리에 대한 이몽룡의 풍자

이때에 어사또 군호(軍號)할 제, 「서리(胥吏) 보고 눈을 주니 서리, 중방(中房) 거동 보소.

역졸(驛卒) 불러 단속할 제 이리 가며 수군, 저리 가며 수군수군, 서리 역졸 거동 보소. 외올
망건(網巾), 공단(貢緞) 쌔기 새 평립(平笠) 눌러 쓰고 석 자 감발 새 짚신에 한삼(汗衫), 고
패랭이   손을 가리기 위해 소매 끝에 헝겊으로 길게 덧대는 소매
의(袴衣) 산뜻 입고 육모방치 녹피(鹿皮) 끈을 손목에 걸어 쥐고 예서 번뜻 제서 번뜻, 남원
남자의 여름 홑바지   육면으로 된 방망이
읍이 우군우군, 청파 역졸(青坡驛卒) 거동 보소.」 달 같은 마패(馬牌)를 햇빛같이 번뜻 들어
「 」 부분: 장면의 극대화
"암행어사 출도(出道)야!"

외는 소리, 강산이 무너지고 천지가 뒤눕는 듯, 초목 금수(草木禽獸)인들 아니 떨랴.
직유법, 과장법
남문에서 / "출도야!"

북문에서 / "출도야!"

동문 서문 출도 소리 청천에 진동하고,
과장법
「"공형 들라!"

외는 소리, 육방(六房)이 넋을 잃어,

"공형이오."

등채로 휘닥딱

"애고 중다."
죽는다

➕ '옥'의 상징적 의미

'옥'은 시련의 공간이면서, 동시에 춘향이 신분 상승을 이루기 위한 통과 의례적 의미를 가지는 공간이다. 기생의 딸인 춘향은 '열녀불경이부(烈女不更二夫)'라는 유교적 덕목을 갖추고, '옥'에서 고난을 겪음으로써 사대부의 정실 아내가 될 자격을 갖추게 되는 것이다.

☑ 학습 체크

01 이 글에서 ⓐ~ⓓ의 풀이가 잘못된 것은?

① ⓐ 인궤(印櫃): 관청의 관인을 보관하여 두던 함
② ⓑ 과줄: 대추, 곶감 등의 과일을 늘 담아 두고 먹는 함
③ ⓒ 용수: 술이나 장을 거르는 데 쓰는 기구
④ ⓓ 옥수(獄囚): 옥에 갇혀 있는 죄수

02 밑줄 친 ㉠~㉣에 대한 설명으로 옳지 않은 것은?

① ㉠ 인물의 다급한 심리를 해학적으로 표현했다.
② ㉡ 담배를 금하고 객사로 장소를 옮기라는 뜻이다.
③ ㉢ 죄 없는 자를 감옥에서 나가도록 풀어 준다는 뜻이다.
④ ㉣ 의문형 문장 종결 방식이 현대 국어와 다름을 보여 준다.

---

01 ② 과줄: 꿀과 기름을 섞은 밀가루 반죽을 판에 박아서 모양을 낸 후 기름에 지진 과자. 속까지 검은빛이 난다.

02 ② '훤화(喧譁)'는 시끄럽게 지껄이며 떠드는 것을 의미하고 '사처(徙處)'는 거처를 옮긴다는 뜻이다. 즉, ㉡은 '시끄럽게 지껄이고 떠드는 것을 금하고 객사로 거처를 옮겨라'로 풀이된다.

"공방, 공방!"

공방이 포진 들고 들어오며,

"안 하려던 공방을 하라더니 저 불 속에 어찌 들랴."

등채로 후닥딱

"애고, 박 터졌네."

> 「 」부분: 호흡이 짧은 어구나 문장을 반복하여 긴박감을 줌.

좌수, 별감 넋을 잃고, 이방, 호방 실혼(失魂)하고, 삼색나졸(三色羅卒) 분주하네.

모든 수령 도망할 제 거동 보소. 「ⓐ인궤(印櫃) 잃고 ⓑ과줄 들고, 병부(兵符) 잃고 송편 들고, 탕건(宕巾) 잃고 ⓒ용수 쓰고, 갓 잃고 소반(小盤) 쓰고, 칼집 쥐고 오줌 누기. 부서지니 거문고요, 깨지느니 북, 장구라. 본관이 똥을 싸고 명석 구멍 새앙쥐 눈 뜨듯 하고 내아(內衙)로 들어가서」

> 비유적 표현을 통하여 웃음을 유발함. (해학성)
> 「 」부분: 암행어사 출두에 혼비백산하여 도망치는 탐관오리의 모습을 해학적으로 묘사한 구절

㉠「"어 추워라, 문 들어온다, 바람 닫아라. 물 마른다, 목 들여라."」

> 「 」부분: 언어 도치에 의한 언어유희

관청색은 상을 잃고 문짝 이고 내달으니, 서리, 역졸 달려들어 후닥딱

"애고, 나 죽네!"

중심 내용_ 암행어사의 출도로 혼비백산하는 관속과 수령들

이때 수의 사또 분부하되,

"이 골은 대감이 좌정하시던 골이라, ㉡훤화(喧譁)를 금하고 객사(客舍)로 사처(徙處)하라."

좌정(座定) 후에

"본관은 봉고파직(封庫罷職)하라." / 분부하니,

> 어사가 못된 짓을 많이 한 고을의 원을 파면하고 관가의 창고를 봉하여 잠금.

"본관은 봉고파직이오!"

사대문에 방 붙이고 옥 형리 불러 분부하되,

"네 골 ⓓ옥수(獄囚)를 다 올리라."

호령하니 죄인을 올리거늘, 다 각각 문죄(問罪) 후에 ㉢무죄자 방송(放送)할새,

> 죄를 캐내어 물음.

㉣"저 계집은 무엇인다?"

형리 여짜오되,

"기생 월매 딸이온데, 관정(官庭)에 포악(暴惡)한 죄로 옥중에 있삽내."

> 관가에서 심문할 때 험한 말로 발악함.

"무슨 죄다?"

형리 아뢰되,

> 유사한 발음과 의미를 지닌 단어의 연결을 통한 언어유희

"본관 사또 수청(守廳)으로 불렀더니 수절(守節)이 정절(貞節)이라 수청 아니 들려 하고, 관전(官前)에 포악한 춘향이로소이다."

> 아전이나 기생이 높은 벼슬아치에게 몸을 바쳐 시중을 들던 일

어사또 분부하되,

"너만 년이 수절한다고 관정 포악하였으니 살기를 바랄쏘냐. 죽어 마땅하되 내 수청도 거역할까?"

춘향이 기가 막혀,

"내려오는 관장(官長)마다 개개이 명관이로구나. 수의(繡衣)사또 들조시오. 「층암절벽(層

> 내려오는 관장마다 탐관오리로 폭정을 하는구나. (반어적 표현)   어사또

巖絶壁) 높은 바위 바람 분들 무너지며, 청송녹죽(靑松綠竹) 푸른 나무 눈이 온들 변하리까?」 그런 분부 마옵시고 어서 바삐 죽여 주오." / 하며,

> 「 」부분: 춘향의 변치 않는 지조와 절개를 비유적으로 표현한 구절

"향단아, 서방님 어디 계신가 보아라. 어젯밤에 옥문간에 와 계실 제 천만 당부하였더니

━━━━━━━━━━ 변 사또의 횡포로 자신이 죽게 되면 장례를 치러 달라는 당부

어디를 가셨는지, 나 죽는 줄 모르는가?"

어사또 분부하되,

"얼굴을 들어 나를 보라." / 하시니,

춘향이 고개를 들어 대상(臺上)을 살펴보니 걸객(乞客)으로 왔던 낭군, 어사또로 뚜렷이

━━━━━━━━━ 극적인 반전

앉았구나. 반 웃음 반 울음에,

"얼씨구나 좋을씨고. 어사 낭군 좋을씨고. 남원 읍내 추절(秋節) 들어 떨어지게 되었더니,

━━━━━ 변 사또의 횡포, 학정

객사에 봄이 들어 이화 춘풍(李花春風) 날 살린다. 꿈이냐 생시냐, 꿈을 깰까 염려로다."

━━━━━━━━━━━━━━━━ 오얏꽃 향기를 머금은 봄바람과 이몽룡을 모두 지칭(중의적 표현)

한참 이리 즐길 적에 춘향 모 들어와서 가없이 즐겨 하는 말을 어찌 다 설화(說話)하랴.

춘향의 높은 절개 광채 있게 되었으니 어찌 아니 좋을쏜가?

중심 내용_ 암행어사로 돌아온 이몽룡과 재회하는 춘향

이때 어사또는 좌·우도 순읍(巡邑)하여 민정을 살핀 후에 서울로 올라가 어전(御前)에

━━━━━━ 육조의 판서, 참판, 참의 ━━ 고을을 돌아봄.

숙배하니 삼당상 입시(入侍)하사 문부(文簿)를 사정(査定) 후에 상(上)이 대찬(大讚)하시고

━━ 임금을 뵘. ━━ 장부나 문서 ━━ 심사하여 결정함. ━━ 크게 칭찬하시고

즉시 이조참의 대사성을 봉하시고 춘향으로 정렬부인을 봉하시니 사은숙배(謝恩肅拜)하고

━━━━━━━━━━━━ 임금의 은혜에 감사하며 공손히 절을 올림.

물러나와 부모 전에 뵈온대 성은을 축수(祝壽)하시더라.

중심 내용_ 이몽룡의 정렬부인이 된 춘향

이해와 감상

🔑 **키워드**
인물 간
갈등 양상과
다양한 주제

표면적인 주제는 신분을 초월한 남녀 간의 사랑, 여성의 굳은 정절 등이지만, 그 이면에는 변학도와 같은 불의(不義)한 지배 계층에 대한 비판과 신분 상승에 대한 서민들의 욕구가 숨어 있다.

춘향과 변학도의 갈등	정절을 지키려는 춘향과 수청을 들게 하려는 변학도	→	불의한 지배층에 대한 저항
이몽룡과 변학도의 갈등	탐관오리를 징벌하려는 이몽룡과 탐관오리의 전형인 변학도	→	권선징악(勸善懲惡)
춘향과 사회의 갈등	기생의 딸이라는 신분을 극복하려는 춘향과 조선의 신분 사회	→	유교적 덕목의 준수를 통한 신분 상승

🔑 **키워드**
판소리계 소설로서
작품의 특징

'춘향전'은 구전 설화가 판소리 사설을 거쳐 소설로 정착된 판소리계 소설로, 이본(異本)이 120여 종에 이를 정도로 많은 사랑을 받은 작품이다. 이 작품은 4·4조의 율문이 섞여 있으며, 삽입 가요가 들어 있는 판소리적 특징이 나타난다. 그리고 사대부 계층이 사용하던 한문체와 민중들이 사용하던 사투리, 속어, 비어가 동시에 쓰여 언어 사용의 양면성이 드러난다. 해학적 장면 묘사와 풍자를 통해 삶의 고뇌와 비애로 인한 긴장을 웃음으로 해소하려는 측면이 나타나는 것도, 서민적 건강성이 반영된 판소리계 소설의 특징이다.

전체 줄거리
이몽룡은 광한루에 놀러 나왔다가 그네를 뛰고 있는 춘향에게 첫눈에 반하고, 둘은 백년가약을 맺는다. 하지만 몽룡의 아버지가 한양으로 올라가게 되면서 둘은 이별한다. 이후 신임 부사 변학도가 춘향에게 수청을 명하자, 춘향은 끝까지 수청을 거절하다가 결국 옥살이를 하는 신세가 된다. 한편 한양으로 올라간 몽룡은 장원 급제하여 암행어사로 남원에 내려오고, 비리와 악행을 일삼으며 백성들을 괴롭힌 변학도를 응징한다. 그리고 옥에 갇힌 춘향을 구한 뒤, 춘향과 한양으로 올라와 행복하게 산다.

작품 해제

출전 《열하일기》 중 〈관내정사〉
연대 조선 정조 때(18세기 후반)
갈래 한문 소설, 우화 소설, 풍자 소설
성격 풍자적, 비판적, 우의적
주제 양반의 위선적인 삶과 인간 사회의 부도덕성 비판
특징 ① 우의적 방식을 사용함
② 인물의 행위를 희화화하여 표현함

🔍 인물을 통해 드러나는 작가의 비판 의식

학식이 높은 '북곽 선생'과 열녀로 추앙받는 과부인 '동리자'는 모두 유교 사회의 이상적 인간형이다. 하지만 그들은 밀회를 즐기거나 동리자의 아들들이 모두 아버지가 다른 것을 통해 이들이 부정적인 이면을 지니는 이중적인 인물임을 알 수 있다. 작가는 이런 인물들을 통해 당대 지배층의 허위의식과 위선을 풍자하고 있다.

☑ 학습 체크

01 '북곽 선생'과 '동리자'의 특징을 가장 잘 표현한 사자성어는?
① 善男善女
② 女必從夫
③ 表裏不同
④ 匹夫匹婦

---

③ '북곽선생'과 '동리자'는 모두 겉으로 보여지는 모습과 실제 행실이 다른 위선적인 인물이다. 이들의 특징을 가장 잘 표현한 사자성어는 ③ 표리부동(表裏不同)이다.
· 표리부동(表裏不同): 겉으로 드러나는 언행과 속으로 가지는 생각이 다름
▶ 오답 체크
① 善男善女(선남선녀): '성품이 착한 남자와 여자'라는 뜻으로, 착하고 어진 사람들을 이르는 말
② 女必從夫(여필종부): 아내는 반드시 남편을 따라야 한다는 말
④ 匹夫匹婦(필부필부): 평범한 남녀

호질 | 박지원

출제 키워드
풍자 대상의 확대

> **간단 작품 설명** 북곽 선생과 동리자의 행동을 통해 당대 지배 계층의 위선을 고발한 한문 소설로 '범이 꾸짖다'라는 뜻의 제목처럼 의인화된 범을 내세워 작가의 비판 의식을 드러낸다.

정(鄭)나라 어느 고을에 벼슬을 탐탁하게 여기지 않는 학자가 살았으니 '북곽 선생(北郭先生)'이었다. 「그는 나이 마흔에 손수 교정(校正)해 낸 책이 만 권이었고, 또 육경(六經)의 뜻을 부연해서 다시 저술한 책이 일만 오천 권이었다. 천자(天子)가 그의 행의(行義)를 가상히 여기고 제후(諸侯)가 그 명망을 존경하고 있었다.」
<small>「」부분: 도학자로서 위대한 북곽 선생의 면모를 언급하여 위선적인 모습을 부각시킴</small>

그 고장 동쪽에는 동리자(東里子)라는 미모의 과부가 있었다. 천자가 그 절개를 가상히 여기고 제후가 그 현숙함을 사모하여, 그 마을의 둘레를 봉(封)해서 '동리과부지려(東里寡婦之閭)'라고 정표(旌表)해 주기도 했다. 이처럼 동리자가 수절을 잘하는 부인이라 했는데 실은 슬하의 다섯 아들이 저마다 성(姓)을 달리하고 있었다.
<small>동리자의 위선적 면모 – 다섯 아들이 모두 아버지가 다르다는 것을 통해 동리자의 수절이 거짓됨을 드러냄</small>

중심 내용_ 북곽 선생과 동리자에 대한 소개와 그들의 부도덕한 모습

다섯 놈이 서로 소근대기를,

""예기(禮記)"에 이르기를 '과부의 문에는 함부로 들지 않는다.' 하였는데, 북곽 선생과 같은 점잖은 어른이 과부의 방에 들어올 리가 있겠나. 우리 고을의 성문이 무너진 데에 여우가 사는 굴이 있다더라. 여우란 놈은 천 년을 묵으면 사람 모양으로 둔갑할 수가 있다더라. 저건 틀림없이 그 여우란 놈이 북곽 선생으로 둔갑한 것이다."
<small>당대 사람들의 허위의식 희화화 – 상황의 본질을 파악하지 못하는 어리석음</small>
하고 함께 의논했다.

「"들으니 여우의 머리를 얻으면 큰 부자가 될 수 있고, 여우의 발을 얻으면 대낮에 그림자<small>「」부분: 허상에 빠져 본질을 보지 못하는 당대인들을 풍자함</small>를 감출 수 있고, 여우의 꼬리를 얻으면 애교를 잘 부려서 남에게 예쁘게 보일 수 있다더라.」 우리 저놈의 여우를 때려잡아서 나누어 갖도록 하자."

다섯 놈이 방을 둘러싸고 우르르 쳐들어갔다. 북곽 선생은 크게 당황하여 도망쳤다. 사람들이 자기를 알아볼까 겁이 나서 모가지를 두 다리 사이로 쑤셔 박고 귀신처럼 춤추고 낄낄거리며 문을 나가서 내닫다가 그만 들판의 구덩이 속에 빠져 버렸다. 그 구덩이에는 똥이 가<small>북곽 선생의 비굴한 모습을 희화화하여 풍자함</small>득 차 있었다. 간신히 기어올라 머리를 들고 바라보니 뜻밖에 범이 길목에 앉아 있는 것이 아닌가.
<small>북곽 선생을 풍자하기 위한 장치</small>

중심 내용_ 다섯 아들의 어리석은 판단과 달아나는 북곽 선생

범은 북곽 선생을 보고 오만상을 찌푸리고 구역질을 하며 코를 싸쥐고 외면을 했다.

"어허 유자(儒者)여! 더럽다."
<small>표면적 – 똥은 북곽 선생, 이면적 – 북곽 선생의 위선적 면모</small>
「북곽 선생은 머리를 조아리고 범 앞으로 기어가서 세 번 절하고 꿇어앉아 우러러 아뢴다.

"호랑님의 덕은 지극하시지요. 대인(大人)은 그 변화를 본받고, 제왕(帝王)은 그 걸음을 배우며, 자식된 자는 그 효성을 본받고, 장수는 그 위엄을 취하며, 거룩하신 이름은 신령스러운 용(龍)의 짝이 되는지라, 풍운의 조화를 부리시매 하토(下土)의 천신(賤臣)은 감히 아랫바람에 서옵나이다."」 「」부분: 살아남기 위해 범에게 아첨하는 북곽 선생의 비굴한 면모

범은 북곽 선생을 여지없이 꾸짖었다.

"내 앞에 가까이 오지 마라. 내 듣건대 유(儒)는 유(諛)라 하더니 과연 그렇구나. 네가 평소
동음이의어를 활용한 언어 유희 - 선비 유(儒) = 아첨할 유(諛)
에 천하의 악명을 죄다 나에게 덮어씌우더니, 이제 사정이 급해지자 면전에서 아첨을 떠
니 누가 곧이듣겠느냐. 「천하의 원리는 하나뿐이다. 범의 본성(本性)이 악한 것이라면 인간
의 본성도 악할 것이요, 인간의 본성이 선한 것이라면 범의 본성도 선할 것이다. 너희가 떠
드는 천 소리 만 소리는 오륜(五倫)에서 벗어난 것이 아니고, 경계하고 권면하는 말은 내
내 사강(四綱)에 머물러 있다. 그런데 도회지에 코 베이고, 발꿈치 짤리고, 얼굴에다 자
자(刺字)질하고 다니는 것들은 다 오륜을 지키지 못한 자들이 아니냐. 포승줄과 먹실, 도
얼굴이나 팔뚝의 살을 따고 홈을 내어 먹물로 죄명을 찍어 넣던 벌
끼, 톱 같은 형구(刑具)를 매일 쓰기에 바빠 겨를이 나지 않는데도 죄악을 중지시키지 못
「」부분: 비판 대상의 확대 - 북곽 선생 → 인간 사회
하는구나. 범의 세계에서는 원래 그런 형벌이 없으니 범의 본성이 인간의 본성보다 어질
지 않느냐?" …(중략)…

중심 내용_ 양반과 인간 세상에 대한 범의 꾸짖음

북곽 선생은 자리를 옮겨 부복(俯伏)해서 머리를 재삼 조아리고 아뢰었다.
고개를 숙이고 엎드림.
""맹자(孟子)"에 일렀으되, '비록 악인이라도 목욕재계하면 상제(上帝)를 섬길 수 있다.' 하
였습니다. 하토의 천신은 감히 아랫바람에 서옵니다."

북곽 선생이 숨을 죽이고 명령을 기다렸으나 오랫동안 아무 동정이 없기에 참으로 황공해서 절
하고 조아리다가 머리를 들어 우러러보니, 이미 먼동이 터 주위가 밝아 오는데 범은 간 곳이 없었
다. 그때 새벽 일찍 밭을 갈러 나온 농부가 있었다.
북곽 선생과 대조되는 모습을 지닌 인물을 통해 풍자의 효과를 강화함.
"선생님, 이른 새벽에 들판에서 무슨 기도를 드리고 계십니까?" / 북곽 선생은,

"성현(聖賢)의 말씀에 '하늘이 높다 해도 머리를 아니 굽힐 수 없고, 땅이 두껍다 해도 조
범이 사라지자 다시 허세를 부리는 북곽 선생의 위선
심스럽게 딛지 않을 수 없다.' 하셨느니라." / 라고 엄숙히 말했다.

중심 내용_ 범이 사라지자 다시 위선적인 모습을 보이는 북곽 선생

🔍 비판의 주체로 '범'을 설정한 이유

당시 유교 사회에서는 지배 계층에 대한 직접적인 비판이 받아들여지기 어려웠기 때문에 작가는 비판의 주체로 '범'을 설정하였다. 이러한 우회적인 방식으로 당대 지배층의 위선과 부도덕한 모습을 풍자함으로써 당대의 비난을 피하고 문학적인 묘미와 현실 비판의 효과까지 달성할 수 있었다.

☑ **학습 체크**

01 이 글의 서술상 특징으로 가장 옳지 않은 것은?
① 시대적 배경을 구체적으로 묘사하고 있다.
② 동음이의어를 활용하여 대상을 풍자하고 있다.
③ 인물의 말과 행동을 통해 사건을 전개하고 있다.
④ 의인화를 통해 현실을 우회적으로 비판하고 있다.

① 작품에 구체적으로 시대적 배경을 묘사한 부분은 드러나지 않는다.
▶ 오답 체크
② '유(儒)는 유(諛)라 하더니'를 통해 동음이의어를 통해 양반을 풍자하고 있음을 알 수 있다.
③ 서술자의 서술이 아닌 인물의 말과 행동으로 인해 사건이 전개되고 있다.
④ 의인화된 '범'을 통해 현실을 우회적으로 비판하고 있다.

이해와 감상

🔑 **키워드**
풍자 대상의 확대

풍자 대상	풍자 내용
북곽 선생과 동리자	작품의 일차적인 풍자 대상으로, 겉으로는 유교 사회의 이상적인 인물상으로 보이나, 속으로는 부도덕한 행위를 즐기는 겉과 속이 다른 인물들이다.
양반 사회와 인간 사회	범의 꾸짖음이 북곽 선생이라는 위선적인 인물에서 확대되어 작품의 후반부에는 양반과 인간 사회 전체의 부도덕성과 악덕을 비판하게 된다.
동리자의 아들들과 농부	북곽 선생과 동리자에 대한 고정관념에 빠져 상황의 본질을 보지 못하는 인물들로, 이들 역시 부차적인 풍자의 대상이다.

전체 줄거리

어느 고을에 학자로 존경받는 북곽 선생이라는 선비와 수절을 잘하는 부인이라 하나 성이 다른 다섯 아들을 둔 과부 동리자가 있었다. 어느 날 북곽 선생이 동리자의 방에 들어가 밀회를 즐기고 있는데, 과부의 아들들이 북곽 선생을 천 년 묵은 여우로 의심하여 방으로 쳐들어간다. 아들들의 기습 침입을 받게 되어 북곽 선생은 도망치다가 똥구덩이에 빠지게 된다. 때마침 먹잇감을 찾아 마을에 내려온 범은 똥을 뒤집어 쓴 북곽 선생의 위선적인 모습과 인간들의 파렴치한 행동과 같은 부정적인 면모를 신랄하게 꾸짖고 사라진다. 북곽 선생은 범에게 머리를 조아리며 비굴한 자세로 자신의 목숨을 애걸하다가, 새벽에 일하러 나온 농부와 만나게 된다. 범이 사라진 것을 안 북곽 선생은 다시 위선적인 모습으로 돌아와 농부에게 자기 변명을 한다.

출전 《완판 구운몽》
연대 조선 숙종 때
갈래 국문 소설, 몽자류 소설, 양반 소설, 염정 소설
주제 인생무상의 자각, 허무의 극복
배경 ① 현실: 초월적인 천상의 세계 (불교)
　　 ② 꿈: 세속적인 지상의 세계 (유교)
의의 몽자류 소설의 효시
구성 ① 현실(불교적 세계): 수도자 성진(성진과 8선녀의 만남 - 세속적 욕망 추구 - 세속으로 추방)
　　 ② 꿈(세속적 세계): 사대부 양소유(과거 급제 - 출장입상 - 일부다처)
　　 ③ 현실(불교적 세계): 수도자 성진(본래 자리로 귀환, 인생 부귀의 허무 자각, 불교적 깨달음의 성취)

김만중(金萬重, 1637~1692)

조선 숙종 때의 문신. 호는 서포(西浦)이다. 우리말에 대한 애착을 가지고 있어, 《서포만필》 등에서 진보적 문학관을 보여 주었다. 당시 서인(西人)의 중심 인물로 숙종의 폐비 사건에 반대하다 남해로 유배를 갔으며, 그때 '구운몽'을 집필하였다. 그 밖의 소설로는 '사씨남정기'가 있다.

제목의 의미

구(九) 등장인물의 수
· 성진과 여덟 선녀
· 양소유와 그의 여덟 처첩

운(雲) 주제: 인생무상의 깨달음

몽(夢) · 구성: 환몽 구조
· 양소유가 세속적 욕망의 무상함을 깨닫는 공간

구운몽(九雲夢) | 김만중

간단 작품 설명 김만중이 유배지에서 모친을 위로하기 위해 썼다는 소설로, '성진'이라는 불제자가 하룻밤 꿈에서 부귀영화를 누리고 '인생무상(人生無常)'의 진리에 도달하는 이야기이다.

대새(大師ㅣ) 소리질러 가로되, / "황건역새(黃巾力士ㅣ) 어디 있나뇨?"

홀연 공중으로서 신장(神將)이 내려와 청령(聽令)하거늘, 대새(大師ㅣ) 분부하되,
　　　　　　　　　　　　　　　　　명령을 주의 깊게 들음.

"네 죄인을 영거(領去)하여 풍도(酆都)에 가 교부(交付)하고 오라." …(중략)…
　　　　　함께 데리고 가거나 가지고 감.　　지옥　　　　내어 줌.

중심 내용_ 성진을 지옥으로 내쫓는 대사

"사부는 어디로부터 오신고?" / 호승이 웃어 왈,

"평생 고인을 몰라보시니 귀인(貴人)이 잊음 헐타는 말이 옳소이다."
　　　고우(故友). 사귄 지 오래된 벗　　　　　잊기를 잘한다

승상이 자세히 보니 과연 낯이 익은 듯하거늘 홀연 깨쳐 능파 낭자를 돌아보며 왈,

"소유가 전일 토번을 정벌할 제 꿈에 동정 용궁에 가 잔치하고 돌아오는 길에 남악에 가
　　　　　　　　　티베트족
놀았는데, 한 화상이 법좌(法座)에 앉아서 경(經)을 강론하더니 노부가 그 화상이냐?"
　　　　　몽중몽(夢中夢)의 사건 - 꿈속 일을 언급하는 성진의 꿈속 인물인 양소유
호승이 박장대소하고 가로되,

"옳다, 옳다. 비록 옳으나 몽중에 잠깐 본 일은 생각하고 십 년을 동처(同處)하던 일을 알
　　　　　　　　　　　　　　　　　　　　　　　　　　현실에서 스승과 제자라는 인연이었던 경험
지 못하니 뉘양 장원을 총명타 하더뇨?" / 승상이 망연하여 가로되,
　　　　　　　　　　　　　　　　　　어이가 없어 멍함.
"소유가 십오륙 세 전은 부모 좌하(座下)를 떠나지 않았고 십육 세에 급제하여 연하여 직명
　　　　　　　　　　　　　　　　　　　　　　　　　　　　　　　　　　　　벼슬
이 있었으니, 동으로 연국(燕國)에 봉사하고 서로 토번을 정벌한 밖은 일찍 경사를 떠나지
　　　　　　　　　　　　　　　　　　　　　　　　　　　　　　　　　서울
않았으니 언제 사부로 더불어 십 년을 상종(相從)하였으리오?"

중심 내용_ 호승이 육관 대사임을 기억해 내지 못하는 승상

호승이 웃어 왈, / "상공이 오히려 춘몽(春夢)을 깨지 못하였도소이다." / 승상 왈, / "사부
가 어찌하면 소유로 하여금 춘몽을 깨게 하리오?" / 호승 왈, / "이는 어렵지 아니하니이다."
하고, 손 가운데 석장을 들어 석난간을 두어 번 두드리니 홀연 네 녘 산골로부터 구름이 일
　　　　　　승려가 짚는 지팡이
어나 대 위에 끼이어 지척(咫尺)을 분변(分辨)치 못하니, 승상이 정신이 아득하여 마치 취몽
　　　　　　　　　　　　　　　　　　　　　　　　　　　　　　　　　　　취하여 꾸는 꿈 가운데
(醉夢) 중에 있는 듯하더니 오래되어서야 소리 질러 가로되,

"사부가 어이 정도(正道)로 소유를 인도치 아니하고 환술(幻術)로 서로 희롱하느뇨?"
　　　　　　　　　　　　　　　　　　　　　　　남의 눈을 속이는 기술

중심 내용_ 도술로 승상의 잠을 깨우는 호승

스스로 제 몸을 보니 일백여덟 낱 염주가 손목에 걸렸고 머리를 만지니 갓 깎은 머리털이
가칠가칠하였으니, 완연히 소화상의 몸이요 다시 대승상의 위의(威儀) 아니니, 정신이 황홀
하여 오랜 후에 비로소 제 몸이 연화 도량 성진 행자인 줄 알고 생각하니, 처음에 스승에게 수
책(受責)하여 풍도(酆都)로 가고 인세에 환도하여 양가의 아들 되어 장원 급제 한림학사하고
　꾸짖음을 받음.　　　　　　　공을 세워 이름을 널리 떨치고 벼슬에서 물러남.
출장입상하고 공명신퇴하고 두 공주와 여섯 낭자로 더불어 즐기던 것이 다 하룻밤 꿈이라.
전쟁에 나가서는 장수, 들어와서는 재상이 됨.　　　　　　　　　　　　일장춘몽(一場春夢), 남가일몽(南柯一夢)
마음에 / '이 필연 사부가 나의 염려를 그릇함을 알고 나로 하여금 이 꿈을 꾸어 인간 부귀와
남녀 정욕이 다 허사인 줄 알게 함이로다.'

중심 내용_ 꿈을 통하여 스승의 가르침을 깨닫게 된 성진

급히 세수하고 의관을 정제하며 방장에 나아가니 다른 제자들이 이미 다 모였더라.

대사 소리하여 묻되, / "성진아, 인간 부귀를 지내니 과연 어떠하더뇨?"
　　　　　고승이 거처하는 처소

성진이 고두하며 눈물을 흘려 가로되,
　　　머리를 조아리며

"성진이 이미 깨달았나이다. 제자 불초하여 염려를 그릇 먹어 죄를 지으니, 마땅히
　　　　　　　　　　　　　　생각을 잘못 하여

[가] 인세에 윤회할 것이어늘, 사부 자비하사 하룻밤 꿈으로 제자의 마음 깨닫게 하시니, 사

부의 은혜를 천만 겁이라도 갚기 어렵도소이다."

대사 가로되,

"네 승흥하여 갔다가 흥진하여 돌아왔으니 내 무슨 간예함이 있으리오? 네 또 이르
　　흥이 나서 갔다가 흥이 다해 돌아왔으니　　　　　　　　관계하여 참견함.

되 인세에 윤회할 것을 꿈을 꾸다 하니, 이는 인세와 꿈을 다르다 함이니, 네 오히려
　　　　　　　　　　　　꾸게 하였다

꿈을 채 깨지 못하였도다. '장주(莊周)가 꿈에 나비 되었다가 나비가 장주 되니' 어니
　'호접몽(胡蝶夢)'의 고사 인용: 장주가 나비가 된 꿈을 꾸었는데 잠에서 깬 후 나비가 자신인지 자신이 나비인지 구분하지 못하였다는 이야기

거짓 것이요 어니 진짓 것인 줄 분변치 못하나니, 어제 성진과 소유가 어니는 진짓 꿈
　　　어느 것이 거짓이고 어느 것이 참인지 구분하지 못하니

이요 어니는 꿈이 아니뇨?" → 꿈과 현실 구분의 무의미함. 모든 것은 헛되고 순간적임. (인생무상)

중심 내용_ 성진을 꾸짖는 육관 대사

☑ **학습 체크**

01 [가]의 내용에 가장 부합되는 시조는?

① 귀거래 귀거래 혼들 물러간 이 그 누구며 / 공명이 부운인 줄 사람마다 알건마는 / 세상에 꿈 깬 이 없으니 그를 슬허ᄒ노라

② 이화에 월백ᄒ고 은한이 삼경인 제 / 일지 춘심을 자규ᅵ야 아랴마는 / 다정도 병인 냥ᄒ여 좀 못 드러 ᄒ노라

③ 장안을 도라보니 북궐이 천리로다 / 어주에 누어신돌 니즌 스치 이시랴 / 두어라 내 시름 안니라 절세현이 업스랴

① [가]의 내용과 ① 모두 '꿈'을 소재로 하여 '인생무상(人生無常)'의 내용을 전달하였다.

이해와 감상

🔑 **키워드**
작품에 나타난
유·불·도 사상

유교	· 양소유의 입신양명(立身揚名) · 양소유의 노모에 대한 정성과 효심
불교	· '성진(性眞)'과 '소유(少遊)'라는 이름 　- 성진(性眞): '진정한 본성'이라는 의미 → '진정으로 깨달은 자(者)' 　- 소유(少遊): '짧은 시간 동안 세상에서 놀다가 가는 사람'이라는 의미 → 인간 세상 욕망의 허망함. · 성진이 꿈에서 깨어난 후 불도로 귀의하는 것 · '인생무상에 대한 깨달음'이라는 주제 의식 → 공(空) 사상
도교	· 용왕의 등장 · 팔 선녀의 등장 · 양소유의 부친 양 처사가 옥황상제의 명을 받아 신선이 되어 올라가는 것

🔑 **키워드**
작품의
구조적 특징

이 작품은 현실과 꿈이 교차하여 제시되는 환몽 구조로, 현실은 천상의 세계이고 꿈은 지상의 세계로 나타난다. 그리고 꿈의 지상 세계에서 일어나는 사건들이 내화(內話)로 삽입되어 있어, 액자식 구조를 취하고 있다. 꿈의 형식을 빌어 내용을 전개한 점에서는 후대의 '옥련몽', '옥루몽' 등 몽자류 소설의 규범이 되었다.

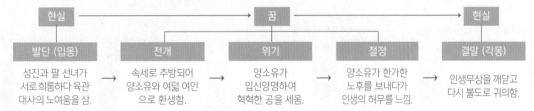

발단 (입몽)	전개	위기	절정	결말 (각몽)
성진과 팔 선녀가 서로 희롱하다 육관 대사의 노여움을 삼.	속세로 추방되어 양소유와 여덟 여인으로 환생함.	양소유가 입신양명하여 혁혁한 공을 세움.	양소유가 한가한 노후를 보내다가 인생의 허무를 느낌.	인생무상을 깨닫고 다시 불도로 귀의함.

전체 줄거리

중국 당나라 때, 육관 대사의 제자 성진은 동정호에 다녀오던 길에 팔 선녀와 만나 수작을 부린다. 돌아와서도 선녀들을 그리워하자, 육관 대사는 성진을 팔 선녀와 함께 속세로 추방한다. 인간 세상에서 양소유로 환생한 그는 과거에 급제한 후, 두 부인과 여섯 낭자를 거느리고 부귀영화를 누리며 산다. 벼슬에 은퇴한 어느 날 그는 문득 인생무상과 허무를 느끼게 되는데, 이때 한 승려(육관 대사)가 나타나 그의 꿈을 깨운다. 꿈에서 깬 성진은 육관 대사 앞에서 이전의 죄를 뉘우치고 불도에 정진하여 극락세계로 들어간다.

이옥설(理屋說) | 이규보

작품 해제

출전 《동국이상국집》
갈래 설(說), 한문 수필
성격 교훈적, 예시적, 경험적, 유추적
제재 퇴락(頹落)한 행랑채의 수리
주제 잘못을 먼저 알고 고쳐 나가는 자세의 중요성
구성 '경험+깨달음'의 구성 방식
표현 유추를 통한 내용 전개

이규보(李奎報, 1168~1241)

고려 중기의 문인. 호는 백운거사(白雲居士)이다. 시풍은 호탕하고 활발하며, 독창적이고 개성적인 문체를 추구하였다. 대표적 작품으로는 '동명왕편', '슬견설', '주뢰설', '이옥설' 등이 있고, 《동국이상국집》, 《백운거사전》, 《백운소설》 등의 문집을 집필하였다.

출제 키워드
유추를 통한 깨달음의 확장

> 간단 작품 설명 행랑채를 수리하는 과정에서 얻은 깨달음을 삶의 이치와 나라를 다스리는 방법에 확대하여 적용한 설(說)이다.

　　행랑채가 퇴락하여 지탱할 수 없게끔 된 것이 세 칸이었다. 나는 마지못하여 이를 모두
문간채. 대문간 곁에 있는 집채　　　　　　　　　　　　　　　　　행랑채의 수리를 오랫동안 미뤄 옴.
수리하였다. 그런데 그중의 두 칸은 앞서 장마에 비가 샌 지가 오래되었으나, 나는 그것을
알면서도 이럴까 저럴까 망설이다가 손을 대지 못했던 것이고, 나머지 한 칸은 비를 한 번 맞
고 샜던 것이라 서둘러 기와를 갈았던 것이다. 이번에 수리하려고 본즉 비가 샌 지 오래
된 것은 그 서까래, 추녀, 기둥, 들보가 모두 썩어서 못 쓰게 되었던 까닭으로 수리비가 엄
마룻대에서 도리 또는 보에 걸쳐 지른 통나무　　　　건물의 칸과 칸 사이의 두 기둥 위를 건너 지른 나무
청나게 들었고, 한 번밖에 비를 맞지 않았던 한 칸의 재목들은 완전하여 다시 쓸 수 있었던
까닭으로 그 비용이 많지 않았다.

중심 내용_ 퇴락한 행랑채의 수리

　　나는 이에 느낀 것이 있었다. 사람의 몸에 있어서도 마찬가지라는 사실을. 잘못을 알고
　　　　　　　　　　　　　　　　　　　경험을 통한 유추 ①: 삶의 이치에 적용
서도 바로 고치지 않으면 곧 그 자신이 나쁘게 되는 것이 마치 나무가 썩어서 못 쓰게 되는
것과 같으며, 「잘못을 알고 고치기를 꺼리지 않으면 해(害)를 받지 않고 다시 착한 사람이 될 수 있
으니, 저 집의 재목처럼 말끔하게 다시 쓸 수 있는 것이다.」
　　　　　　　　　　　　　　　　　　　　　　　　　　「」부분: 행랑채 수리를 통해 얻은 교훈을 잘못의 반성과 개선에 적용함.

중심 내용_ 잘못을 알게 되면 바로 고쳐야 하는 삶의 자세

　　뿐만 아니라 나라의 정치도 이와 같다. 백성을 좀먹는 무리들을 내버려 두었다가는 백성
　　　　　　　　경험을 통한 유추 ②: 나라를 다스리는 방법에 확대하여 적용　　　탐관오리
들이 도탄에 빠지고 나라가 위태롭게 된다. 그런 연후에 급히 바로잡으려 하면 이미 썩어
생활이 몹시 곤궁하거나 비참한 지경을 이르는 말
버린 재목처럼 때는 늦은 것이다. 어찌 삼가지 않겠는가.
　　　　　　　　　　　　　　　　　　　　자신과 타인을 향한 경계의 태도

중심 내용_ 위정자들에 대한 개혁의 필요성

☑ 학습 체크

01 이 글의 중심 내용으로 가장 적절한 것은?
① 모든 일에 기초를 튼튼히 해야 한다.
② 청렴한 인재 선발을 통해 정치를 개혁해야 한다.
③ 잘못을 알게 되면 바로 고쳐 나가는 자세가 중요하다.
④ 훌륭한 위정자가 되기 위해서는 매사 삼가는 태도를 지녀야 한다.

02 이 글의 주된 내용 생성 방법은?
① 분석을 통한 구체화
② 유추를 통한 일반화
③ 적용을 통한 특수화
④ 유형화를 통한 구체화
⑤ 자유 연상을 통한 다양화

---

01 ③ '잘못을 알고서도 바로 고치지 않으면 ~ 저 집의 재목처럼 말끔하게 다시 쓸 수 있는 것이다'라는 부분을 통해 중심 내용이 ③임을 알 수 있다.

02 ② 행랑채 수리라는 개인적인 경험을 통해 깨달은 바를 사람과 정치의 경우로 일반화하고 있으므로 이 글의 주된 내용 생성 방법은 ②이다.

이해와 감상

🔑 키워드
유추를 통한
깨달음의 확장

'행랑채의 수리'라는 경험을 예로 들고, 이로부터 삶과 정치 전반에 대한 진리를 이끌어 내는 유추의 방식을 사용하고 있다. 이를 통해 평범한 경험으로부터 독창적인 진리를 이끌어 내는 이규보의 개성적 시각을 엿볼 수 있다.

경험	깨달음	
대상 자체의 분석	**대상의 의미 분석**	**대상의 의미 확장**
행랑채 수리: '나'의 개인적 경험을 제시함.	→ 사람의 경우: 잘못을 알고 고치기를 꺼리지 않아야 함.	→ 정치의 경우: 백성을 좀먹는 무리가 있으면 빨리 바로잡아야 함.

경설(鏡說) | 이규보

간단 작품 설명 거울을 제재로 한 설(說)로, 맑은 거울 대신 흐린 거울을 보는 한 거사의 이야기를 통해 바람직한 삶의 자세와 처세에 대한 교훈을 전달하는 글이다.

출제 키워드
① 결점에 대한 거사의 생각
② '맑은 거울'과 '흐린 거울'의 의미

어떤 거사가 거울 하나를 갖고 있었는데, 먼지가 끼어서 마침 구름에 가려진 달빛처럼 희미하였다.
_{작가의 허구적 대리인. 작가 자신의 의견을 드러냄.}
그러나 조석(朝夕)으로 들여다보고 마치 얼굴을 단장하는 사람처럼 하였더니, 어떤 손[客]이 묻기를
"거울이란 얼굴을 비치는 것이요, 그렇지 않으면 군자(君子)가 그것을 대하여 그 맑은 것
_{실용적 목적} _{인격 수양의 목적}
을 취하는 것인데, 지금 그대의 거울은 마치 안개 낀 것처럼 희미하니, 이미 얼굴을 비칠
수가 없고 또 맑은 것을 취할 수도 없네. 그런데 그대는 오히려 얼굴을 비추어 보고 있으니
그것은 무슨 까닭인가?" 하였다.

중심 내용_ 거사가 흐린 거울을 보는 이유에 대한 나그네의 물음

거사는 말하기를,
"「거울이 맑으면 잘생긴 사람은 기뻐하지만 못생긴 사람은 꺼려 하네.」 그러나 잘생긴 사
_{「」 부분: 장점은 내세우고 단점은 감추려 하는 보편적인 인간의 심리를 드러냄.}
람은 수효가 적고, 못생긴 사람은 수효가 많네. 만일 못생긴 사람이 한번 들여다보게 된다
면 반드시 깨뜨리고야 말 것이네. 그러니 먼지가 끼어서 희미한 것만 못하네. 먼지가 흐
리게 한 것은 그 겉만을 흐리게 할지언정 그 맑은 것은 상하게 하지 못하니, 만일 잘생긴 사
람을 만난 뒤에 닦여져도 시기가 역시 늦지 않네. 아, 옛날 거울을 대한 사람은 그 맑은 것
을 취하기 위한 것이었지만 내가 거울을 대하는 것은 그 희미한 것을 취하기 위함인데, 그
_{인간의 결점에 대해 애정 어린 시선과 열린 마음을 가지고 있음.}
대는 무엇을 괴이하게 여기는가?"
하였더니, 손은 대답이 없었다.
_{거사에게 설득당한 '손'}

중심 내용_ 인간의 결점을 포용하기 위하여 흐린 거울을 본다는 거사의 대답

작품 해제

출전 《동국이상국집》
갈래 설(說), 한문 수필
성격 관조적, 교훈적, 철학적
제재 거울
주제 ① 사물의 심층을 이해하는
     통찰력
     ② 올바른 처세의 자세와 현
     실에 대한 풍자
표현 문답법의 대화 형식을 통한
     주제 제시

☑ **학습 체크**

01 이 작품에 나타난 '거사'의 생각으로 적절하지 않은 것은?
① 거울이 제 기능을 하기 위해서는 맑고 깨끗해야 한다.
② 못생긴 사람들은 깨끗한 거울을 좋아하지 않는다.
③ 거울의 본질은 외적 요인에 의해 변질되지 않는다.
④ 세상에는 잘생긴 사람보다 그렇지 않은 사람이 더 많다.

02 이 글에 대한 설명으로 옳지 않은 것은?
① 잘생긴 사람이 적고 못생긴 사람이 많다는 말에서 거사의 현실 인식을 알 수 있다.
② 용모에 대한 거사의 논의는 도덕성, 지혜, 안목 등을 비유한 것으로 볼 수 있다.
③ 잘생기고 예쁜 사람을 만난 후 거울을 닦겠다는 말에서 거사가 지닌 처세관을 엿볼 수 있다.
④ 이상주의적이고 결백한 자세로 현실에 맞서고자 하는 거사의 높은 의지가 드러나 있다.

---

01 ① '거사'는 흐린 거울을 보는 인물로, 세상에는 못생기고 추한 사람이 많으므로 거울을 흐려진 그대로 두는 것이 낫다고 말하고 있다. 이는 흐린 거울도 나름의 기능을 한다고 생각하는 것이므로, ①은 '거사'의 생각으로 적절하지 않다.

02 ④ 거사는 '맑은 거울'과 '흐린 거울'의 대조를 통해, 지나치게 결백한 자세보다 상대방의 허물을 수용하는 관대한 태도가 중요함을 강조하고 있다. 따라서 ④는 옳지 않은 설명이다.

이해와 감상

🔑 키워드
결점에 대한
거사의 생각

거사가 흐린 거울을 봄.	→	나그네의 질문 (통념) 왜 흐린 거울을 보고 있는가?	→	거사의 대답 (통념을 깨뜨림) 세상에는 결점이 있는 사람이 결점 없는 사람보다 더 많으므로, 결점을 덮어 주고 이해하며 인간 관계를 유지하는 것이 필요함.

🔑 키워드
'맑은 거울'과
'흐린 거울'의 의미

맑은 거울		흐린 거울
결점이 있는 사람을 거부하는 지나치게 결백한 태도	↔	인간의 결점을 이해하고 포용하는 관대한 태도

1 현대 시

진달래꽃 | 김소월

작품 해제

출전 《개벽》(1922)
성격 향토적, 민요적, 여성적
주제 승화된 이별의 정한(情恨)
구성 기승전결의 4단 구성
운율 3음보의 운율, 각운
표현 ① 7·5조 3음보의 민요적 율격 사용
　　 ② 토속적 사투리의 사용
특징 화자는 유교적 전통의 미덕인 인종(忍從)의 자세를 보임

간단 작품 설명 김소월 시에서 찾아볼 수 있는 전형적인 이별의 정한(情恨)이 여성적 어조와 민요적 율격으로 형상화된 작품이다.

나 보기가 역겨워
　　마음에 거슬려　7·5조 3음보
가실 때에는
가정적으로 이별의 상황 제시　　○: 각운을 통해 음악적 리듬감 형성
말없이 고이 보내 드리오리다.
→ 1연: 이별의 상황에 대한 체념 (기)

영변(寧邊)에 약산(藥山) → 향토성
평안북도에 있는 지명　영변의 서쪽에 있는 산. 진달래꽃이 곱기로 유명함.
진달래꽃,
정성과 사랑 (= 시적 화자의 분신)
아름 따다 가실 길에 뿌리오리다.
도솔기에 나타나는 산화공덕(散花功德, 꽃을 뿌려 공덕을 기림) 의식과 연결됨.
→ 2연: 꽃을 뿌리며 떠나는 임을 축복함. (승)

가시는 걸음 걸음

놓인 그 꽃을

사뿐히 즈려 밟고 가시옵소서.
자기희생. 이별의 한을 숭고한 사랑으로 승화
→ 3연: 원망을 초월한 희생적 사랑 (전)

나 보기가 역겨워 / 가실 때에는

죽어도 아니 눈물 흘리오리다.
→ 4연: 인고(忍苦)의 태도로 슬픔을 극복함. (결)

수미상관

☑ 학습 체크

01 이 시의 표현상의 특징으로 적절하지 않은 것은?
① 수미상관의 방식을 통해 주제를 강조했다.
② 종결 어미 '-우리다'의 반복을 통해 운율을 형성했다.
③ 반어법을 사용하여 임에 대한 화자의 심정을 드러냈다.
④ 화자는 이별을 거부하는 의사를 표현하며 적극적인 태도를 보인다.

④ 이 시의 화자는 이별의 상황을 수용하고 슬픔을 인내하고자 하는 소극적이고 순종적인 태도를 보이고 있다.

이해와 감상

🔑 **키워드**
반어법의 사용

시적 화자의 정서와 표현을 상반되게 함으로써 정서를 강조하는 표현법인 '반어(反語)'를 사용하고 있다. 이 시에서 시적 화자는 이별의 고통과 슬픔에도 불구하고 임을 만류하거나 원망하지 않고 말없이 보내겠다는 체념적 태도를 보이고 있다. 이는 이별의 정한(情恨)과 임이 돌아오기를 바라는 화자의 속마음을 강조함과 동시에, 자기희생을 통해 임을 축복하는 화자의 숭고한 사랑을 나타낸다.

정서	상반	표현
이별로 인한 강한 슬픔	←→	죽어도 아니 눈물 흘리오리다

🔑 **키워드**
'진달래꽃'의
상징적 의미

'진달래꽃'은 시적 화자의 분신으로 임에 대한 헌신적인 사랑의 표상이며, 임에게 헌신하려는 순정과 정성을 상징한다.

님의 침묵 | 한용운

출제 키워드
① '님'의 다양한 의미
② 표현상의 특징

간단 작품 설명 '만남은 이별을, 이별은 만남을 전제한다'라는 역설적 진리를 바탕으로 하여, 임과의 이별에서 오는 슬픔의 극복과 새로운 만남에 대한 희망을 세련된 비유와 유장한 리듬감을 통해 드러낸 작품이다.

영탄법
님은 갔습니다. 아아, 사랑하는 나의 님은 갔습니다.
조국, 부처님, 불교의 진리, 절대자, 생명적 근원 등
푸른 산빛을 깨치고 단풍나무 숲을 향하여 난 작은 길을 걸어서, 차마 떨치고 갔습니다.
미래에 대한 희망 ← 대조 → 조락(凋落), 절망 '맹세'의 원말
황금의 꽃같이 굳고 빛나던 옛 맹서는 차디찬 티끌이 되어서, 한숨의 미풍에 날아갔습니다.
금석맹약(金石盟約)   └ 대조 ┘   약하게 부는 바람
날카로운 첫 키스의 추억은 나의 운명의 지침을 돌려 놓고, 뒷걸음쳐서 사라졌습니다.
임과 만난 순간의 황홀함을 감각적으로 표현   운명처럼 정해진 '나'의 길   **➡ 1~4행: 이별의 상황 (기)**

나는 향기로운 님의 말소리에 귀먹고, 꽃다운 님의 얼굴에 눈멀었습니다.
역설적 표현

사랑도 사람의 일이라, 만날 때에 미리 떠날 것을 염려하고 경계하지 아니한 것은 아니지
세속적 세계에서 벌어지는 일
만, 이별은 뜻밖의 일이 되고 놀란 가슴은 새로운 슬픔에 터집니다.
➡ 5~6행: 이별의 고통과 슬픔 (승)

그러나 이별을 쓸데없는 눈물의 원천을 만들고 마는 것은 스스로 사랑을 깨치는 것인 줄
전환   원천으로   '정수리'의 강원도 사투리
아는 까닭에, 걷잡을 수 없는 슬픔의 힘을 옮겨서 새 희망의 정수박이에 들이부었습니다.
슬픔을 새로운 희망으로 전환시켜 새 출발의 힘이 되도록 함.
우리는 만날 때에 떠날 것을 염려하는 것과 같이, 떠날 때에 다시 만날 것을 믿습니다.
회자정리(會者定離)   거자필반(去者必返)
➡ 7~8행: 이별의 고통과 슬픔을 극복한 새로운 희망 (전)

아아, 님은 갔지마는 나는 님을 보내지 아니하였습니다.
역설적 표현
제 곡조를 못 이기는 사랑의 노래는 님의 침묵을 휩싸고 돕니다.
임에 대한 사랑이 너무 절실하여 임을 그리는 사랑의 노래를 스스로 주체할 길이 없음.
➡ 9~10행: 임에 대한 영원한 사랑의 다짐 (결)

이해와 감상

🔑 **키워드**
'님'의 다양한 의미

《님의 침묵》 속 '군말'에서 한용운은 '님만 님이 아니라 기룬(그리워하거나 아쉬워하는) 것은 다 님이다'라고 언급하였다. 이를 1920년대의 일제 강점하 현실과 관련 지어 보면, '님'은 연인이라는 개인적 의미를 넘어서 빼앗긴 조국·민족 등의 규범적 의미로 해석될 수 있으며, 나아가 정의·진리 등의 이념적 의미로도 해석된다.

🔑 **키워드**
표현상의 특징

표현법	설명
역설적 표현	· 5행 '나는 향기로운 님의 ~ 눈멀었습니다' · 9행 '아아, 님은 갔지마는 나는 님을 보내지 아니하였습니다'
경어체의 사용	'-ㅂ니다'의 존칭 어미
대구법의 사용	'나는 ~한 님의 ~에 ~하고'의 문장 구조가 반복됨.
대조적 이미지의 사용	· 푸른 산빛(희망) ↔ 단풍나무 숲(절망) · 옛 맹서(굳고 빛남) ↔ 차디찬 티끌(소용이 없어짐)
점층적 반복	님은 갔습니다. 아아, 사랑하는 나의 님은 갔습니다. / 푸른 산빛을 깨치고 단풍나무 숲을 향하여 난 작은 길을 걸어서, 차마 떨치고 갔습니다.
기승전결의 구조	이별 → 슬픔 → [7행의 '그러나' 정서의 반전] → 희망 → 만남의 확신

작품 해제

출전 《님의 침묵》(1926)
성격 상징적, 의지적, 여성적
주제 임을 향한 영원한 사랑
배경 사상 불교적 윤회 사상과 공(空) 사상

🔍 **한용운(1879~1944)**

법호는 만해이며, 법명은 용운이다. 시인, 승려, 독립운동가로서 활동하였으며 3·1 운동 때 민족 대표 33인 가운데 한 사람이었다. 불교 사상을 바탕으로 철학적 사색이 형상화된 종교적 연가 풍의 시를 주로 발표하였으며, 대표적 시집으로 《님의 침묵》(1926)이 있다.

☑ **학습 체크**

01 다음 중 이 시를 <보기>와 같은 관점으로 감상한 것은?

> **보기**
> 이 시는 '-ㅂ니다'라는 유사한 종결 어미와 '나는 ~한 님의 ~에 ~하고'의 문장 구조를 반복적으로 사용해서 운율을 형성하고 있다.

① 당시 사람들도 이 시를 통해 화자의 애국심을 느꼈을 거야.
② 이 시는 일제 강점기에 쓰인 시로, 조국 광복에 대한 신념을 노래했어.
③ 이 시의 작가는 승려였기 때문에 이 작품의 '님'은 '부처'라고 볼 수 있어.
④ 역설적 표현을 통해 이별에 처한 화자가 슬픔을 느끼지만 이를 넘어서고자 하는 화자의 극복 의지를 느낄 수 있어.

----

④ <보기>는 내재적 관점으로 작품을 감상한 것이다. 이와 같은 관점으로 작품을 감상한 것은 ④이다.
▶ 오답 체크
① 효용론적 관점
② 반영론적 관점
③ 표현론적 관점

유리창 1 | 정지용

출전 《조선지광》 89호(1930)
성격 애상적, 감각적, 회화적
주제 죽은 자식에 대한 그리움
구성 기승전결의 4단 구성
표현 ① 선명한 이미지와 감각적 언어의 사용
② 역설적 표현의 사용

간단 작품 설명 자식을 잃은 아버지의 슬픔과 죽은 아이에 대한 그리움을 유리창을 매개로 하여 감각적 이미지와 절제된 어조로 형상화한 작품이다.

이승과 저승의 경계
유리(琉璃)에 차고 슬픈 것이 어른거린다.
자식을 잃은 슬픔으로 기운 없이
열없이 붙어서서 입김을 흐리우니
길들은 새처럼
길들은 양 언 날개를 파다거린다.   ➥ 1~3행: 유리창에 어린 죽은 아이의 영상 (기)
떠나보낸 아이에 대한 시적 화자의 그리움
지우고 보고 지우고 보아도
 죽음의 세계
새까만 밤이 밀려 나가고 밀려와 부딪히고,
        조수(潮水), 사람의 힘으로 어찌할 수 없는 죽음의 세계
물 먹은 별이, 반짝, 보석처럼 백힌다.   ➥ 4~6행: 창밖으로 보이는 밤의 영상 (승)
       아버지의 눈물 어린 눈에 별빛이 비침.
밤에 홀로 유리를 닦는 것은

외로운 황홀한 심사이어니,   ➥ 7~8행: 밤에 유리를 닦는 이유 (전)
외로움＋창밖의 영상을 통해서라도 아이를 만나고 싶은 심정 (역설법)
고흔 폐혈관(肺血管)이 찢어진 채로
       죽음의 원인, 비애감 조성
아아, 늬는 산(山)ㅅ새처럼 날아갔구나!   ➥ 9~10행: 아이의 안타까운 죽음 (결)
       죽은 아이의 이미지

이해와 감상

🔑 키워드
감정 표현의 절제

이 시는 어린 자식을 잃은 아버지의 슬픔과 그리움을 노래하고 있지만 감정의 직접적인 과잉 노출은 지양하고 있다. 대신 감정의 대위법과 선명하고 감각적인 이미지를 사용하여, 절제된 어조로 시적 화자의 안타까운 심정을 드러내고 있다.

감정의 대위법	감정의 객관화 및 절제를 위해 대립되거나 상호 모순되는 감각을 결합하는 방식이다. 예 차고 슬픈 것, 외로운 황홀한 심사
선명하고 감각적인 이미지	감정을 직접 드러내지 않고 슬픔의 정서를 객관적 사물과 연계함으로써, 감각적 이미지를 통해 독자가 시적 화자의 심정을 짐작할 수 있도록 한다. 예 '물 먹은 별'의 이미지: 눈물이 고인 눈으로 바라본 별 → 죽은 아이의 모습

01 밑줄 친 시어 가운데 내적 연관성이 가장 적은 것은?
① 차고 슬픈 것 ② 새까만 밤
③ 물먹은 별   ④ 늬

② 다른 시어는 모두 죽은 아이와 관련된 것이지만 ② '새까만 밤'은 시간적 배경을 알려 주는 소재에 해당하는 것이므로 내적 연관성이 가장 적은 것은 ②이다.

🔑 키워드
'유리창'의 의미

이 작품은 '어린 자식의 죽음'을 제재로 한 시로, 화자는 다양한 시어로 죽은 아이를 표현하고 있다. 특히 시어 중 '유리창'은 화자가 '별(죽은 아이)'을 바라볼 수 있게 하는 동시에 화자와 별 사이를 차단하고 있으므로 이중적 의미를 가진다.

나	삶, 이승 창 안 →	유리창 (단절, 소통)	죽음, 저승 창밖 →	너 (차고 슬픈 것, 언 날개, 물 먹은 별, 산새)

여승 | 백석

간단 작품 설명 일제 강점기를 배경으로 남편과 딸을 잃고 여승이 된 여인의 삶을 통해 1930년대 당시 우리 민족의 비극적 현실을 드러낸 작품이다. '나'가 여인의 삶을 관찰하여 서술하는 1인칭 관찰자 시점을 취하고 있는 것이 특징적이다.

여승(女僧)은 합장(合掌)하고 절을 했다.
산나물의 한 종류
가지취의 내음새가 났다.
　　　속세에서 벗어난 모습
쓸쓸한 낮이 옛날같이 늙었다.
　　　거친 세월의 풍파가 느껴짐.
나는 불경(佛經)처럼 서러워졌다.　　　　　　　　　→ 1연: 여승과 '나'의 대면
　　여승이 된 기구한 운명에 연민을 느끼기 때문에

평안도의 어느 산 깊은 금덤판
　　　　여승이 출가하기 전 　금을 캐는 광산. 금광
나는 파리한 여인에게서 옥수수를 샀다. → 내가 여인을 처음 만났을 때
몸이 마르고 낯빛이나 살색이 핏기가 전혀 없는
여인은 나 어린 딸아이를 때리며 가을밤같이 차게 울었다.　　→ 2연: 여인과의 첫 만남
　　　　나이가　　　　고달프고 어려운 삶, 청각의 촉각화, 한(恨)의 이미지

「섶벌같이 나아간 지아비 기다려 십 년이 갔다.
섶벌은 토종벌 중에서도 주로 일벌을 가리키는 말로, '섶벌같이'라는 표현은 '일터를 찾아'라는 뜻으로 해석할 수 있음.
지아비는 돌아오지 않고
　　　　　　　「」 부분: 설상가상(雪上加霜)의 상황
어린 딸은 도라지꽃이 좋아 돌무덤으로 갔다.」　　→ 3연: 여인의 비극적인 삶
　　　　죽음의 이미지

산꿩도 섧게 울은 슬픈 날이 있었다.
　　　'머리카락'의 북한어
산절의 마당귀에 여인의 머리오리가 눈물방울과 같이 떨어진 날이 있었다.
　　마당의 한쪽 귀퉁이　　　　시각적 이미지 – 여인의 삭발 모습
　　　　　　　　　　　　　　→ 4연: 한을 이기지 못하고 여승이 되는 여인

작품 해제

출전 《사슴》(1936)
성격 애상적, 감각적, 서사적
주제 한 여인(여승)의 비극적 삶, 가족 공동체 상실의 비애
표현 ① 감각적 어휘의 구사
② 시상의 압축과 절제
③ 객관적 서술(소설의 1인칭 관찰자 시점)

백석(1912~1995)

1930년 단편 소설 '그 모(母)와 아들'이 신춘문예에 당선되면서 등단하였다. 평안도 방언을 비롯한 여러 지방의 방언을 즐겨 쓰면서도 모더니즘을 발전적으로 수용한 시들을 창작하였다. 대표작으로는 '여승', '여우난 곬족', '남신의주 유동 박시봉방' 등이 있다.

이해와 감상

🔑 키워드
'산꿩'의 역할

4연의 '산꿩도 섧게 울은 슬픈 날'은 여인이 머리를 자르고 여승이 된 날이다. 여기서 '산꿩'은 섧게(서럽게) 우는 존재로, 속세에서의 비극적 삶을 못 이겨 여승이 된 여인의 한(恨)이 이입된 대상이다.

🔑 키워드
작품에 드러난 시대상

이 작품이 발표된 1930년대는 일제 강점기로, 일본의 착취가 심했던 시기이다. 당시에는 가난한 생활로 인해 가족이 해체되는 경우가 많았는데, '여승'에 나타난 여인의 삶도 이와 관련된다. 즉 여인의 삶은 식민지 현실에 희생당한 우리 민족의 모습을 대변해 주는 것이라고 볼 수 있다.

🔑 키워드
사건의 전개 순서

이 시는 시간의 순서가 뒤바뀐 역순행적 구성으로 시상이 전개되고 있다. 1연은 여승의 현재 모습, 2~4연은 여승의 과거 삶의 행적이 드러나는 부분이다. 이러한 구성을 통해 독자들은 한 편의 소설을 읽는 듯한 인상과 함께, 긴장감을 느끼며 시를 감상할 수 있게 된다. 사건이 일어난 순서대로 각 연을 배열하면 다음과 같다.

2연	3연	4연	1연
여인이 딸아이를 데리고 옥수수를 팔러 다님. →	떠난 남편은 돌아오지 않고 딸은 죽음. →	여인이 여승이 됨. →	여승이 된 여인과 '나'가 만남.

☑ 학습 체크

01 이 시에 대한 이해로 적절하지 않은 것은?
① 토속적인 시어를 사용하여 현장감을 높이고 있다.
② 어린 딸아이의 죽음을 우회적으로 표현하고 있다.
③ 사건이 일어난 시간 순서에 따라 시상이 전개되고 있다.
④ 공감각적 이미지를 활용해 슬픔의 정서를 강조하고 있다.

③ 화자는 '여승'의 인생을 역순행적(2연 → 3연 → 4연 → 1연) 구성으로 전달하고 있다.
▶ 오답 체크
① 산나물 '가지취'와 재래종 일벌인 '섶벌'과 같은 토속적인 시어를 이용해 현장감을 높이고 있다.
② 어린 딸의 죽음을 '도라지꽃이 좋아 돌무덤으로 갔다'라고 우회적으로 표현함으로써 비극을 심화시키고 있다.
④ '가을밤같이 차게 울었다'에서 청각의 촉각화가 드러나며 이와 같은 공감각적 이미지를 활용해 여인의 슬프고 고단한 삶을 강조하고 있다.

김영랑(1903~1950)

순수 서정의 세계를 잘 다듬어진 섬세한 언어 감각으로 노래한 김영랑은 정지용의 감각적인 기교와 더불어 1930년대 우리 시단에 순수 서정시의 지평을 새롭게 개척하였다. 대표작으로는 '내 마음 아실 이', '모란이 피기까지는' 등이 있다.

☑ 학습 체크

01 이 시에 대한 설명으로 적절하지 않은 것은?
① 시각적으로 분연되지 않은 단연시이지만 서술 구조상 2행이 한 연으로 묶여 전체적으로 2행 6연의 형태를 취하고 있다.
② 짧고 긴 호흡의 반복적 교체로 음악성을 구현한다.
③ 가시적 현상을 먼저 제시하고 뒤에서 이에 대한 시적 자아의 정서상 변화를 보여준다.
④ 3, 4, 5, 6행은 하나의 의미 단락으로 묶인다.
⑤ 크게 모란이 피는 상황과 모란이 진 상황을 보여준다.

02 이 시의 표현상의 특징으로 적절하지 않은 것은?
① 시어의 세련된 표현이 두드러지게 나타난다.
② 모순 형용을 통해 기다림의 의지를 표현하였다.
③ 수미 상관식 구성을 통해 시의 주제를 강조하였다.
④ 어조의 변화를 통해 감정의 변화를 드러내고 있다.

---

01 ④ 3~4행은 모란이 질 때의 슬픔을 표현하고 있으므로, 하나의 의미 단락으로 묶인다. 그러나 5, 6행은 뒤에 이어지는 7~10행과 묶여 모란이 지고 난 후의 슬픔과 절망을 표현하고 있으므로 3~4행과 하나의 의미 단락으로 묶일 수 없다.
▶ 오답 체크
① ③ 이 시는 단연시이지만, 가시적 현상과 이에 대한 화자의 정서를 한 행씩 교차하여 보여주고 있다. 따라서 2행을 한 연으로 묶어 총 6연의 형태를 취하고 있다고 볼 수 있다.
⑤ 1~2행과 11~12행은 모란이 피기 전 기다림의 상황을, 3~10행은 모란이 질 때와 모란이 지고 난 후의 상황을 보여준다.
02 ④ 이 시에서 어조의 변화는 나타나지 않는다.

모란이 피기까지는 | 김영랑

간단 작품 설명 1930년대 시문학파의 대표작으로, '모란'이 상징하는 소망의 성취를 기다리는 과정을 낭만적으로 형상화한 작품이다. 부드러운 여성적 어조와 섬세한 시어가 돋보인다.

모란이 피기까지는,
소망, 희망
나는 아직 나의 봄을 기다리고 있을 테요.
    소망이 이루어지는 계절   → 1~2행: 모란이 피기를 기다림.
모란이 뚝뚝 떨어져 버린 날,

나는 비로소 봄을 여읜 설움에 잠길 테요.   → 3~4행: 모란이 질 때의 슬픔
        모란이 떨어진 슬픔
오월 어느 날, 그 하루 무덥던 날,

떨어져 누운 꽃잎마저 시들어 버리고는

천지에 모란은 자취도 없어지고,

뻗쳐 오르던 내 보람 서운케 무너졌으니,

모란이 지고 말면 그뿐, 내 한 해는 다 가고 말아,
             모란이 인생의 의미 그 자체임(과장법)
삼백 예순 날 하냥 섭섭해 우옵내다.   → 5~10행: 모란이 지고 난 후의 슬픔과 절망
   서러움의 깊이 '늘'의 방언 '우옵나이다'의 준말. 또는 '우옵니다'의 전라도 방언
모란이 피기까지는,

나는 아직 기다리고 있을 테요, 찬란한 슬픔의 봄을.   → 11~12행: 모란이 피기를 기다림.
          관념의 시각화, 역설법

이해와 감상

🔑 키워드
계절에 따른 기쁨과 슬픔의 순환 구조

이 시는 '봄을 기다림 → 봄의 상실 → 봄을 기다림'의 순환 구조를 보인다. 즉 모란이 피기를 기다렸다가 봄에 모란이 피면 소망이 이루어진 기쁨을 누리고 모란이 지면 다시 모란이 피기를 기다리는 것을 반복하는 것이다. 봄이 지나면 모란이 질 것을 알기에, 화자에게 봄은 기쁘면서도 슬픈 '찬란한 슬픔의 봄'이다. 그러나 화자는 또 다시 계절이 순환되어 봄이 오고, 모란이 필 것을 알기에 기다림에 대한 숙명을 받아들이게 된다.

🔑 키워드
표현상의 특징

표현법	설명
수미 상관식 구성	시의 시작과 끝을 '나는 아직 (나의 봄을) 기다리고 있을 테요'로 유사하게 시작함.
문장 성분의 도치	마지막 행 '나는 아직 기다리고 있을 테요, 찬란한 슬픔의 봄을'
역설적 표현 (모순 형용)	마지막 행 '찬란한 슬픔의 봄을': 꾸미는 말인 '찬란한'과 꾸밈을 받는 말인 '슬픔의 봄' 사이에 논리적 모순이 있으므로 모순 형용이자 역설적 표현에 해당한다. 이는 모란을 보는 기쁨과 모란이 졌을 때의 슬픔을 모두 형상화한 것이다.

쉽게 씌어진 시 | 윤동주

간단 작품 설명 고백적 어조와 '부끄러움'의 이미지를 통해 식민지 상황 속 지식인의 고뇌와 자기반성, 현실 극복 의지를 드러낸 작품이다.

출제 키워드
① 시적 화자의 정서 변화
② 분열된 자아의 화해

창(窓)밖에 밤비가 속살거려 / 육첩방(六疊房)은 남의 나라.
<small>외로움을 불러일으키는 소재   다다미가 여섯 장 깔린 일본식 방</small>
→ 1연: 자유를 잃은 현실

시인(詩人)이란 슬픈 천명(天命)인 줄 알면서도
<small>타고난 운명</small>

한 줄 시(詩)를 적어 볼까.
→ 2연: 일제 강점기하 지식인의 슬픈 천명

땀내와 사랑내 포근히 품긴 / 보내 주신 학비 봉투(學費封套)를 받아

「대학(大學) 노트를 끼고
<small>「 」 부분: 현실의 고민과 거리가 먼 지식인의 모습 → 현실에 안주하는 태도</small>

늙은 교수(敎授)의 강의(講義)를 들으러 간다.」
→ 3~4연: 현재 삶에 대한 시적 화자의 회의

생각해 보면 어린 때 동무를 / 하나, 둘, 죄다 잃어버리고

나는 무얼 바라 / 나는 다만, 홀로 침전(沈澱)하는 것일까?
<small>기분 따위가 가라앉음.</small>
→ 5~6연: 현재 삶에서의 상실감

인생(人生)은 살기 어렵다는데

시(詩)가 이렇게 쉽게 씌어지는 것은 / 부끄러운 일이다.
→ 7연: 자신의 삶에 대한 부끄러움

육첩방(六疊房)은 남의 나라 / 창(窓)밖에 밤비가 속살거리는데,
→ 8연: 내면의 각성과 현실의 재인식

등불을 밝혀 어둠을 조금 내몰고,
<small>희망, 광복 부정적 현실, 일제 강점기   성숙한 내면의 자아</small>

시대(時代)처럼 올 아침을 기다리는 최후(最後)의 나.
<small>소국의 광복</small>
→ 9연: 반성을 통해 성숙해진 시적 화자의 희망적 의지

<small>내면적 자아</small>
나는 나에게 작은 손을 내밀어
<small>현실적 자아</small>

눈물과 위안(慰安)으로 잡는 최초(最初)의 악수(握手).
<small>두 자아가 화해함</small>
→ 10연: 두 자아의 화합과 현실 극복 의지

이해와 감상

🔑 키워드
시적 화자의
정서 변화

1~6연	7연	8~10연
암담한 시대 상황에서 오는 무력감과 좌절	→ 삶에 대한 반성적 성찰	→ 현실 극복 의지

🔑 키워드
분열된 자아의
화해

현실적 자아		내면적 자아
어둠의 이미지 (육첩방, 밤비, 어둠)	대립	밝음의 이미지 (시, 등불, 아침)

자기 성찰 → 화해

작품 해제

출전 《하늘과 바람과 별과 시》 (1948)
성격 고백적, 성찰적, 저항적, 반성적, 미래 지향적
주제 암담한 현실을 극복하고자하는 결의(이국에서의 고독과 시인으로서의 천명 확인)

➕ 윤동주(1917~1945)

1943년에 독립운동 혐의로 일본 경찰에 검거되어 규슈 후쿠오카 형무소에서 옥사하였다. 그의 시를 살펴보면 암울한 시대 상황 속에서 인간의 삶에 대해 사색하고, 일제에 고통받는 조국의 현실을 가슴 아프게 생각하였던 그의 사상을 확인할 수 있다. 광복 후에 유고 시집인 《하늘과 바람과 별과 시》가 발간되었다.

☑ 학습 체크

01 <보기>와 같은 관점에서 이 시를 감상한 것은?

보기
　문학 작품이 독자와 맺는 관계를 중심으로 해석하는 관점을 효용론적 관점, 또는 수용론적 관점이라고 한다. 이에 따르면 시(詩)는 독자에게 교훈을 줄 수도 있고 즐거움을 줄 수도 있다.

① 이 시의 창작 시기로 미루어 생각해보면 '어둠'은 일제강점기라는 부정적 현실이라고 해석할 수 있어.

② 내면적 자아와 현실적 자아가 갈등하고 화해하기까지의 과정을 순차적으로 보여주면서 시상을 전개하고 있어.

③ '육첩방'은 당시 일본 유학중이던 시인이 생활하던 공간으로서 시인의 현실적 상황을 상징적으로 보여주는 역할을 해.

④ 자기 삶에 대해 반성하는 화자의 모습을 통해 안일하게 살아가는 나의 삶의 태도를 되돌아보는 계기가 되었어.

---

④ 이 시를 통해 독자 자신의 삶의 태도를 돌아보고 있으므로, ④는 <보기>와 같은 관점인 '효용론적 관점' 또는 '수용론적 관점'에 해당한다.

▶ 오답 체크
① 반영론적 관점
② 절대론적 관점 (구조론적 관점)
③ 표현론적 관점

2 현대 소설

운수 좋은 날 | 현진건

작품 해제

출전 《개벽》(1924)
갈래 단편 소설, 사실주의 소설
성격 반어적, 비극적, 사실적
주제 일제 강점하 하층민의 비참한 생활상
시점 전지적 작가 시점
배경 ① 시간: 일제 강점기 어느 비 오는 겨울날
　　② 공간: 서울

간단 작품 설명 1920년대 일제 강점기 하에서 궁핍한 삶을 살아가는 인력거꾼의 하루 일과를 그림으로써, 가난한 하층민의 현실을 사실적으로 고발한 작품이다.

> **출제 키워드**
> ① '운수 좋은 날'의 반어적 의미
> ② 배경의 효과

　　새침하게 흐린 품이 눈이 올 듯하더니, 눈은 아니 오고 얼다가 만 비가 추적추적 내리는 날이었다. 이날이야말로 동소문 안에서 인력거꾼 노릇을 하는 김 첨지에게는 오래간만에도 닥친 운수 좋은 날이었다. 문안에(거기도 문밖은 아니지만) 들어간답시는 앞집 마나님을 전찻길까지 모셔다 드린 것을 비롯으로 행여나 손님이 있을까 하고 정류장에서 어정어정하며 내리는 사람 하나하나에게 거의 비는 듯한 눈결을 보내고 있다가, 마침내 교원인 듯한 양복쟁이를 동광 학교까지 태워다 주기로 되었다.

<small>해화문</small>

<small>간절하게 손님을 기다리는 김 첨지의 모습</small>

　　첫 번에 삼십 전, 둘째 번에 오십 전─아침 댓바람에 그리 흉치 않은 일이었다. 그야말로 재수가 옴 붙어서, 근 열흘 동안 돈 구경도 못한 김 첨지는 십 전짜리 백동화 서 푼, 또는 다섯 푼이 찰깍 하고 손바닥에 떨어질 제 거의 눈물을 흘릴 만큼 기뻤다. 더구나 이날 이때에 이 팔십 전이라는 돈이 그에게 얼마나 유용한지 몰랐다. 컬컬한 목에 모주 한 잔이라도 적실 수 있거니와, 그보다도 앓는 아내에게 설렁탕 한 그릇도 사다 줄 수 있음이다.

<small>술을 거르고 남은 찌끼에 물을 타서 걸러 낸 탁주</small>

<small>김 첨지의 궁핍한 생활상과 아내에 대한 애정이 드러남.</small>

중심 내용_ 운수 좋은 날을 맞은 김 첨지

　　그의 아내가 기침으로 쿨룩거리기는 벌써 달포가 넘었다. ⊙조밥도 굶기를 먹다시피 하는 형편이니 물론 약 한 첩 써 본 일이 없다. 구태여 쓰려면 못 쓸 바도 아니로되, 그는 병이란 놈에게 약을 주어 보내면 재미를 붙여서 자꾸 온다는 자기 신조(信條)에 어디까지 충실하였다. 따라서 의사에게 보인 적이 없으니 무슨 병인지는 알 수 없으되, 반듯이 누워 가지고, 일어나기는새로 모로도 못 눕는 걸 보면 중증은 중증인 듯. 병이 이대도록 심해지기는 열흘 전에 조밥을 먹고 체한 때문이다. 그때도 김 첨지가 오래간만에 돈을 얻어서 좁쌀 한 되와 십 전짜리 나무 한 단을 사다 주었더니 김 첨지의 말에 의지하면, 「오라질 년이 천방지축으로 냄비에 대고 끓였다. 마음은 급하고 불길은 닿지 않아 채 익지도 않은 것을, 그 오라질 년이 숟가락은 고만두고 손으로 움켜서 두 뺨에 주먹덩이 같은 혹이 불거지도록 누가 빼앗을 듯이 처박질하더니만,」 그날 저녁부터 가슴이 땡긴다, 배가 켕긴다고 눈을 홉뜨고 지랄병을 하였다. 그때 김 첨지는 열화와 같이 성을 내며,

<small>한 달이 조금 넘는 기간</small>

<small>가난으로 인한 자기 합리화</small>

<small>커녕　　옆으로도</small>

<small>「 」부분: 오랫동안 굶주려 허겁지겁 밥을 먹음.</small>

<small>눈알을 위로 굴려 눈시울을 위로 치뜨고</small>

　　"에이, 오라질 년, 조랑복은 할 수가 없어, 못 먹어 병, 먹어서 병, 어쩌란 말이야! 왜 눈을 바루 뜨지 못해!"

<small>조롱복. 아주 짧게 타고난 복력(福力)</small>

하고 김 첨지는 앓는 이의 뺨을 한 번 후려갈겼다. 홉뜬 눈은 조금 바루어졌건만 이슬이 맺히었다. 김 첨지의 눈시울도 뜨끈뜨끈하였다. …(중략)…

<small>병든 아내의 눈물을 보고 안쓰러움을 느낌.</small>

중심 내용_ 앓고 있는 아내를 생각하는 김 첨지

　　"남대문 정거장까지 말씀입니까?"

☑ **학습 체크**

01 ⊙에 어울리는 한자 성어(漢字成語)는?
① 삼순구식(三旬九食)
② 무위도식(無爲徒食)
③ 비몽사몽(非夢似夢)
④ 역지사지(易地思之)
⑤ 감탄고토(甘呑苦吐)

─────────────

① '삼순구식(三旬九食)'은 '삼십 일 동안 아홉 끼니밖에 먹지 못한다'라는 뜻으로, 매우 가난함을 이르는 말이므로 ⊙에 어울린다.
▶ 오답 체크
② 무위도식(無爲徒食): 하는 일 없이 놀고먹음.
③ 비몽사몽(非夢似夢): 완전히 잠이 들지도 잠에서 깨어나지도 않은 어렴풋한 상태
④ 역지사지(易地思之): 처지를 서로 바꾸어 생각해 봄.
⑤ 감탄고토(甘呑苦吐): '달면 삼키고 쓰면 뱉는다'라는 뜻으로, 사리의 옳고 그름을 자신의 비위에 따라 판단함을 이르는 말

하고 김 첨지는 잠깐 주저하였다. 그는 이 우중(雨中)에 우장도 없이 그 먼 곳을 철벅거
리고 가기가 싫었음일까? 처음 것, 둘째 것으로 고만 만족하였음일까? 아니다, 결코 아니
다. 이상하게도 꼬리를 맞물고 덤비는 이 행운 앞에 조금 겁이 났음이다. 그리고 집을 나올 제 아내
의 부탁이 마음에 켕기었다. / 앞집 마나님한테서 부르러 왔을 제, 병인은 그 뼈만 남은 얼굴에 유
월의 샘물 같은 유달리 크고 움푹한 눈에 애걸하는 빛을 띄우며,

   "오늘은 나가지 말아요. 제발 덕분에 집에 붙어 있어요. 내가 이렇게 아픈데⋯⋯."
<small>자신의 죽음을 암시</small>
하고 모기 소리같이 중얼거리고 숨을 걸그렁걸그렁하였다. ⋯(중략)⋯

중심 내용_ 계속되는 행운에 불안감을 느끼는 김 첨지

「방 안에 들어서며 ⓒ설렁탕을 한구석에 놓을 사이도 없이, 주정꾼은 목청을 있는 대로
다 내어 호통을 쳤다. / "이런 오라질 년, 주야장천(晝夜長川) 누워만 있으면 제일이야! 남편
이 와도 일어나지를 못해."」라는 소리와 함께 발길로 누운 이의 다리를 몹시 찼다. ⋯(중략)⋯
<small>「 」부분: 불안감을 쫓기 위해 허세를 부리는 모습</small>
   발로 차도 그 보람이 없는 걸 보자, 남편은 아내의 머리맡으로 달려들어, 그야말로 까치
집 같은 환자의 머리를 꺼들어 흔들며, <small>→ 불안감을 쫓기 위해 과도하게 폭력적인 행동을 보임.</small>

   "이년아, 말을 해, 말을! 입이 붙었어, 이 오라질 년!" / "⋯⋯." / "으응? 이것 봐, 아무 말
   이 없네." / "⋯⋯." / "이년아, 죽었단 말이냐, 왜 말이 없어?" / "⋯⋯." / "으응, 또
   대답이 없네, 정말 죽었나 보이."

이러다가, 누운 이의 흰 창이 검은 창을 덮은, 위로 치뜬 눈을 알아보자마자,

   "이 눈깔! 이 눈깔! 왜 나를 바루 보지 못하고 천정만 바라보느냐, 응?"

하는 말끝엔 목이 메었다. 그러자 산 사람의 눈에서 떨어진 닭의 똥 같은 눈물이 죽은 이의 뻣뻣
한 얼굴을 어룽어룽 적시었다. 문득 김 첨지는 미친 듯이 제 얼굴을 죽은 이의 얼굴에 한데 비벼대
며 중얼거렸다.

   "설렁탕을 사다 놓았는데 왜 먹지를 못하니, 왜 먹지를 못하니⋯⋯. 괴상하게도 오늘은
<small>상황의 비극성을 심화시키는 소재</small>
   운수가 좋더니만⋯⋯."

중심 내용_ 아내의 죽음에 비통해하는 김 첨지

☑ 학습 체크

01 ⓒ에 대한 설명으로 가장 적절한
것은?

① 결말의 비극성을 심화시킨다.
② 두 인물의 갈등을 해소시키는 소
재이다.
③ 아내의 죽음을 암시하는 복선의
역할을 한다.
④ 김 첨지 아내의 삶에 대한 욕망을
보여준다.

02 이 작품에 대한 설명으로 적절하
지 않은 것은?

① 사건의 결말을 암시하는 복선이
나타나 있다.
② 비극적 상황을 심화시키는 소재가
사용되고 있다.
③ 객관적인 서술 태도로 인물의 행
동만을 그리고 있다.
④ 행운과 불안감이 교차되면서 긴장
감이 조성되고 있다.

---

01 ① 김 첨지가 아내를 위해 설렁탕을 사
왔지만, 이미 아내는 죽어서 설렁탕
을 먹을 수 없다. 따라서 설렁탕은 아
내가 죽은 비극적인 상황을 심화시
키는 소재라고 할 수 있다.

02 ③ '~ 이 행운 앞에 조금 겁이 났음이다.
그리고 ~ 마음에 켕기었다'에서 인
물의 내면 심리가 직접적으로 드러
나고 있다.
  ▶ 오답 체크
 ① 김 첨지가 일 나가는 것을 만류하는
아내의 모습은 사건의 비극적 결말
을 암시하는 복선 역할을 한다.
 ② 아내에 대한 김 첨지의 사랑을 나타
내는 '설렁탕'은 아내의 죽음이라는
비극적 상황을 심화시키는 소재로
사용되고 있다.
 ④ 김 첨지는 손님을 연달아 태우는 행
운 앞에서 불안감을 느끼고 아픈 아
내의 모습을 떠올리는데, 이를 통해
긴장감이 조성되고 있다.

이해와 감상

🔑 **키워드**
'운수 좋은 날'의
반어적 의미

이 작품에서 김 첨지는 여느 때와 달리 큰 수입을
얻어 '운수 좋은 날'을 맞지만, 이날은 작품의 말미
에 아내가 죽은 '운수 나쁜 날'로 반전되므로 반어
적 의미를 나타내고 있다. '운수 좋은 날'은 앓는

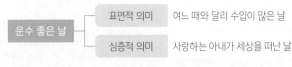

운수 좋은 날	표면적 의미	여느 때와 달리 수입이 많은 날
	심층적 의미	사랑하는 아내가 세상을 떠난 날

아내와 굶주린 아이에게 아무 것도 사 주지 못할 만큼 궁핍한 하층민들의 생활상과 대비되어 비극성을 심화시킨다.

🔑 **키워드**
배경의 효과

작품의 처음 부분에 비가 추적추적 내리는 배경이 제시되는데, 이는 작품 전체에 음산하고 쓸쓸한 분위기를 조성하면서 하
루가 비극적으로 끝날 것임을 암시하는 역할을 한다. 그리고 이 배경은 김 첨지가 맞게 된 '운수 좋은 날'과 대비되어, 반어
적 의미를 심화하고 있다.

전체 줄거리
비 내리는 겨울날, 인력거꾼 김 첨지는 손님을 많이 태워 운수 좋게 많은 돈을 번다. 김 첨지는 설렁탕을 먹고 싶어 했던 앓는 아내와 굶주린 아이에
게 설렁탕과 죽을 사 줄 수 있게 되었다는 생각에 기뻐한다. 그러나 자신이 나가는 것을 만류했던 아내의 모습이 떠올라, 김 첨지는 불길한 예감에
불안해한다. 선술집에서 친구(치삼)와 술을 마시던 김 첨지는 불안감에 이상한 언행을 하다가, 취중에도 설렁탕을 사서 집에 들어선다. 불길한 침
묵이 내려앉은 집 안에서 김 첨지는 그에 맞서 허세를 부리지만, 결국 아내의 죽음을 확인한 후 비통한 눈물을 흘린다.

작품 해제

출전 《조광》(1935)
갈래 단편 소설, 농촌 소설
성격 해학적, 토속적
주제 우직한 데릴사위와 교활한 장인 간의 갈등
시점 1인칭 주인공 시점
배경 ① 시간: 1930년대 봄
　　　　② 공간: 강원도 산골 마을인 점순의 집과 전답
표현 향토적 어휘, 희극적 어투와 문장의 사용

➕ **김유정(1908~1937)**

소설가. 단편 소설 '소낙비'로 등단하였다. 어둡고 삭막한 농촌의 현실과 그 속에서 살아갈 수밖에 없는 농민들의 곤궁한 삶을 해학적 시각으로 표현한 작품을 창작하였다. 대표작으로는 '동백꽃', '만무방', '금 따는 콩밭' 등이 있다.

☑ **학습 체크**

01 이 글에 대한 설명으로 가장 옳지 않은 것은?

① 희극적인 인물의 모습과 과장되고 우스꽝스러운 갈등 양상이 잘 드러난다.

② 1인칭 주인공 시점으로 사건을 서술하여 독자에게 객관적 신뢰감을 형성한다.

③ 사투리, 토속어, 비속어, 잘 다듬어지지 않은 말투 등을 익살스럽게 사용하고 있다.

④ 1930년대 농촌을 배경으로 미래의 장인과 머슴처럼 대우받는 미래 사위 간의 갈등, '나'와 점순의 순박한 사랑을 해학적으로 그리고 있다.

---

② 이 작품은 '나'의 입장에서 사건을 서술한 1인칭 주인공 시점이다. 1인칭 주인공 시점은 인물과 독자와의 심리적 거리가 가까워 독자에게 신뢰감과 친근감을 주지만, 주관적으로 사건을 서술하므로 객관적 신뢰감을 형성하지는 않는다.

봄·봄 | 김유정

간단 작품 설명 우직하며 어수룩한 데릴사위와 교활한 장인이 성례(혼인) 문제를 둘러싸고 벌이는 갈등을, 토속어·비속어의 사용과 희극적인 상황 설정을 통해 해학적으로 그린 작품이다.

📎 **출제 키워드**
① 작품의 구조적 특징
② 등장인물의 성격

「장인님은 이 말을 듣고 껄껄 웃드니(그러나 암만 해두 돌 씹은 상이다.) 코를 푸는 척하고 날 은근히 골릴랴구 팔꿈치로 옆 갈비께를 퍽 치는 것이다. 더럽다. 나무 종아리의 파리를 쫓는 척하고 허리를 굽으리며 어깨로 그 궁둥이를 콱 떼밀었다. 장인님은 앞으로 우찔근하고 싸리문께로 씨러질 듯하다 몸을 바루 고치드니 눈총을 몹시 쏘았다. 이런 쌍년의 자식 하곤 싶으나 남의 앞이라니 참아 못하고 섰는 그 꼴이 보기에 퍽 쟁그러웠다.」

＊ 행동과 내면 심리가 상반됨.
＊ 차마
＊ 위선적인 장인의 성격
＊ 「」 부분: 해학성이 두드러짐.

중심 내용_ 중재하는 구장 앞에서 신경전을 벌이는 '나'와 장인

그러나 이 말에는 별반 신통한 귀정을 얻지 못하고 도루 논으로 돌아와서 모를 부었다. 왜냐면 장인님이 뭐라구 귓속말로 수군수군하고 간 뒤다. 구장님이 날 위해서 조용히 데리구 아래와 같이 일러 주었기 때문이다.(뭉태의 말은 구장님이 장인님에게 땅 두 마지기 얻어 부치니까 그래 꾀였다구지만 난 그렇게 생각 않는다.)

＊ 그릇됐던 일이 바른길로 돌아옴.
＊ 구장이 장인의 편을 들 수밖에 없는 이유

"자네 말두 하기야 옳지. 암, 나이 찼으니 아들이 급하다는 게 잘못된 말은 아니야. 허지만 농사가 한창 바쁠 때 일을 안 한다든가 집으로 달아난다든가 하면 손해죄루, 그것두 징역을 가거든!(여기에 그만 정신이 번쩍 났다.) 왜 요전에 삼포 말서 산에 불 좀 놓았다구 징역 간 거 못 봤나. 제 산에 불을 놓아도 징역을 가는 이 땐데 남의 농사를 버려 주니 죄가 얼마나 더 중한가. 그리고 자넨 정장을(사경 받으러 정장 가겠다 했다.) 간대지만 그러면 괜시리 죄 들쓰고 들어가는 걸세. 또 결혼두 그렇지, 법률에 성년이란 게 있는데 스물하나가 돼야지 비로소 결혼을 할 수가 있는 걸세. 자넨 물론 아들이 늦일 걸 염려지만 점순이루 말하면 인제 겨우 열여섯이 아닌가. 그렇지만 아까 빙장님의 말씀이 올 갈에는 열 일을 제치고라두 성례를 시켜 주겠다 하시니 좀 고마울 겐가. 빨리 가서 모 붓든 거나 마저 붓게, 군소리 말구 어서 가……."

＊ 손해죄루, 그것두 / 구장의 설득 근거 ①
＊ 소장(訴狀)을 관청에 냄.
＊ 구장의 설득 근거 ②
＊ 가을
＊ 다른 사람의 장인(丈人)을 이르는 말
＊ 구장의 설득 근거 ③

그래서 오늘 아츰까지 끽소리 없이 왔다. …(중략)…

＊ 아침

중심 내용_ 구장의 회유에 넘어간 '나'

장인님은 더 약이 바짝 올라서 잡은 참 지게 막대기로 내 어깨를 그냥 내리갈겼다. 정신이 다 아찔하다. 다시 고개를 들었을 때 그때엔 나도 온몸에 약이 올랐다. 이 녀석의 장인님을 하고 눈에서 불이 퍽 나서 그 아래 밭 있는 넝 알로 그대로 떼밀어 굴려 버렸다. 기어오르면 굴리고 굴리면 기어오르고, 이러길 한 너덧 번을 하며, 그럴 적마다

＊ 높임과 낮춤의 말을 동시에 사용함.
＊ 둔덕 아래로

"부려만 먹구 왜 성례 안 하지유!"

나는 이렇게 호령했다. 허지만, 장인님이 선뜻 오냐 낼이라두 성례시켜 주마 했으면 나도 성가신 걸 그만두었을지 모른다. 나야 이러면 때린 건 아니니까 나중에 장인 첬다는 누명도 안 들을 터이고 얼마든지 해도 좋다.

한번은 장인님이 헐떡헐떡 기어서 올라오더니 내 바짓가랭이를 요렇게 노리고서 담박 웅

커잡고 매달렸다. 악, 소리를 치고 나는 그만 세상이 다 팽그르 도는 것이

"빙장님! 빙장님! 빙장님!" / "이 자식! 잡아먹어라, 잡아먹어!"
장인에게 호령을 하다 상황이 역전됨.

"아! 아! 할아버지! 살려 줍쇼, 할아버지!"

하고 두 팔을 허둥지둥 내절 적에는 이마에 진땀이 쭉 내솟고 인젠 참으로 죽나 부다 했
다. 그래도 장인님은 놓질 않더니 내가 기어이 땅바닥에 쓰러져서 거진 까무러치게 되니
까 놓는다. 더럽다, 더럽다. 이게 장인님인가? 나는 한참을 못 일어나고 쩔쩔맸다. 그러나 얼굴
을 드니(눈에 참 아무것도 보이지 않았다.) 사지가 부르르 떨리면서 나도 엉금엉금 기어가 장
독백체의 서술
인님의 바짓가랭이를 꽉 웅키고 잡아나꿨다.
장인과 똑같은 방법으로 복수함. 해학적 상황, 갈등의 절정

중심 내용_ 서로의 급소를 공격하며 싸우는 '나'와 장인

　내가 머리가 터지도록 매를 얻어맞은 것이 이 때문이다. 그러나 여기가 또한 우리 장인
님이 유달리 착한 곳이다. 여느 사람이면 사경을 주어서라도 당장 내쫓았지 터진 머리를
볼솜으로 손수 지져 주고, 호주머니에 희연 한 봉을 넣어 주고, 그리고
'나'를 회유하기 위한 장인의 계책①　　　　　_'나'를 회유하기 위한 장인의 계책②_

"올 갈엔 꼭 성례를 시켜 주마. 암말 말구 가서 뒷골의 콩밭이나 얼른 갈아라."
'나'를 회유하기 위한 장인의 계책③

하고 등을 뚜덕여 줄 사람이 누구냐. / 나는 장인님이 너무나 고마워서 어느덧 눈물까지 났
　　　　　　　　　　　　　　　　　　　장인의 의도를 알아채지 못함. '나'의 순진한 성격
다. 점순이를 남기고 이젠 내쫓기려니 하다 뜻밖의 말을 듣고,

"빙장님! 인제 다시는 안 그러겠어유……." / 이렇게 맹서를 하며 불랴살야 지게를 지고 일터로
갔다. 그러나 이때는 그걸 모르고 장인님을 원수로만 여겨서 잔뜩 잡아다렸다.
　　　　　　　　　　　　　　　　　역순행적 구성

중심 내용_ 장인의 의도를 알아채지 못하는 '나'와 다시 반복되는 상황

☑ 학습 체크

01 이 글에 나타난 서술상의 특징으로
가장 적절한 것은?

① 통상적인 인간관계에서 벗어난 인
물 간의 갈등과 결말 구성이 해학
적 분위기를 조성한다.
② 의식의 흐름 기법을 사용하여 주
인공의 내적 고백과 인물의 성격
을 전면에 내세우고 있다.
③ 어리숙한 희극적 인물과 과장되
고 우스꽝스러운 행동을 통해 갈
등의 근본적인 원인을 쉽게 해결
하고 있다.
④ 서술자인 주인공 '나'가 인물과 사
건을 직접 설명하면서 자신이 장
인과 겪은 사건의 전말을 객관적
으로 서술해 주제를 보다 선명하
게 부각시키고 있다.

─────────────────

① '나'가 장인에게 호령하는 부분이나 장
인의 급소를 공격하는 부분에서는 윗사
람인 '장인'과 아랫사람인 '나'의 관계
가 역전되어 나타나는데, 이는 통상적
인 장인과 사위 간의 관계에서 벗어난
것이다. 그리고 성례를 시켜 준다는 말
에 속아 다시 일터로 가는 '나'의 모습
을 통해 결말에서는 해학적 분위기가 조
성되고 있다.
▶ **오답 체크**
② 의식의 흐름 기법은 사용되지 않았다.
③ 갈등의 근본적인 원인(주인공과 점순이
의 혼례 문제)은 해결되지 않았다.
④ 글 전체에서 장인에 대한 '나'의 평가
(더럽다)와 심리가 드러나는 것으로 보
아, 서술자인 주인공 '나'는 자신이 장인
과 겪은 사건의 전말을 주관적으로 서
술하고 있다.

이해와 감상

🔑 **키워드**
작품의 구조적 특징

이 작품은 올 가을에 꼭 성례를 시켜 주겠다며 장인이 '나'를 회유하는 결말 부분과, 장인과 '나'의 갈등이 극에 달해 몸싸움
을 벌이는 절정 부분의 순서를 바꿔 배치한 역순행적 구성을 취하고 있다. 이러한 구성은 작품의 해학성을 높이고 여운의 효
과를 살리는 기능을 한다.

🔑 **키워드**
등장인물의 성격

이 작품에서는 무지하고 어수룩한 성격인 '나'가 1인칭 화자로 등장하여, 자신이 본 주변 상황과 인물을 주관적으로 서술하
고 있다. 장인의 교활한 속셈과 점순의 모순된 행동을 이해하지 못하는 '나'로 인해, 작품의 해학성이 강화된다.

'나'		점순		장인
점순과 혼인하기 위해 대가를 받지 않고 머슴 일을 함. 우직하고 어수룩한 성격임.	…	'나'와의 혼인을 바라며 '나'를 충동질하지만, 상황에 따라서는 자신에게 유리하게 행동함.	…	혼인을 핑계로 '나'를 이용하고 노동력을 착취하는 인물. 교활한 성격임.

전체 줄거리
'나'는 점순과 혼례를 올리기로 하고 장인의 요구대로 머슴 일을 해 주고 있다. '나'는 점순의 나이가 찼으니 성례를 시켜 달라고 이야기하지만, 장
인은 번번이 점순이 미처 자라지 않아서 성례를 시켜 줄 수 없다고만 한다. '나'는 억울함에 구장에게 중재를 요청하지만, 구장은 장인의 편을 들며
나를 회유한다. 점순의 충동질로 더 이상 참지 못하게 된 '나'는 장인과 몸싸움을 벌이는데, 자신의 편을 들 줄 알았던 점순이 장인의 편을 들자 맥
이 풀려 버린다. 장인은 다시 '나'를 회유하여 일을 시킨다.

출전 《조광》(1936)
갈래 단편 소설, 심리 소설
성격 자기 고백적, 상징적
주제 식민지 지식인의 분열된 의식
과 자기 극복 의지
시점 1인칭 주인공 시점
배경 ① 시간: 1930년대 어느 날
② 공간: 경성(서울)
표현 ① 인물의 처지와 심리를 상
징적 상황을 통해 제시함
으로써 주제를 암시
② 의식의 흐름 기법 사용

🔍 **이상(1910~1937)**
시인이자소설가.1931년《조선과건축》
에 시 '이상한 가역 반응'을 발표하면
서 등단하였다. 초현실주의적이고 실
험적인 시와 심리주의적 경향이 짙은
독백체의 소설을 창작하였으며 대표작
으로 시 '오감도', 소설 '날개', '종생기
(終生記)', 수필 '권태' 등이 있다.

☑ **학습 체크**

01 이 작품에 활용된 시점(視點)에
대한 설명으로 가장 적절한 것은?
① 서술자는 인물의 대화와 행동, 장
면 등을 객관적으로 관찰하고 전
달하여 극적 효과를 야기한다.
② 중심인물의 내면이 드러나지 않
아 긴장감과 경이감을 조성하며,
어떠한 인물을 관찰자로 설정했
는가에 따라 소설의 효과가 달라
진다.
③ 서술자와 인물, 서술자와 독자의
거리는 멀지만, 인물과 독자의 거
리는 가깝다.
④ 서술자의 내면적 갈등이나 감정
등의 심리 변화를 생생하게 전해
줄 수 있으나 객관성이 결여될 수
있다.

─────────────
④ 이 작품에는 1인칭 주인공 시점이 활
용되었다. 1인칭 주인공 시점은 서술자
의 감정이나 심리 변화를 생생하게 전
달할 수 있는 반면에, 주인공이 보고 느
낀 것만을 전달하기 때문에 객관성이 결
여될 수 있다.
▶ 오답 체크
① 3인칭 관찰자 시점에 대한 설명이다.
② 1인칭 관찰자 시점에 대한 설명이다.
③ 1인칭 관찰자 시점, 3인칭 관찰자 시점
에 대한 설명이다.

날개 | 이상

간단 작품 설명 1930년대 일제 강점하의 지식인으로 표상되는 '나'의 무기력한 삶과 고독,
분열된 자의식을 의식의 흐름 기법을 통해 형상화한 작품으로, 모더니즘 계열의 소설이다.

출제 키워드
① '나'의 심리 변화
② 주요 소재의 의미

'박제(剝製)가 되어 버린 천재'를 아시오? 나는 유쾌하오. 이런 때 연애까지가 유쾌하오.
육신이 흐느적흐느적하도록 피로했을 때만 정신이 은화(銀貨)처럼 맑소. 니코틴이 내 횟배
앓는 뱃속으로 스미면 머릿속에 으레 백지가 준비되는 법이오. 그 위에다 나는 위트와 패
러독스를 바둑 포석처럼 늘어놓소. 가공할 상식의 병이오.

나는 또 여인과 생활을 설계하오. 연애 기법에마저 서먹서먹해진, 지성의 극치를 흘
깃 좀 들여다본 일이 있는, 말하자면 일종의 정신 분일자(精神奔逸者) 말이오. 이런 여인의 반
(半)─그것은 온갖 것의 반이오─만을 영수(領受)하는 생활을 설계한다는 말이오. 그런 생
활 속에 한 발만 들여 놓고 흡사 두 개의 태양처럼 마주 쳐다보면서 낄낄거리는 것이오. 나
는 아마 어지간히 인생의 제행(諸行)이 싱거워서 견딜 수가 없게끔 되고 그만둔 모양이오.
굿바이. 굿바이. 그대는 이따금 그대가 제일 싫어하는 음식을 탐식(貪食)하는 아이러니를 실
천해 보는 것도 좋을 것 같소. 위트와 패러독스와…….

중심 내용_ '날개'의 프롤로그

아내가 외출만 하면 나는 얼른 아랫방으로 와서 그 동쪽으로 난 들창을 열어 놓고, 열어
놓으면 들이비치는 볕살이 아내의 화장대를 비쳐 가지각색 병들이 아롱이 지면서 찬란하게
빛나고 이렇게 빛나는 것을 보는 것은 다시없는 내 오락이다. 나는 쪼끄만 돋보기를 꺼내
가지고 아내만이 사용하는 지리가미(휴지)를 끄실려 가면서 불장난을 하고 논다. …(중략)…

중심 내용_ 아내가 외출한 뒤 아내의 화장대 앞에서 장난을 치는 '나'

아내에게 직업이 있었던가? 나는 아내의 직업이 무엇인지 알 수 없다. 만일 아내에게 직업
이 없었다면, 같이 직업이 없는 나처럼 외출할 필요가 생기지 않을 것인데─아내는 외출한
다. 외출할 뿐만 아니라 내객이 많다. 아내에게 내객이 많은 날은 나는 온종일 내 방에서
이불을 쓰고 누워 있어야만 한다. 불장난도 못한다. 화장품 냄새도 못 맡는다. 그런 날은
나는 의식적으로 우울해하였다. 그러면 아내는 나에게 돈을 준다. 오십 전짜리 은화다. 나
는 그것이 좋았다. 그러나 그것을 무엇에 써야 옳을지 몰라서 늘 머리맡에 던져 두고 두고
한 것이 어느결에 모여서 꽤 많아졌다. 어느 날 이것을 본 아내는 금고처럼 생긴 벙어리를
사다 준다. / 나는 한 푼씩 한 푼씩 그 속에 넣고 열쇠는 아내가 가져갔다. …(중략)…

중심 내용_ 내객이 많은 날 '나'에게 은화를 주는 아내

나서서 나는 또 문득 생각하여 보았다. 이 발길이 지금 어디로 향하여 가는 것인가……
그때 내 눈앞에는 아내의 모가지가 벼락처럼 내려 떨어졌다. 아스피린과 아달린.

우리들은 서로 오해하고 있느니라. 설마 아내가 아스피린 대신에 아달린의 정량을 나에게
먹여 왔을까? 나는 그것을 믿을 수가 없다. 아내가 대체 그럴 까닭이 없을 것이니 그러면
나는 날밤을 새면서 도적질을, 계집질을 하였나? 정말이지 아니다.

우리 부부는 숙명적으로 발이 맞지 않는 절름발이인 것이다. 내가 아내나 제 거동에 로직
　　　부부의 비정상적인 삶
(논리)을 붙일 필요는 없다. 변해할 필요도 없다. 사실은 사실대로 오해는 오해대로 그저 끝
　　　　　　　　　　　　　　말로 풀어 자세히 밝힘.
없이 발을 절뚝거리면서 세상을 걸어가면 되는 것이다. 그렇지 않을까?

　　그러나 나는 이 발길이 아내에게로 돌아가야 옳은가 이것만은 분간하기가 좀 어려웠다.
　　　　　　　　　　　　　　　　　　　　　사물이나 사람의 옳고 그름, 좋고 나쁨 따위와 그 정체를 구별하거나 가려서 앎.
가야 하나? 그럼 어디로 가나?

　　이때 뚜우 — 하고 정오 사이렌이 울었다. 사람들은 모두 네 활개를 펴고 닭처럼 푸드덕
　　　　　　　'나'의 의식을 각성시키는 매개체　　　　　　　　　　　　　세상의 활력을 비유적으로 표현
거리는 것 같고 온갖 유리와 강철과 대리석과 지폐와 잉크가 부글부글 끓고 수선을 떨고 하
는 것 같은 찰나! 그야말로 현란을 극한 정오다.
어떤 일이나 사물 현상이 일어나는 바로 그때

　중심 내용_ 아내와 '나'의 관계를 생각하는 '나'

　　나는 불현듯이 겨드랑이가 가렵다. 아하, 그것은 내 인공의 날개가 돋았던 자국이다. 오
　　　　의지적인 삶을 살고 싶은 '나'의 의식의 변화
늘은 없는 이 날개, 머릿속에서는 희망과 야심의 말소된 페이지가 딕셔너리(사전) 넘어가듯
　　　　　　　　　　　　　　　　　　희망과 야심이 다시 살아남.
번뜩였다. / 나는 걷던 걸음을 멈추고 그리고 어디 한번 이렇게 외쳐 보고 싶었다.

　　날개야 다시 돋아라.

　　날자. 날자. 날자. 한 번만 더 날자꾸나.

　　한 번만 더 날아 보자꾸나.

　중심 내용_ 날개가 다시 돋기를 희망하는 '나'

☑ **학습 체크**

01 이 작품에 대한 설명으로 적절한 것은?

① 이 소설의 작가는 '봉별기', '종생기', '지주회시' 등의 소설을 썼다.

② 1인칭 관찰자 시점을 활용했다.

③ 이 작품은 1930년대에 발표된 풍자 소설이다.

④ 이 소설은 개인의 일상적인 문제에 초점이 맞추어진 작품이다.

⑤ 이 소설의 작가는 해학성과 토속성을 적절히 구사함으로써 따뜻한 인간애와 함께 날카로운 사회적 통찰력을 보여 준다.

———————————

① 이상은 '날개' 외에 '봉별기', '종생기', '지주회시', '동해' 등의 소설을 썼다.

▶ 오답 체크

② 1인칭 서술자(나)가 자신의 이야기를 하고 있으므로, 1인칭 주인공 시점이다.

③ 이상의 '날개'는 1936년에 발표된, 의식의 흐름 기법을 사용한 심리 소설이다.

④ 무의식의 세계에 초점이 맞춰져 있다.

⑤ 분열된 자의식, 지식인의 좌절 등이 파격적인 형식과 난해한 문체로 표현되어 있다.

이해와 감상

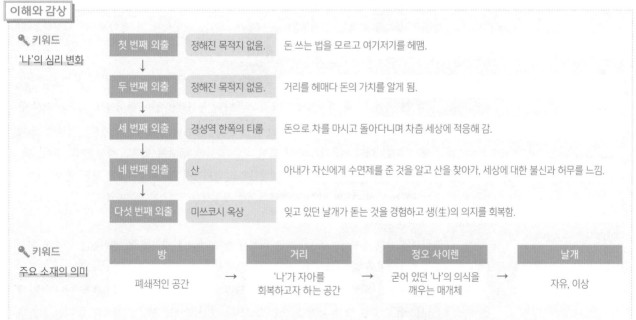

🔑 **키워드**
'나'의 심리 변화

첫 번째 외출	정해진 목적지 없음.	돈 쓰는 법을 모르고 여기저기를 헤맴.
두 번째 외출	정해진 목적지 없음.	거리를 헤매다 돈의 가치를 알게 됨.
세 번째 외출	경성역 한쪽의 티룸	돈으로 차를 마시고 돌아다니며 차츰 세상에 적응해 감.
네 번째 외출	산	아내가 자신에게 수면제를 준 것을 알고 산을 찾아가, 세상에 대한 불신과 허무를 느낌.
다섯 번째 외출	미쓰코시 옥상	잊고 있던 날개가 돋는 것을 경험하고 생(生)의 의지를 회복함.

🔑 **키워드**
주요 소재의 의미

방	거리	정오 사이렌	날개
폐쇄적인 공간	→ '나'가 자아를 회복하고자 하는 공간	→ 굳어 있던 '나'의 의식을 깨우는 매개체	→ 자유, 이상

전체 줄거리

직업이 없는 지식인인 '나'는 삶의 의욕을 상실한 채 현실 감각 없이 방 안을 뒹굴며 지낸다. 생활력이 없는 '나'는 아내에게 의존하며, 아내가 외출하면 아내의 방에 가서 화장품 냄새를 맡거나 돋보기로 화장지를 태우면서 놀곤 한다. 어느 날 비를 맞고 감기에 걸린 '나'에게 아내는 아스피린을 주고, '나'는 그 약을 먹고 잠만 자게 된다. 시간이 지나 아내가 준 약이 수면제인 것을 안 '나'는 충격을 받는다. 얼마 뒤 '나'는 거리를 배회하다 백화점 옥상에 올라가 삶을 돌아본다. 정오 사이렌이 울리자 '나'는 날개가 다시 돋기를 간절히 바란다.

작품 해제

출전 《조광》(1936)
갈래 단편 소설, 순수 소설
성격 낭만적, 서정적
주제 떠돌이의 삶을 통해 본 인간 본연의 애정
시점 전지적 작가 시점
배경 ① 시간: 1920년대 어느 여름날 낮부터 밤까지
② 공간: 강원도 봉평 장터와 봉평에서 대화에 이르는, 메밀꽃이 흐드러진 밤길

🔍 **이효석(1907~1942)**

소설가. 동반자 작가의 한 사람이었으나, 프로 문학에 대한 일제의 탄압이 강화되자 문학적 태도를 바꾸었다. 이후 시적인 문체, 세련된 언어, 서정적인 분위기를 통해 성(性)과 자연의 자연스러운 대비와 융합을 작품 속에서 형상화하였다. 대표작으로는 '분녀', '산', '들' 등이 있다.

☑ **학습 체크**

01 ㉠에 관한 설명으로 옳지 않은 것은?
① 작품의 서정적인 분위기를 형성한다.
② 과거의 추억을 회상하는 계기가 된다.
③ 일생 떠돌아다니는 장돌뱅이의 슬픈 운명을 암시한다.
④ 인간의 본연적 애정인 혈육의 정을 부각하는 역할을 한다.

┈┈┈┈┈┈┈┈┈┈┈┈┈┈┈┈
③ ㉠ '달밤'은 서정적인 시간으로, 장돌뱅이의 슬픈 운명과는 관련이 없다.
▶ 오답 체크
② 과거 성 서방네 처녀와의 추억을 회상하는 계기가 되고 있다.
④ 동이를 향한 허 생원의 혈육의 정을 부각하는 역할을 하고 있다.

간단 작품 설명 메밀꽃이 흐드러지게 핀 강원도 봉평의 달밤을 배경으로, 떠돌이 장돌뱅이들의 삶과 애환을 낭만적으로 묘사한 작품이다.

"㉠달밤이었으나 어떻게 해서 그렇게 됐는지 지금 생각해두 도무지 알 수 없어."
　　　　　　　　　　　　　　아무리 해도
허 생원은 오늘 밤도 또 그 이야기를 끄집어내려는 것이다. 조 선달은 친구가 된 이래 귀에 못이 박히도록 들어 왔다. 그렇다고 싫증을 낼 수도 없었으나, 허 생원은 시침을 떼고
싫은 생각이나 느낌. 또는 그런 반응　　　　　　　　　　　　　　　　　　　　　　　'시치미'의 준말. 자기가 하고도 아니한 체, 알고도 모르는 체하는 태도
되풀이할 대로는 되풀이하고야 말았다.
"달밤에는 그런 이야기가 격에 맞거든."
　　　　　　주위 환경이나 형편에 자연스럽게 어울리는 분수나 품위
조 선달 편을 바라는 보았으나, 물론 미안해서가 아니라 달빛에 감동하여서였다. 이지러
　　　　　　　　　　　　　　　　　　　　　　　　　　　　　　　　　　달의 한쪽이 차지 않으나
느꼈으나 보름을 갓 지난 달은 부드러운 빛을 흐뭇이 흘리고 있다.
　　　　　　　　　　달밤을 서정적으로 묘사함.

중심 내용_봉평에서의 옛일을 회상하는 허 생원

대화까지는 칠십 리의 밤길, 고개를 둘이나 넘고 개울을 하나 건너고 벌판과 산길을 걸어야 된다. 달은 지금 긴 산허리에 걸려 있다. 밤중을 지난 무렵인지 죽은 듯이 고요한 속에
　　　　　　　　　　　산 둘레의 중턱
서 짐승 같은 달의 숨소리가 손에 잡힐 듯이 들리며, 콩포기와 옥수수 잎새가 한층 달에 푸
　　　　　　달밤의 고요함 강조, 낭만적 분위기
르게 젖었다. 산허리는 온통 메밀밭이어서 피기 시작한 꽃이 소금을 뿌린 듯이 흐뭇한 달빛에 숨이 막힐 지경이다. 붉은 대궁이 향기같이 애잔하고, 나귀들의 걸음도 시원하다. 길이
　　　　　　　　　　　　　　몹시 가냘프고 약하고, 애처롭고 애틋하다　　　시각적, 후각적 심상의 결합
좁은 까닭에 세 사람은 나귀를 타고 외줄로 늘어섰다. 방울 소리가 시원스럽게 딸랑딸랑 메밀
　　　　　　　　　　　　　　　　　　　　　　　　　　　　　　　청각의 시각화
밭께로 흘러간다. 앞장선 허 생원의 이야기 소리는 꽁무니에 선 동이에게는 확적히는 안
　　　　　　　　　　　　　　　　　　　　　　　　　　　　　　적확히, 정확하게 맞아 조금도 틀리지 아니하게
들렸으나, 그는 그대로 개운한 제멋에 적적하지는 않았다.
　　　　　　　　　　　　　　하는 일 없이 심심하지는

중심 내용_봉평에서 대화로 가는 밤길의 운치 가득한 풍경

"장 선 꼭 이런 날 밤이었네. 객줏집 토방이란 무더워서 잠이 들어야지. 밤중은 돼서 혼
　　　　　　　　예전에, 길 가던 나그네들에게 술이나 음식을 팔고 손님을 재우는 영업을 하던 집
자 일어나 개울가에 목욕하러 나갔지. 봉평은 지금이나 그제나 마찬가지지. 보이는 곳마다 메밀밭이어서 개울가가 어디 없이 하얀 꽃이야. 돌밭에 벗어도 좋을 것을, 달이 너무도 밝은 까닭에 옷을 벗으러 물방앗간으로 들어가지 않았나. 이상한 일도 많지. 거기서 난데없는 성 서방네 처녀와 마주쳤단 말이네. 봉평서야 제일가는 일색이었지."
갑자기 불쑥 어디서 왔는지 알 수 없는　　　　　　　　　　　　　　　　　　뛰어난 미인
"팔자에 있었나 부지."
허 생원의 이야기에 장단을 맞춰 줌.
아무렴 하고 응답하면서 말머리를 아끼는 듯 한참이나 담배를 빨 뿐이었다. 구수한 자줏빛 연기가 밤기운 속에 흘러서는 녹았다.
"날 기다린 것은 아니었으나, 그렇다고 달리 기다리는 놈팽이가 있는 것두 아니었네. 처녀는 울고 있단 말야. 짐작은 대고 있었으나 성 서방네는 한창 어려워서 들고날 판인 때였지. 한 집안 일이니 딸에겐들 걱정이 없을 리 있겠나. 좋은 데만 있으면 시집도 보내련
　　　　성 서방네 처녀가 물방앗간에서 운 이유
만 시집은 죽어도 싫다지. 그러나 처녀란 울 때같이 정을 끄는 때가 있을까. 처음에는 놀라기도 한 눈치였으나 걱정 있을 때는 누그러지기도 쉬운 듯해서 이럭저럭 이야기가 되었네. 생각하면 무섭고도 기막힌 밤이었어."

"제천인지로 줄행랑을 놓은 건 그 다음 날이렸다."
자주 듣는 이야기라 다음 일을 잘 알고 있음.

"다음 장도막에는 벌써 온 집안이 사라진 뒤였네. 장판은 소문에 발끈 뒤집혀 오죽해야
술집에 팔려 가기가 상수라고, 처녀의 뒷공론이 자자들 하단 말이야. 제천 장판을 몇 번
겉으로 떳떳이 나서지 않고 뒤에서 이러쿵저러쿵 시비조로 말하는 일
이나 뒤졌겠나. 하나 처녀의 꼴은 꿩 귀 먹은 자리야. 첫날밤이 마지막 밤이었지. 그때부
흔적도 남지 않은 상태
터 봉평이 마음에 든 것이 반평생을 두고 다니게 되었네. 평생인들 잊을 수 있겠나." …(중략)…

중심 내용_ 허 생원과 성 서방네 처녀와의 인연에 대한 이야기

"모친의 친정은 원래부터 제천이었던가?"

"웬걸요. 시원스리 말은 안 해 주나 봉평이라는 것만은 들었죠."
동이의 모친이 성 서방네 처녀일 수도 있음을 암시함.

"봉평! 그래 그 아비 성은 무엇이구?"

"알 수 있나요? 도무지 듣지를 못했으니까."
아버지가 누구인지를 알지 못하는 동이

"그, 그렇겠지," 하고 중얼거리며 흐려지는 눈을 까물까물하다가 허 생원은 경망하게도
동이가 자신의 아들일지도 모른다는 생각을 함.
발을 빗디뎠다. 앞으로 꼬꾸라지기가 바쁘게 몸째 풍덩 빠져버렸다. 허비적거릴수록 몸을 건
잡을 수가 없어 동이가 소리를 치며 가까이 왔을 때에는 벌써 퍽으나 흘렀었다. 옷째 쫄딱 젖으
니 물에 젖은 개보다도 참혹한 꼴이었다. 동이는 물 속에서 어른을 해깝게 업을 수 있었다.
가볍게
젖었다고는 하여도 여윈 몸이라 장정 등에는 오히려 가벼웠다.

…(중략)… 동이의 탐탁한 등어리가 뼈에 사무쳐 따뜻하다. 물을 다 건넜을 때에는 도리어
동이에게 혈육의 정을 느낌.
서글픈 생각에 좀 더 업혔으면도 하였다.

중심 내용_ 개울에서 동이에게 혈육의 정을 느끼는 허 생원

☑ **학습 체크**

01 이 글에 대한 설명으로 적절하지
않은 것은?
① 요약적 제시와 장면적 제시가 모
두 나타난다.
② 과거와 현재의 이야기가 교차적으
로 진행된다.
③ 소설 속의 인물이 주인공의 이야
기를 서술하고 있다.
④ 다양한 심상을 활용한 서정성 짙
은 문체가 특징적으로 드러난다.

---

③ 이 소설은 전지적 작가 시점으로 서술
되고 있다. 서술자는 직접적으로 인물
의 내면을 묘사하거나 사건의 전모를
밝히지 않지만, '허 생원은 경망하게도
발을 빗디뎠다'와 같이 가끔 직접 개입
하여 자신의 견해를 밝히고 있다. ③은
'1인칭 관찰자 시점'의 특징이므로 옳
지 않다.

이해와 감상

🔑 **키워드**
배경의 역할

시간적 배경 – 달밤		공간적 배경 1 – 메밀밭 (산길)		공간적 배경 2 – 개울
인간의 본연적 애정을 부각시키는 시간	…	· 허 생원이 과거를 회상하는 장소로, 그의 추억을 아름답게 부각시키는 낭만적 공간 · 향토적 서정의 분위기를 자아내며, 허 생원과 동이의 혈육 관계를 확인하는 계기를 마련해 주는 공간	…	허 생원이 동이에게 육친의 정을 느끼게 되는 공간

🔑 **키워드**
서술상의 특징

① 과거의 시간은 요약적 서술로, 현재의 시간은 장면적 서술(묘사)로 제시하였다.
② 봉평에서 대화로 가는 길은 감각적이고 비유적인 표현을 통해 서정적으로 묘사된다.
③ 대화에 의해 동이의 친자 여부에 대한 암시와 추리가 이루어진다.
④ '만남(허 생원과 성 서방네 처녀의 만남) – 헤어짐(허 생원과 성 서방네 처녀의 헤어짐) – 만남(허 생원과 동이의 만남)'
의 구조를 지니고 있다.

전체 줄거리
봉평장의 파장 무렵, 왼손잡이인 허 생원은 장사가 시원치 않아 속상해한다. 그는 조 선달에게 이끌려 충주집을 찾고, 거기서 나이 어린 장돌뱅이
동이를 만난다. 그들은 나귀에 짐을 싣고 다음 장터로 떠나는데, 가는 길가에는 메밀꽃이 흐드러지게 피어 있다. 달빛 아래 펼쳐지는 메밀꽃의 정
경에 감정이 동한 허 생원은, 메밀꽃이 핀 어느 여름밤 성 서방네 처녀를 만났던 이야기를 꺼낸다. 평생 여자와 인연이 없던 허 생원은 과거에 성
서방네 처녀와 관계를 맺었지만, 그 다음날 그녀는 빚쟁이를 피해서 떠나고 말았다. 과거를 회상한 후 허 생원은 동이와 얘기하다가, 동이가 편
모를 모시고 살고 있음을 알게 된다. 그의 어머니에 대해 물어보니 동이는 자신의 어머니 역시 고향이 봉평이라고 말하고, 허 생원은 어둠 속에서
동이가 자기처럼 왼손잡이임을 눈여겨본다.

출전 《조광》(1938)
갈래 장편 소설, 풍자 소설, 가족사 소설
성격 풍자적, 비판적, 반어적
주제 개화기에서 일제 강점기에 이르는 한 집안의 구성원 간 갈등과 몰락
시점 전지적 작가 시점
배경 ① 시간: 1930년대
      ② 공간: 서울의 어느 평민 출신의 대지주 집안

태평천하(太平天下) | 채만식

간단 작품 설명 구한말에서 개화기, 일제 강점기로 이어지는 우리 민족의 수난기를 배경으로 하여, 한 집안 구성원 간의 갈등과 몰락을 풍자적 수법으로 그려 낸 작품이다.

출제 키워드
① '윤 직원'의 성격
② 서술상의 특징

"인력거 쌕이 몇 푼이당가?"

이 이야기를 쓰고 있는 당자 역시 전라도 태생이기는 하지만, 그 전라도 말이라는 게 좀
경망스럽습니다.
서술자가 드러남.

"그저 처분해 줍사요!"

인력거꾼은 담요로 팔짱 낀 허리를 굽신합니다. 좀 점잖다는 손님한테는 항투로 쓰는 말이지만,
이 풍신 좋은 어른께는 진심으로 하는 소립니다. 후히 생각해 달란 뜻이지요.

"으응! 그리여잉? 그럼, 그냥 가소!" …(중략)…
인력거꾼의 말을 손님 마음대로 하라는 뜻으로 받아들임.

알고 보니 참 기가 막힙니다. 농도 할 사람이 따로 있지요. 웬만하면, 허허! 하고 한바탕
웃어 젖힐 노릇이겠지만, 점잖은 어른 앞에서 그럴 수는 없고 그래 히죽이 웃기만 합니다.

"……그래서 나넌 그렇기 처분대루, 응…… 맘대루 말이네. 맘대루 허라구 허길래, 아 인력거 삯
안 주어도 갱기찮언 종 알구서, 그냥 가라구 히였지!" …(중략)…

중심 내용_ 인력거꾼에게 삯을 주지 않으려 억지를 부리는 윤 직원

장모는 사위가 곰보라도 이뻐하고, 시아버지는 며느리가 뻐드렁 이에 애꾸눈이라도 이뻐
는 하는 법인데, 윤 직원 영감은 어떻게 된 셈인지 며느리 고 씨를 미워하기를 그의 부인 오 씨
못잖게 미워했습니다. 노마나님 오 씨의 초종범절을 치르고 나서, 서울아씨가 올케 되는 고 씨
초상이 난 뒤부터 졸곡까지 치르는 모든 절차
한테 안방을 (섭섭하나마) 내줘야 하게 된 차인데 윤 직원 영감이 처억 간섭을 한다는 말이,

"야-야! 너두 아다시피 내가 조석을 꼭꼭 안방으 들와서 먹넌디, 아 늬가 안방을 네 방이라구 이
름지어 각구 있을 량이면 내가 편찬히여서 어디 쓰겠냐? 그러니 나 죽넌 날까지나 그냥저냥 웃
방(건넌방)을 쓰구 지내라."

핑계야 물론 그럴듯합니다. 그래서 안방은 노마나님 오 씨의 시체만 나갔을 뿐이지 전대
로 서울아씨가 태식을 데리고 거처를 하고, 고 씨는 건넌방에 눌러 있게 되었던 것입니다.
…(중략)…

01 [가]에 대한 설명으로 적절한 것은?
① 윤 직원 영감은 실망이 컸겠군.
② 시할머니는 자애로운 분인 것 같아.
③ 박 씨는 부유한 집안에서 시집왔겠군.
④ 고 씨의 현재 심경은 아주 절망적일 거야.

④ 고 씨를 젖혀 놓고 집안 살림살이의 전권이 고 씨의 며느리인 박씨에게로 넘어간 상황이므로, 고 씨의 심정에 대한 ④의 설명은 적절하다.
▶ 오답 체크
① ③ 제시된 내용과 같이 판단할 근거가 글에 나타나지 않는다.
② 고 씨가 시어머니 오 씨에게 시집살이를 했다는 내용이 나타나므로, 시할머니(고 씨의 시어머니, 오 씨)가 자애로운 분이라고 판단하기 힘들다.

┌ 시아버지 윤 직원 영감이 처결하기를, 집안의 살림살이 전권(全權)을 마땅히 물려받아야 할
  주부 고 씨는 제쳐 놓고서, 한 대(代)를 껑충 건너뛰어 손주 대로 내려가게 했던 것입니다. 고
  씨의 며느리 되는 박 씨 즉, 윤 직원 영감의 맏손자 며느리가 시할머니의 뒤를 바로 이어서 집안의
[가] 안살림을 도맡아 하게 되었던 것입니다. 그러고 보니 묻지 않아도 내가 주부로 들어앉아 며느리
  를 거느리고 집안 살림을 해 가는 어른이 되겠거니 했던 고 씨는 고만 개밥에 도토리가 되어 버
└ 리고, 도리어 시어머니 오 씨 대신에 며느리한테 또다시 시집살이를 하게쯤 된 셈평이었습니다.
…(중략)…

중심 내용_ 며느리에게 집안 살림의 전권을 주지 않으려는 윤 직원

"……오죽이나 좋은 세상이여? 오죽이나……." / 윤 직원 영감은 팔을 부르걷은 주먹으로
식민 통치에 대한 찬양
방바닥을 땅 — 치면서 성난 황소가 영각을 하듯 고함을 지릅니다.
소가 길게 우는 소리
"화적패가 있너냐아? 부랑당 같은 수령(守令)들이 있너냐?…… 재산이 있대야 도적놈의

것이요, 목숨은 파리 목숨 같던 말세(末世)년 다 — 지내가고오…… 자 — 부아라, 거리거리 순사요 골골마다 공명헌 정사(政事), 오죽이나 좋은 세상이여…… 남은 수십만 명 동병(動兵)을 히여서, 우리 조선놈 보호히여 주니, 오죽이나 고마운 세상이여?…… 으응?…… 제 것 지니고 앉어서 편안하게 살 세상, 이걸 태평천하라구 하는 것이여, 태평천하!…… 그런데 이런 태평천하에 태어난 부잣집놈의 자식이 더군다나 왜 지가 땅땅거리구 편안허게 살 것이지, 어찌서 지가 세상 망쳐 놀 부랑당패에 참섭을 헌담 말이여, 으응?"

땅 — 바닥을 치면서 벌떡 일어섭니다. 그 몸짓이 어떻게도 요란스럽고 괄괄한지, 방금 발광이 되는가 싶습니다. 아닌 게 아니라, 모여 선 가권들은 방바닥 치는 소리에도 놀랐지만, 이 어른이 혹시 상성이 되나 않는가 하는 의구의 빛이 눈에 나타남을 가리지 못합니다.
본래의 성질을 잃어버리고 다른 사람처럼 됨.

"……착착 깎어 죽일 놈!…… 그놈을 내가 핀지히여서, 백 년 지녁을 살리라구 헐껄! 백
편지해서
년 지녁을 살리라구 헐 테여…… 오냐 그놈을 삼천 석 꺼리를 직분[分財]히여 줄려구 히
징역 *재산을 나누어 줌.*
였더니, 오 — 냐, 그놈 삼천 석 꺼리를 톡톡 팔어서 경찰서으다가, 사회주의 허는 놈 잡어 가두는 경찰서다가 주어 버릴껄! 으응, 죽일 놈!"

마지막의 으응 죽일 놈 소리는 차라리 울음소리에 가깝습니다.
극한적 분노

"……이 태평천하에! 이 태평천하에……."

쿵쿵 발을 구르면서 마루로 나가고, 꿇어앉었던 윤 주사와 종수도 따라 일어섭니다.

"……그놈이 만석꾼의 집 자식이, 세상 망쳐 놀 사회주의 부랑당패에, 참섭을 히여? 으응, 죽일 놈! 죽일 놈!"

중심 내용_ 손자의 체포 소식을 듣고 분노하는 윤 직원

01 이 글에 대한 설명으로 적절하지 않은 것은?
① 인물의 말과 행동을 통해 성격을 드러내고 있다.
② 경어체를 사용하여 독자와 친밀감을 형성하고 있다.
③ 반어적 표현을 통해 인물이 가진 의식의 모순점을 비판하고 있다.
④ 서술자는 객관적인 시선으로 인물의 부정적 면모를 그려 내고 있다.

─────────────

④ 이 글은 전지적 시점으로 쓰인 글로, 서술자는 주관적 시선으로 인물의 부정적 면모를 그려 내고 있다. '이 이야기를 쓰고 있는 당자 역시 전라도 태생이기는 하지만, 그 전라도 말이라는 게 좀 경망스럽습니다' 등에서 서술자의 주관적 목소리가 드러난다.

▶ 오답 체크
③ 윤 직원이 일제 강점기를 '태평천하'라고 말하는 데에서 반어적 표현이 드러난다. 작가는 이를 통해 윤 직원이 가진 의식의 모순점을 비판하고 있다.

─────────────────────

이해와 감상

🔑 **키워드**
'윤 직원'의 성격

윤 직원은 일제 시대의 대지주로 고리대금업으로 큰 돈을 번 만석꾼이나, 고생을 한 인력거꾼에게 줄 삯을 아까워할 정도로 인색하고 탐욕스러운 인물이다. 아들과 손자를 군수와 경찰서장으로 만들려 하는 등 권력과의 결탁을 통해 자신의 재산을 지키려는 모습을 보이며, 대다수의 우리 민족이 고난을 겪는 일제 시대에 자신은 잘 사니 '태평천하'라는 이기적이고 부도덕한 생각을 가지고 있으므로 윤리 의식이 결핍된 인물이다. 작가는 이러한 반사회적·반민족적 인물을 중심 인물로 내세움으로써 일제 시대의 왜곡된 현실을 풍자하고 있다.

🔑 **키워드**
서술상의 특징

경어체의 문장	'~습니다', '~합니다', '~이지요' 등의 경어체를 사용하여 독자와의 거리를 좁히고 풍자성을 극대화함.
서술자의 직접적 개입	판소리 사설의 특징인 '서술자의 개입'이 나타남. 예 이 이야기를 쓰고 있는 당자 역시 전라도 태생이기는 하지만, 그 전라도 말이라는 게 좀 경망스럽습니다.
반어적 표현	윤 직원은 일제 시대를 '태평천하'라고 말하지만, 실제 작품 속 식민지 현실은 부정적으로 그려지므로 '태평천하'는 반어적 의미로 쓰인 말임.
인물의 희화화	인물들의 모습이 우스꽝스럽게 묘사됨. 특히 부정적 인물인 윤 직원의 모습과 행동이 희화화되어 나타남.

전체 줄거리
서울의 대지주인 윤 직원은 인력거 삯을 깎으려 하고, 어린 기생을 데리고 다니면서도 아무 것도 사주지 않을 만큼 구두쇠인 인물이다. 윤 직원의 아버지 윤용규는 재산을 모았으나 수령의 토색질(돈이나 물건 따위를 억지로 달라고 하는 것)과 화적의 약탈에 시달리다가 결국 화적에게 죽임을 당한다. 이러한 기억을 가지고 있는 윤 직원은 일제가 자신의 재산을 지켜주는 것을 고맙게 생각하며, 권력과 결탁하여 돈을 지키려 한다. 그러나 아들 창식은 노름으로 재산을 탕진하고, 큰손자 종수는 윤 직원의 첩 옥화와 정을 통하는 불륜을 저지른다. 마지막 기대를 걸었던 종학마저 사상 문제로 경시청에 피검되자, 윤 직원은 이런 태평천하에 왜 사회주의를 하는지 이해할 수 없다며 분노한다.

③ 현대 수필

딸깍발이 | 이희승

작품 해제

출전 《협동》 37호(1952)
갈래 중수필
성격 교훈적, 설득적, 해학적
주제 현대인이 계승해야 할 선비들의 의기와 강직

🎙 이희승(1896~1989)

국어학자이자 수필가. 시인이자 국어학 연구에 공로가 큰 인물로 그의 국어 문법 체계는 최현배의 문법 체계와 함께, 우리나라 문법 체계 연구의 큰 줄기를 형성했다고 평가된다. 수필집으로는 《벙어리 냉가슴》, 시집으로는 《박꽃》 등이 있으며 국어학 저서로는 《국어학 개설》 등이 있다.

출제 키워드
① 표현상의 특징
② 딸깍발이와 현대인의 대조적 모습

간단 작품 설명 전통적인 선비상인 '딸깍발이'를 통해 선비 정신의 미덕을 제시하고 이해타산적인 현대인들의 삶을 반성하게 하는 교훈적 성향의 수필이다.

'딸깍발이'란 것은 '남산(南山)골 샌님'의 별명이다. 왜 그런 별호(別號)가 생겼느냐 하면,
'생원님'의 준말. 또는 얌전하고 고루한 사람을 놀림조로 이르는 말
남산골 샌님은 지나 마르나 나막신을 신고 다녔으며, 마른 날은 나막신 굽이 굳은 땅에 부
고지식하고 융통성 없는 성격이 드러남. 각주구검(刻舟求劍)
딪쳐서 딸깍딸깍 소리가 유난하였기 때문이다. 요새 청년들은 아마 그런 광경을 못 구경하
음성 상징어
였을 것이니, 좀 상상하기에 곤란할지는 알 수 없다. 그러나 일제 시대에 일인들이 '게다'를
끌고 콘크리트 길바닥을 걸어 다니던 꼴을 기억하고 있다면, '딸깍발이'라는 명칭이 붙게 된 까닭
도 이해할 수 있을 것이다.

그런데 이 남산골 샌님이 마른날 나막신 소리를 내는 것은 그다지 얘깃거리가 될 것도 없다. 그 소
리와 아울러 그 모양이 퍽 초라하고, 궁상이 다닥다닥 달려 있는 것이 문제인 것이다.

중심 내용_ '딸깍발이'라는 명칭의 유래와 남산골 샌님의 초라한 모습

인생으로서 한 고비가 겨워서 머리가 희끗희끗할 지경에 이르기까지, 변변하지 못한 벼
슬이나마 한 자리 얻어 하지 못하고(그 시대에는 소위 양반으로서 벼슬 하나 얻어 하는 것이 유일
한 욕망이요, 영광이요, 사업이요, 목적이었던 것이다.), 다른 일, 특히 생업에는 아주 손방이어
아무것도 할 줄 모르는 솜씨
서, 아예 손을 댈 생각조차 아니 하였기 때문에, 경제적으로는 극도로 궁핍한 구렁텅이에
빠져서, 글자 그대로 삼순구식(三旬九食)의 비참한 생활을 해 가는 것이다. 그 꼬락서니라
든지 차림차림이야 여간 장관(壯觀)이 아니다. …(중략)…
반어적 표현 → 독자의 희극적 반응을 유도함.

중심 내용_ 딸깍발이의 궁핍한 생활

겨울이 오니 땔나무가 있을 리 만무하다. 동지 설상(雪上) 삼척 냉돌에 변변치도 못한
전혀 없다   사방이 석 자인 작고 불기 없는 찬 온돌방
이부자리를 깔고 누웠으니, 사뭇 뼈가 저려 올라오고 다리팔 마디에서 오도독 소리가 나도
록 온몸이 곱아 오는 판에, 사지를 웅크릴 대로 웅크리고 안간힘을 꽁꽁 쓰면서 이를 악물다 못해
박박 갈면서 하는 말이,

「"요놈, 요 괘씸한 추위란 놈 같으니, 네가 지금은 이렇게 기승을 부리지마는, 어디 내년 봄에 두
고 보자."」『 』부분: 딸깍발이의 자존심을 보여 줌.

하고 벼르더라는 이야기가 전하지마는, 이것이 옛날 남산골 '딸깍발이'의 성격을 단적(端的)
강직함, 품위, 지조를 지키려는 선비의 정신
으로 가장 잘 표현한 이야기다. 사실로는 졌지마는 마음으로는 안 졌다는 앙큼한 자존심, 꼬장
꼬장한 고지식, 양반은 얼어 죽어도 겻불은 안 쬔다는 지조(志操), 이 몇 가지가 그들의 생활 신조
옛날 남산골 '딸깍발이'의 성격   아무리 위급한 상황이라도 자기 체면은 지킨다는 뜻
였다. / 실상, 그들은 가명인(假明人)이 아니었다. 우리나라를 소중화(小中華)로 만든 것은 어쭙지
사대주의에 젖어 중국 명나라 사람인 듯이 처신하는 사람   중국을 떠받드는 사상으로, 우리나라를 작은 중국이라고 일컫는 것
않은 관료들의 죄요, 그들의 허물이 아니었다. 그들은 너무 강직하였다. 목이 부러져도 굴하지
않는 기개(氣槪), 사육신(死六臣)도 이 샌님의 부류요, 삼학사(三學士)도 '딸깍발이'의 전형(典型)
인 것이다. 올라가서는 포은(圃隱) 선생도 그요, 근세로는 민충정(閔忠正)도 그다.
고려 말기의 충신인 정몽주의 호   을사조약을 반대하다 자결한 민영환의 시호

중심 내용_ 자존심 강하고 지조 있는 생활을 신조로 여기는 딸깍발이

☑ 학습 체크

01 이 글에 나타난 '딸깍발이'의 성격과 거리가 먼 것은?
① 각주구검(刻舟求劍)
② 고식지계(姑息之計)
③ 불요불굴(不撓不屈)
④ 청렴결백(淸廉潔白)

---

② 딸깍발이는 융통성이 없고 고지식하지만, 선비로서 강직하고 지조가 높다. 이러한 딸깍발이의 성격과 거리가 먼 것은 '우선 당장 편한 것만을 택하는 꾀나 방법'을 뜻하는 '고식지계(姑息之計)'이다.
▶ 오답 체크
① 각주구검(刻舟求劍): 융통성 없이 현실에 맞지 않는 낡은 생각을 고집하는 어리석음을 이르는 말
③ 불요불굴(不撓不屈): 한번 먹은 마음이 흔들리거나 굽힘이 없음
④ 청렴결백(淸廉潔白): 마음이 맑고 깨끗하며 탐욕이 없음

국호와 왕위 계승에 있어서 명(明), 청(淸)의 승낙을 얻어야 했고, 역서의 연호를 그들의 것으로 하지 않으면 안 되었지마는, 「역대 임금의 시호(諡號)를 제대로 올리고, 행정 면에 있어서 내
　　　　　　　　　　　　　　　　　　　　죽은 뒤에 공덕을 기리어 붙이는 이름
정의 간섭을 받지 않은 것은」 그래도 이 샌님 혼(魂)의 덕택일 것이다. 국사에 통탄할 사태가 벌어
「　」부분: 우리의 주체성을 잃지 않은 것
졌을 적에, 직언(直言)으로써 지존(至尊)에게 직소(直訴)한 것도 이 샌님의 족속(族屬)인 유림(儒
林)에서가 아니고 무엇인가.

임란(壬亂) 당년에 국가의 운명이 단석(旦夕)에 박도(迫到)되었을 때, 각지에서 봉기한 의병의
　　　　　　　　　　　　　　　　시기나 상태 따위의 위급함이 절박한 모양　　　가까이 닥쳐옴.
두목들도 다 이 '딸깍발이' 기백의 구현(具現)인 것은 의심 없다. / 구한 말엽 단발령(斷髮令)이
내렸을 적에, 각지의 유림들이 맹렬하게 반대의 상서(上書)를 올려서,

"이 목은 잘릴지언정 이 머리는 깎을 수 없다[此頭可斷 此髮不可斷]."
　　　　　　　　　　최익현의 상소문에 있는 구절
라고 부르짖으며 일어선 일이 있었으니, 「그 일 자체는 미혹(迷惑)하기 짝이 없었지마는,
　　　　　　　　　　　　　　　　　　　　　「　」부분: 현명한 일은 아니었으나 소신을 위해 목숨을 건 정신은 본받을 만함.
죽음도 개의하지 않고 덤비는 그 의기야말로 본받음 직하지 않은 바도 아니다.」 …(중략)…
마음에 두지　　　　　　　　　　　　　　　이중 부정을 통한 강조

중심 내용_ 현대인이 본받을 만한 딸깍발이의 의기와 강직한 정신

현대인은 너무 약다. 전체를 위하여 약은 것이 아니라, 자기 중심, 자기 본위로만 약다. 백년
대계(百年大計)를 위하여 영리한 것이 아니라, 당장 눈앞의 일, 코앞의 일에만 아름아름하는 고식
먼 앞날까지 미리 내다보고 세우는 크고 중요한 계획　　　　　　　　　　　일을 적당히 하고 눈을 속여 넘기는 모양
　　　　　　　　　　　　　　　　　　　　딸깍발이 정신과 대조되는 현대인의 이기적인 모습을 비판함.
지계(姑息之計)에 현명하다. 염결(廉潔)에 밝은 것이 아니라, 극단의 이기주의에 밝다. 이것은 현
당장 편한 것만 택함.　　　청렴하고 결백함.
명한 것이 아니요, 우매(愚昧)하기 짝이 없는 일이다. 제 꾀에 제가 빠져서 속아 넘어갈 현명이라
　　　　　　　　　　어리석고 사리에 어두움.
고나 할까.

「우리 현대인도 '딸깍발이'의 정신을 좀 배우자. 첫째 그 의기(義氣)를 배울 것이요, 둘째 그 강
직(剛直)을 배우자. 그 지나치게 청렴한 미덕은 오히려 분간을 하여 가며 배워야 할 것이다.」
　　　　　　　　　　　　　　　　　　　　　　　「　」부분: 이 글의 주제문

중심 내용_ 딸깍발이 정신을 수용하고 계승하자는 당부

☑ 학습 체크

01 이 글의 표현상의 특징으로 옳지 않은 것은?
① 짧고 간결한 문장으로 속도감 있게 서술하였다.
② 역사적 인물의 말을 빌려 와 논지를 강화하고 있다.
③ 한문 투의 문체로 딸깍발이의 유교적 사상을 형상화하였다.
④ 음성 상징어를 사용하여 딸깍발이의 모습을 희화화하고 있다.

① 짧고 간결한 문장과 함께 길이가 긴 문장도 쓰였으므로 옳지 않은 설명이다.

이해와 감상

🔑 키워드
표현상의 특징

특징	효과
실제 일어난 사건을 예시로 제시 (사육신, 삼학사, 포은 선생 등의 실제 인물과 임란 때의 의병 봉기, 단발령에 대한 반대 등)	딸깍발이의 강직성에 대한 주장의 신뢰성을 높임.
'딸깍딸깍, 오도독, 꽁꽁, 박박'과 같은 음성 상징어를 사용	상황을 실감 나게 표현하면서 딸깍발이에 대한 글쓴이의 생각을 구체적으로 형상화함.
한문 투의 표현을 사용	전통적인 유교의 선비상을 구현함.

🔑 키워드
딸깍발이와 현대인의 대조적 모습

딸깍발이		현대인
·궁색한 겉모습 ·경제적 능력이 없고 생계에 무책임함. ·현실의 변화에 잘 대처하지 못함. ·청렴결백, 의기와 강직	대조 ⟷	·자기 중심, 자기 본위로만 약음. ·당장 눈앞의 일만 아는 고식지계(姑息之計) ·극단적 이기주의

이강백(1947~)

극작가. 1971년 《동아일보》 신춘문예에 희곡 '다섯'이 당선되어 등단하였다. 1970년대 정치·사회의 제도적인 폭압 체계를 상징적으로 풀어낸 작품 및 현대 사회의 모순을 비판하는 희곡을 창작하였다. 대표작으로는 '파수꾼', '결혼', '알' 등이 있다.

☑ 학습 체크

01 <보기>를 참고할 때 ⊙의 상징적 의미로 가장 적절한 것은?

> 보기
>
> 이 작품이 창작된 1970년대는 체제 유지를 위한 안보 논리가 강력히 작용하던 시대였다.

① 마을 사람들을 탄압하는 권력자를 의미한다.
② 마을 사람들의 일상적 삶을 위협하는 존재이다.
③ 평화를 위해 희생되는 마을 사람들을 의미한다.
④ 촌장이 마을 사람들을 통제하기 위해 꾸며 낸 공동의 적이다.

02 [가]에서 촌장의 태도와 관련된 사자성어로 가장 적절한 것은?
① 指鹿爲馬　　② 釣而不網
③ 隔靴搔癢　　④ 牽强附會

---

01 ④ 1970년대는 민중을 통제하여 정권 체제를 유지하기 위한, 외부의 적(북한)에 대한 안보 논리가 작용하던 시기였다. 이를 참고하면, ⊙ '이리 떼'의 상징적 의미로는 ④가 가장 적절하다.

02 ④ 촌장은 진실을 밝히려는 '다'를 교묘한 논리로 회유하고 있으므로, '이치에 맞지 않는 말을 억지로 가져다 붙여 자기에게 유리하게 함'이라는 뜻인 ④ '牽强附會(견강부회)'가 가장 적절하다.

▶ 오답 체크
① 指鹿爲馬(지록위마): 윗사람을 농락하여 권세를 마음대로 함. 또는 모순된 것을 끝까지 우겨서 남을 속이려는 짓을 비유적으로 이르는 말
② 釣而不網(조이불강): '낚시질은 해도 그물질은 하지 않는다'라는 뜻으로, 무슨 일에나 정도를 넘지 않는 훌륭한 인물의 태도를 이르는 말
③ 隔靴搔癢(격화소양): '신을 신고 발바닥을 긁는다'라는 뜻으로, 성에 차지 않거나 철저하지 못한 안타까움을 이르는 말

---

4 현대 극

파수꾼 | 이강백

출제 키워드
① 풍자의 대상
② 인물의 상징적 의미
③ 소재의 상징적 의미

> 간단 작품 설명 상징성이 강한 인물들과 우화적인 장치를 사용하여 제도적인 권력의 폭압성과 권력의 위선, 허위를 드러낸 희곡으로, 진실이 은폐되었던 1970년대의 정치 상황을 성공적으로 풍자한 작품이다.

촌장: 이것, 네가 보낸 거니?

다: 네, 촌장님.

촌장: 나를 이곳에 오도록 해서 고맙다. 한 가지 유감(遺憾)스러운 건, 이 편지를 가져온 운반인이 도중에서 읽어 본 모양이더라. '⊙이리 떼는 없구, 흰 구름뿐.' 그 수다쟁이가 사람들에게 떠벌리고 있단다. 조금 후엔 모두들 이곳으로 몰려올 거야. 물론 네 탓은 아니다. 넌 나 혼자만을 와 달라구 하지 않았니? 몰려오는 사람들은, 말하자면 불청객이지. 더구나 어떤 사람은 도끼까지 들고 온다더라.
　　　촌장은 은근한 위협으로 '다'가 진실을 밝히려는 것을 저지하려 함.

다: 도끼를 왜 들고 와요?

촌장: 망루를 부순다고 그런단다. '이리 떼는 없구, 흰 구름뿐.' 이것이 구호(口號)처럼 외쳐지구 있어. 그 성난 사람들만 오지 않는다면 난 너하구 딸기라도 따러 가고 싶다. 난 어디에 딸기가 많은지 알고 있거든. 이리 떼를 주의하라는 팻말 밑엔 으레 잘 익은 딸기가 가득하단다.
　　　진실을 밝히지 않는다면 그에 대한 대가가 따를 것임을 암시함.

다: 촌장님은 이리가 무섭지 않으세요?

촌장: 없는 걸 왜 무서워하겠니?
　　　진실을 숨겨 왔음을 촌장 본인이 밝힘.

다: 촌장님도 아시는군요?

촌장: 난 알고 있지.

중심 내용 이리 떼가 없다는 사실을 인정하는 촌장

다: 아셨으면서 왜 숨기셨죠? 모든 사람들에게, 저 덫을 보러 간 파수꾼에게, 왜 말하지 않는 거예요?

촌장: 말해 주지 않는 것이 더 좋기 때문이다.

다: 거짓말 마세요, 촌장님! 일생을 이 쓸쓸한 곳에서 보내는 것이 더 좋아요? 사람들도 그렇죠! '이리 떼가 몰려온다.' 이 헛된 두려움에 시달리는데 그게 더 좋아요?

촌장: 애야, 이리 떼는 처음부터 없었다. 없는 걸 좀 두려워한다는 것이 뭐가 그렇게 나쁘다는 거냐? 지금까지 단 한 사람도 이리에게 물리지 않았단다. 마을은 늘 안전했어. 그리고 사람들은 이리 떼에 대항하기 위해서 단결했다. 그들은 질서를 만든 거야. 질서, 그게 뭔지 넌 알기나 하니? 모를 거야, 너는. 그건 마을을 지켜 주는 거란다. 물론 저 충직(忠直)한 파수꾼에겐 미안해. 수천 개의 쓸모없는 덫들을 보살피고 양철북을 요란하게 두들겼다. 허나 말이다, 그의 일생이 그저 헛되다고만 할 순 없어. 그는 모든 사람들을 위해 고귀(高貴)하게 희생한 거야. 난 네가 이러한 것들을 이해해 주기 바란

다. 만약 네가 새벽에 보았다는 구름만을 고집한다면, 이런 것들은 모두 허사(虛事)가
된다. 저 파수꾼은 늙도록 헛북이나 친 것이 되구, 마을의 질서는 무너져 버린다. 애야,
넌 이렇게 모든 걸 헛되게 하고 싶진 않겠지? …(중략)…

중심 내용_ '다'를 설득하는 촌장

촌장: 허나 내가 말할 틈이 없다. 사람들이 오면, 넌 흰 구름이라 외칠 거구, 사람들은 분노
하여 도끼를 휘두를 테구, 그럼 나는, 나는…… (은밀한 목소리로) 애, 네가 본 그 흰 구름 있잖니,
그건 내일이면 사라지고 없는 거냐?

다: 아뇨. 그렇지만 난 오늘 외치구 싶어요.

촌장: 그것 봐. 넌 내 피를 보고 싶은 거야. 더구나 더 나쁜 건, 넌 흰 구름을 믿지도 않아. 내
　　대유법, 원관념은 '죽음'
　일이면 변할 것 같으니까, 오늘 꼭 외치려구 그러는 거지. 아하, 넌 네가 본 그 아름다운
　걸 믿지도 않는구나!

다: (창백해지며) 그건, 그건 아니에요!

촌장: 그래? 그럼 너는 내일까지 기다려야 해. (괴로워하는 파수꾼 다를 껴안으며) 오늘은 나에
　게 맡겨라. 그러면 나도 내일은 너를 따라 흰 구름이라 외칠 테니.
　　　임시방편으로 '다'의 마음을 안심시키려 하는 말임.

다: 꼭 약속하시는 거죠?

중심 내용_ 사람들에게 진실을 알리는 것을 하루 미루기로 결정하는 '다'

표현 기법의 특징

이 작품은 이솝 우화 '늑대와 양치기 소년' 이야기를 바탕으로 하여 현실을 우화적으로 그리고 있다. 즉 이솝 우화 속 이야기를 실제 현실과 대비시킴으로써, 억압적인 정치 현실을 암시하고 있다.

이해와 감상

🔑 **키워드**
풍자의 대상

촌장은 '이리 떼'라는 가상의 적을 만들어 마을을 통제하고 있다. 이는 박정희 정부의 체제 유지를 위해 안보 논리를 과도하게 내세웠던 1970년대 정치 상황을 풍자하고 있는 것으로 이해할 수 있다. 즉 안보라는 국가의 당면 과제를 앞세워 개인의 자유를 침해하던, 당시의 정치적 상황을 우의적으로 비판하고 있는 것이다.

🔑 **키워드**
인물의
상징적 의미

촌장	파수꾼 가	파수꾼 나	파수꾼 다	마을 사람들
지배 이데올로기를 생산하고 이를 통해 민중을 통제하려는 권력자	지배 이데올로기에 정당성을 부여하며 이를 확산하는 자	지배 이데올로기에 대한 회의 없이 이를 증폭시키는 자	지배 이데올로기를 회의적으로 인식하고 진실을 밝히려는 자	현실을 직시하지 못한 채 지배 이데올로기에 통제되는 민중

🔑 **키워드**
소재의
상징적 의미

이리 떼	망루, 양철 북	흰 구름	딸기	도끼
지배 이데올로기	불안감을 증폭시켜 민중을 통제하는 권력의 도구	진실	민중을 회유하기 위한 회유책	민중을 협박하는 도구

전체 줄거리

파수꾼 세 명이 망루에서 이리 떼의 습격을 감시한다. 망루 위의 파수꾼 '가'가 이리 떼의 습격을 알리면 다른 파수꾼이 양철 북을 두드려 마을 사람들에게 이리 떼의 습격을 전한다. 그러던 어느 날 갓 파수꾼이 된 '다'는 다른 파수꾼들이 잠을 자고 있는 사이 망루에 올라가 보게 되고, '가'가 이리 떼라고 소리치는 것이 흰 구름임을 알게 된다. '다'는 이 사실을 촌장에게 알리지만 촌장은 마을의 질서 유지를 위해서는 경계의 대상인 이리 떼를 설정해 놓아야 한다는 논리로 '다'를 회유한다. 결국 촌장의 논리에 넘어간 '다'는 마을 사람들에게 진실을 밝히지 않고, 촌장의 계략에 속아 평생 망루에서 벗어나지 못하는 신세가 된다.

01

9급 출제기조 전환 예시문제

다음 글을 이해한 내용으로 가장 적절한 것은?

이육사의 시에는 시인의 길과 투사의 길을 동시에 걸었던 작가의 면모가 고스란히 담겨 있다. 가령, 「절정」은 크게 두 부분으로 나누어지는데, 투사가 처한 냉엄한 현실적 조건이 3개의 연에 걸쳐 먼저 제시된 후, 시인이 품고 있는 인간과 역사에 대한 희망이 마지막 연에 제시된다.

우선, 투사 이육사가 처한 상황은 대단히 위태로워 보인다. 그는 "매운 계절의 채찍에 갈겨 / 마침내 북방으로 휩쓸려" 왔고, "서릿발 칼날진 그 위에 서" 바라본 세상은 "하늘도 그만 지쳐 끝난 고원"이어서 가냘픈 희망을 품는 것조차 불가능해 보인다. 이러한 상황은 "한발 제겨디딜 곳조차 없다"는 데에 이르러 극한에 도달하게 된다. 여기서 그는 더 이상 피할 수 없는 존재의 위기를 깨닫게 되는데, 이때 시인 이육사가 나서면서 시는 반전의 계기를 마련한다.

마지막 4연에서 시인은 3연까지 치달아 온 극한의 위기를 담담히 대면한 채, "이러매 눈감아 생각해" 보면서 현실을 새롭게 규정한다. 여기서 눈을 감는 행위는 외면이나 도피가 아니라 피할 수 없는 현실적 조건을 새롭게 반성함으로써 현실의 진정한 면모와 마주하려는 적극적인 행위로 읽힌다. 이는 다음 행, "겨울은 강철로 된 무지갠가보다"라는 시구로 이어지면서 현실에 대한 새로운 성찰로 마무리된다. 이 마지막 구절은 인간과 역사에 대한 희망을 놓지 않으려는 시인의 안간힘으로 보인다.

① 「절정」에는 투사가 처한 극한의 상황이 뚜렷한 계절의 변화로 드러난다.
② 「절정」에서 시인은 투사가 처한 현실적 조건을 외면하지 않고 새롭게 인식한다.
③ 「절정」은 시의 구성이 두 부분으로 나누어지면서 투사와 시인이 반목과 화해를 거듭한다.
④ 「절정」에는 냉엄한 현실에 절망하는 시인의 면모와 인간과 역사에 대한 희망을 놓지 않으려는 투사의 면모가 동시에 담겨 있다.

02

다음 글을 이해한 내용으로 가장 적절한 것은?

조지훈의 「승무」는 승무를 추고 있는 여승을 소재로 하여 삶의 번뇌를 극복하고자 하는 염원을 회화적으로 형상화한다. 「승무」는 춤을 추는 순서에 따라 시상이 전개되는데 춤의 진행 과정에 따라 변화하는 동작이 서정적으로 묘사되어 있다.

1~3연에서 화자는 승무를 추기 전 파르라니 머리를 깎은 여승의 모습을 마주하고 "두 볼에 흐르는 눈물"을 "빛"에 비유하여 그것이 정작 고와서 서럽다며 역설적으로 표현한다. 이는 젊은 나이에 승려가 될 수밖에 없었던 여승의 사연을 생각하며 애상에 잠기는 화자의 모습이 드러나는 표현이다. 4연에는 승무 무대의 배경이 제시되는데, "빈 대(臺)"는 공간적 배경을, "밤"은 시간적 배경을 나타내면서 적막하고 고요한 분위기를 형성한다. 5연에서는 본격적인 승무가 시작되는데, "돌아설 듯 날아가며" 외씨버선을 사뿐하게 접어 올리는 여승의 춤사위는 급박한 춤동작을 묘사함과 동시에 외씨버선의 전통적인 곡선미를 한층 부각한다. 6~7연에서 여승은 "까만 눈동자"를 들어 올려 "별빛"을 바라본다. 이윽고 여승의 "복사꽃 고운 뺨"에 "두 방울"이 아롱지는데, 이는 여인이 흘리는 눈물이자, 세속적인 번뇌를 의미한다. 번뇌는 마침내 "별빛"으로 승화되어 현실을 초월한다. 8연에서 여승은 "거룩한 합장"을 하는데, 이는 춤사위를 합장에 비유하여 경건성을 부여한 것이다. 마지막 9연에서는 1연의 "얇은 사 하이얀 고깔은 고이 접어서 나빌레라"를 한 번 더 반복하며 시상이 마무리된다. 이러한 구조는 승무의 정적미를 확보함과 동시에 계속되는 여운을 남긴다.

① 「승무」에서 "두 방울"은 여승이 세속적 번뇌를 승화한 결과물이다.
② 「승무」는 1연과 9연이 수미상관을 이루면서 여승의 내적번민이 계속될 것임을 암시한다.
③ 「승무」에서 화자는 역설적인 표현을 통해 번뇌를 승화한 여승에 대한 감격스러움을 드러낸다.
④ 「승무」는 시간의 흐름에 따라 시상이 전개되며 여승의 번뇌가 승화되는 과정을 형상화한다.

03

다음 글을 이해한 내용으로 가장 적절한 것은?

> 김소월의 「진달래꽃」이 많은 사람들에게 각인되는 이 유는 크게 두 가지이다. 하나는 7·5조, 3음보 율격을 통한 민요조의 운율 때문이고, 다른 하나는 떠나가는 임에 대한 화자의 헌신적인 사랑 때문이다.
>
> 먼저 민요조의 운율은 시의 전체 연에서 느낄 수 있다. 가령, 1연의 1·2행은 "나 보기가 / 역겨워 / 가실 때에는"처럼 끊어 읽을 수 있는데, 세 덩어리로 나눌 수 있다는 점에서 3음보이다. 또한, 네 글자와 세 글자를 합친 일곱 글자와 그 뒤 다섯 글자가 있다는 점에서 7·5조이다. 이는 1~4연까지 전체 연에서 반복되면서 운율을 형성한다.
>
> 다음으로 화자의 헌신적 사랑은 전체 내용을 해석해 보면 느낄 수 있다. 화자는 떠나는 임을 붙잡거나 귀찮게 하지 않고, "고이 보내드리"겠다고 하며, 임이 "가실 길"에 "진달래꽃"을 "뿌리"겠다고 한다. 진달래꽃은 화자의 헌신적 사랑을 형상화하는 상징적 소재인데, 이를 뿌리겠다는 것은 임이 가는 길을 축복하겠다는 의미로 볼 수 있다. 이후 "그 꽃을 / 사뿐히 즈려 밟고 가시옵소서"라고 하는데, 앞의 흐름을 고려했을 때, 자신의 사랑을 외면하라는 의미보다는 소중히 생각하면서 떠나라는 뜻으로 보는 것이 적절하다. 마지막에는 "죽어도 아니 눈물 흘리오리다"라고 하는데, 이는 화자의 눈물로 떠나는 임의 마음을 혼란스럽게 만들지 않겠다는 뜻이다. 결론적으로 화자는 아픈 이별 상황임에도 임을 배려하는 헌신적 사랑을 보여준다.

① 「진달래꽃」은 시의 구성이 세 부분으로 나누어지면서 7·5조의 운율을 형성한다.

② 「진달래꽃」에서 "진달래꽃"은 화자의 희생적인 사랑을 아름답게 표현하는 소재이다.

③ 「진달래꽃」에는 아픈 이별의 상황에서 임을 원망하고 증오하는 화자의 태도가 드러난다.

④ 「진달래꽃」의 "죽어도 아니 눈물 흘리"겠다는 표현은 무시를 극복한 자기희생적 사랑을 의미한다.

---

01 세부 내용 파악하기

해설 ② 3문단 내용에 따르면, 마지막 4연에서 시인은 3연까지 치달아 온 극한의 위기(냉엄한 현실적 조건)를 담담히 대면해 눈을 감으며 현실을 새롭게 규정하고, 현실의 진정한 면모와 마주한다. 따라서 「절정」에서 시인은 투사가 처한 현실적 조건을 외면하지 않고 새롭게 인식(규정)한다고 볼 수 있다.

오답 분석 ② 2문단에서는 '매운 계절의 채찍, 북방, 서릿발 칼날진 그 위, 고원'과 같은 표현을 통해 「절정」의 투사가 처한 극한의 상황이 제시되고 있다고 설명한다. 그러나 제시문에서 뚜렷한 계절의 변화에 대한 내용은 확인할 수 없다.

③ 1문단에서 「절정」은 크게 '투사가 처한 냉엄한 현실적 조건(1~3연)'과 '시인이 품고 있는 인간과 역사에 대한 희망(4연)'으로 나누어진다고 설명한다. 이는 극한의 현실을 마주하고 새롭게 인식함으로써 희망을 놓지 않으려는 시인의 안간힘으로 해석된다. 따라서 투사와 시인이 반목과 화해를 거듭한다는 ③의 이해는 적절하지 않다.

④ 3문단에서 「절정」의 시인은 현실을 담담히 대면하며 현실의 진정한 면모와 마주하려는 적극적인 태도를 보인다고 설명한다. 따라서 냉엄한 현실에 절망하는 시인의 면모가 담겨 있다는 ④의 이해는 적절하지 않다. 참고로, 「절정」의 마지막 구절인 "겨울은 강철로 된 무지갠가보다"를 통해 인간과 역사에 대한 희망을 놓지 않으려는 시인의 면모를 확인할 수 있다.

02 세부 내용 파악하기

해설 ④ 1문단을 통해 「승무」가 춤의 진행 과정에 따라 시상이 전개됨을 알 수 있으며, 이는 시간의 흐름에 의한 시상 전개에 해당한다. 2문단 끝에서 5~7번째 줄에서는 춤을 마친 여승이 번뇌를 의미하는 '두 방울'을 '별빛'으로 승화했다고 하였다.

오답 분석 ① "두 방울"은 여승의 눈물임을 알 수 있으나, 이는 세속적인 번뇌를 의미하며 여승이 세속적 번뇌를 승화한 결과물은 "별빛"이다.

② 2문단 끝에서 1~3번째 줄을 통해 1연과 9연에서 동일한 시구가 반복되는 '수미상관'에 의한 시상 전개 방식이 사용되었음을 알 수 있다. 하지만 여승은 6~7연에서 이미 번뇌를 "별빛"으로 승화하였으므로 여승의 번민이 계속될 것이라는 ②는 적절하지 않다.

③ 화자는 여승의 두 볼에 흐르는 눈물이 오히려 고와서 서럽다며 역설적으로 표현한다. 하지만 이는 승려가 될 수밖에 없었던 여승의 사연을 생각하며 애상에 잠긴 화자의 정서를 강조하는 것일 뿐, 역설적 표현을 통해 번뇌가 승화된 여승에 대한 감격스러움을 드러낸 것이라고 보기는 어렵다.

03 세부 내용 파악하기

해설 ② 3문단 4~5번째 줄에서 "진달래꽃"은 화자의 헌신적 사랑을 형상화하는 상징적 소재라는 것을 알 수 있다. 따라서 ②의 내용은 적절하다.

오답 분석 ① 2문단 끝 1~2번째 줄에서 「진달래꽃」이 7·5조로 운율을 형성한다는 것을 알 수 있지만, 제시문에서 시의 구성이 세 부분으로 나누어진다는 것은 알 수 없다.

③ 제시문에서 임을 원망하고 증오하는 화자의 태도가 시에서 드러난다는 내용은 찾을 수 없다.

④ 3문단 끝 3~5번째 줄에서 "죽어도 아니 눈물 흘리"겠다는 것은 화자의 눈물로 떠나는 임의 마음을 혼란스럽게 만들지는 않겠다는 뜻임을 알 수 있다. 이 표현에서 화자가 '무시를 극복'했다는 것은 알 수 없다.

정답 01 ② 02 ④ 03 ②

04

9급 출제기조 전환 예시문제

다음 글에서 추론한 내용으로 가장 적절한 것은?

'크로노토프'는 그리스어로 시간과 공간을 뜻하는 두 단어를 결합한 것으로, 시공간을 통합적으로 이해하기 위한 개념이다. 크로노토프의 관점에서 보면 고소설과 근대소설의 차이를 명확하게 파악할 수 있다.

고소설에는 돌아가야 할 곳으로서의 원점이 존재한다. 그것은 영웅소설에서라면 중세의 인륜이 원형대로 보존된 세계이고, 가정소설에서라면 가장을 중심으로 가족 구성원들이 평화롭게 공존하는 가정이다. 고소설에서 주인공은 적대자에 의해 원점에서 분리되어 고난을 겪는다. 그들의 목표는 상실한 원점을 회복하는 것, 즉 그곳에서 향유했던 이상적 상태로 돌아가는 것이다. 주인공과 적대자 사이의 갈등이 전개되는 시간을 서사적 현재라 한다면, 주인공이 도달해야 할 종결점은 새로운 미래가 아니라 다시 도래할 과거로서의 미래이다. 이러한 시공간의 배열을 '회귀의 크로노토프'라고 한다.

근대소설 「무정」은 회귀의 크로노토프를 부정한다. 이것은 주인공인 이형식과 박영채의 시간 경험을 통해 확인된다. 형식은 고아지만 이상적인 고향의 기억을 갖고 있다. 그것은 박 진사의 집에서 영채와 함께하던 때의 기억이다. 이는 영채도 마찬가지기에, 그들에게 박 진사의 집으로 표상되는 유년의 과거는 이상적 원점의 구실을 한다. 박 진사의 죽음은 그들에게 고향의 상실을 상징한다. 두 사람의 결합이 이상적 상태의 고향을 회복할 수 있는 유일한 방법이겠지만, 그들은 끝내 결합하지 못한다. 형식은 새 시대의 새 인물이 되어야 한다고 생각하며 과거로의 복귀를 거부한다.

① 「무정」과 고소설은 회귀의 크로노토프를 부정한다는 점에서 공통적이다.

② 영웅소설의 주인공과 「무정」의 이형식은 그들의 이상적 원점을 상실했다는 공통점을 가지고 있다.

③ 「무정」에서 이형식이 박영채와 결합했다면 새로운 미래로서의 종결점에 도달할 수 있었을 것이다.

④ 가정소설은 가족 구성원들이 평화롭게 공존하는 결말을 통해 상실했던 원점으로의 복귀를 거부한다.

05

다음 글에서 추론한 내용으로 적절하지 않은 것은?

농민소설은 1930년대 러시아의 브나로드(Vnarod) 운동에 영향을 받아 농민의 현실적 삶에 대한 주제의식을 선명하게 드러내는 소설이다. 이렇듯 농민소설은 식민지 시대에 일제의 식량 조달로 인해 착취를 당하는 농민의 모습이나 토지조사 사업으로 인해 지주들이 영세 소작인에게 부리는 횡포 등 당시 농촌 문제를 소재로 하여 이를 고발하는 내용을 주로 다룬다. 또한 농민 의식을 깨우치고자 하는 계몽주의적 성격을 띠고 있다.

이기영의 소설 『고향』은 당대 농촌의 문제가 일제식민지 지배와 친일 지주에 의해 발생한 것이라는 인식을 바탕으로 하여 지주와 소작인의 갈등과 농민의 투쟁을 그린다. 1920년대 중반 근대의 물결이 들이닥치고 농촌 지역으로 침투한 자본으로 인해 소박한 삶을 살던 소지주와 자작농들이 소작농으로 전락하면서 급격하게 계층이 분열된다. 이기영은 주인공 김희준을 내세워 이러한 문제를 이끌어나간다. 동경 유학생인 김희준은 농민 의식을 깨우치고자 노력하는 인물로, 몰락하는 농민의 생활 속으로 침투하여 그들의 문제를 해결하려고 애쓴다.

반면 농촌소설은 향토적이고 서정적인 공간으로서의 농촌을 배경으로 농민들의 소박하고 따뜻한 삶을 주된 이야기로 삼는다. 도시와 대비되는 농촌이라는 배경을 중시하며, 단순히 농민을 주인공으로 설정하는 소설로서 우리나라의 농촌소설로는 김유정의 『봄·봄』, 『동백꽃』, 『금따는 콩밭』등이 있다. 이러한 김유정의 소설은 농촌을 계몽의 대상으로 보지도 않고, 낭만적 이상향으로만 보지도 않는다.

① 농촌소설은 주로 지식인의 관념 속에 비추어진 농촌 현실을 그린다.

② 농민소설은 당대 농촌의 구조적 모순이나 농민의 의식 성장을 다룬다.

③ 농민소설과 농촌소설은 모두 농촌과 농민을 소재로 한다는 점에서 공통적이다.

④ 『고향』에서의 농촌과 달리 『봄·봄』에서의 농촌은 목가적인 생활의 공간이라고 인식된다.

06

9급 출제기조 전환 예시문제

다음 글의 ㉠~㉢에 들어갈 말을 적절하게 나열한 것은?

소설과 현실의 관계를 온당하게 살피기 위해서는 세계의 현실성, 문제의 현실성, 해결의 현실성을 구별해야 한다. 우리가 살고 있는 이 입체적인 시공간에서 특히 의미 있는 한 부분을 도려내어 서사의 무대로 삼을 경우 세계의 현실성이 확보된다. 그 세계 안의 인간이 자신을 둘러싼 세계와 고투하면서 당대의 공론장에서 기꺼이 논의해 볼 만한 의제를 산출해낼 때 문제의 현실성이 확보된다. 한 사회가 완강하게 구조화하고 있는 '가능한 것'과 '불가능한 것'의 좌표를 흔들면서 특정한 선택지를 제출할 때 해결의 현실성이 확보된다.

최인훈의 「광장」은 밀실과 광장 사이에서 고뇌하는 주인공의 모습을 통해 '남(南)이냐 북(北)이냐'라는 민감한 주제를 격화된 이념 대립의 공론장에 던짐으로써 __㉠__ 을 확보하였다. 작품의 시공간으로 당시 남한과 북한을 소설적 세계로 선택함으로써 동서 냉전 시대의 보편성과 한반도 분단 체제의 특수성을 동시에 포괄할 수 있는 __㉡__ 도 확보하였다. 「광장」에서 주인공이 남과 북 모두를 거부하고 자살을 선택하는 결말은 남북으로 상징되는 당대의 이원화된 이데올로기를 근저에서 흔들었다. 이로써 __㉢__ 을 확보할 수 있었다.

㉠	㉡	㉢
① 문제의 현실성	세계의 현실성	해결의 현실성
② 문제의 현실성	해결의 현실성	세계의 현실성
③ 세계의 현실성	문제의 현실성	해결의 현실성
④ 세계의 현실성	해결의 현실성	문제의 현실성

정답 및 해설

04 숨겨진 내용 추론하기

해설 ② 2문단 1~5번째 줄에서, 영웅소설 주인공에게 '원점'은 중세의 인륜이 원형대로 보존된 세계이고, 고소설(영웅소설 포함)에서 주인공은 적대자에 의해 원점에서 분리되어 고난을 겪는다고 설명한다. 또한 3문단 5~7번째 줄에서 「무정」의 주인공인 이형식에게 '원점'은 박 진사의 집에서 영채와 함께하던 유년의 과거이며, 박 진사의 죽음이 그에게는 고향의 상실을 상징한다고 설명한다. 이를 통해 영웅소설의 주인공과 「무정」의 이형식 모두 그들의 이상적 원점을 상실했음을 추론할 수 있다.

오답 분석

① 「무정」은 '회귀의 크로노토프'를 부정하지만, 고소설은 '회귀의 크로노토프'를 부정하지 않으므로 ①의 추론은 적절하지 않다.
- 「무정」: 3문단에서 근대소설인「무정」은 '회귀의 크로노토프'를 부정한다는 것을 알 수 있다.
- 고소설: 고소설에서 주인공은 적대자에 의해 원점에서 분리되어 고난을 겪지만, 그들의 목표는 과거 향유했던 이상적 상태로 돌아가는 것이라는 2문단의 내용을 통해 고소설은 '회귀의 크로노토프'가 적용된다는 것을 알 수 있다.

③ 3문단에서 이형식와 박영채의 결합은 상실한 과거의 이상적 원점(유년의 고향)으로 돌아가는 유일한 방법이라고 설명한다. 이를 통해 두 사람의 결합은 새로운 미래가 아닌 다시 도래할 과거로서의 미래라는 종결점에 도달한다는 것을 의미함을 알 수 있으므로 ③의 추론은 적절하지 않다.

④ 2문단 1~4번째 줄 내용에 따르면, 고소설에는 돌아가야 할 곳으로서의 원점이 존재하며, 가정소설에서 이러한 원점은 가장을 중심으로 가족 구성원들이 평화롭게 공존하는 가정을 의미한다. 이를 바탕으로 할 때, 가정소설에서 가족 구성원들이 평화롭게 공존하는 결말은 상실했던 원점으로의 복귀를 의미하므로, ④의 추론은 적절하지 않다.

05 숨겨진 내용 추론하기

해설 ① 3문단 내용에 따르면 농촌소설은 향토적이고 서정적인 공간으로서의 농촌을 배경으로 농민들의 소박하고 따뜻한 삶을 그린다. 이러한 설명은 농촌소설이 지식인의 관념 속에 비추어진 농촌 현실을 그린다는 것과 관련이 없으므로 답은 ①이다. 참고로 ①의 내용은 농민 의식을 깨우치고자 하는 계몽주의적 성격을 띠고 있는 농민소설에 대한 설명에 가깝다.

오답 분석

② 1문단 내용에 따르면 농민소설은 식민지 시대에 착취를 당하는 농민의 모습이나 지주와 영세 소작인 계층의 구조적 모순을 고발하며, 농민의 의식을 깨우치고자 하는 계몽주의적 성격을 띠고 있다.

③ 농민소설은 식민지 시대의 농촌문제를 소재로 하여 농민의 의식 성장을 다루는 반면, 농촌소설은 향토적이고 서정적인 공간으로서의 농촌을 배경으로 농민들의 소박한 삶을 주된 이야기로 삼는다. 따라서 농민소설과 농촌소설 모두 농촌과 농민을 소재로 함을 알 수 있다.

④ 농민소설인『고향』에서의 농촌은 일제에 의해 황폐화되고 몰락하는 배경으로 그려졌으나, 농촌소설인『봄·봄』에서의 농촌은 목가적이고 서정적인 삶의 터전이라고 인식된다.

06 빈칸 내용 추론하기

해설 ① ㉠~㉢에 들어갈 말을 적절하게 나열한 것은 ①이다.
- ㉠ 문제의 현실성: 2문단에 의하면, 「광장」은 남북의 이념이 대립한 상황을 그린 작품이다. 따라서「광장」은 주인공이 그가 처한 현실에서 고뇌하며, '남(南)이냐 북(北)이냐'라는 민감한 주제를 공론장에 던지고 있으므로 '문제의 현실성'을 확보하였다.
- ㉡ 세계의 현실성: 2문단에 의하면 「광장」은 작품의 시공간으로서 당시 남한과 북한을 소설적 세계로 선택하여 '세계의 현실성'을 확보하였다.
- ㉢ 해결의 현실성: 2문단에 의하면 「광장」은 주인공이 남과 북 모두를 거부하고 자살을 선택하는 결말을 통해 당대의 이원화된 이데올로기를 근저에서 흔듦으로써 '해결의 현실성'을 확보하였다.

정답 04 ② 05 ① 06 ①

07

다음 글의 ㉠~㉢에 들어갈 말을 적절하게 나열한 것은?

서술자의 개입은 작중에서 다양한 양상으로 나타난다. 먼저 서술자가 인물이나 사건에 대해 호불호(好不好) 또는 다른 방식으로 판단하거나 평가하는 '편집자적 논평'이 있다. 다음으로 서술자가 인물에 대해 자기의 감정을 드러내는 '감정의 노출'이 있다. 마지막으로 서술자가 인물이나 사건에 대해 독자에게 말을 걸면서 자신의 존재를 직접적으로 드러내는 '독자에게 말 걸기'가 있다. 이처럼 서술자가 작중에 개입하는 방법은 다양하며, 이를 통해 독자는 서술자의 시각과 작가의 의식을 확인할 수 있다.

서술자의 개입은 고전 소설에서 빈번히 확인할 수 있다. 허균의 '홍길동전'에서는 길동이 집을 떠날 때 서술자가 '길동이 집을 나서니 어찌 가련하지 아니하리오'라고 서술하는데 이는 서술자의 개입 중 ㉠ 에 해당한다. '춘향전'에서 암행어사가 출두하자 수령들이 달아나는 장면에서 서술되는 '모든 수령 도망갈 제 거동 보소'라는 서술은 ㉡ (으)로 볼 수 있다. 김만중의 '사씨남정기'에서 '사씨'가 명예를 되찾고 악인 '교씨'가 벌을 받은 후 서술자가 '이러므로 착한 사람은 복을 받고 악한 사람은 앙화(殃禍)를 받는 법이다'라고 서술하는 것은 ㉢ (이)라고 할 수 있다.

	㉠	㉡	㉢
①	감정의 노출	독자에게 말 걸기	편집자적 논평
②	감정의 노출	편집자적 논평	독자에게 말 걸기
③	독자에게 말 걸기	편집자적 논평	감정의 노출
④	독자에게 말 걸기	감정의 노출	편집자적 논평

08

다음 글을 이해한 내용으로 가장 적절한 것은?

김소월의 시는 전통적인 정서와 민요적 율조를 담고 있어, 김소월은 한국 문학의 전통을 계승한 시인으로 평가된다. 김소월의 작품 「초혼(招魂)」에서도 그 특징이 드러난다. '초혼(招魂)'은 사람이 죽었을 때, 죽은 이의 이름을 3번 소리쳐 부르는 장례 의식이다. 김소월은 이를 소재로 삼아 사랑하는 임을 잃은 슬픔과 그리움을 표현한다.

1연에서 화자는 "산산이 부서진 이름이여!"라고 처절하게 임의 이름을 부르고 있다. 하지만 "불러도 주인 없는 이름"이므로 임은 화자가 있는 세상에 더 이상 존재하지 않음을 알 수 있다. 2연에서 화자는 미처 고백하지 못한 마음에 안타까워하며 "사랑하던 그 사람이여!"라고 임을 반복해서 부른다.

이어 4연에서 화자는 자신이 있는 이승과 임이 있는 저승의 거리감을 "하늘"과 "땅"으로 제시하고, 그 사이가 너무 멀어 "부르는 소리는 비껴가"게 된다며 절망한다.

5연에서 화자는 "선 채로 이 자리에 돌이 되어서도"라고 하며, 전통적 소재인 망부석 설화를 활용해 죽은 임이 돌아오지 않아도 기다리며 영원히 사랑하겠다는 극단적이고 비장한 태도를 보여 준다. 그리고 마지막으로 "부르다가 내가 죽을 이름이여! / 사랑하던 그 사람이여!"라고 임을 부른다. 이렇게 임을 세 번 부르는 구조에서 '초혼(招魂)'이 시 전체에 반영된 점을 알 수 있다.

① 「초혼(招魂)」에는 임이 화자를 떠나는 과정이 시간의 순서대로 구성된다.

② 「초혼(招魂)」에서 화자는 전통 장례 의식을 시로 구현하여 임을 잃은 슬픔을 극복하려 한다.

③ 「초혼(招魂)」에서 화자는 자기와 임 사이의 거리감을 표상하며 임과의 단절을 깨닫고 절망한다.

④ 「초혼(招魂)」에는 임과의 이별은 일시적이고 곧 임과 재회한다는 희망을 상징하는 시어가 나타난다.

09

다음 글에서 추론한 내용으로 가장 적절한 것은?

1930년대 말 나타난 '순수문학논쟁'은 30대 작가와 20대 작가의 문학적 대립에서 시작되었다. 대립의 주된 내용은 문학의 순수와 비순수 문제였다. 이는 1950년대까지 이어져 문학의 비판적 기능을 중시하는 참여 문학론과 문학의 예술성을 옹호하는 순수 문학론의 논쟁으로 이어졌다. 순수 문학과 참여 문학의 차이는 작품에서 뚜렷이 확인할 수 있다.

먼저 순수 문학의 대표 작가인 '김동리'의 「역마」는 1948년에 발표된 광복 이후 소설이다. 주인공 '성기'는 한곳에 정착하지 못하고 떠돌아다녀야 하는 역마살이 든 인물이다. '성기'는 '계연'을 만나 사랑하게 되고 정착하려 하지만, '계연'이 어머니의 동생임을 알고 떠돌아다녀야 하는 자신의 운명에 순응하게 된다. '김동리'는 '역마살'을 소재로, 한국인의 전통적 운명론을 형상화하여 인간의 근원과 자연의 질서를 탐구하고자 하였다.

반면 참여 문학론자는 시대적 상황을 작품에 녹여 이를 고발하고 현실에 개입하는 것이 오늘날 사회에 기여하는 작가의 사명이라고 생각한다. '윤흥길'의 「아홉 켤레의 구두로 남은 사내」는 참여 문학을 주창하는 이들에게 긍정적인 평가를 받은 작품이다. 이 작품은 1971년에 발생한 '광주 대단지 사건'을 다루며, 1970년대 급격한 산업화로 발생한 도시 빈민층의 모습을 사실적으로 그려 현실의 부조리를 드러낸다.

① 순수 소설은 문학의 예술성에 입각하여 인간의 본질과 역사적 사실을 탐구한다.

② 「아홉 켤레의 구두로 남은 사내」는 당대의 문제점을 비판하며 문학의 사회적 책임을 수행하고 있다.

③ 「역마」의 '성기'와 '계연'이 운명에 맞서 그들의 문제를 극복하려 했다면 참여 문학의 성격을 지니게 된다.

④ 「역마」와 「아홉 켤레의 구두로 남은 사내」는 사회에서 소외당하는 인물을 주인공으로 삼는 점이 공통적이다.

07 빈칸 내용 추론하기

해설 ① ㉠~㉢에 들어갈 말을 적절하게 나열한 것은 ①이다.
㉠ 감정의 노출: 1문단에서 서술자의 개입 중 서술자가 인물에 대해 자기의 감정을 드러내는 것을 '감정의 노출'이라고 하였다. 2문단에서 서술자는 길동이 집을 떠나는 대목에서 가련하다며 길동에 대한 자기의 감정을 직접 드러나고 있으므로 ㉠에 들어갈 말은 '감정의 노출'임을 알 수 있다.
㉡ 독자에게 말 걸기: 1문단에서 서술자의 개입 중 서술자가 인물이나 사건에 대해 독자에게 말을 걸며 자신의 존재를 직접 드러내는 것을 '독자에게 말 걸기'라고 하였다. 2문단에서 서술자는 암행어사 출두 장면에서 수령들이 달아나는 모습을 보고 그들의 거동을 보라 말을 걸고 있으므로 ㉡에 들어갈 말은 '독자에게 말 걸기'임을 알 수 있다.
㉢ 편집자적 논평: 1문단에서 서술자의 개입 중 서술자가 인물이나 사건에 대해 호불호(好不好)와 같은 방법으로 판단하거나 평가하는 것을 '편집자적 논평'이라고 하였다. 2문단에서 서술자는 '사씨'가 명예를 되찾고 악인인 '교씨'가 벌을 받는 장면에서 착한 사람은 복을 받고 악한 사람은 벌을 받는 법이라고 서술하고 있다. 이는 작가가 사건에 대한 평가와 판단을 통해 권선징악(勸善懲惡)이라는 의식을 표출하고 있는 것이므로 ㉢에 들어갈 말은 '편집자적 논평'임을 알 수 있다.

08 세부 내용 파악하기

해설 ③ 3문단에서 화자가 구체적인 시어 '하늘'과 '땅'을 사용하여 이승에 있는 화자와 저승에 있는 임 사이의 거리감을 표상하고 있다고 설명한다. 또한 화자와 임 사이의 거리로 인해 화자의 목소리가 임에게 닿지 않아, 화자는 임과의 단절에 절망하고 있음을 알 수 있다.

09 숨겨진 내용 추론하기

해설 ② 1문단 4번째 줄에서 참여 문학은 문학의 비판적 기능을 중시한다는 점을 알 수 있으며, 3문단에서 참여 문학론자는 시대적 상황을 작품에 담아내는 것을 사명으로 여긴다는 점과 「아홉 켤레의 구두로 남은 사내」는 참여 문학의 대표적인 작품으로서 당대 현실의 문제를 담아낸 작품이라는 점을 알 수 있다. 따라서 ②는 제시문을 통해 추론할 수 있는 내용이다.

10

다음 글을 이해한 내용으로 가장 적절한 것은?

> 부사는 장화와 홍련이 꿈에 나타나 자신들의 원통한 사정에 대해 고한 말을 듣고 배 좌수를 관아로 불러들였다. 부사가 물었다. "딸들이 무슨 병으로 죽었소?" 배 좌수는 머뭇거리며 답하지 못했다. 그러자 후처가 엿보고 있다가 남편이 사실을 누설할까 싶어 곧장 들어와 답했다. "제 친정은 이곳의 양반 가문입니다. 장녀 장화는 음행을 저질러 낙태한 뒤 부끄러움을 못 이기고 밤을 틈타 스스로 물에 빠져 죽었습니다. 차녀 홍련은 언니의 일이 부끄러워 스스로 목숨을 끊었습니다. 이렇게 낙태한 증거물을 바치니 부디 살펴봐 주시기 바랍니다." 부사는 그것을 보고 미심쩍어하며 모두 물러가게 했다.
>
> 이날 밤 운무가 뜰에 가득한데 장화와 홍련이 다시 나타났다. "계모가 바친 것은 실제로 제가 낙태해서 나온 것이 아니라 계모가 죽은 쥐의 가죽을 벗겨 제 이불 안에 몰래 넣어 둔 것입니다. 다시 그것을 가져다 배를 갈라 보시면 분명 허실을 알게 되실 겁니다." 이에 부사가 그 말대로 했더니 과연 쥐가 분명했다.
>
> – '장화홍련전'

① 부사는 배 좌수의 후처가 제시한 증거를 보고 장화와 홍련의 말이 거짓이라고 확신했다.

② 배 좌수의 후처는 음행을 저지른 홍련이 스스로 물에 빠져 죽었다고 부사에게 거짓말을 하였다.

③ 장화는 배 좌수의 후처가 제시한 증거가 거짓임을 확인할 수 있는 계책을 부사에게 알려 주었다.

④ 배 좌수는 장화와 홍련이 스스로 목숨을 끊은 이유를 물어보는 부사에게 머뭇거리며 대답하지 못했다.

11

다음 글을 감상한 내용으로 적절하지 않은 것은?

> 내 님믈 그리ᅀᆞ와 우니다니
> 산(山) 졉동새 난 이슷ᄒ요이다
> 아니시며 거츠르신 ᄃᆞᆯ 아으
> 잔월효성(殘月曉星)이 아ᄅᆞ시리이다
> 넉시라도 님은 ᄒᆞᆫᄃᆡ 녀져라 아으
> 벼기더시니 뉘러시니잇가
> 과(過)도 허믈도 천만(千萬) 업소이다
> ᄆᆞᆯ힛 마리신뎌
> ᄉᆞᆳ읏븐뎌 아으
> 니미 나ᄅᆞᆯ ᄒᆞ마 니ᄌᆞ시니잇가
> 아소 님하 도람 드르샤 괴오쇼셔.

① 자연물을 통해 화자의 처지를 드러내고 있다.

② 천상의 존재를 통해 화자의 결백함을 나타내고 있다.

③ 설의적 표현을 활용하여 화자의 정서를 부각하고 있다.

④ 큰 숫자를 활용하여 임을 향한 화자의 그리움을 강조하고 있다.

12

다음 중 아래 작품에 대한 설명으로 가장 옳지 않은 것은?

모란이 피기까지는,

나는 아직 나의 봄을 기다리고 있을 테요.

모란이 뚝뚝 떨어져 버린 날,

나는 비로소 나의 봄을 여읜 설움에 잠길 테요.

오월 어느 날, 그 하루 무덥던 날,

떨어져 누운 꽃잎마저 시들어 버리고는

천지에 모란은 자취도 없어지고,

뻗쳐 오르던 내 보람 서운케 무너졌느니,

모란이 지고 말면 그뿐, 내 한 해는 다 가고 말아,

삼백 예순 날 하냥 섭섭해 우옵내다.

모란이 피기까지는,

나는 아직 기다리고 있을 테요, 찬란한 슬픔의 봄을.

– 김영랑, '모란이 피기까지는'

① 이 시는 '기다림과 상실의 미학'을 노래한 작품이다.

② 이 시의 화자는 모란의 '영원한 아름다움'을 찬양하고 있다.

③ 화자는 모란이 지고 난 뒤의 봄날의 상실감으로 인해 설움에 잠기지만, 그 슬픔과 상실이 주는 역설적인 기다림의 아름다움을 노래하고 있다.

④ 이 시에서 화자는 '모란'의 아름다움이 '한 철'만 볼 수 있는 것이기에 '찬란한 슬픔'이라고 표현하고 있다.

정답 및 해설

10 작품의 내용 파악

해설 ③ 2문단에 따르면 장화는 배 좌수의 후처가 제시한 증거가 자신이 낙태해서 나온 것이 아니라 죽은 쥐의 가죽이라고 주장하면서 그것의 배를 갈라 보면 알 수 있을 것이라고 부사에게 말한다. 따라서 ③의 내용은 적절하다.

오답 분석 ① 1문단에 따르면 부사는 배 좌수의 후처가 제시한 증거를 보고 미심쩍어한다. 부사는 장화와 홍련의 말이 거짓이라고 확신하지 않았으므로 ①의 내용은 적절하지 않다.

② 1문단에 따르면 배 좌수의 후처는 장화가 음행을 저지른 뒤 스스로 물에 빠져 죽었다고 거짓말을 한다. 이 거짓말에서 음행을 저지른 사람은 홍련이 아니라 장화이므로 ②의 내용은 적절하지 않다.

④ 1문단에 따르면 부사는 배 좌수에게 "딸들이 무슨 병으로 죽었소?"라고 묻는다. 장화와 홍련이 스스로 목숨을 끊은 이유가 아니라 무슨 병으로 죽었는지를 묻고 있으므로 ④의 내용은 적절하지 않다.

11 표현상의 특징과 효과

해설 ④ '과(過)도 허물도 천만(千萬) 업소이다(잘못도 허물도 전혀 없습니다)'에서 '천만(千萬)'이라는 큰 숫자를 활용한 것을 찾을 수 있다. 이는 자신의 결백함을 강조하기 위한 표현일 뿐, 임을 향한 화자의 그리움을 강조하는 표현은 아니므로 ④는 적절하지 않다.

오답 분석 ① '산(山) 접동새 난 이슷ᄒ요이다(산 접동새와 난 비슷합니다)'에서 '접동새'라는 자연물을 찾을 수 있다. 화자는 임을 그리워하는 자신의 처지를 '접동새'라는 자연물에 빗대어 표현했으므로 자연물을 통해 화자의 처지를 드러내고 있다는 ①은 적절하다.

② '잔월효성(殘月曉星)이 아른시리이다(잔월효성만이 알고 있을 것입니다)'에서 '잔월효성'이라는 천상의 존재를 찾을 수 있다. '잔월효성'은 '지는 달, 새벽 별'이라는 뜻으로 초월적 존재이다. 화자는 '잔월효성'이 '거츠른 둘(거짓이라는 것)'을 알고 있을 것이라고 했으므로 천상의 존재를 통해 화자의 결백함을 나타내고 있다는 ②는 적절하다.

③ '니미 나를 ᄒ마 니ᄌ시니잇가(임께서 벌써 나를 잊으셨나이까)'에서 '니ᄌ시니잇가'라는 설의적 표현을 찾을 수 있다. 이를 통해 자신을 잊어버린 듯한 임에 대한 원망을 강조하고 있으므로 설의적 표현을 활용하여 화자의 정서를 부각하고 있다는 ③은 적절하다.

12 작품의 종합적 감상

해설 ② 제시된 작품은 모란의 소멸에 대한 안타까움과 다시 모란이 필 때까지 기다리겠다는 화자의 의지를 드러낸 작품으로, 이때 '모란'은 피었다가 소멸해 버리는 존재이다. 따라서 모란의 '영원한 아름다움'을 찬양한다는 ②의 설명은 옳지 않다.

오답 분석 ① 시든 '모란'이 다시 필 때까지 기다리겠다는 화자의 태도를 통해 꽃이 지더라도 영원히 지는 것이 아니고, 꽃이 피더라도 영원히 피어 있는 것이 아니라는 '기다림과 상실의 미학'을 드러내고 있다.

③ ④ '찬란한 슬픔의 봄'에서 '찬란한'은 모란이 폈을 때의 기쁨과 환희를 뜻하며, '슬픔'은 모란이 졌을 때의 상실감을 의미한다. 화자는 모란이 졌을 때 봄날의 상실감으로 인해 설움에 잠기지만, 이러한 슬픔과 상실로 인해 모란이 다시 폈을 때의 기쁨이 존재함을 깨닫는 역설적인 기다림의 아름다움을 노래하고 있다.

정답 10 ③   11 ④   12 ②

13

2022 지방직 9급

⊙~㉣에 대한 이해로 가장 적절한 것은?

> ⊙ 산(山)새도 오리나무
> 위에서 운다
> 산새는 왜 우노, 시메산골
> 영(嶺) 넘어가려고 그래서 울지
>
> 눈은 내리네, 와서 덮이네
> 오늘도 하룻길은
> ㉡ 칠팔십 리(七八十里)
> 돌아서서 육십 리는 가기도 했소
>
> ㉢ 불귀(不歸), 불귀, 다시 불귀
> 삼수갑산에 다시 불귀
> 사나이 속이라 잊으련만
> 십오 년 정분을 못 잊겠네
>
> 산에는 오는 눈, 들에는 녹는 눈
> 산새도 오리나무
> ㉣ 위에서 운다
> 삼수갑산 가는 길은 고개의 길
>
> – 김소월, '산'

① ⊙은 시적 화자와 상반되는 처지에 놓여 있다.
② ㉡은 시적 화자에게 놓인 방랑길을 비유한다.
③ ㉢은 시적 화자의 이국 지향 의식을 강조한다.
④ ㉣은 시적 화자가 지닌 분노의 정서를 대변한다.

14

2023 지방직 9급

다음 글을 이해한 내용으로 적절하지 않은 것은?

> 매우 치라 소리 맞춰, 넓은 골에 벼락치듯 후리쳐 딱 붙이니, 춘향이 정신이 아득하여, "애고 이것이 웬일인가?" 일자(一字)로 운을 달아 우는 말이, "일편단심 춘향이 일정지심 먹은 마음 일부종사 하겠더니 일신난처 이 몸인들 일각인들 변하리까? 일월 같은 맑은 절개 이리 힘들게 말으시오."
> "매우 치라." "꽤 때리오." 또 하나 딱 부치니, "애고." 이자(二字)로 우는구나. "이부불경 이내 마음 이군불사와 무엇이 다르리까? 이 몸이 죽더라도 이도령은 못 잊겠소. 이 몸이 이러한들 이 소식을 누가 전할까? 이왕 이리 되었으니 이 자리에서 죽여 주오."
> "매우 치라." "꽤 때리오." 또 하나 딱 부치니, "애고." 삼자(三字)로 우는구나. "삼청동 도련님과 삼생연분 맺었는데 삼강을 버리라 하소? 삼척동자 아는 일을 이내 몸이 조각조각 찢겨져도 삼종지도 중한 법을 삼생에 버리리까? 삼월삼일 제비같이 훨훨 날아 삼십삼천 올라가서 삼태성께 하소연할까? 애고애고 서러운지고."
>
> – '춘향전'

① 동일한 글자를 반복함으로써 리듬감을 조성하고 있다.
② 숫자를 활용하여 주인공이 처한 상황을 제시하고 있다.
③ 등장인물 간의 대화를 통해 주인공의 내적 갈등이 해결되고 있다.
④ 유교적 가치를 담고 있는 말을 활용하여 주인공의 의지를 드러내고 있다.

15

(가)와 (나)를 이해한 내용으로 적절하지 않은 것은?

> (가) 청산(靑山)은 내 뜻이오 녹수(綠水)는 님의 정(情)이
>
> 　　녹수(綠水) l 흘너간들 청산(靑山)이야 변(變)홀 손가
>
> 　　녹수(綠水)도 청산(靑山)을 못 니저 우러 녜여 가는고.
>
> (나) 청산(靑山)는 엇뎨ㅎ야 만고(萬古)애 프르르며
>
> 　　유수(流水)는 엇뎨ㅎ야 주야(晝夜)애 긋디 아니는고
>
> 　　우리도 그치디 마라 만고상청(萬古常靑)호리라.

① (가)는 '청산'과 '녹수'의 대조를 활용하여 화자가 처한 상황을 제시하고 있다.

② (나)는 시각적 심상과 청각적 심상을 활용하여 주제를 강조하고 있다.

③ (가)와 (나) 모두 대구를 활용하여 시상을 전개하고 있다.

④ (가)와 (나) 모두 설의적 표현을 활용하여 화자의 정서를 드러내고 있다.

정답 및 해설

13 시어 및 시구의 의미

해설 ② ⓒ '칠팔십 리(七八十里)'는 시적 화자가 걷는 유랑의 길을 비유한 것이므로 적절하다.

오답분석 ① 고개를 넘지 못해 울고 있는 ⊙ '산(山)새'와 삼수갑산에 돌아가지 못하는 시적 화자의 처지는 동일하므로 적절하지 않다.

③ '불귀(不歸)'는 '다시 돌아오지 않음' 또는 '돌아가지 않음'을 뜻하는 말로 ⓒ '불귀(不歸), 불귀, 다시 불귀'는 삼수갑산으로 돌아가지 못하는 시적 화자의 안타까움을 강조하고 있다.

④ 시적 화자는 슬픔의 정서를 ⊙ '산(山)새'에 이입하여 ⓔ '위에서 운다'와 같이 표현하고 있으므로 적절하지 않다.

14 서술상의 특징

해설 ③ 제시된 부분은 변 사또의 수청을 거절한 주인공 춘향이 곤장을 맞으며 '십장가'를 부르는 장면으로, 등장인물 간의 대화를 통해 주인공의 내적 갈등이 해결되는 모습은 확인할 수 없다.

오답분석 ① 각 문단별로 동일한 글자 '일, 이, 삼'을 반복함으로써 리듬감을 조성한다.

· 1문단: 일자, 일편단심, 일정지심, 일부종사, 일신난처 등

· 2문단: 이자, 이부불경, 이내 마음, 이군불사 등

· 3문단: 삼자, 삼청동, 삼생연분, 삼강, 삼척동자 등

② 매를 맞는 숫자 '일, 이, 삼'을 활용하여 절개를 지키고자 변 사또의 수청을 거절하고 곤장을 맞는 춘향의 상황을 제시하고 있다.

④ '일부종사, 이부불경, 이군불사, 삼강, 삼종지도' 등과 같이 유교적 가치를 담고 있는 말을 활용하여 절개를 지키고자 하는 춘향의 의지를 드러내고 있다.

· 일부종사(一夫從事): 한 남편만을 섬김

· 이부불경(二夫不更): 정절을 굳게 지키어, 두 남편을 섬기지 않음

· 이군불사(二君不事): 두 임금을 섬기지 않음

· 삼강(三綱): 유교의 도덕에서 기본이 되는 세 가지 강령. 임금과 신하, 부모와 자식, 남편과 아내 사이에 마땅히 지켜야 할 도리로 '군위신강, 부위자강, 부위부강'을 이른다.

· 삼종지도(三從之道): 예전에, 여자가 따라야 할 세 가지 도리를 이르던 말. 어려서는 아버지를, 결혼해서는 남편을, 남편이 죽은 후에는 자식을 따라야 하였다.

15 표현상의 특징과 효과

해설 ② (나)는 '푸른 청산'과 '그치지 않는 유수'의 변하지 않는 모습을 시각적 심상을 활용하여 표현함으로써 작품의 주제 의식인 '학문 수양에 대한 변함없는 의지'를 강조하고 있다. 이때 청각적 심상이 활용된 부분은 확인할 수 없으므로 답은 ②이다.

오답분석 ① (가)의 중장은 '청산'의 불변성과 '녹수'의 가변성을 대조하여 표현한 것으로, 이때 '청산'은 변치 않는 화자의 마음을 의미하며 '녹수'는 변해 버린 임의 정을 형상화하고 있다. 즉, '녹수(임)'가 흘러가도 '청산(나)'은 변하지 않을 것임을 노래함으로써 임이 떠난 후에도 임을 그리워하는 화자의 상황을 제시하고 있다.

③ (가)는 초장에서, (나)는 초장과 중장에서 대구를 통해 시상을 전개하였다.

· (가): 청산은 내 뜻이오 녹수는 님의 정이

· (나): 청산는 엇뎨ㅎ야 만고애 프르르며 / 유수는 엇뎨ㅎ야 주야애 긋디 아니는고

④ (가)는 중장에서 설의적 표현을 통해 임을 향한 화자의 변함없는 사랑을 드러내고 있다. 또한 (나)는 중장에서 설의적 표현을 활용하여 불변하고 영원한 자연물을 본받아 학문 수양에 힘쓰고자 하는 화자의 의지를 드러낸다.

· (가): 녹수(綠水) l 흘너간들 청산(靑山)이야 변(變)홀 손가

· (나): 유수(流水)는 엇뎨ㅎ야 주야(晝夜)애 긋디 아니는고

정답 13 ② 　14 ③ 　15 ②

16

〈보기〉의 작품에서 밑줄 친 시어에 대한 해석으로 가장 옳지 않은 것은?

─────── 〈보기〉 ───────

바닷가 햇빛 바른 바위 우에
습한 간(肝)을 펴서 말리우자.

코카서스 산중(山中)에서 도망해 온 토끼처럼
들러리를 빙빙 돌며 간(肝)을 지키자.

내가 오래 기르던 여윈 독수리야!
와서 뜯어 먹어라, 시름없이

너는 살찌고
나는 여위어야지, 그러나

거북이야!
다시는 용궁의 유혹에 안 떨어진다.

프로메테우스 불쌍한 프로메테우스
불 도적한 죄로 목에 맷돌을 달고
끝없이 침전하는 프로메테우스

① '간(肝)'은 화자가 지켜야 하는 지조와 생명을 가리킨다.

② 코카서스 산중에서 도망해 온 '토끼'는 토끼전과 프로메테우스 신화를 연결한다.

③ '독수리'와 '거북이'는 이 시에서 유사한 의미를 갖는 존재이다.

④ '프로메테우스'는 끝없이 침전한다는 점에서 시대의 고통이 큼을 암시한다.

17

다음 글에 대한 이해로 가장 적절한 것은?

암소의 뿔은 수소의 그것보다도 한층 더 겸허하다. 이 애상적인 뿔이 나를 받을 리 없으니 나는 마음 놓고 그 곁 풀밭에 가 누워도 좋다. 나는 누워서 우선 소를 본다.

소는 잠시 반추를 그치고 나를 응시한다.

'이 사람의 얼굴이 왜 이리 창백하냐. 아마 병인인가 보다. 내 생명에 위해를 가하려는 거나 아닌지 나는 조심해야 되지.'

이렇게 소는 속으로 나를 심리하였으리라. 그러나 오 분 후에는 소는 다시 반추를 계속하였다. 소보다도 내가 마음을 놓는다.

소는 식욕의 즐거움조차를 냉대할 수 있는 지상 최대의 권태자다. 얼마나 권태에 지질렸길래 이미 위에 들어간 식물을 다시 게워 그 시큼털털한 반소화물의 미각을 역설적으로 향락하는 체해 보임이리오?

소의 체구가 크면 클수록 그의 권태도 크고 슬프다. 나는 소 앞에 누워 내 세균 같이 사소한 고독을 겸손하면서

나도 사색의 반추는 가능할는지 불가능할는지 몰래 좀 생각해 본다.

─ 이상, '권태'

① 대상의 행위를 통해 글쓴이의 심리가 투사되고 있다.

② 과거의 삶을 회상하며 글쓴이의 처지를 후회하고 있다.

③ 공간의 이동을 통해 글쓴이의 무료함을 표현하고 있다.

④ 현실에 대한 글쓴이의 불만이 반성적 어조로 표출되고 있다.

18

다음 시에 나타난 시적 화자의 정서와 가장 유사한 것은?

> 내 가슴에 독(毒)을 찬 지 오래로다.
> 아직 아무도 해(害)한 일 없는 새로 뽑은 독
> 벗은 그 무서운 독 그만 흘어 버리라 한다.
> 나는 그 독이 선뜻 벗도 해할지 모른다 위협하고,
>
> 독 안 차고 살아도 머지않아 너 나 마주 가 버리면
> 억만 세대(億萬世代)가 그 뒤로 잠자코 흘러가고
> 나중에 땅덩이 모지라져 모래알이 될 것임을
> '허무(虛無)한듸!' 독은 차서 무엇 하느냐고?
>
> 아! 내 세상에 태어났음을 원망 않고 보낸
> 어느 하루가 있었던가. '허무한듸!', 허나
> 앞뒤로 덤비는 이리 승냥이 바야흐로 내 마음을 노리매
> 내 산 채 짐승의 밥이 되어 찢기우고 할퀴우라 내맡긴
> 신세임을
>
> 나는 독을 차고 선선히 가리라.
> 막음 날 내 외로운 혼(魂) 건지기 위하여.
>
> – 김영랑, '독을 차고'

① 수양산(首陽山) ᄇ라보며 이제(夷齊)를 한(恨)ᄒ노라.
　 주려 주글진들 채미(採薇)도 ᄒᄂ 것가.
　 비록애 푸새앳 거신들 긔 뉘 싸헤 낫ᄃ니.

② 짚방석(方席) 내지 마라, 낙엽(落葉)엔들 못 안즈랴.
　 솔불 혀지 마라, 어제 진 ᄃᆯ 도다 온다.
　 아ᄒᆡ야, 박주산채(薄酒山菜)ㄹ망졍 업다 말고 내여라.

③ 내 언제 무신(無信)ᄒ야 님을 언제 속엿관듸
　 월침삼경(月沈三更)에 온 ᄯᆞᆺ지 전혀 업다.
　 추풍(秋風)에 지ᄂ 닙 소ᄅᆡ야 낸들 어이ᄒ리오.

④ 흥망(興亡)이 유수(有數)ᄒ니 만월대(滿月臺)도 추초(秋草)
　 ㅣ로다.
　 오백 년(五百年) 왕업(王業)이 목적(牧笛)에 부쳐시니,
　 석양(夕陽)에 지나ᄂ 객(客)이 눈물계워 ᄒ노라.

---

16 시어의 의미

해설 ③ 제시된 작품에서 내가 오래 기르던 '독수리'는 '예리한 정신적·의지적 자아'를 의미한다. 이때 3연에서 독수리에게 '와서 뜯어 먹어라'라고 표현한 것은 화자가 스스로 양심을 지키기 위한 내적 고통을 그린 것으로 볼 수 있다. 반면 '거북이'는 '유혹하는 존재(일제)'를 의미하는 시어로, '용궁의 유혹에 안 떨어진다'라는 표현을 통해 양심을 저버리게 하는 일제의 현실적 유혹에 넘어가지 않겠다는 화자의 의지를 드러내고 있다. 따라서 '독수리'와 '거북이'가 유사한 의미를 갖는다는 ③의 해석은 옳지 않다.

오답 분석 ① '간'은 '인간의 양심과 본질, 지조와 생명'을 상징하는 소재로, 작품 속 화자는 끝없는 고통을 감내하면서까지 '간'을 지키려는 의지를 보인다.
② '토끼'는 '간'을 지켜 낸 존재이며, 화자와 동일시되는 대상이다. '토끼'가 코카서스 산중에서 도망해 왔다고 표현한 지점에서 제시된 작품은 '토끼'를 매개로 토끼전과 프로메테우스 신화를 연결하고 있음을 알 수 있다.
④ '프로메테우스'는 화자가 지향하는 존재로, 현실(시대)의 끝없는 고통을 감내하겠다는 자기희생의 의지를 나타내는 대상이다. 이때 끝없이 침전한다는 표현을 통해 화자가 겪는 현실(시대)의 고통이 크다는 사실을 알 수 있다.

17 서술상의 특징

해설 ① 글쓴이는 소가 반추(되새김질)하는 모습을 보고, 소를 '식욕의 즐거움조차를 냉대할 수 있는 지상 최대의 권태자'라고 표현하는데, 이는 글쓴이가 단조로운 시골 생활을 하며 느끼는 권태로움을 소의 행위에 투사하여 표현한 것이다. 따라서 작품에 대한 이해로 적절한 것은 ①이다.

오답 분석 ② 글쓴이가 과거의 삶을 회상하며 자신의 처지를 후회하는 부분은 드러나지 않는다.
③ 글쓴이는 자신의 무료함과 권태로움을 공간의 이동이 아닌 되새김질하는 '소'를 통해 표현하고 있다.
④ 글쓴이는 현실에 대한 권태로움을 드러내고 있으나 이를 반성적인 어조로 표출하고 있지 않다.

18 화자의 정서 및 태도

해설 ① 제시된 작품과 ①은 모두 결연한 저항 의지를 표현하고 있다.
・ 제시된 작품: 3연의 3~4행을 통해 시적 화자는 고통과 억압의 현실에 놓여있으나 '나는 독을 차고 선선히 가리라'라는 시구를 통해 결연한 저항 의지를 표현하였다.
・ ①: 성삼문의 시조로 수양대군의 왕위 찬탈이라는 부정적인 현실에 저항하는 화자의 절의와 강인한 의지를 표현하였다.

오답 분석 ② 한호의 시조: 자연에서 안빈낙도하는 소박한 풍류
③ 황진이의 시조: 사랑하는 임을 향한 애절한 그리움과 안타까움
④ 원천석의 시조: 고려 왕조의 멸망에 대한 한탄과 무상감

정답 16 ③　17 ①　18 ①

2장 문학 필수 작품 학습 점검 문제　189

제5편

어휘

1장

틀리기 쉬운 어휘

01 | 어문 규정상의 오류

✑ 표준어 규정에 어긋나게 잘못 적는 경우

□ 잘 외워지지 않는 어휘는 박스에 체크하여 복습하세요.

□ **간지르다(×)**
   → **간질이다(○)**

살갗을 문지르거나 건드려 간지럽게 하다.
예 옆구리를 간질이다.
동의어 간지럽히다

빈출
□ **강남콩(×)**
   → **강낭콩(○)**

콩과의 한해살이풀.
예 강낭콩을 심었다.

참고 '강남콩(江南-)'에서 온 말이지만 어원 의식이 분명하지 않기 때문에, 어원에서 멀어진 형태로 굳어진 '강낭콩'을 표준어로 삼는다.

□ **광우리(×)**
   → **광주리(○)**

대, 사리, 버들 따위를 재료로 하여 바닥은 둥글고 촘촘하게, 전은 성기게 엮어 만든 그릇.
예 광주리에 사과를 가득 담았다.

□ **궁시렁거리다(×)**
   → **구시렁거리다(○)**

못마땅하여 군소리를 듣기 싫도록 자꾸 하다.
예 뭘 그렇게 구시렁거리고 있나?
동의어 구시렁대다

□ **귀퉁빼기(×)**
   → **귀퉁배기(○)**

사물이나 마음의 한 구석이나 부분, 물건의 모퉁이나 삐죽 나온 부분, 귀의 언저리를 뜻하는 '귀퉁이'를 낮잡아 이르는 말.
예 나 같아도 귀퉁배기를 몇 번 쥐어박았을 것이다.
동의어 귀퉁머리

□ **깍정이(×)**
   → **깍쟁이(○)**

① 이기적이고 인색한 사람.
   예 저 사람은 돈이 있어도 어려운 사람 하나 돕지 않는 깍쟁이이다.
② 아주 약빠른 사람.
   예 내 친구는 깍쟁이라 항상 좋은 물건을 차지했다.

□ **끄나불(×)**
   → **끄나풀(○)**

① 길지 아니한 끈의 나부랭이.
   예 끄나풀로 동여매다.
② 남의 앞잡이 노릇을 하는 사람을 낮잡아 이르는 말.
   예 그는 경찰의 끄나풀이다.

□ **난장이(×)**
   → **난쟁이(○)**

① 기형적으로 키가 작은 사람을 낮잡아 이르는 말.
   예 백설 공주와 일곱 난쟁이
② 보통의 높이나 키보다 아주 작은 사물을 비유적으로 이르는 말.

<빈출>
☐ 남비(×)
　→ 냄비(○)

음식을 끓이거나 삶는 데 쓰는 용구의 하나.
예 그는 쌀을 여러 번 씻은 뒤 냄비에 안쳤다.

☐ 널판지(×)
　→ 널빤지, 널판자(○)

나무를 켜서 넓고 얇게 만든 판.
예 · 널빤지 두 장
　 · 널판자로 만든 문

☐ 느즈막하다(×)
　→ 느지막하다(○)

시간이나 기한이 매우 늦다.
예 느지막하게 저녁을 먹기 시작했다.

☐ 되물림(×)
　→ 대물림(○)

사물이나 가업 등을 후대의 자손에게 남겨 주어 자손이 그것을 이어 나감. 또는 그런 물건.
예 대물림을 받다.

☐ 돌맹이(×)
　→ 돌멩이(○)

돌덩이보다 작은 돌.
예 물 때 긴 돌멩이가 몹시 미끄러워 마음대로 발을 디딜 수 없다.

☐ 되뇌이다(×)
　→ 되뇌다(○)

같은 말을 되풀이하여 말하다.
예 그는 같은 말을 버릇처럼 늘 되뇐다.

☐ 뒤어내다(×)
　→ 뒤져내다(○)

샅샅이 뒤져서 들춰내거나 찾아내다.
예 부엌에서 갖가지 양념을 뒤져내기도 했고, 작은방에서는 쌀을 마구 퍼내기도 했다.

☐ 들이키다(×)
　→ 들이켜다(○)

① 물이나 술 등의 액체를 단숨에 마구 마시다.
　예 그는 목이 마르다며 물을 벌컥벌컥 들이켰다.
② 공기나 숨 등을 몹시 세차게 들이마시다.
　예 가끔 도시가 답답하면 시골로 가 가슴을 열고 맑고 시원한 공기를 들이켜기도 한다.

☐ 또아리(×)
　→ 똬리(○)

둥글게 빙빙 틀어 놓은 것. 또는 그런 모양.
예 구렁이가 똬리를 틀고 있었다.

참고 '갈큇발의 다른 끝을 모아 휘감아 잡아맨 부분'의 뜻일 때에는 '또아리'가 맞는 표기이다.

☐ 마늘쫑(×)
　→ 마늘종(○)

마늘의 꽃줄기.
예 마늘종으로 장아찌를 담가 먹었다.

<빈출>
☐ 바래다(×)
　→ 바라다(○)

① 생각이나 바람대로 어떤 일이나 상태가 이루어지거나 그렇게 되었으면 하고 생각하다.
　예 나는 할머니가 건강하게 오래오래 사시기를 바란다.
② 원하는 사물을 얻거나 가졌으면 하고 생각하다.
　예 돈을 바라고 너를 도운 게 아니다.

참고 · 바램(×), 바람(○): 어떤 일이 이루어지기를 기다리는 간절한 마음.
　 · 바래(×), 바라(○): '바라다'의 활용어. 예 네가 성공하길 바라.

☐ 베냇저고리(×)
　→ 배냇저고리(○)

깃과 섶을 달지 않은, 갓난아이의 옷.
예 배냇저고리를 입히다.
동의어 깃저고리, 배내옷

| □ 행내기(×) | 만만하게 여길 만큼 평범한 사람. |
| → 보통내기(○) | 예 말하는 것을 보니 보통내기가 아니다. |

□ 볼성, 볼쌍(×)	남에게 보이는 체면이나 태도.
→ 볼썽(○)	예 울타리는 쓰러지고 주저앉고 하여 볼썽이 아니었다.
	참고 볼썽사납다: 어떤 사람이나 사물의 모습이 보기에 역겹다.

빈출	
□ 삭월세(×)	① 집이나 방을 다달이 빌려 쓰는 일. 또는 그 돈. 예 사글세를 내다.
→ 사글세(○)	② 다달이 돈을 내고 빌려 쓰는 방이나 집. 예 사글세를 살다.

| □ 삵괭이, 삵쾡이(×) | 고양잇과 포유류. |
| → 살쾡이(○) | 예 숲속에서 우연찮게 살쾡이를 보았다. |

| □ 세째(×) | 순서가 세 번째가 되는 차례. |
| → 셋째(○) | 예 달리기 시합에서 셋째로 들어오다. |

□ 소배기(×)	① 오이의 허리를 서너 갈래로 갈라 파, 마늘, 생강, 고춧가루를 섞은 소를 넣어 만든 김치.
→ 소박이(○)	동의어 오이소박이 김치 예 어제 먹은 오이소박이가 참 맛있던데 또 없어?
	② 소를 넣어 만든 음식을 통틀어 이르는 말.

빈출	
□ 숫놈(×)	예 · 교배를 시키려면 튼튼한 수놈을 데려와야 한다.
→ 수놈(○)	· 병아리 감별사는 수평아리만 따로 골라냈다.
숫병아리(×)	참고 표준어 규정 제7항, 수컷을 이르는 접두사는 '수-'로 통일한다는 규정에 따라 '수놈'이 표준어이다. 다만, '수캉아
→ 수평아리(○)	지, 수컷, 수키와, 수탉, 수탕나귀, 수퇘지, 수평아리' 등은 접두사 다음에서 나는 거센소리를 인정하고 있다.

□ 수양, 수염소, 수쥐(×)	예 · 황기와 약한 불에 말린 숫양의 콩팥을 재료로 황기환을 만든다.
→ 숫양, 숫염소, 숫쥐(○)	· 양떼를 이끄는 숫염소
	· 숫쥐가 먹이를 찾기 위해 돌아다녔다.
	참고 수컷을 이르는 접두사는 '수-'로 통일하나, 표준어 규정 제7항 붙임에 따라 '양, 염소, 쥐'의 수컷을 이를 때는 사이
	시옷을 허용하여 접두사 '숫-'을 쓴다.

□ 심술꽤나(×)	체언 '심술'에 '어느 정도 이상'의 뜻을 나타내는 보조사가 결합한 말.
→ 심술깨나(○)	예 얼굴을 보니 심술깨나 부리겠구나.
	참고 '꽤나'는 부사 '꽤' 뒤에 보조사 '나'가 결합한 말이다. 예 그곳까지는 꽤나 멀다.

□ 애닯다(×)	① 마음이 안타깝거나 쓰라리다.
→ 애달프다(○)	예 애달픈 사연이 담긴 편지
	② 애처롭고 쓸쓸하다.

□ 외눈퉁이(×)	한쪽 눈이 먼 사람을 낮잡아 이르는 말.
→ 애꾸눈이, 　외눈박이(○)	**예** 그가 마주친 사내는 왼쪽 눈에 유리알을 박은 <u>외눈박이</u>였다.
	동의어 묘목, 애꾸
	참고 '외눈박이'와 '애꾸눈이'는 모두 표준어이다. 이는 한 가지 의미를 나타내는 형태 몇 가지가 널리 쓰이며 표준어 규정에 맞으면, 그 모두를 표준어로 삼는다는 규정(표준어 사정 원칙 제26항)에 따른 것이다. '외눈퉁이'와 '외대박이'는 비표준어이다.

빈출
| □ 우뢰(×) | 뇌성과 번개를 동반하는 대기 중의 방전 현상. |
| → 우레(○) | **예** 먼 하늘에서 <u>우레</u>가 울려왔다. |

빈출
| □ 육계장(×) | 쇠고기를 삶아서 알맞게 뜯어 넣고, 얼큰하게 갖은 양념을 하여 끓인 국. |
| → 육개장(○) | **예** 그 아이는 맵고 뜨거운 <u>육개장</u>을 잘 먹는다. |

| □ 장단지(×) | 종아리의 살이 불룩한 부분. |
| → 장딴지(○) | **예** 등산을 하고 났더니 <u>장딴지</u>가 땅긴다. |

| □ 콧망울, 콧날개(×) | 코끝 양쪽으로 둥글게 방울처럼 내민 부분. |
| → 콧방울(○) | **예** <u>콧방울</u>이 크고 두둑해야 복이 있다고 한다. |

| □ 통채(×) | 나누지 아니한 덩어리 전부. |
| → 통째(○) | **예** 닭을 <u>통째</u>로 구웠다. |

| □ 푸줏관(×) | 예전에, 쇠고기나 돼지고기 따위의 고기를 끊어 팔던 가게. |
| → 푸줏간(○) | **예** <u>푸줏간</u>에 고기가 걸려 있다. |

□ 헤매이다(×)	① 갈 바를 몰라 이리저리 돌아다니다.
→ 헤매다(○)	**예** 우리는 친구의 집을 못 찾아 골목에서 <u>헤매고</u> 다녔다.
	② 갈피를 잡지 못하다.
	예 그는 문제의 핵심을 파악하지 못해 회의 중에 계속 <u>헤매었다</u>.
	③ 어떤 환경에서 헤어나지 못하고 허덕이다.
	예 그의 회사는 부도 위기의 적자에서 <u>헤매고</u> 있다.

📝 한글 맞춤법에 어긋나게 잘못 적는 경우

□ 잘 외워지지 않는 어휘는 박스에 체크하여 복습하세요.

빈출
| □ 갈께(×) | -(으)ㄹ게: 해할 자리에 쓰여, 어떤 행동에 대한 약속이나 의지를 나타내는 종결 어미. **예** 집에 <u>갈게</u>. |
| → 갈게(○) | **참고** '-(으)ㄹ게'는 된소리로 발음되지만 'ㄹ' 뒤에서 예사소리가 된소리로 발음되는 것은 규칙적이므로, 이를 표기에 반영하지 않는다. |

□ 객적다(×)	행동이나 말, 생각이 쓸데없고 싱겁다.
→ 객쩍다(○)	**예** <u>객쩍은</u> 소리는 하지 마라.
	참고 한글 맞춤법 제54항에 따라 '적다(少)'의 뜻 없이 [쩍다]로 발음되는 경우는 모두 '쩍다'로 통일하여 적는다.

어휘

1장 틀리기 쉬운 어휘　해커스공무원 국어 2권 문법+문학+어휘

빈출 □ 곰곰히(×) 　→ 곰곰이(○)	여러모로 깊이 생각하는 모양. 예 그의 제안을 <u>곰곰이</u> 생각해 보았다.
□ 구두주걱, 구두칼(×) 　→ 구둣주걱(○)	구두를 신을 때, 발이 잘 들어가도록 뒤축에 대는 도구. 동의어 주걱, 화비
빈출 □ 구렛나루(×) 　→ 구레나룻(○)	귀밑에서 턱까지 잇따라 난 수염. 예 그는 <u>구레나룻</u>을 기른 남자였다.
□ 널다랗다, 넓따랗다(×) 　→ 널따랗다(○)	꽤 넓다. 예 논이 <u>널따랗다</u>.
□ 누래지다(×) 　→ 누레지다(○)	누렇게 되다. 예 고개 숙인 벼 이삭으로 <u>누레진</u> 들판 참고 누렇(다)+-어지다
□ 늘으막, 늙으막(×) 　→ 늘그막(○)	늙어 가는 무렵. 예 동생은 부모님께서 <u>늘그막</u>에 얻은 아들이다.
□ 댓가(×) 　→ 대가(○)	① 일을 하고 그에 대한 값으로 받는 보수. 　예 노동의 <u>대가</u>로 임금을 받다. ② 노력이나 희생을 통하여 얻게 되는 결과. 또는 일정한 결과를 얻기 위하여 하는 노력이나 희생. 　예 가혹한 희생을 치러야 <u>대가</u>를 얻을 수 있다.
빈출 □ 더우기(×) 　→ 더욱이(○)	그러한 데다가 더. 예 동생이 그 놀이 기구를 타기에는 어리고 <u>더욱이</u> 키도 너무 작았다.
□ 덩쿨(×) 　→ 덩굴, 넝쿨(○)	길게 뻗어 나가면서 다른 물건을 감기도 하고 땅바닥에 퍼지기도 하는 식물의 줄기. 예 <u>넝쿨</u>은 담벼락을 타고 올라간다. 참고 '넝쿨'과 '덩굴'은 모두 표준어이다. 이는 한 가지 의미를 나타내는 형태 몇 가지가 널리 쓰이며 표준어 규정에 맞으면, 그 모두를 표준어로 삼는다는 규정(표준어 사정 원칙 제26항)에 따른 것이다. '덩쿨'은 비표준어이다.
□ 도저이(×) 　→ 도저히(○)	(부정의 말과 함께 쓰여) 아무리 하여도. 예 <u>도저히</u> 참을 수가 없다.
빈출 □ 뒷굼치, 뒷꿈치(×) 　→ 뒤꿈치(○)	발의 뒤쪽 발바닥과 발목 사이의 불룩한 부분. 예 그가 실수로 내 <u>뒤꿈치</u>를 밟았다. 참고 팔굼치(×), 팔꿈치(○)
빈출 □ 머릿말(×) 　→ 머리말(○)	책이나 논문 따위의 첫머리에 내용이나 목적 따위를 간략하게 적은 글. 참고 인삿말(×), 인사말(○) 예 그는 책을 읽을 때 항상 <u>머리말</u>부터 본다.

□ 부지런다, 부지렇다(×)
→ 부지런타(○)

어떤 일을 꾸물거리거나 미루지 않고 꾸준하게 열심히 하는 태도가 있다.

예 그는 참 부지런타.

참고 한글 맞춤법 제40항, 어간의 끝음절 '하'의 'ㅏ'가 줄고 'ㅎ'이 다음 음절의 첫소리와 어울려 거센소리로 될 적에는 거센소리로 적는다.

□ 생각컨대(×)
→ 생각건대(○)

짐작컨대(×)
→ 짐작건대(○)

익숙치(×)
→ 익숙지(○)

'생각하건대, 짐작하건대, 익숙하지'의 준말.

예 · 생각건대, 지배자가 없었던 사회는 한 번도 없었다.
· 짐작건대, 그 사람은 야속하다고 푸념만 한 것 같다.
· 그는 기계에 익숙지 않다.

참고 한글 맞춤법 제40항 붙임에 따라 어간의 끝음절 '하'가 아주 줄 적에는 준 대로 '생각건대', '짐작건대', '익숙지'와 같이 적는다.

□ 설건이, 설겆이(×)
→ 설거지(○)

먹고 난 뒤의 그릇을 씻어 정리하는 일.

예 집안일 중에서 설거지가 제일 싫다.

빈출
□ 오뚜기(×)
→ 오뚝이(○)

밑을 무겁게 하여 아무렇게나 굴려도 오뚝오뚝 일어서는 어린아이들의 장난감.

예 오뚝이가 쓰러졌다가 다시 벌떡 일어난다.

□ 퍼래서(×)
→ 퍼레서(○)

퍼렇게 되어서.

예 바닷물이 퍼레서 무서운 느낌이 든다.

□ 풀소(×)
→ 푿소(○)

여름에 생풀만 먹고 사는 소. 힘을 잘 쓰지 못하여 부리기에는 부적당하다.

예 푿소는 힘이 없어 부리기 어렵다.

참고 한글 맞춤법 제29항. 끝소리가 'ㄹ'인 말과 딴 말이 어울릴 적에 'ㄹ' 소리가 'ㄷ' 소리로 나는 것은 'ㄷ'으로 적는다는 규정에 따라 '푿소'로 표기한다.

빈출
□ 햏쓱하다(×)
→ 해쓱하다,
핼쑥하다(○)

얼굴에 핏기나 생기가 없어 파리하다. / 얼굴에 핏기가 없고 파리하다.

예 · 아이의 해쓱한 낯이 마치 하얀 종잇장 같았다.
· 얼굴이 왜 이리 핼쑥하냐?

학습 체크

다음 중 알맞은 어휘를 고르시오.

01 나는 너의 성공을 (바랜다 / 바란다).

02 실망하지 말고 (오뚝이 / 오뚜기)처럼 다시 일어나라.

03 동생은 억새 이엉 끝에 달린 새끼 (끄나불 / 끄나풀)을 탁 잡아챘다.

04 소년은 (구렛나룻 / 구레나룻)이 무성한 아비의 얼굴을 힐끔 살핀다.

05 아내는 무엇이 못마땅한지 돌아앉아서도 계속 (구시렁거렸다 / 궁시렁거렸다).

01 바란다 **02** 오뚝이 **03** 끄나풀 **04** 구레나룻 **05** 구시렁거렸다

02 관용적 오류

관용적으로 잘못 적는 경우

□ 잘 외워지지 않는 어휘는 박스에 체크하여 복습하세요.

빈출
□ 개이다, 개였다(×)
　→ 개다, 개었다(○)

흐리거나 궂은 날씨가 맑아지다.
예 날이 활짝 개다. / 개었다.

참고 '개다'에는 피동 접사에 의한 파생어가 없다.

□ 귀뜸(×)
　→ 귀띔(○)

상대편이 눈치로 알아차릴 수 있도록 미리 슬그머니 일깨워 줌.
예 그는 옆 동네 사람들을 조심해야 할 것이라는 친구의 귀띔에 고개를 저었다.

□ 꼬매다(×)
　→ 꿰매다(○)

① 옷 따위의 해지거나 뚫어진 데를 바늘로 깁거나 얽어매다.
　　예 해진 양말을 꿰매다.
② 어지럽게 벌어진 일을 매만져 탈이 없게 하다.
　　예 틀어진 일을 꿰매다.

□ 낮으막하다(×)
　→ 나지막하다(○)

① 위치가 꽤 나직하다.
　　예 우리 동네에는 나지막한 건물이 많다.
② 소리가 꽤 나직하다.
　　예 그의 목소리는 나지막하다.

빈출
□ 내노라하는(×)
　→ 내로라하는(○)

어떤 분야를 대표할 만한.
예 중견 연극인들과 내로라하는 재주꾼들이 이번 공연에 참여할 예정이다.

참고 내로라하다: '바로 나로다' 하고 자신하는 말.

□ 닥달하다(×)
　→ 닦달하다(○)

남을 단단히 윽박질러서 혼을 내다.
예 손님이 당장 식당 지배인을 불러오라고 닦달했다.

빈출
□ 덮히다(×)
　→ 덮이다(○)

'덮다'의 피동사.
예 · 들판이 온통 눈으로 덮인 광경이 장관이었다.
　 · 냄비의 뚜껑이 덮여 있었다.　　　　　　19. 기상직　 /

□ 동거동락(×)
　→ 동고동락(○)

괴로움도 즐거움도 함께함.
예 그는 이십 년 동안 동고동락해 온 아내를 떠올렸다.

□ 발자욱(×) 　→ 발자국(○)	발로 밟은 자리에 남은 모양. 예 눈 위에 <u>발자국</u>을 남겼다.
□ 부시시(×) 　→ 부스스, 푸시시(○)	① 머리카락이나 털 따위가 몹시 어지럽게 일어나거나 흐트러져 있는 모양. 　　예 자고 일어났더니 머리털이 <u>푸시시</u> 일어나 있다. ② 누웠거나 앉았다가 슬그머니 일어나는 모양. 　　예 그는 잠이 막 깨서 <u>부스스</u> 일어났다.
□ 바삭하다(×) 　→ 빠삭하다(○)	어떤 일을 자세히 알고 있어서 그 일에 대하여 환하다. 예 그는 컴퓨터에 <u>빠삭하다</u>.
_{빈출} □ 삼가하다(×) 　→ 삼가다(○)	① 몸가짐이나 언행을 조심하다. 예 수사 중인 사건에 관한 이야기는 <u>삼가기</u>로 했다. ② 꺼리는 마음으로 양(量)이나 횟수가 지나치지 아니하도록 하다. 예 술을 <u>삼가다</u>.
□ 산수갑산(×) 　→ 삼수갑산(○)	우리나라에서 가장 험한 산골이라 이르던 삼수와 갑산. 조선 시대에 귀양지의 하나였다. 예 <u>삼수갑산</u>(三水甲山)에 가는 한이 있어도 이 복수를 포기할 수는 없다. 참고 삼수갑산에 가는 한이 있어도: 자신에게 닥쳐올 어떤 위험도 무릅쓰고라도 어떤 일을 단행할 때 하는 말.
□ 석박지(×) 　→ 섞박지(○)	배추와 무·오이를 절여 넓적하게 썬 다음, 여러 가지 고명에 젓국을 쳐서 한데 버무려 담은 뒤 조기젓 국물을 약간 부어서 익힌 김치. 예 1700년대 말 ~ 1800년대 중엽, 시장이 번성하던 시기에 전국적으로 <u>섞박지</u>가 유행하였다.
_{빈출} □ 안절부절하다(×) 　→ 안절부절못하다(○)	마음이 초조하고 불안하여 어찌할 바를 모르다. 예 합격자 발표를 앞두고 <u>안절부절못하다</u>. 참고 표준어 규정 − 제1부 표준어 사정 원칙 제25항, 의미가 똑같은 형태가 몇 가지 있을 경우, 그중 어느 하나가 압도적으로 널리 쓰이면, 그 단어만을 표준어로 삼는다는 규정에 따라 '안절부절못하다'만 표준어이다.
□ 야밤도주(×) 　→ 야반도주(○)	남의 눈을 피하여 한밤중에 도망함. 예 그는 빚쟁이들을 피해 멀리 <u>야반도주</u>(夜半逃走)를 할 계획이다. 유의어 밤도망, 밤도주, 야간도주
□ 어중띠다(×) 　→ 어중되다(○)	이도 저도 아니어서 어느 것에도 알맞지 않다. 예 집에 버스를 타고 가기에는 <u>어중된</u> 거리였다.
_{빈출} □ 오랫만에(×) 　→ 오랜만에(○)	'오래간만에'의 준말. 어떤 일이 있은 때로부터 긴 시간이 지난 뒤에. 예 <u>오랜만에</u> 온 식구가 한 장소에 모였다.
□ 웬지(×) 　→ 왠지(○)	왜 그런지 모르게. 또는 뚜렷한 이유도 없이. 예 <u>왠지</u> 기분이 좋지 않다.

□ 절대절명(×)	몸도 목숨도 다 되었다는 뜻으로, 어떻게 할 수 없는 절박한 경우를 비유적으로 이르는 말.
→ 절체절명(○)	예 그는 절체절명(絕體絕命)의 위기에 처했다.

□ 주구장창(×)	밤낮으로 쉬지 아니하고 연달아.
→ 주야장천(○)	예 엄마는 주야장천(晝夜長川) 오빠 걱정뿐이다.

□ 창란젓(×)	명태의 창자에 소금, 고춧가루 따위의 양념을 쳐서 담근 젓. 예 어머니께서 창난젓을 보내 주셨다.
→ 창난젓(○)	참고 창난젓의 '난'을 알을 의미하는 한자어로 인식해 '란(卵)'으로 잘못 표기하는 경우가 있다. '창난젓'은 고유어이며, 명태의 알로 담근 젓을 뜻하는 단어는 '명란젓'이다.

□ 쳐부시다(×)	공격하여 무찌르다. 예 적을 쳐부수다.
→ 쳐부수다(○)	참고 · 부시다: 1. 그릇 따위를 씻어 깨끗하게 하다.
	2. 빛이나 색채가 강렬하여 마주 보기가 어려운 상태에 있다.
	· 부수다: 1. 단단한 물체를 여러 조각이 나게 두드려 깨뜨리다.
	2. 만들어진 물건을 두드리거나 깨뜨려 못 쓰게 만들다.

□ 떨어먹다(×)	재산이나 돈을 함부로 써서 몽땅 없애다.
→ 털어먹다(○)	예 그는 있는 재산을 다 털어먹고 가난뱅이가 되었다.

□ 할일없다(×)	① 달리 어떻게 할 도리가 없다.
→ 하릴없다(○)	예 중요한 물건을 잃어버렸으니 꾸중을 들어도 하릴없는 일이다.
	② 조금도 틀림이 없다.
	예 비를 맞으며 대문에 기대선 그의 모습은 하릴없는 거지였다.

□ 허구헌(×)	날, 세월 따위가 매우 오래된.
→ 허구한(○)	예 그 여자는 허구한 날 팔자 한탄만 한다.

✍ 용언의 활용 시 잘못 적는 경우

□ 잘 외워지지 않는 어휘는 박스에 체크하여 복습하세요.

□ 내딛었다(×)	'내디디다'의 활용형. '내디디다'는 준말 '내딛다'의 활용형을 인정하지 않는 단어이므로 '내디디어/
→ 내디뎠다(○)	내디뎌', '내디디었다/내디뎠다'와 같이 활용함.
	예 기다리는 가족을 생각하고는 다시 걸음을 내디뎠다.

□ 눋다, 눌지(×)	'눋다(누런빛이 나도록 조금 타다)'의 활용형. 예 냄비에 밥을 할 때에는 밥이 눋지 않게 조심해야 한다.
→ 눋다, 눋지(○)	참고 '눋다'는 '눌어, 눌으니, 눋는, 눋지'와 같이 활용한다. '눋게 하다'의 뜻을 나타내려면 '눌리다'로 표기한다.
	예 · 밥이 눋는 냄새가 구수하게 났다. / 밥이 눌어 누룽지가 되었다.
	· 밥을 눌리다. / 찬밥을 일부러 눌려 누룽지를 만들었다.

□ 담아, 담궈(×)
　→ 담가(○)

① 액체 속에 넣어. 예 개구리를 알코올에 담가 두다.

② 김치·술·장·젓갈 따위를 만드는 재료를 버무리거나 물을 부어서, 익거나 삭도록 그릇에 넣어 두어. 예 누룩으로 술 만드는 법을 배워 직접 술을 담가 먹었다.

참고 기본형 '담그다'의 어간 '담그-'에 어미 '-아'가 결합하여 '담가'로 활용한다. '잠그다'의 활용형인 '잠가'도 이와 같은 경우이다.

□ 아니오(×)
　→ 아니요(○)

윗사람이 묻는 말에 부정하여 대답할 때 쓰는 말.
예 "네가 담벼락에 낙서를 했지?" "아니요, 제가 안 그랬어요."

참고 · '-요'는 사물, 사실 등을 연결할 때 연결 어미로 쓰인다. 예 이것은 책이요, 저것은 붓이다.
　　 · '-오'는 하오체가 사용되는 자리에 쓰인다. 예 나는 양반이 아니오.

□ 알맞는(×)
　→ 알맞은(○)

형 일정한 기준, 조건, 정도 따위에 넘치거나 모자라지 아니한 데가 있는.
예 빈칸에 알맞은 답을 쓰시오.

참고 형용사는 '-(으)ㄴ'과 결합하므로 '알맞은 정답'과 같이 쓰는 것이 적절하다.

□ 잠궈(×)
　→ 잠가(○)

① 여닫는 물건을 열지 못하도록 자물쇠를 채우거나 빗장을 걸거나 하다.
예 대문을 잠가 흔들어 보았다.

② 물, 가스 따위가 흘러나오지 않도록 차단하다.
예 가스 밸브를 잠가서 안심이 된다.

□ 치루고, 치뤄(×)
　→ 치르고, 치러(○)

① 주어야 할 돈을 내주고. 예 점원에게 옷값을 치르고 가게를 나왔다.

② 무슨 일을 겪어 내고. 예 큰일을 치르고 난 뒤에는 항상 몸살이 났다.

③ 아침, 점심 따위를 먹고.
예 아침을 치르고 학교에 갔다.

□ 통털어(×)
　→ 통틀어(○)

있는 대로 모두 합하여.
예 지금까지 모은 돈을 통틀어 보면 이천만 원쯤 된다.

학습 체크

다음 중 알맞은 어휘를 고르시오.

01 내일은 날씨가 활짝 (갤 / 개일) 예정입니다.

02 (오랫만에 / 오랜만에) 고향 사람을 만나자 너무 반가웠다.

03 주인에게 내일까지 아파트 잔금을 (치뤄야 / 치러야) 한다.

04 (내노라하는 / 내로라하는) 재계의 인사들이 한곳에 모였다.

05 나는 할머니에게 터진 옷가지를 (꼬매 / 꿰매) 달라고 했다.

01 갤　**02** 오랜만에　**03** 치러야　**04** 내로라하는　**05** 꿰매

2장

혼동하기 쉬운 어휘

고유어의 혼동

✏ 명사의 혼동

□ 잘 외워지지 않는 어휘는 박스에 체크하여 복습하세요.

사단 : 사달

□ 사단
사건의 단서. 또는 일의 실마리. 예 사단을 구하다.

□ 사달
사고나 탈.
예 상황이 좋지 않게 흘러가더니만 결국 사달이 났다.

아름 : 알음

□ 아름
둘레의 길이를 나타내는 단위. 예 한 아름 가까이 되는 소나무

□ 알음
사람끼리 서로 아는 일.
예 서로 알음이 있는 사이다.

예 : 옛

□ 예
명 아주 먼 과거. 예 예로부터 / 예나 지금이나

□ 옛
관 지나간 때의. 예 옛 사랑 / 옛 모습

-째 : 채¹ : 채² : 체

□ -째
'그대로', 또는 '전부'의 뜻을 더하는 접미사. 예 냄비째 들고 먹다.

□ 채¹
명 이미 있는 상태 그대로 있다는 뜻을 나타내는 말.
예 사슴을 산 채로 잡았다.

□ 채²
부 어떤 상태나 동작이 다 되거나 이루어졌다고 할 만한 정도에 아직 이르지 못한 상태를 이르는 말.
예 그들은 동이 채 트기도 전에 길을 떠났다.

□ 체
그럴듯하게 꾸미는 거짓 태도나 모양. 예 그는 모르는 체를 하며 딴짓을 했다.

비교 사냥꾼은 노루를 산 채로 잡았다고 잘난 체를 하였다.

한참 : 한창

□ 한참
시간이 상당히 지나는 동안. 예 한참 뒤

빈출
□ 한창
어떤 일이 가장 활기 있고 왕성하게 일어나는 때. 또는 어떤 상태가 가장 무르익은 때.
예 축제가 한창이다.

✍ 동사의 혼동

□ 잘 외워지지 않는 어휘는 박스에 체크하여 복습하세요.

가름하다 : 가늠하다 : 갈음하다

빈출
□ 가름하다
① 쪼개거나 나누어 따로따로 되게 하다.

② 승부나 등수 따위를 정하다. 예 승패를 가름했다.

빈출
□ 가늠하다
① 목표나 기준에 맞고 안 맞음을 헤아려 보다. 예 사격수는 한 눈을 감고 목표물을 가늠해 보았다.

② 사물을 어림잡아 헤아리다.
예 저 빌딩의 높이를 가늠해 보아라.

빈출
□ 갈음하다
다른 것으로 바꾸어 대신하다.
예 건배로 치사를 갈음합니다.

걷잡다 : 겉잡다

빈출
□ 걷잡다
한 방향으로 치우쳐 흘러가는 형세 따위를 붙들어 잡다.
예 이미 불길은 걷잡을 수 없었다.

빈출
□ 겉잡다
겉으로 보고 대강 짐작하여 헤아리다.
예 예산을 겉잡아서 말하지 마시오.

끼다 : 끼이다

□ 끼다
① 안개나 연기 따위가 퍼져서 서리다.
예 안개가 끼다.
② 때나 먼지 따위가 엉겨 붙다.
예 접시에 기름기가 끼다.
③ 이끼나 녹 따위가 물체를 덮다.
예 바위에 이끼가 끼다.
④ 얼굴이나 목소리에 어떤 기미가 어리어 돌다.
예 그는 웃음 낀 얼굴로 나를 바라보았다.

□ 끼이다
'끼다'의 피동사.
예 문에 끼인 옷자락 / 반지가 작아 손가락에 끼이질 않는다.

참고 끼다: '끼우다'의 준말. 벌어진 사이에 무엇을 넣고 죄어서 빠지지 않게 하다.

늘이다¹ : 늘이다² : 늘리다 : 느리다

빈출
☐ **늘이다¹**   본디보다 더 길어지게 하다. 예 고무줄을 늘이다.

☐ **늘이다²**   아래로 길게 처지게 하다. 예 주렴을 늘이다.

☐ **늘리다**   ① 물체의 넓이, 부피 따위를 본디보다 커지게 하다. 예 사무실의 규모를 늘리다.

                     ② 힘이나 기운, 세력 따위를 이전보다 큰 상태로 만들다. '늘다'의 사동사. 예 세력을 늘리다.

                     ③ 살림을 넉넉하게 하다. '늘다'의 사동사. 예 살림을 늘리다.

                     ④ 시간이나 기간을 길게 하다. '늘다'의 사동사. 예 시험 시간을 30분 늘리다.

☐ **느리다**   형 ① 어떤 동작을 하는 데 걸리는 시간이 길다. 예 걸음이 느리다.

                       ② 어떤 일이 이루어지는 과정이나 기간이 길다. 예 회복이 느리다.

닫치다 : 닫히다

☐ **닫치다**   ① 열린 문짝, 뚜껑, 서랍 따위를 꼭꼭 또는 세게 닫다.

                     예 그는 문을 꽝 닫치고 나갔다.

                     ② 입을 굳게 다물다.

                     예 그는 화가 나서 입을 닫쳐 버렸다.

☐ **닫히다**   ① 열린 문짝, 뚜껑, 서랍 따위가 도로 제자리로 가 막히다. '닫다'의 피동사.

                     예 문이 바람에 닫혔다.

                     ② 하루의 영업이 끝나다. '닫다'의 피동사.

                     예 퇴근하고 가면 은행 문이 닫혔을 거야.

돋구다 : 돋우다

빈출
☐ **돋구다**   안경의 도수 따위를 더 높게 하다.

                     예 작년에 안경을 맞추었는데 잘 보이지 않아서 안경 도수를 더 돋구었다.

☐ **돋우다**   ① 위로 끌어 올려 도드라지거나 높아지게 하다. 예 양초의 심지를 돋우다.

                     ② 밑을 괴거나 쌓아 올려 도드라지거나 높아지게 하다. 예 벽돌을 돋우다.

                     ③ 정도를 더 높이다. 예 목청을 돋우다. / 장미꽃 한 송이가 5월의 풍경을 더욱 아름답게 돋우었다.

                     ④ 입맛을 당기게 하다. '돋다'의 사동사. 예 입맛을 돋우다.

들르다 : 들리다

빈출
☐ **들르다**   지나는 길에 잠깐 들어가 머무르다.

                     예 친구 집에 들르다.

☐ **들리다**   사람이나 동물의 감각 기관을 통해 소리가 알아차려지다. '듣다'의 피동사. 예 밤새 천둥소리가 들렸다.

                     비교 그가 동생 방에 들렀을 때, 바깥에서 다급하게 그를 부르는 소리가 들렸다.

맞추다 : 맞히다¹ : 맞히다² : 맞히다³

□ **맞추다** [빈출]
① 서로 떨어져 있는 부분을 제자리에 맞게 대어 붙이다.
　예 문틀에 문짝을 맞추다. / 분해한 부품들을 다시 맞추다.
② 둘 이상의 일정한 대상들을 나란히 놓고 비교하여 살피다.
　예 여자 친구와 다음 주 일정을 맞추어 보았더니 목요일에만 만날 수 있을 것 같다.
③ 어떤 기준이나 정도에 어긋나지 아니하게 하다. 예 시간에 맞추어 연락했다.
④ 일정한 규격의 물건을 만들도록 미리 주문을 하다. 예 양복을 맞추다.

□ **맞히다¹** [빈출]
문제에 대한 답을 틀리지 않게 하다. '맞다'의 사동사. 예 정답을 맞히다.

□ **맞히다²**
① 자연 현상에 따라 내리는 눈, 비 따위를 닿게 하다. '맞다'의 사동사.
　예 우산을 갖고 가지 않아서 아이를 비를 맞히고 말았다.
② 어떤 좋지 아니한 일을 당하게 하다. '맞다'의 사동사.
　예 할아버지는 할머니를 소박을 맞히고 나서 두고두고 후회하셨다.

□ **맞히다³** [빈출]
① 침, 주사 따위로 치료를 받게 하다. '맞다'의 사동사. 예 꼬마들에게는 주사를 맞히기가 힘들다.
② 물체를 쏘거나 던져서 어떤 물체에 닿게 하다. 또는 그렇게 하여 닿음을 입게 하다. '맞다'의 사동사.
　예 화살을 적장의 어깨에 맞히다.

매다¹ : 매다² : 메다¹ : 메다² : 메다³

□ **매다¹**
끈이나 줄 따위의 두 끝을 엇걸고 잡아당기어 풀어지지 아니하게 마디를 만들다.
예 신발 끈을 매다.

□ **매다²**
논에 난 잡풀을 뽑다. 예 밭을 매다.

□ **메다¹**
① 뚫려 있거나 비어 있는 곳이 막히거나 채워지다. 예 밥을 급히 먹으면 목이 멘다.
② 어떤 장소에 가득 차다. 예 마당이 메어 터지게 사람들이 들이닥쳤다.
③ 어떤 감정이 북받쳐 목소리가 잘 나지 않다. 예 그는 가슴이 메어 다음 말을 잇지 못했다.

□ **메다²**
① 어깨에 걸치거나 올려놓다. 예 어깨에 배낭을 메다.
② 어떤 책임을 지거나 임무를 맡다. 예 대한민국의 장래를 메고 갈 아이들

□ **메다³**
'메우다'의 준말. 통 따위의 둥근 물체에 테를 끼우다. 예 통에 테를 메다.

바치다 : 받치다¹ : 받치다² : 받히다¹ : 받히다² : 밭치다

□ 바치다

① 신이나 웃어른에게 정중히 드리다. **예** 아버지 영전에 우승컵을 <u>바치다</u>.

② 반드시 내거나 물어야 할 돈을 가져다주다. **예** 관청에 세금을 <u>바치다</u>.

③ 무엇을 위하여 모든 것을 아낌없이 내놓거나 쓰다. **예** 평생을 <u>바친</u> 사업이다.

□ 받치다¹

① 먹은 것이 잘 소화되지 않고 위로 치밀다. **예** 점심에 먹은 음식이 <u>받쳐서</u> 저녁을 먹을 수가 없다.

② 단단한 곳에 닿아 몸의 일부분이 아프게 느껴지다. **예** 등이 <u>받쳐서</u> 맨바닥에서는 못 자겠다.

③ 화 따위의 심리적 작용이 강하게 일어나다. **예** 갑자기 열이 <u>받친다</u>.

□ 받치다²

① 물건의 밑이나 옆 따위에 다른 물체를 대다. **예** 쟁반에 커피를 <u>받치다</u>.

② 옷의 색깔이나 모양이 조화를 이루도록 함께 하다. **예** 흰색 바지에 <u>받쳐</u> 입을 윗옷이 없다.

□ 받히다¹

머리나 뿔 따위에 세차게 부딪히다. '받다'의 피동사.

예 마을 이장이 소에게 <u>받혀서</u> 꼼짝을 못 한다.

□ 받히다²

한꺼번에 많은 양의 물품을 사게 하다. '받다'의 사동사.

예 고추가 워낙 값이 없어서 백 근을 시장 상인에게 <u>받혀도</u> 변변한 옷 한 벌 사기가 힘들다.

□ **빈출** 밭치다

① '밭다(건더기와 액체가 섞인 것을 체나 거르기 장치에 따라서 액체만을 따로 받아 내다)'를 강조하여 이르는 말. **예** 전국을 <u>밭쳐</u> 놓았다. / 술을 <u>밭쳤다</u>.

② 구멍이 뚫린 물건 위에 국수나 야채 따위를 올려 물기를 빼다.

예 씻어 놓은 상추를 채반에 <u>밭쳤다</u>.

부치다¹ : 부치다² : 부치다³ : 부치다⁴ : 부치다⁵ : 붙이다

□ 부치다¹

모자라거나 미치지 못하다. **예** 힘에 <u>부치는</u> 일이다.

□ **빈출** 부치다²

① 편지나 물건 따위를 일정한 수단이나 방법을 써서 상대에게로 보내다. **예** 편지를 <u>부치다</u>.

② 어떤 문제를 다른 곳이나 다른 기회로 넘기어 맡기다. **예** 임명 동의안을 표결에 <u>부치다</u>.

③ 어떤 일을 거론하거나 문제 삼지 아니하는 상태에 있게 하다. **예** 비밀에 <u>부치다</u>.

④ 원고를 인쇄에 넘기다. **예** 원고를 최종 편집하여 인쇄에 <u>부쳤다</u>.

⑤ 먹고 자는 일을 제집이 아닌 다른 곳에서 하다. **예** 삼촌 집에 숙식을 <u>부치다</u>.

□ 부치다³

논밭을 이용하여 농사를 짓다. **예** <u>부쳐</u> 먹을 땅이 한 평도 없다.

□ 부치다⁴

번철이나 프라이팬 따위에 기름을 바르고 빈대떡, 저냐, 전병(煎餅) 따위의 음식을 익혀서 만들다.

예 갖가지 전을 <u>부치다</u>.

□ 부치다⁵

부채 따위를 흔들어서 바람을 일으키다. **예** 손부채를 <u>부치다</u>.

<table>
<tr><td>빈출
□ 붙이다</td><td>① 맞닿아 떨어지지 않게 하다. '붙다'의 사동사. 예 봉투에 우표를 붙이다.</td></tr>
<tr><td></td><td>② 불을 일으켜 타게 하다. '붙다'의 사동사. 예 연탄에 불을 붙이다.</td></tr>
<tr><td></td><td>③ 조건, 이유, 구실 따위를 딸리게 하다. '붙다'의 사동사. 예 계약에 조건을 붙이다.</td></tr>
<tr><td></td><td>④ 바로 옆에서 돌보게 하다. '붙다'의 사동사. 예 아이에게 가정 교사를 붙여 주다.</td></tr>
<tr><td></td><td>⑤ 겨루는 일 따위를 서로 어울려 시작하게 하다. '붙다'의 사동사. 예 주인과 손님을 흥정을 붙이다.</td></tr>
</table>

삭이다 : 삭히다

<table>
<tr><td>빈출
□ 삭이다</td><td>① 먹은 음식물을 소화시키다. '삭다'의 사동사. 예 돌도 삭일 나이</td></tr>
<tr><td></td><td>② 긴장이나 화를 풀어 마음을 가라앉히다. '삭다'의 사동사. 예 분을 삭이다.</td></tr>
<tr><td>□ 삭히다</td><td>김치나 젓갈 따위의 음식물을 발효시켜 맛이 들게 하다. 예 멸치젓을 삭히다. / 삭힌 홍어</td></tr>
</table>

썩이다 : 썩히다

<table>
<tr><td>□ 썩이다</td><td>걱정이나 근심 따위로 마음이 몹시 괴로운 상태가 되게 만들다. '썩다'의 사동사.
예 이제 부모 속 좀 작작 썩여라.</td></tr>
<tr><td>□ 썩히다</td><td>유기물이 세균에 의하여 분해됨으로써 원래의 성질을 잃어 나쁜 냄새가 나고 형체가 뭉개지는 상태가 되게 하다. '썩다'의 사동사. 예 음식을 썩혀 거름을 만든다.</td></tr>
</table>

조리다 : 졸이다

<table>
<tr><td>□ 조리다</td><td>양념을 한 고기나 생선, 채소 따위를 국물에 넣고 바짝 끓여서 양념이 배어들게 하다.
예 생선을 조리다.</td></tr>
<tr><td>빈출
□ 졸이다</td><td>① 찌개, 국, 한약 따위의 물을 증발시켜 분량을 적어지게 하다. '졸다'의 사동사. 예 찌개를 졸이다.</td></tr>
<tr><td></td><td>② 속을 태우다시피 초조해하다. 예 가슴을 졸이다.</td></tr>
<tr><td></td><td>비교 지난번처럼 센 불로 생선을 조리다가 태울까 봐 마음을 졸였다.</td></tr>
</table>

찢다 : 찧다

<table>
<tr><td>□ 찢다</td><td>물체를 잡아당기어 가르다. 예 편지를 찢다. / 천을 찢다.</td></tr>
<tr><td>□ 찧다</td><td>① 곡식 따위를 잘게 만들려고 절구에 담고 공이로 내리치다. 예 보리쌀을 찧어서 죽을 쑤다.</td></tr>
<tr><td></td><td>② 무거운 물건을 들어서 아래 있는 물체를 내리치다. 예 떨어지는 짐에 발등을 찧었다.</td></tr>
<tr><td></td><td>③ 마주 부딪다. 예 전신주에 이마를 찧다.</td></tr>
</table>

✎ 형용사의 혼동

□ 잘 외워지지 않는 어휘는 박스에 체크하여 복습하세요.

가없다 : 가엽다/가엾다

□ 가없다	끝이 없다. 예 가없는 부모님의 은혜
□ 가엽다/가엾다	마음이 아플 만큼 안되고 처연하다. 예 가여운 아이 / 가엾은 처지

두껍다 : 두텁다

□ 두껍다	두께가 보통의 정도보다 크다. (주로 구체적 대상이 있는 물리적 맥락에서 사용) 예 굴껍질이 두껍다.
□ 두텁다	신의, 믿음, 관계, 인정 따위가 굳고 깊다. (주로 감정과 같은 추상적 맥락에서 사용) 예 우정이 두텁다.

✎ 부사의 혼동

□ 잘 외워지지 않는 어휘는 박스에 체크하여 복습하세요.

반드시 : 반듯이

□ 반드시	뷔 틀림없이 꼭. 예 이번에는 반드시 합격해야 한다.
□ 반듯이	동 ① 작은 물체, 또는 생각이나 행동 따위가 비뚤어지거나 기울거나 굽지 아니하고 바르게. 예 몸을 반듯이 누이고 천장을 바라보았다. ② 생김새가 아담하고 말끔하게.

이따가 : 있다가

빈출 □ 이따가	뷔 조금 지난 뒤에. 예 이따가 좀 들러 주세요.
□ 있다가	동 '있다'의 어간 '있-'에 연결 어미 '-다가'가 붙은 활용형. 예 집에 있다가 심심해서 밖으로 나왔다. 비교 이따가 수업이 끝나면 집에서 같이 숙제를 하고 있다가 영화를 보러 나가자.

지그시 : 지긋이

□ 지그시	뷔 ① 슬며시 힘을 주는 모양. 예 손을 지그시 잡다. ② 조용히 참고 견디는 모양. 예 고통을 지그시 참다.

| □ 지긋이 | 동 ① 나이가 비교적 많아 듬직하게. 예 나이가 지긋이 든 신사 |
| | ② 참을성 있게 끈지게. 예 아이는 지긋이 앉아서 이야기를 끝까지 들었다. |

✏ 어미, 접사의 혼동

□ 잘 외워지지 않는 어휘는 박스에 체크하여 복습하세요.

-노라고 : -느라고

| 빈출
□ -노라고 | 자기 나름대로 꽤 노력했음을 나타내는 연결 어미. |
| | 예 하노라고 했는데 마음에 드실지 모르겠습니다. |

□ -느라고	앞 절의 사태가 뒤 절의 사태에 목적이나 원인이 됨을 나타내는 연결 어미.
	예 먼 길을 오느라고 힘들었겠구나.
	참고 '-느라고'는 '하는 일로 인하여'란 뜻을 표시한다.

-박이 : -배기 : -빼기

| □ -박이 | 무엇이 박혀 있는 사람이나 짐승 또는 물건이라는 뜻을 더하는 접미사. |
| | 예 점박이 / 금니박이 / 덧니박이 |

| □ -배기 | '그 나이를 먹은 아이'의 뜻을 더하는 접미사. |
| | 예 한 살배기 |

빈출 □ -빼기	① '그런 특성이 있는 사람이나 물건'의 뜻을 더하는 접미사.
	예 곱빼기 / 밥빼기
	② '비하'의 뜻을 나타내는 접미사.
	예 외줄빼기 / 코빼기

학습 체크

다음 중 알맞은 어휘를 고르시오.

01 그와는 진작부터 (아름 / 알음)이 있었다.

02 그는 나이를 (가늠 / 가름)하기가 어렵다.

03 안경의 도수를 (돋굴 / 돋울) 때가 되었나 보다.

04 안전 수칙을 지키지 않더니 결국 (사단 / 사달)이 났다.

05 (걷잡아도 / 겉잡아도) 일주일은 걸릴 일을 하루 만에 다 해야 한다.

01 알음 02 가늠 03 돋굴 04 사달 05 걷잡아도

02 한자어의 혼동

한자어의 혼동

□ 잘 외워지지 않는 어휘는 박스에 체크하여 복습하세요.

간여 : 관여

□ **干與** 간여
어떤 일에 간섭하여 참여함.
예 그 남자의 일에는 다른 사람이 간여할 바가 아니다.

□ **關與** 관여
어떤 일에 관계하여 참여함.
예 정치에 관여하다.

개재 : 계제

□ **介在** 개재
어떤 것들 사이에 끼여 있음.
예 사적 감정의 개재가 이 일의 성패를 좌우한다.

□ **階梯** 계제
어떤 일을 할 수 있게 된 형편이나 기회.
예 변명할 계제가 없었다. / 이것저것 가릴 계제가 아니다.

갱신 : 경신

□ **更新** 갱신
법률 관계의 존속 기간이 끝났을 때 그 기간을 연장하는 일.
예 여권을 갱신하다.

□ **更新** 경신
기록경기 따위에서, 종전의 기록을 깨뜨림.
예 세계 기록 경신

결재 : 결제

빈출
□ **決裁** 결재
결정할 권한이 있는 상관이 부하가 제출한 안건을 검토하여 허가하거나 승인함.
예 결재 서류를 상사에게 올리다.

참고 '결재'와 같은 의미의 단어로 '재가(裁可)'가 있다.

빈출
□ **決濟** 결제
① 일을 처리하여 끝을 냄.
② 증권 또는 대금을 주고받아 매매 당사자 사이의 거래 관계를 끝맺는 일.
예 그는 돌아오는 어음의 결제를 거부했다.

계발 : 개발

☐ **啓發** 계발 ^{빈출}　슬기나 재능, 사상 따위를 일깨워 줌.
　　　　　예 자기 계발 / 소질이 계발되다.

☐ **開發** 개발 ^{빈출}
① 토지나 천연자원 따위를 유용하게 만듦.
　　　예 자원 개발
② 지식이나 재능 따위를 발달하게 함.
　　　예 능력 개발
③ 산업이나 경제 따위를 발전하게 함.
　　　예 첨단 산업 개발
④ 새로운 물건을 만들거나 새로운 생각을 내어놓음.
　　　예 신제품 개발

구별 : 구분

☐ **區別** 구별 ^{빈출}　성질이나 종류에 따라 차이가 남. 또는 성질이나 종류에 따라 갈라놓음.
　　　예 요즘 옷은 남녀의 구별이 없는 경우가 많다.

☐ **區分** 구분　일정한 기준에 따라 전체를 몇 개로 갈라 나눔.
　　　예 서정시와 서사시의 구분은 상대적일 뿐이다.

막역 : 막연

☐ **莫逆** 막역　허물이 없이 아주 친함.
　　　예 이 친구와 나는 아주 막역한 사이이다.

☐ **漠然** 막연
① 갈피를 잡을 수 없게 아득함. 예 앞으로 살아갈 길이 막연하다.
② 뚜렷하지 못하고 어렴풋함. 예 막연한 기대

반증 : 방증

☐ **反證** 반증　어떤 사실이나 주장이 옳지 아니함을 그에 반대되는 근거를 들어 증명함. 또는 그런 증거.
　　　예 그의 주장에 반증을 대기가 어렵다.

☐ **傍證** 방증　사실을 직접 증명할 수는 없지만, 주변의 상황을 밝힘으로써 간접적으로 증명에 도움을 줌. 또는 그 증거.
　　　예 제 주장에 대한 근거는 이 책에 방증되어 있습니다.

부문 : 부분

☐ **部門** 부문　일정한 기준에 따라 분류하거나 나누어 놓은 낱낱의 범위나 부분.
　　　예 자연 과학은 여러 부문으로 나뉜다.

☐ **部分** 부분　전체를 이루는 작은 범위. 또는 전체를 몇 개로 나눈 것의 하나.
　　　예 썩은 부분을 잘라 내다.

유래 : 유례

□ **由來** 유래   사물이나 일이 생겨남. 또는 그 사물이나 일이 생겨난 바.
예 한복의 유래

□ **類例** 유례   ① 같거나 비슷한 예.

② 이전부터 있었던 사례. 예 유례를 찾아볼 수 없는 정책이다.

일체 : 일절

□ **一切** 일체   모든 것.
예 분실에 대한 일체의 책임을 지다.

□ **一切** 일절   아주, 전혀, 절대로의 뜻으로, 흔히 행위를 그치게 하거나 어떤 일을 하지 않을 때에 쓰는 말.
예 접근을 일절 금하다.

재녀 : 재원 : 재사 : 재자 : 재자가인

□ **才女** 재녀   재주가 있는 여자. 동의어 재온(才媼)
예 이렇게 좋은 시를 선뜻 지어 내는 것을 보니 재녀란 소문이 헛소리가 아닌가 봅니다.

빈출
□ **才媛** 재원   재주가 뛰어난 젊은 여자.
예 그녀는 아름다운 외모와 교양을 갖춘 소문난 재원이다.

□ **才士** 재사   재주가 뛰어난 남자.
예 그는 당대의 재사로 이름을 떨쳤다.

□ **才子** 재자   재주가 뛰어난 젊은 남자.
예 그는 재자로 이름난 선비였다.

□ **才子佳人** 재자가인   재주 있는 남자와 아름다운 여자를 아울러 이르는 말. 동의어 가인재자(佳人才子)
예 쪽빛 같은 푸른 물결 위로 화방을 띄워 노는 재자가인을 생각한다…….

주위 : 주의

□ **周圍** 주위   ① 어떤 곳의 바깥 둘레.
예 지구는 태양 주위를 공전한다.
② 어떤 사물이나 사람을 둘러싸고 있는 것. 또는 그 환경.
예 주위 환경

□ **注意** 주의   ① 마음에 새겨 두고 조심함.
예 주의 사항
② 어떤 한 곳이나 일에 관심을 집중하여 기울임.
예 주의를 기울이다.

지양 : 지향

☐ **止揚** 지양
더 높은 단계로 오르기 위하여 어떠한 것을 하지 아니함.
예 갈등의 지양을 통해 보다 나은 사회를 건설하자.

☐ **志向** 지향
어떤 목표로 뜻이 쏠리어 향함. 또는 그 방향이나 그쪽으로 쏠리는 의지.
예 민주주의를 지향하다.

품위 : 품의

☐ **品位** 품위
① 직품과 직위를 아울러 이르는 말.
② 사람이 갖추어야 할 위엄이나 기품.
　　예 품위 있는 사람

☐ **稟議** 품의
웃어른이나 상사에게 말이나 글로 여쭈어 의논함.
예 정부에서는 개혁안을 대통령에게 품의하였다.

혼돈 : 혼동

☐ **混沌** 혼돈
마구 뒤섞여 있어 갈피를 잡을 수 없음. 또는 그런 상태.
예 극심한 혼돈의 시대

☐ **混同** 혼동
구별하지 못하고 뒤섞어서 생각함.
예 공과 사를 혼동하는 사람

학습 체크

다음 중 알맞은 어휘를 고르시오.

01 현실과 꿈 사이에서 (혼돈 / 혼동)을 일으켰다.

02 삼촌은 어업 면허 (경신 / 갱신)을 거부하였다.

03 오늘 안에 부장님께 (결제 / 결재)를 올려야 한다.

04 그녀는 미모와 폭넓은 교양을 갖춘 (재자 / 재원)이다.

05 노비는 주인에게 감히 큰소리할 (계제 / 개재)가 못 된다.

01 혼동　02 갱신　03 결재　04 재원　05 계제

3장

고유어와 한자어

01 관용어·속담

관용어

□ 잘 외워지지 않는 어휘는 박스에 체크하여 복습하세요.

□ **가랑이(가) 찢어지다** (째지다)	① 몹시 가난한 살림살이를 비유적으로 이르는 말. 예 가랑이가 찢어지게 가난하다. ② 하는 일이 힘에 부치거나 일손이 부족하여 일해 나가기가 몹시 벅차다. 예 괜히 그 사람들 따라 하다가는 가랑이가 찢어질 거다.
빈출 □ **눈에 밟히다**	잊히지 않고 자꾸 눈에 떠오르다. 예 홀로 남겨진 동생의 모습이 눈에 밟혀 차마 발걸음을 옮길 수 없었다.

□ **바가지(를) 쓰다**	① 요금이나 물건값을 실제 가격보다 비싸게 지불하여 억울한 손해를 보다.
	    예 주인의 말에 넘어가 바가지를 쓰고 이 물건을 샀다.
	② 어떤 일에 대한 부당한 책임을 억울하게 지게 되다.
	    예 일은 과장이 잘못했는데, 바가지를 쓴 것은 계장이었다.

□ **반죽(이) 좋다**	노여움이나 부끄러움을 타지 아니하다. 예 철수는 반죽이 좋아 화를 잘 내지 않는다.
빈출 □ **변죽(을) 울리다**	바로 집어 말을 하지 않고 둘러서 말을 하다. 예 엄청난 스캔들이 변죽만 울리다가 사라졌다. **참고** 변죽: 그릇이나 물건의 가장자리.
□ **오금을 펴다**	마음을 놓고 여유 있게 지내다. 예 시험이 끝나고 나서야 오금을 펼 수 있었다.
□ **아퀴(를) 짓다**	일이나 말을 끝마무리하다. 예 그는 이번 일까지는 아퀴를 짓고 떠나려 했다. **참고** 아퀴: 일을 마무르는 끝매듭.
□ **어깨를 나란히 하다**	① 나란히 서거나 나란히 서서 걷다. ② 서로 비슷한 지위나 힘을 가지다. 예 세계 대학과 어깨를 나란히 할 정도로 학교가 성장했다. ③ 같은 목적으로 함께 일하다. **동의어** 어깨를 같이하다 예 그와 나는 어깨를 나란히 하여 연구 과제를 마무리했다.
빈출 □ **오지랖(이) 넓다**	쓸데없이 지나치게 아무 일에나 참견하는 면이 있다. 예 넌 얼마나 오지랖이 넓기에 남의 일에 그렇게 미주알고주알 캐는 거냐? **참고** 오지랖: 웃옷이나 윗도리에 입는 겉옷의 앞자락.

□ 이골(이) 나다	어떤 방면에 길이 들어서 몸에 푹 밴 버릇처럼 익숙해지다. 예 그는 이제 아버지를 따라 시장에서 장사하는 데 이골이 났다.

빈출
□ 입에 발린(붙은) 소리	마음에도 없이 겉치레로 하는 말. 예 입에 발린 소리는 이제 그만해라.

□ 입이 뜨다	입이 무겁거나 하여 말수가 적다. 예 그 사람은 입이 떠서 식사 시간에도 말 한 마디가 없다.

□ 입이 질다	① 속된 말씨로 거리낌 없이 말을 함부로 하다. 예 그 사람은 입이 진 것을 보니 교양이 없다. ② 말을 수다스럽게 많이 하는 버릇이 있다. 예 입이 진 사람과 여행하느라 매우 피곤했다.

□ 입이 높다	보통 음식으로 만족하지 아니하고 맛있고 좋은 음식만을 바라는 버릇이 있다. 예 그 사람은 입이 높아서 고급 음식점만 간다.

□ 잔뼈가 굵다	오랜 기간 일정한 곳이나 직장에서 일을 하여 그 일에 익숙하다. 예 그는 이 업계에서 잔뼈가 굵은 사람이다.

□ 코웃음(을) 치다	남을 깔보고 비웃다. 예 상대편을 보고 코웃음을 쳤다.

□ 학을 떼다	괴롭거나 어려운 상황을 벗어나느라고 진땀을 빼거나, 그것에 거의 질려 버리다. 예 귀찮게 캐묻는 바람에 아주 학을 뗐다. 참고 '말라리아'를 한자어로 '학질(瘧疾)'이라고 한다.

□ 호흡을 맞추다	일을 할 때 서로의 행동이나 의향을 잘 알고 처리하여 나가다. 예 두 선수는 오랫동안 호흡을 맞춰 왔다.

□ 홍역을 치르다	몹시 애를 먹거나 어려움을 겪다. 예 큰아들의 가출로 온 집안이 홍역을 치렀다.

✍ 속담

□ 잘 외워지지 않는 어휘는 박스에 체크하여 복습하세요.

빈출
□ 가난할수록 기와집 짓는다	① 당장 먹을 것이나 입을 것이 넉넉지 못한 가난한 살림일수록 기와집을 짓는다는 뜻으로, 실상은 가난한 사람이 남에게 업신여김을 당하기 싫어서 허세를 부리려는 심리를 비유적으로 이르는 말. ② 가난하다고 주저앉고 마는 것이 아니라 어떻게든 잘살아 보려고 용단을 내어 큰일을 벌인다는 말.

빈출
□ 가는 말이 고와야 오는 말이 곱다	자기가 남에게 말이나 행동을 좋게 하여야 남도 자기에게 좋게 한다는 말. 유사 속담 가는 정이 있어야 오는 정이 있다

빈출
□ 같은 값이면 다홍치마	값이 같거나 같은 노력을 한다면 품질이 좋은 것을 택한다는 말. 동의어 동가홍상(同價紅裳) 유사 속담 같은 값이면 껌정소 잡아먹는다

□ 개똥도 약에 쓰려면 없다	평소에 흔하던 것도 막상 요긴하게 쓰려고 구하면 없다는 말.

□ 개똥도 약에 쓰려면 없다　평소에 흔하던 것도 막상 요긴하게 쓰려고 구하면 없다는 말.

빈출
□ 공든 탑이 무너지랴　공들여 쌓은 탑은 무너질 리 없다는 뜻으로, 힘을 다하고 정성을 다하여 한 일은 그 결과가 반드시 헛되지 아니함을 비유적으로 이르는 말.

빈출
□ 굽은 나무가 선산을 지킨다　자손이 빈한해지면 선산의 나무까지 팔아 버리나 줄기가 굽어 쓸모없는 것은 그대로 남게 된다는 뜻으로, 쓸모없어 보이는 것이 도리어 제구실을 하게 됨을 비유적으로 이르는 말.

□ 금강산 그늘이 관동 팔십 리 (간다)　금강산의 아름다움이 관동 팔십 리 곧 강원도 지방에 널리 미친다는 뜻으로, 훌륭한 사람 밑에서 지내면 그의 덕이 미치고 도움을 받게 됨을 비유적으로 이르는 말.

□ 낫 놓고 기역자도 모른다　기역 자 모양으로 생긴 낫을 보면서도 기역 자를 모른다는 뜻으로, 아주 무식함을 비유적으로 이르는 말. 동의어 목불식정(目不識丁)

빈출
□ 내 코가 석 자　내 사정이 급하고 어려워서 남을 돌볼 여유가 없음을 비유적으로 이르는 말. 동의어 오비삼척(吾鼻三尺)

□ 달면 삼키고 쓰면 뱉는다　옳고 그름이나 신의를 돌보지 않고 자기의 이익만 꾀함을 비유적으로 이르는 말. 유사 속담 쓰면 뱉고 달면 삼킨다, 추우면 다가들고 더우면 물러선다 동의어 감탄고토(甘呑苦吐)

빈출
□ 닭 쫓던 개 지붕 쳐다보듯　개에게 쫓기던 닭이 지붕으로 올라가자 개가 쫓아 올라가지 못하고 지붕만 쳐다본다는 뜻으로, 애써 하던 일이 실패로 돌아가거나 남보다 뒤떨어져 어찌할 도리가 없이 됨을 비유적으로 이르는 말.

빈출
□ 도랑 치고 가재 잡는다　① 일의 순서가 바뀌었기 때문에 애쓴 보람이 나타나지 않음을 비유적으로 이르는 말.
② 한 가지 일로 두 가지 이익을 봄을 비유적으로 이르는 말.

□ 무른 땅에 말뚝 박기　① 몹시 하기 쉬운 일을 비유적으로 이르는 말.
② 세도 있는 사람이 힘없고 연약한 사람을 업신여기고 학대함을 비유적으로 이르는 말.

빈출
□ 믿는 도끼에 발등 찍힌다　잘되리라고 믿고 있던 일이 어긋나거나 믿고 있던 사람이 배반하여 오히려 해를 입음을 비유적으로 이르는 말.

빈출
□ 뱁새가 황새를 따라가면 다리가 찢어진다　힘에 겨운 일을 억지로 하면 도리어 해만 입는다는 말.

빈출
□ 사또 덕분에 나팔 분다　사또와 동행한 덕분에 나팔 불고 요란히 맞아 주는 호화로운 대접을 받는다는 뜻으로, 남의 덕으로 당치도 아니한 행세를 하게 되거나 그런 대접을 받고 우쭐대는 모양을 비유적으로 이르는 말.

□ 서 발 막대(장대) 거칠 것 없다	① 서 발이나 되는 긴 막대를 휘둘러도 아무것도 거치거나 걸릴 것이 없다는 뜻으로, 가난한 집안이라 세간이 아무것도 없음을 비유적으로 이르는 말. ② 주위에 조심스러운 사람도 없고 아무것도 거리낄 것이 없음을 비유적으로 이르는 말.
^{빈출} □ 아무리 바빠도 바늘허리 매어 쓰지는 못한다	아무리 급하다 하여도 꼭 갖추어야 할 것은 갖추어야 일을 할 수 있음을 비유적으로 이르는 말.
^{빈출} □ 언 발에 오줌 누기	언 발을 녹이려고 오줌을 누어 봤자 효력이 별로 없다는 뜻으로, 임시변통은 될지 모르나 그 효력이 오래가지 못할 뿐만 아니라 결국에는 사태가 더 나빠짐을 비유적으로 이르는 말. **동의어** 동족방뇨(凍足放尿)
□ 우물 안 개구리(고기)	① 넓은 세상의 형편을 알지 못하는 사람을 비유적으로 이르는 말. ② 견식이 좁아 저만 잘난 줄로 아는 사람을 비꼬는 말.
^{빈출} □ 우물에 가 숭늉 찾는다	모든 일에는 질서와 차례가 있는 법인데 일의 순서도 모르고 성급하게 덤빔을 비유적으로 이르는 말.
^{빈출} □ 입추의 여지가 없다	송곳 끝도 세울 수 없을 정도라는 뜻으로, 발 들여놓을 데가 없을 정도로 많은 사람들이 꽉 들어찬 경우를 비유적으로 이르는 말. **동의어** 입추지지(立錐之地)
^{빈출} □ 재미난 골에 범 난다	① 편하고 재미있다고 위험한 일이나 나쁜 일을 계속하면 나중에는 큰 화를 당하게 됨을 이르는 말. ② 지나치게 재미있으면 그 끝에 가서는 좋지 않은 일이 생김을 이르는 말.
□ 첫술에 배부르랴	어떤 일이든지 단번에 만족할 수는 없다는 말. **유사 속담** 한술 밥에 배부르랴

학습 체크

각 관용어 및 속담의 의미를 찾아 연결하시오.

01 눈에 밟히다		㉠ 발 들여놓을 데가 없을 정도로 많은 사람들이 꽉 들어참.
02 잔뼈가 굵다		㉡ 오랜 기간 일정한 곳이나 직장에서 일을 하여 그 일에 익숙하다.
03 오지랖이 넓다		㉢ 값이 같거나 같은 노력을 한다면 품질이 좋은 것을 택한다는 말.
04 입추의 여지가 없다		㉣ 잊히지 않고 자꾸 눈에 떠오르다.
05 같은 값이면 다홍치마		㉤ 쓸데없이 지나치게 아무 일에나 참견하는 면이 있다.
		㉥ 내 사정이 급하고 어려워서 남을 돌볼 여유가 없음.

01 ㉣ 02 ㉡ 03 ㉤ 04 ㉠ 05 ㉢

02 한자 성어

한자 성어 (3회 이상 기출)

□ 잘 외워지지 않는 어휘는 박스에 체크하여 복습하세요.

빈출 이 페이지는 3회 이상 출제된 빈출 어휘로만 구성되어 있습니다.

□ **牽強附會** 견강부회 [이끌 **견**, 강할 **강**, 붙을 **부**, 모일 **회**]	이치에 맞지 않는 말을 억지로 끌어 붙여 자기에게 유리하게 함.	

□ **附和雷同** 부화뇌동
[붙을 **부**, 화할 **화**, 우레 뇌(뢰), 한가지 **동**]

줏대 없이 남의 의견에 따라 움직임.

□ **指鹿爲馬** 지록위마
[가리킬 **지**, 사슴 **록**(녹), 할 **위**, 말 **마**]

① 윗사람을 농락하여 권세를 마음대로 함을 이르는 말.
② 모순된 것을 끝까지 우겨서 남을 속이려는 짓을 비유적으로 이르는 말.

□ **隔靴搔癢** 격화소양
[사이 뜰 **격**, 신 **화**, 긁을 **소**, 가려울 **양**]

신을 신고 발바닥을 긁는다는 뜻으로, 성에 차지 않거나 철저하지 못한 안타까움을 이르는 말.

□ **螳螂拒轍** 당랑거철
[사마귀 **당**, 사마귀 **랑**(낭), 막을 **거**, 바퀴 자국 **철**]

제 역량을 생각하지 않고, 강한 상대나 되지 않을 일에 덤벼드는 무모한 행동거지를 비유적으로 이르는 말.

유사 속담 하룻강아지 범 무서운 줄 모른다: 철없이 함부로 덤비는 경우를 비유적으로 이르는 말.

□ **麥秀之歎** 맥수지탄
麥秀之嘆
[보리 **맥**, 빼어날 **수**, 갈 **지**, 탄식할 **탄**]

고국의 멸망을 한탄함을 이르는 말.

참고 기자(箕子)가 그의 조국인 은나라가 망한 후에도 보리는 무성하게 잘 자라는 것을 보고 한탄하였다는 데서 유래한다.

□ **面從腹背** 면종복배
[낯 **면**, 좇을 **종**, 배 **복**, 등 **배**]

겉으로는 복종하는 체하면서 내심으로는 배반함.

□ **以心傳心** 이심전심
[써 **이**, 마음 **심**, 전할 **전**, 마음 **심**]

마음과 마음으로 서로 뜻이 통함.

□ **巧言令色** 교언영색
[공교할 **교**, 말씀 **언**, 하여금 영(령), 빛 **색**]

아첨하는 말과 알랑거리는 태도.

□ **不恥下問** 불치하문
[아닐 **불**, 부끄러울 **치**,
아래 **하**, 물을 **문**]

손아랫사람이나 지위나 학식이 자기만 못한 사람에게 모르는 것을 묻는 일을 부끄러워하지 아니함.

□ **緣木求魚** 연목구어
[인연 **연**, 나무 **목**, 구할 **구**, 물고기 **어**]

나무에 올라가서 물고기를 구한다는 뜻으로, 도저히 불가능한 일을 굳이 하려 함을 비유적으로 이르는 말.

□ **切齒腐心** 절치부심
[끊을 **절**, 이 **치**, 썩을 **부**, 마음 **심**]

몹시 분하여 이를 갈며 속을 썩임.

□ **曲學阿世** 곡학아세
[굽을 **곡**, 배울 **학**,
언덕 **아**, 인간 **세**]

바른길에서 벗어난 학문으로 세상 사람에게 아첨함.

□ **刮目相對** 괄목상대
[긁을 **괄**, 눈 **목**,
서로 **상**, 대할 **대**]

눈을 비비고 상대편을 본다는 뜻으로, 남의 학식이나 재주가 놀랄 만큼 부쩍 늚을 이르는 말.

□ **口蜜腹劍** 구밀복검
[입 **구**, 꿀 **밀**, 배 **복**, 칼 **검**]

입에는 꿀이 있고 배 속에는 칼이 있다는 뜻으로, 말로는 친한 듯하나 속으로는 해칠 생각이 있음을 이르는 말.

□ **同病相憐** 동병상련
[한가지 **동**, 병 **병**,
서로 **상**, 불쌍히 여길 **련(연)**]

같은 병을 앓는 사람끼리 서로 가엾게 여긴다는 뜻으로, 어려운 처지에 있는 사람끼리 서로 가엾게 여김을 이르는 말.

□ **晚時之歎** 만시지탄
晚時之嘆
[늦을 **만**, 때 **시**, 갈 **지**, 탄식할 **탄**]

시기에 늦어 기회를 놓쳤음을 안타까워하는 탄식.
동의어 후시지탄(後時之嘆)

□ **亡羊補牢** 망양보뢰
[망할 **망**, 양 **양**, 기울 **보**, 우리 **뢰(뇌)**]

양을 잃고 우리를 고친다는 뜻으로, 이미 어떤 일을 실패한 뒤에 뉘우쳐도 아무 소용이 없음을 이르는 말.

□ **傍若無人** 방약무인
[곁 **방**, 같을 **약**, 없을 **무**, 사람 **인**]

곁에 사람이 없는 것처럼 아무 거리낌 없이 함부로 말하고 행동하는 태도가 있음.

□ **髀肉之歎** 비육지탄
髀肉之嘆
[넓적다리 **비**, 고기 **육**,
갈 **지**, 탄식할 **탄**]

재능을 발휘할 때를 얻지 못하여 헛되이 세월만 보내는 것을 한탄함을 이르는 말.

참고 촉나라 유비(劉備)가 오랫동안 말을 타고 전쟁터에 나가지 못하여 넓적다리만 살찜을 한탄한 데서 유래한다.

□ **臥薪嘗膽** 와신상담
[누울 **와**, 섶 **신**, 맛볼 **상**, 쓸개 **담**]

불편한 섶에 몸을 눕히고 쓸개를 맛본다는 뜻으로, 원수를 갚거나 마음먹은 일을 이루기 위하여 온갖 어려움과 괴로움을 참고 견딤을 비유적으로 이르는 말.

☐ **類類相從** 유유상종
[무리 유(류), 무리 유(류), 서로 **상**, 좇을 **종**]

같은 무리끼리 서로 사귐.

동의어 초록동색(草綠同色): 풀색과 녹색은 같은 색이라는 뜻으로, 처지가 같은 사람들끼리 어우러지는 것을 비유적으로 이르는 말.

☐ **賊反荷杖** 적반하장
[도둑 **적**, 돌이킬 **반**, 멜 **하**, 지팡이 **장**]

도둑이 도리어 매를 든다는 뜻으로, 잘못한 사람이 아무 잘못도 없는 사람을 나무람을 이르는 말.

☐ **切磋琢磨** 절차탁마
[끊을 **절**, 갈 **차**, 다듬을 **탁**, 갈 **마**]

옥이나 돌 따위를 갈고 닦아 빛을 낸다는 뜻으로, 부지런히 학문과 덕행을 닦음을 이르는 말.

☐ **肝膽相照** 간담상조
[간 **간**, 쓸개 **담**, 서로 **상**, 비칠 **조**]

서로 속마음을 털어놓고 친하게 사귐.

☐ **捲土重來** 권토중래
[거둘 **권**, 흙 **토**, 무거울 **중**, 올 **래(내)**]

① 땅을 말아 일으킬 것 같은 기세로 다시 온다는 뜻으로, 한 번 실패하였으나 힘을 회복하여 다시 쳐들어옴을 이르는 말.
② 어떤 일에 실패한 뒤에 힘을 가다듬어 다시 그 일에 착수함을 비유하여 이르는 말.

☐ **羊頭狗肉** 양두구육
[양 **양**, 머리 **두**, 개 **구**, 고기 **육**]

양의 머리를 걸어 놓고 개고기를 판다는 뜻으로, 겉보기만 그럴듯하게 보이고 속은 변변하지 아니함을 이르는 말.

☐ **左顧右眄** 좌고우면
[왼 **좌**, 돌아볼 **고**, 오른쪽 **우**, 곁눈질할 **면**]

이쪽저쪽을 돌아본다는 뜻으로, 앞뒤를 재고 망설임을 이르는 말.

☐ **狐假虎威** 호가호위
[여우 **호**, 거짓 **가**, 범 **호**, 위엄 **위**]

남의 권세를 빌려 위세를 부림.

☐ **近墨者黑** 근묵자흑
[가까울 **근**, 먹 **묵**, 놈 **자**, 검을 **흑**]

먹을 가까이하는 사람은 검어진다는 뜻으로, 나쁜 사람과 가까이 지내면 나쁜 버릇에 물들기 쉬움을 비유적으로 이르는 말.

☐ **金蘭之契** 금란지계
[쇠 **금**, 난초 **란(난)**, 갈 **지**, 맺을 **계**]

친구 사이의 매우 두터운 정을 이르는 말.
동의어 금란지교(金蘭之交)

☐ **男負女戴** 남부여대
[사내 **남**, 질 **부**, 여자 **여(녀)**, 일 **대**]

남자는 지고 여자는 인다는 뜻으로, 가난한 사람들이 살 곳을 찾아 이리저리 떠돌아다님을 비유적으로 이르는 말.

☐ **得隴望蜀** 득롱망촉
[얻을 **득**, 고개 이름 **롱(농)**, 바랄 **망**, 나라 이름 **촉**]

농(隴)을 얻고서 촉(蜀)까지 취하고자 한다는 뜻으로, 만족할 줄 모르고 계속 욕심을 부리는 경우를 비유적으로 이르는 말.

☐ **望雲之情** 망운지정
[바랄 **망**, 구름 **운**, 갈 **지**, 뜻 **정**]

자식이 객지에서 고향에 계신 어버이를 생각하는 마음.
동의어 망운지회(望雲之懷)

☐ **目不識丁** 목불식정
[눈 **목**, 아닐 **불**, 알 **식**, 고무래 **정**]
아주 간단한 글자인 '丁'자를 보고도 그것이 '고무래'인 줄을 알지 못한다는 뜻으로, 아주 까막눈임을 이르는 말. 동의어 일자무식(一字無識)

☐ **目不忍見** 목불인견
[눈 **목**, 아닐 **불**, 참을 **인**, 볼 **견**]
눈앞에 벌어진 상황 따위를 눈 뜨고는 차마 볼 수 없음.

☐ **刎頸之交** 문경지교
[목 벨 **문**, 목 **경**, 갈 **지**, 사귈 **교**]
서로를 위해서라면 목이 잘린다 해도 후회하지 않을 정도의 사이라는 뜻으로, 생사를 같이할 수 있는 아주 가까운 사이, 또는 그런 친구를 이르는 말.

☐ **百尺竿頭** 백척간두
[일백 **백**, 자 **척**, 낚싯대 **간**, 머리 **두**]
백 자나 되는 높은 장대 끝에 올라섰다는 뜻으로, 몹시 어렵고 위태로운 지경을 이르는 말.

☐ **事必歸正** 사필귀정
[일 **사**, 반드시 **필**, 돌아갈 **귀**, 바를 **정**]
모든 일은 반드시 바른길로 돌아감.

☐ **塞翁之馬** 새옹지마
[변방 **새**, 늙은이 **옹**, 갈 **지**, 말 **마**]
인생의 길흉화복은 변화가 많아서 예측하기가 어렵다는 말.

☐ **守株待兔** 수주대토
[지킬 **수**, 그루 **주**, 기다릴 **대**, 토끼 **토**]
한 가지 일에만 얽매여 발전을 모르는 어리석은 사람을 비유적으로 이르는 말.

☐ **是是非非** 시시비비
[옳을 **시**, 옳을 **시**, 아닐 **비**, 아닐 **비**]
옳고 그름을 따지며 다툼.

☐ **我田引水** 아전인수
[나 **아**, 밭 **전**, 끌 **인**, 물 **수**]
자기 논에 물 대기라는 뜻으로, 자기에게만 이롭게 되도록 생각하거나 행동함을 이르는 말.

☐ **安分知足** 안분지족
[편안 **안**, 나눌 **분**, 알 **지**, 발 **족**]
편안한 마음으로 제 분수를 지키며 만족할 줄을 앎.

☐ **安貧樂道** 안빈낙도
[편안 **안**, 가난할 **빈**, 즐길 **낙(락)**, 길 **도**]
가난한 생활을 하면서도 편안한 마음으로 도를 즐겨 지킴.

☐ **易地思之** 역지사지
[바꿀 **역**, 땅 **지**, 생각 **사**, 갈 **지**]
처지를 바꾸어서 생각하여 봄.

☐ **戀戀不忘** 연연불망
[그리워할 **연(련)**, 그리워할 **연(련)**, 아닐 **불**, 잊을 **망**]
그리워서 잊지 못함.

☐ **拈華微笑** 염화미소 [집을 **염(념)**, 빛날 **화**, 작을 **미**, 웃음 **소**]	말로 통하지 아니하고 마음에서 마음으로 전하는 일.
☐ **吳越同舟** 오월동주 [성씨 **오**, 넘을 **월**, 한가지 **동**, 배 **주**]	서로 적의를 품은 사람들이 한자리에 있게 된 경우나 서로 협력하여야 하는 상황을 비유적으로 이르는 말.
☐ **溫故知新** 온고지신 [따뜻할 **온**, 연고 **고**, 알 **지**, 새 **신**]	옛것을 익히고 그것을 미루어서 새것을 앎.
☐ **愚公移山** 우공이산 [어리석을 **우**, 공평할 **공**, 옮길 **이**, 메 **산**]	우공이 산을 옮긴다는 뜻으로, 어떤 일이든 끊임없이 노력하면 반드시 이루어짐을 이르는 말.
☐ **優柔不斷** 우유부단 [넉넉할 **우**, 부드러울 **유**, 아닐 **부**, 끊을 **단**]	어물어물 망설이기만 하고 결단성이 없음.
☐ **泣斬馬謖** 읍참마속 [울 **읍**, 벨 **참**, 말 **마**, 일어날 **속**]	큰 목적을 위하여 자기가 아끼는 사람을 버림을 이르는 말.
☐ **一擧兩得** 일거양득 [한 **일**, 들 **거**, 두 **양(량)**, 얻을 **득**]	한 가지 일을 하여 두 가지 이익을 얻음. **동의어** 일석이조(一石二鳥)
☐ **自家撞着** 자가당착 [스스로 **자**, 집 **가**, 칠 **당**, 붙을 **착**]	같은 사람의 말이나 행동이 앞뒤가 서로 맞지 아니하고 모순됨. **동의어** 모순당착(矛盾撞着), 자기모순(自己矛盾)
☐ **走馬看山** 주마간산 [달릴 **주**, 말 **마**, 볼 **간**, 메 **산**]	말을 타고 달리며 산천을 구경한다는 뜻으로, 자세히 살피지 아니하고 대충대충 보고 지나감을 이르는 말.
☐ **天衣無縫** 천의무봉 [하늘 **천**, 옷 **의**, 없을 **무**, 꿰맬 **봉**]	① 천사의 옷은 꿰맨 흔적이 없다는 뜻으로, 일부러 꾸민 데 없이 자연스럽고 아름다우면서 완전함을 이르는 말. ② 완전무결하여 흠이 없음을 이르는 말. ③ 세상사에 물들지 아니한 어린이와 같은 순진함을 이르는 말.
☐ **靑出於藍** 청출어람 [푸를 **청**, 날 **출**, 어조사 **어**, 쪽 **람(남)**]	쪽에서 뽑아낸 푸른 물감이 쪽보다 더 푸르다는 뜻으로, 제자나 후배가 스승이나 선배보다 나음을 비유적으로 이르는 말.

□ **表裏不同** 표리부동
[겉 표, 속 리(이),
아닐 부, 한가지 동]

겉으로 드러나는 언행과 속으로 가지는 생각이 다름.

□ **虛張聲勢** 허장성세
[빌 허, 베풀 장,
소리 성, 형세 세]

실속은 없으면서 큰소리치거나 허세를 부림.

□ **和而不同** 화이부동
[화할 화, 말 이을 이,
아닐 부, 한가지 동]

남과 사이좋게 지내기는 하나 무턱대고 어울리지는 아니함.

□ **後生可畏** 후생가외
[뒤 후, 날 생,
옳을 가, 두려워할 외]

젊은 후학들을 두려워할 만하다는 뜻으로, 후배들이 선배들보다 젊고 기력이 좋아, 학문을 닦음에 따라 큰 인물이 될 수 있으므로 가히 두렵다는 말.

□ **刻舟求劍** 각주구검
[새길 각, 배 주,
구할 구, 칼 검]

융통성 없이 현실에 맞지 않는 낡은 생각을 고집하는 어리석음을 이르는 말.
동의어 각선구검(刻船求劍)

□ **犬馬之勞** 견마지로
[개 견, 말 마, 갈 지, 일할 로(노)]

개나 말 정도의 하찮은 힘이라는 뜻으로, 윗사람에게 충성을 다하는 자신의 노력을 낮추어 이르는 말.

□ **見蚊拔劍** 견문발검
[볼 견, 모기 문, 뽑을 발, 칼 검]

모기를 보고 칼을 뺀다는 뜻으로, 사소한 일에 크게 성내어 덤빔을 이르는 말.

학습 체크

각 한자 성어의 의미를 찾아 연결하시오.

01 曲學阿世

02 是是非非

03 巧言令色

04 類類相從

05 切齒腐心

㉠ 같은 무리끼리 서로 사귐.

㉡ 몹시 분하여 이를 갈며 속을 썩임.

㉢ 바른길에서 벗어난 학문으로 세상 사람에게 아첨함.

㉣ 아첨하는 말과 알랑거리는 태도.

㉤ 남의 학식이나 재주가 놀랄 만큼 부쩍 늚을 이르는 말.

㉥ 옳고 그름을 따지며 다툼.

01 ㉢, 곡학아세 **02** ㉥, 시시비비 **03** ㉣, 교언영색 **04** ㉠, 유유상종 **05** ㉡, 절치부심

✏️ 한자 성어 (1회 이상 기출)

□ 잘 외워지지 않는 어휘는 박스에 체크하여 복습하세요.

□ **孤掌難鳴** 고장난명
[외로울 **고**, 손바닥 **장**, 어려울 **난**, 울 **명**]

외손뼉만으로는 소리가 울리지 아니한다는 뜻으로, 혼자의 힘만으로 어떤 일을 이루기 어려움을 이르는 말.

□ **勞心焦思** 노심초사
[일할 **노(로)**, 마음 **심**, 탈 **초**, 생각 **사**]

몹시 마음을 쓰며 애를 태움.

□ **桑田碧海** 상전벽해
[뽕나무 **상**, 밭 **전**, 푸를 **벽**, 바다 **해**]

뽕나무밭이 변하여 푸른 바다가 된다는 뜻으로, 세상일의 변천이 심함을 비유적으로 이르는 말.
동의어 상전창해(桑田滄海), 상해지변(桑海之變)

□ **脣亡齒寒** 순망치한
[입술 **순**, 망할 **망**, 이 **치**, 찰 **한**]

입술이 없으면 이가 시리다는 뜻으로, 서로 이해관계가 밀접한 사이에 어느 한쪽이 망하면 다른 한쪽도 그 영향을 받아 온전하기 어려움을 이르는 말.

□ **針小棒大** 침소봉대
[바늘 **침**, 작을 **소**, 막대 **봉**, 클 **대**]

작은 일을 크게 불리어 떠벌림.

□ **兔死狗烹** 토사구팽
[토끼 **토**, 죽을 **사**, 개 **구**, 삶을 **팽**]

토끼가 죽으면 토끼를 잡던 사냥개도 필요 없게 되어 주인에게 삶아 먹히게 된다는 뜻으로, 필요할 때는 쓰고 필요 없을 때는 야박하게 버리는 경우를 이르는 말.

□ **夏爐冬扇** 하로동선
[여름 **하**, 화로 **로(노)**, 겨울 **동**, 부채 **선**]

여름의 화로와 겨울의 부채라는 뜻으로, 격이나 철에 맞지 아니함을 이르는 말.

□ **昏定晨省** 혼정신성
[어두울 **혼**, 정할 **정**, 새벽 **신**, 살필 **성**]

밤에는 부모의 잠자리를 보아 드리고 이른 아침에는 부모의 밤새 안부를 묻는다는 뜻으로, 부모를 잘 섬기고 효성을 다함을 이르는 말.

□ **見利思義** 견리사의
[볼 **견**, 이로울 **리(이)**, 생각 **사**, 옳을 **의**]

눈앞의 이익을 보면 의리를 먼저 생각함.

□ **見物生心** 견물생심
[볼 **견**, 물건 **물**, 날 **생**, 마음 **심**]

어떠한 실물을 보게 되면 그것을 가지고 싶은 욕심이 생김.

□ **犬猿之間** 견원지간
[개 **견**, 원숭이 **원**, 갈 **지**, 사이 **간**]

개와 원숭이의 사이라는 뜻으로, 사이가 매우 나쁜 두 관계를 비유적으로 이르는 말.
동의어 견묘지간(犬猫之間): 개와 고양이의 사이

□ **結草報恩** 결초보은
[맺을 **결**, 풀 **초**, 갚을 **보**, 은혜 **은**]

죽은 뒤에라도 은혜를 잊지 않고 갚음을 이르는 말.

□ **傾國之色** 경국지색
[기울 **경**, 나라 **국**, 갈 **지**, 빛 **색**]
임금이 혹하여 나라가 기울어져도 모를 정도의 미인이라는 뜻으로, 뛰어나게 아름다운 미인을 이르는 말.

□ **鏡中美人** 경중미인
[거울 **경**, 가운데 **중**, 아름다울 **미**, 사람 **인**]
거울에 비친 미인이라는 뜻으로, 실속 없는 일을 비유적으로 이르는 말.

□ **苦盡甘來** 고진감래
[쓸 **고**, 다할 **진**, 달 **감**, 올 **래(내)**]
쓴 것이 다하면 단 것이 온다는 뜻으로, 고생 끝에 즐거움이 옴을 이르는 말.

□ **九曲肝腸** 구곡간장
[아홉 **구**, 굽을 **곡**, 간 **간**, 창자 **장**]
굽이굽이 서린 창자라는 뜻으로, 깊은 마음속 또는 시름이 쌓인 마음속을 비유적으로 이르는 말.

□ **權不十年** 권불십년
[권세 **권**, 아닐 **불**, 열 **십**, 해 **년(연)**]
권세는 십 년을 가지 못한다는 뜻으로, 아무리 높은 권세라도 오래가지 못함을 이르는 말.

□ **琴瑟相和** 금슬상화
[거문고 **금**, 큰 거문고 **슬**, 서로 **상**, 화할 **화**]
금(琴)과 슬(瑟)이 합주하여 화음(和音)이 조화되는 것같이 부부 사이가 다정하고 화목함을 비유적으로 이르는 말.

□ **內憂外患** 내우외환
[안 **내**, 근심 **우**, 바깥 **외**, 근심 **환**]
나라 안팎의 여러 가지 어려움.

□ **談笑自若** 담소자약
[말씀 **담**, 웃음 **소**, 스스로 **자**, 같을 **약**]
근심이나 놀라운 일을 당하였을 때도 보통 때와 같이 웃고 이야기함.
동의어 언소자약(言笑自若)

□ **街談巷說** 가담항설
[거리 **가**, 말씀 **담**, 거리 **항**, 말씀 **설**]
거리나 항간에 떠도는 소문.

□ **犬馬之誠** 견마지성
[개 **견**, 말 **마**, 갈 **지**, 정성 **성**]
① 임금이나 나라에 바치는 충성을 낮추어 이르는 말.
② 개나 말의 정성이라는 뜻으로, 자신의 정성을 낮추어 이르는 말.

□ **犬兔之爭** 견토지쟁
[개 **견**, 토끼 **토**, 갈 **지**, 다툴 **쟁**]
개와 토끼의 다툼이라는 뜻으로, 두 사람의 싸움에 제삼자가 이익을 봄을 이르는 말.

□ **倒行逆施** 도행역시
[넘어질 **도**, 다닐 **행**, 거스를 **역**, 베풀 **시**]
차례나 순서를 바꾸어서 행함.

□ **同價紅裳** 동가홍상
[한가지 **동**, 값 **가**, 붉을 **홍**, 치마 **상**]
같은 값이면 다홍치마라는 뜻으로, 같은 값이면 좋은 물건을 가짐을 이르는 말.

☐ 磨斧爲針 마부위침 [갈 **마**, 도끼 **부**, 할 **위**, 바늘 **침**]	도끼를 갈아 바늘을 만든다는 뜻으로, 아무리 어려운 일일지라도 인내와 노력으로 마침내 이루어낸다는 말.
☐ 伯牙絶絃 백아절현 [맏 **백**, 어금니 **아**, 끊을 **절**, 줄 **현**]	자기를 알아 주는 참다운 벗의 죽음을 슬퍼함.
☐ 雪中松柏 설중송백 [눈 **설**, 가운데 **중**, 소나무 **송**, 측백 **백**]	눈 속의 소나무와 잣나무라는 뜻으로, 높고 굳은 절개를 이르는 말.
☐ 束手無策 속수무책 [묶을 **속**, 손 **수**, 없을 **무**, 꾀 **책**]	손을 묶은 것처럼 어찌할 도리가 없어 꼼짝 못 함.
☐ 手不釋卷 수불석권 [손 **수**, 아닐 **불**, 풀 **석**, 책 **권**]	손에서 책을 놓지 아니하고 늘 글을 읽음.
☐ 語不成說 어불성설 [말씀 **어**, 아닐 **불**, 이룰 **성**, 말씀 **설**]	말이 조금도 사리에 맞지 아니함.
☐ 女必從夫 여필종부 [여자 **여(녀)**, 반드시 **필**, 좇을 **종**, 지아비 **부**]	아내는 반드시 남편을 따라야 한다는 말.
☐ 寤寐不忘 오매불망 [잠 깰 **오**, 잘 **매**, 아닐 **불**, 잊을 **망**]	자나 깨나 잊지 못함.
☐ 五里霧中 오리무중 [다섯 **오**, 마을 **리**, 안개 **무**, 가운데 **중**]	오 리나 되는 짙은 안개 속에 있다는 뜻으로, 무슨 일에 대하여 방향이나 갈피를 잡을 수 없음을 이르는 말.
☐ 言行一致 언행일치 [말씀 **언**, 다닐 **행**, 한 **일**, 이룰 **치**]	말과 행동이 하나로 들어맞음. 또는 말한 대로 실행함.
☐ 泥田鬪狗 이전투구 [진흙 **이(니)**, 밭 **전**, 싸울 **투**, 개 **구**]	① 진흙탕에서 싸우는 개라는 뜻으로, 강인한 성격의 함경도 사람을 이르는 말. ② 자기의 이익을 위하여 비열하게 다툼을 비유적으로 이르는 말.
☐ 輾轉反側 전전반측 [돌아누울 **전**, 구를 **전**, 돌이킬 **반**, 곁 **측**]	누워서 몸을 이리저리 뒤척이며 잠을 이루지 못함. **동의어** 전전불매(輾轉不寐)
☐ 藏頭露尾 장두노미 [감출 **장**, 머리 **두**, 이슬 **노**, 꼬리 **미**]	머리는 감추었으나, 꼬리가 드러나 있다는 말로, 감춘 것이 들통날까봐 두려워 함.

□ **晝夜不息** 주야불식
[낮 **주**, 밤 **야**,
아닐 **부**, 쉴 **식**]

밤낮으로 쉬지 않음.

□ **寸鐵殺人** 촌철살인
[마디 **촌**, 쇠 **철**, 죽일 **살**, 사람 **인**]

한 치의 쇠붙이로도 사람을 죽일 수 있다는 뜻으로, 간단한 말로도 남을 감동하게 하거나 남의 약점을 찌를 수 있음을 이르는 말.

□ **惻隱之心** 측은지심
[슬퍼할 **측**, 숨을 **은**,
갈 **지**, 마음 **심**]

사단(四端)의 하나. 불쌍히 여기는 마음을 이른다. 인의예지(仁義禮智) 가운데 인에서 우러나온다.

□ **破邪顯正** 파사현정
[깨뜨릴 **파**, 간사할 **사**,
나타날 **현**, 바를 **정**]

사견(邪見)과 사도(邪道)를 깨고 정법(正法)을 드러내는 일.

□ **敝衣破冠** 폐의파관
[해질 **폐**, 옷 **의**, 깨트릴 **파**, 갓 **관**]

해어진 옷과 부서진 갓이란 뜻으로, 초라한 차림새를 비유적으로 이르는 말.
동의어 폐포파립(敝袍破笠)

□ **敝袍破笠** 폐포파립
[해질 **폐**, 도포 **포**,
깨뜨릴 **파**, 삿갓 **립**(입)]

해어진 옷과 부서진 갓이란 뜻으로, 초라한 차림새를 비유적으로 이르는 말.

□ **鶴首苦待** 학수고대
[학 **학**, 머리 **수**, 쓸 **고**, 기다릴 **대**]

학의 목처럼 목을 길게 빼고 간절히 기다림.

□ **護疾忌醫** 호질기의
[도울 **호**, 병 **질**,
꺼릴 **기**, 의원 **의**]

병을 감추고 의원에게 말하기를 꺼린다는 말로, 자신의 결함을 숨기고 다른 사람의 충고도 듣지 않음.

학습 체크

각 한자 성어의 의미를 찾아 연결하시오.

01 針小棒大

02 苦盡甘來

03 雪中松柏

04 輾轉反側

05 九曲肝腸

㉠ 쓴 것이 다하면 단 것이 온다는 뜻으로, 고생 끝에 즐거움이 옴을 이르는 말.

㉡ 작은 일을 크게 불리어 떠벌림.

㉢ 죽은 뒤에라도 은혜를 잊지 않고 갚음을 이르는 말.

㉣ 누워서 몸을 이리저리 뒤척이며 잠을 이루지 못함.

㉤ 눈 속의 소나무와 잣나무라는 뜻으로, 높고 굳은 절개를 이르는 말.

㉥ 굽이굽이 서린 창자라는 뜻으로, 깊은 마음속 또는 시름이 쌓인 마음속을 비유적으로 이르는 말.

01 ㉡, 침소봉대   02 ㉠, 고진감래   03 ㉤, 설중송백   04 ㉣, 전전반측   05 ㉥, 구곡간장

03 고유어와 한자어의 대응

✍ 고치다
□ 잘 외워지지 않는 어휘는 박스에 체크하여 복습하세요.

□ 개량(改良)하다	나쁜 점을 보완하여 더 좋게 고치다. 예 공장 기기를 전자식으로 개량하다.	
□ 개선(改善)하다	잘못된 것이나 부족한 것, 나쁜 것 따위를 고쳐 더 좋게 만들다. 예 주변 환경을 개선하다.	
□ 개정(改正)하다	주로 문서의 내용 따위를 고쳐 바르게 하다. 예 법률을 개정하다.	
□ 개정(改定)하다	이미 정하였던 것을 고쳐 다시 정하다. 예 택시 요금을 10% 인상된 요금으로 개정하다.	
□ 개조(改造)하다	고쳐 만들거나 바꾸다. 예 부엌을 거실로 개조하다.	
□ 개편(改編)하다	① 책이나 과정 따위를 고쳐 다시 엮다. 예 교재를 개편하다.	
	② 조직 따위를 고쳐 편성하다. 예 부서를 개편하다.	
□ 수리(修理)하다	고장 나거나 허름한 데를 손보아 고치다. 예 자전거를 수리하다.	
□ 수선(修繕)하다	낡거나 헌 물건을 고치다. 예 옷을 수선하다.	
□ 시정(是正)하다	잘못된 것을 바로잡다. 예 잘못을 시정하다.	

✍ 꾸짖다
□ 잘 외워지지 않는 어휘는 박스에 체크하여 복습하세요.

□ 견책(譴責)하다	허물이나 잘못을 꾸짖고 나무라다. 예 과장은 맡은 업무를 제대로 처리하지 못한 사원을 견책했다.
□ 문책(問責)하다	잘못을 캐묻고 꾸짖다. 예 사고 경위를 문책하다.
□ 질책(叱責)하다	꾸짖어 나무라다. 예 선생님은 반장의 잘못을 질책하다.
□ 질책(質責)하다	꾸짖어 바로잡다. 예 문제를 철저히 질책하다.
□ 질타(叱咤)하다	큰 소리로 꾸짖다. 예 남편의 무책임을 질타하다.
□ 책망(責望)하다	잘못을 꾸짖거나 나무라며 못마땅하게 여기다. 예 남편은 술을 먹고 외박을 한 아들을 심하게 책망하였다.

| □ 힐책(詰責)하다 | 잘못된 점을 따져 나무라다. 예 그는 소심한 나를 힐책했다. |

✏ 모습

□ 잘 외워지지 않는 어휘는 박스에 체크하여 복습하세요.

□ 모양(模樣)	겉으로 나타나는 생김새나 모습. 예 머리 모양
□ 태도(態度)	몸의 동작이나 몸을 가누는 모양새. 예 군인다운 태도
□ 현상(現象)	인간이 지각할 수 있는, 사물의 모양과 상태. 예 피부 노화 현상
□ 형상(形象/形像)	사물의 생긴 모양이나 상태. 예 인간의 형상과 닮은 조각

✏ 바라다

□ 잘 외워지지 않는 어휘는 박스에 체크하여 복습하세요.

□ 갈망(渴望)하다	간절히 바라다. 예 세계 평화를 갈망하다.
□ 기원(祈願)하다	바라는 일이 이루어지기를 빌다. 예 올해에도 건강하시기를 기원합니다.
□ 소망(所望)하다	어떤 일을 바라다. 예 합격을 간절히 소망합니다.
□ 열망(熱望)하다	열렬하게 바라다. 예 그의 눈빛은 가끔 뭔가를 열망하는 듯한 눈초리로 사물을 핥듯 뜯어보곤 했다.
□ 염원(念願)하다	마음에 간절히 생각하고 기원하다. 예 자유를 염원하다.
□ 요구(要求)하다	받아야 할 것을 필요에 의하여 달라고 청하다. 예 엄마에게 돈을 요구하다.
□ 요망(要望)하다	어떤 희망이나 기대가 꼭 이루어지기를 간절히 바라다. 예 선처해 주시길 요망합니다.
□ 요청(要請)하다	필요한 어떤 일이나 행동을 청하다. 예 담당 기관에 수사를 요청하다.

□ 희구(希求)하다	바라고 구하다. 예 순수한 사랑을 <u>희구하다</u>.
□ 희망(希望)하다	어떤 일을 이루거나 하기를 바라다. 예 입학을 <u>희망한다</u>.

✑ 버리다

□ 잘 외워지지 않는 어휘는 박스에 체크하여 복습하세요.

□ 투기(投棄)하다	내던져 버리다. 예 쓰레기를 <u>투기하다</u>.
□ 유기(遺棄)하다	내다 버리다. 예 시체를 <u>유기하다</u>.
□ 포기(抛棄)하다	하려던 일을 도중에 그만두어 버리다. 예 출전을 <u>포기하다</u>.

✑ 보다

□ 잘 외워지지 않는 어휘는 박스에 체크하여 복습하세요.

□ 간주(看做)하다	상태, 모양, 성질 따위가 그와 같다고 보거나 그렇게 여기다. 예 형사들은 그를 범죄자로 <u>간주했다</u>.
□ 관찰(觀察)하다	사물이나 현상을 주의하여 자세히 살펴보다. 예 우리는 개미의 움직임을 <u>관찰했다</u>.
□ 예언(豫言)하다	앞으로 다가올 일을 미리 알거나 짐작하여 말하다. 예 그가 <u>예언한</u> 것이 이루어졌다.

□ 전망(展望)하다	① 넓고 먼 곳을 멀리 바라보다.
	    예 그는 산에 올라 풍경을 <u>전망하였다</u>.
	② 앞날을 헤아려 내다보다.
	    예 올해도 경기가 좋을 것이라 <u>전망한다</u>.

✑ 살피다

□ 잘 외워지지 않는 어휘는 박스에 체크하여 복습하세요.

□ 감시(監視)하다	단속하기 위하여 주의 깊게 살피다. 예 요주의 인물을 주의 깊게 <u>감시하다</u>.
□ 고찰(考察)하다	어떤 것을 깊이 생각하고 연구하다. 예 국어의 역사를 <u>고찰하다</u>.

□ 성찰(省察)하다	자신의 마음을 반성하고 살피다. 예 자신을 성찰하다.
□ 시찰(視察)하다	두루 돌아다니며 실지의 사정을 살피다. 예 사업장을 시찰하다.
□ 조사(調査)하다	사물의 내용을 명확히 알기 위하여 자세히 살펴보거나 찾아보다. 예 사고 원인을 조사하다.
빈출 □ 통찰(洞察)하다	예리한 관찰력으로 사물을 꿰뚫어 보다. 예 문제의 핵심을 통찰하다.

✍ 퍼지다

□ 잘 외워지지 않는 어휘는 박스에 체크하여 복습하세요.

□ 분포(分布)하다	일정한 범위에 흩어져 퍼져 있다. 예 교통 입지점에 인구가 집중적으로 분포한다.
□ 성행(盛行)하다	매우 성하게 유행하다. 예 사실주의는 19세기에 성행하던 예술 양식이다.
□ 유행(流行)하다	① 전염병이 널리 퍼져 돌아다니다. 　예 요즘에는 때도 아닌 감기가 유행해서 야단이다. ② 특정한 행동 양식이나 사상 따위가 일시적으로 많은 사람의 추종을 받아서 널리 퍼지다. 　예 학생들 사이에서 유행하는 노래
□ 확산(擴散)되다	흩어져 널리 퍼지게 되다. 예 가뭄 피해가 전국적으로 급속히 확산되고 있다.

3정 고유어와 한자어　해커스공무원 국어 2권 문법+문학+어휘

학습 체크

각 단어의 의미를 찾아 연결하시오.

01	是正하다	㉠ 잘못된 것을 바로잡다.
02	分布하다	㉡ 어떤 일을 이루거나 하기를 바라다.
03	希望하다	㉢ 일정한 범위에 흩어져 퍼져 있다.
04	洞察하다	㉣ 이미 정하였던 것을 고쳐 다시 정하다.
05	投棄하다	㉤ 내던져 버리다.
		㉥ 예리한 관찰력으로 사물을 꿰뚫어 보다.

01 시정하다, ㉠　02 분포하다, ㉢　03 희망하다, ㉡　04 통찰하다, ㉥　05 투기하다, ㉤

부록

1. 문학 용어 사전

2. 혼동하기 쉬운 표준어

3. 혼동하기 쉬운 외래어

1. 문학 용어 사전

문학 이론

문학의 특성

☐ **언어성**
문학은 언어 예술이며 문학의 언어는 함축성과 다의성을 가진 심미적 표현임

☐ **개성**
문학은 개인 체험의 주관적 표현이므로 개성적·독창적임

☐ **보편성과 항구성**
문학은 인류의 공통적인 정서를 다루므로, 위대한 문학 작품은 시공을 초월하여 누구에게나 보편적 감동을 줌

☐ **허구성과 개연성**
문학의 세계는 작가의 상상을 통해 구성되지만 현실에서 있을 법한 이야기로 꾸며지는 개연성이 있는 허구의 세계임

문학의 기능

☐ **교훈적(교시적) 기능**
독자에게 삶의 교훈을 주고 인생의 가치와 의미를 깨닫게 하는 기능

☐ **쾌락적 기능**
독자에게 고차원적인 정신적 즐거움과 미적 쾌감을 주는 기능

☐ **종합적 기능**
참다운 문학의 기능은 종합적인 것으로 이해해야 한다는 입장

문학의 기원

☐ **모방 본능설**
인간은 동물과 다르게 모방 본능을 가지고 있으며, 이러한 본능을 충족하기 위해 문학이 발생하였다는 설

☐ **유희 본능설**
인간에게는 생명 유지와 종족 보존 이외의 남는 힘으로 놀이를 즐기고자 하는 본능이 있고 이러한 유희 본능에서 문학이 발생하였다는 설

☐ **흡인 본능설**
아름다운 소리나 겉모습으로 이성을 끌어들이는 동물과 마찬가지로, 인간에게는 타인의 관심을 끌고 싶어하는 흡인 본능이 있기 때문에 문학이 발생하였다는 설

☐ **자기표현 본능설**
자기 자신의 내면적인 생각이나 감정 등을 표현하길 원하는 인간의 본능에서 문학이 발생하였다는 설

☐ **발생학적 기원설**
문학이나 예술은 심미성에서 시작되었다기보다는 실용성 때문에 발생하였다는 설

☐ **발라드 댄스설**
문학이 원시 종합 예술에서 분화·발생하였다는 설로 가장 설득력 있는 학설

문학의 갈래

☐ **서정(세계의 자아화)**
작가가 객관적인 세계를 바탕으로 주관적인 정서를 표현하는 장르

☐ **서사(외부 자아의 개입이 있는 자아와 세계의 갈등)**
일련의 사건을 객관적으로 서술하여 전달하고자 하는 장르

☐ **극(외부 자아의 개입이 없는 자아와 세계의 갈등)**
작가의 개입 없이 등장인물의 대화 형식을 통해 인간의 행위와 사건의 전개를 눈앞에서 연출하여 보여주는 장르

☐ **교술(자아의 세계화)**
실제로 존재하는 외부의 사물을 서술하여 전달하는 장르

문학 비평의 종류 ①

☐ **외재적 비평**
작품에 영향을 끼치는 여러 가지 외부적인 요인을 중시하여 이들과 작품의 관계를 연관 지어 다루는 비평으로, 표현론적, 반영론적, 효용론적 관점이 속함

☐ **표현론(생산론)적 관점**
작품이 작가와 맺는 관계를 중요시하는 관점으로, 작품 속에 작가의 체험, 사상, 감정 등이 표현되어 있다고 생각함

☐ **반영론적 관점**
문학을 현실의 모방 내지 반영으로 보고, 문학 작품과 작품의 대상이 되는 현실 세계와의 관계를 중시하는 관점

☐ **효용론(수용론)적 관점**
작품과 독자의 관계를 중시하는 관점으로 수용자는 독자의 의미를 넘어 능동적 참여자로 확장된 개념임

☐ **내재적 비평(절대주의적 관점)**
작품 이외의 사실에 대한 고려를 배제하고 언어, 문체, 운율, 구성 등의 작품 내부적 요소를 분석하는 비평

☐ **종합주의적 관점**
외재적 관점과 내재적 관점을 섞어 작품을 비평하고 감상하는 통합적 관점

문학 비평의 종류 ②

☐ **역사주의 비평**
문학 작품을 하나의 역사적 산물로 취급하는 방법으로 문학 작품 형성의 배경이 되는 작가와 사회 환경 등을 중시해야 한다는 입장

☐ **심리주의 비평**
작중 인물의 성격이나 심리를 분석하거나 작가의 개인적 상징을 해명하여 그 속에 숨은 의미를 파악하고자 하는 입장

☐ **신화주의 비평**
문학을 포함한 인간의 모든 사고와 행동 체계가 원시적 제의나 그와 관련된 신화적 우주관·세계관과 밀접한 관련을 맺고 있다고 보는 입장

□ **사회학적 비평**
작품을 사회적 산물로 보고 사회·문화적 요인의 복잡한 상호 관계의 반영이나 결과로 해명하려 하는 입장

문학의 미적 범주

□ **문학의 미적 범주**
'현실(있는 것)'과 '이상(있어야 할 것)'이 어떤 관계를 맺고 있느냐에 따라, 미적 범주를 '숭고미, 우아미, 비장미, 골계미'로 분류할 수 있음

□ **숭고미(崇高美)**
현실을 자신이 바라는 이상과 일치시키려는 상황에서 나타나는 미의식으로 경건하고 엄숙한 분위기를 자아냄으로써 고고한 정신의 경지를 체험할 수 있게 해줌

□ **우아미(優雅美)**
현실이 이상과 융합되어 일치하는 상황에서 나타나는 미의식으로 조화롭고 균형을 갖춘 대상에서 느끼는 아름다움을 표현함으로써 고전적인 기품과 멋을 드러냄

□ **비장미(悲壯美)**
현실과 이상이 조화를 이루지 못해 어긋나는 상황에서 나타나는 미의식으로 슬픔이 극에 달한 상태나 한의 정서 표출로 인해 형상화됨

□ **골계미(滑稽美)**
현실의 규범이나 부정적인 대상을 비판하거나 추락시켜 웃음을 자아내는 상황에서 나타나는 미의식으로 풍자나 해학 등의 수법에 의해 우스꽝스러운 상황이나 인간상을 구현함

문예 사조

□ **고전주의(17~18세기)**
고대 그리스·로마의 작품을 모범으로 삼고 그 특성을 재현하려는 경향을 보임

□ **낭만주의(18세기 말~19세기 초)**
고전주의의 몰개성적 성격에 반발하여 발생.

형식이나 질서의 구속을 거부하고, 이성보다는 감정을 지향함

□ **사실주의(19세기 중·후반)**
낭만주의의 비현실성에 반발하여 발생, 사물을 객관적으로 관찰하여 과장이나 왜곡 없이 구체적으로 표현하려 함

□ **자연주의(19세기)**
사실주의와 자연 과학적 결정론에 바탕을 두었으며 인간도 자연물처럼 자연 법칙에 따라 일생이 운명적으로 결정된다고 봄

□ **유미주의(19세기 후반)**
미의 창조를 궁극적인 목표로 하여 발생. 아름다움을 최고의 가치로 여기며 예술이 도덕적, 정치적 기준으로 평가되면 안 된다고 주장함

□ **상징주의(19세기 말~20세기 초)**
사실주의와 자연주의의 외면적 성격에 대한 반발로 발생. 낭만주의를 계승하여 사물이나 정서를 상징을 통해 표현함

□ **모더니즘(20세기)**
사실주의와 자연주의에서 벗어나려는 노력에 따라 발생. 현대성을 추구하며 기계 문명과 도시적 삶 속에서 개체화된 인간의 모습을 탐구함

□ **실존주의(20세기)**
세계 대전 이후 황폐한 현실 속에서의 실존적 불안을 배경으로 발생. 인간의 자유와 주체성을 최고의 가치로 여기고 실존적 자각을 추구함

모더니즘의 세 가지 경향

□ **이미지즘(Imagism)**
추상적이고 개념적인 언어를 거부하고, 시각적이고 구체적인 이미지로 시를 표현하여 의미를 정확히 전달하고자 하는 경향

□ **초현실주의(Surrealism)**
자동기술법과 자유 연상 기법 등의 창작법으로 무의식의 세계를 표출하고자 하는 경향

□ **주지주의(Intellectualism)**
감각과 정서보다 지성을 중시하였으며 시각적 요소를 강조하여 전통적 질서의 회복을 추구하고자 하는 경향

시의 정의와 특성

□ **시(詩)**
인간의 사상과 정서를 운율이 있는 언어로 압축하여 표현한 언어 예술

□ **음악성**
시는 내부에 운율을 가지고 있어 읽을 때 말의 가락을 느낄 수 있음

□ **형상성**
비유, 상징 등의 다양한 표현법을 통해 시의 이미지를 나타냄

□ **함축성**
시어는 지시적 의미 외에 다양하고 함축적인 의미를 내포하며, 시는 압축된 형식미를 갖추고 있음

형식에 따른 시의 갈래

□ **정형시(定型詩)**
형식과 규칙에 맞추어 지은 시로, 외형률이 나타남

□ **자유시(自由詩)**
정형시가 지닌 형식적 제약에서 벗어난 자유로운 형식의 시로, 행과 연의 구별이 있고 내재율이 나타남

□ **산문시(散文詩)**
연과 행의 구별이 없는 시

내용에 따른 시의 갈래

□ **서정시(抒情詩)**
개인의 주관적 정서를 표현한 시

□ **서사시(敍事詩)**
일정한 사건을 서술하는 서사적 구조의 시

1. 문학 용어 사전

□ 극시(劇詩)

운문으로 표현된 희곡 형태의 시

태도에 따른 시의 갈래

□ 주정시(主情詩)

개인의 자유로운 정서와 감정을 중요시하는 시

□ 주지시(主知詩)

감정보다 냉철한 지성이나 이성을 중시하는 입장에서 쓴 시, 현실에 대한 비판 의식이 강하게 작용하는 경우가 많음

□ 주의시(主意詩)

인간의 의지적인 측면을 주된 내용으로 하는 시

목적에 따른 시의 갈래

□ 순수시(純粹詩)

개인의 주관적 정서나 언어의 아름다움을 나타내는 시

□ 경향시(목적시)

특정한 이념이나 목적이 뚜렷하게 나타난 시

시의 화자

□ 시의 화자(시적 자아, 서정적 자아)

시인의 분신, 또는 대리인의 역할을 함. 시인과 화자는 철저히 분리됨

운율의 종류

□ 외형적 운율(외형률)

겉으로 드러나는 객관적 성질의 운율로, 음위율, 음성율, 음수율, 음보율, 통사율이 있음

□ 음위율

압운에 의한 운율로, 일정 위치에 같은 운을 두는 것

□ 음성율

음성의 강약·고저·장단 등을 통해 규칙적으로 반복되는 리듬을 형성하는 것

□ 음수율

일정한 음수 단위의 규칙적인 반복으로 형성되는 운율

□ 음보율

한 행을 일정한 간격으로 끊어 읽음으로써 형성되는 운율

□ 통사율

유사한 문장 구조나 문법 구조가 반복되어 형성되는 운율

□ 내재적 운율(내재율)

자유시나 산문시에서 느껴지는 율격으로, 겉으로 드러나지 않지만 은근하게 느껴지는 주관적 율격

□ 산문율

산문시에 내재하는 자유로운 율격

시의 표현 방법 - 비유

□ 비유

표현하고자 하는 대상을 다른 사물에 빗대서 표현하는 방법으로, 원관념과 보조 관념은 유사성을 바탕으로 하는 상관 관계가 성립함

□ 직유

'처럼', '같이' 등의 연결어를 사용하여 원관념을 보조 관념에 직접적으로 연결시키는 방법

□ 은유

'A는 B이다'와 같은 형태로 연결어를 사용하지 않고 원관념과 보조 관념을 연결하는 방법

□ 대유

대상의 일부 속성으로 전체를 나타내는 표현법으로 환유와 제유가 있음

□ 환유

사물의 속성이나 특징으로 그 사물을 대표하는 방법

□ 제유

사물의 일부분으로 그 사물 전체를 대표하는 방법

□ 의인

인간이 아닌 사물이나 관념에 인격을 부여해서 사람인 것처럼 표현하는 방법

□ 활유

생명체가 아닌 대상에 생명이나 동작을 부여해서 살아 있는 것처럼 표현하는 방법

□ 풍유

원관념을 숨기고 보조 관념만으로 본래의 의미를 암시하는 방법. '우의법'이라고도 함

□ 인유

고전, 역사, 고사, 전설 등에서 널리 알려진 인물, 이야기, 시구 등을 인용하는 방법

□ 중의

한 단어로 두 가지 이상의 의미를 나타내는 방법

□ 의성

사람이나 사물의 소리를 그대로 묘사하여 그 소리나 상태를 실제와 같이 표현하는 방법

□ 의태

사물의 모양이나 태도를 그대로 모방하여 표현하는 방법

시의 표현 방법 - 강조

□ 과장

사물의 수량이나 상태, 성질 또는 글의 내용을 실제보다 더 늘리거나 줄여서 표현하는 방법

□ 반복

같은 단어나 구절, 문장을 반복하여 뜻을 강조하는 방법

□ 열거

내용적으로 연결되거나 비슷한 어휘나 구절을 늘어놓음으로써 서술하는 내용을 강조하는 방법

□ **점층**

내용의 비중이나 정도를 한 단계씩 높여서 뜻을 점점 강하고 깊게 표현하는 방법

□ **점강**

구절마다의 내용이 작아지고 좁아지고 약해져서 고조된 감정을 점점 가라앉게 하는 방법

□ **연쇄**

앞 구절의 말을 다시 다음 구절에 연결시켜 연쇄적으로 잇는 방법

□ **영탄**

슬픔, 기쁨 등 벅찬 감정을 강조하여 감탄의 형태로 표현하는 방법

□ **비교**

성질이 비슷한 대상을 서로 비교하여 그 차이를 통해 어느 한쪽을 강조하는 방법

□ **대조**

서로 반대되는 내용을 맞세워 강조함으로써 선명한 인상을 주는 방법

시의 표현 방법 – 변화

□ **역설**

논리적으로 모순되는 진술을 통해 그 이면의 중요한 진리를 드러내는 표현 방법

□ **반어**

작가가 드러내고자 하는 의도와 표현이 상반되도록 함으로써 정서를 심화시키는 방법

□ **도치**

문장의 어순을 바꾸어서 내용을 강조하는 방법

□ **문답**

묻고 답하는 형식을 통해 특정 문장이나 글을 전개하는 방법

□ **설의**

결론이나 단정 부분을 의문 형식으로 표현하여 그 의미를 강조하는 방법

□ **대구**

비슷한 구조의 어구나 문장을 짝을 맞추어 늘어놓는 표현 방법. '대우법'이라고도 함

□ **돈호**

대상의 이름을 불러서 주의를 환기시키는 방법

□ **생략**

독자에게 여운이나 암시를 주기 위하여 문장의 구절을 간결하게 줄이거나 빼버리는 방법

□ **인용**

다른 사람의 말이나 글, 격언 등을 빌려와 내용을 풍부하게 하거나 변화를 주는 방법

□ **시적 허용**

'시적 파격'이라고도 하며 일상어에서는 비문법적인 단어나 문장이어도 시에서는 시적 효과를 위해 허용하는 것

시의 표현 방법 – 상징

□ **상징**

추상적인 관념이나 사상을 구체적인 사물로 나타내는 표현 기법

□ **관습적 상징**

일정한 세월을 두고 사회적 관습에 의해 공인되고 널리 보편화된 상징

□ **개인적 상징**

관습적 상징을 시인의 독창적 의미로 변용시켜 문화적 효과를 얻는 상징

□ **원형적 상징**

시대와 지역을 초월하여 인류 전체나 특정 민족, 특정 문화에 빈번하게 되풀이되어 나타나는 상징

시의 표현 방법 – 기타

□ **감정 이입**

자신의 감정을 타인이나 사물에 이입하여 대상도 자신과 같은 감정을 느끼는 것처럼 표현하는 방법

□ **객관적 상관물**

감정을 환기시키는 모든 사물을 가리킴

□ **자동기술법(의식의 흐름)**

인간 내면 세계의 깊은 생각, 관념, 의식을 아무런 제약이나 질서 없이 의식의 흐름에 따라 표출하는 기법

□ **선경 후정(先景後情)**

작품의 전반부에는 풍경이나 사물의 외양 등 눈에 비치는 모습을 제시하고, 후반부에는 화자의 정서를 표출하는 전개 방식

심상의 기능

□ **구체성**

추상적 관념을 구체적 언어로 생동감 있게 전달함

□ **함축성**

여러 가지 의미와 느낌을 함축적으로 표현해 줌

□ **직접성**

경험과 사물을 감각적이고 구체적으로 나타내어 뚜렷하고 직접적인 인상을 줌

심상의 종류

□ **시각적 심상**

색채, 명암, 모양, 움직임 등 눈을 통해 떠올리는 이미지

□ **청각적 심상**

소리의 감각에 호소하는 이미지

□ **미각적 심상**

맛의 감각을 이용한 이미지

□ **후각적 심상**

냄새의 감각을 이용한 이미지

□ **촉각적 심상**

사물이 피부에 닿는 감촉과 관련된 이미지

□ **공감각적 심상(감각의 전이)**

두 종류 이상의 감각이 결합되어 이루어진 이미지. 감각이 전이되어 표현된 심상을 의미함

1. 문학 용어 사전

소설의 정의와 특성

☐ **소설(小說)**
현실에서 있을 법한 허구적인 이야기를 사건의 전개나 인물을 통해 현실의 이야기인 것처럼 만들어 전달하는 산문 문학의 한 장르

☐ **허구성**
현실의 요소를 반영하여 가공한 이야기임

☐ **진실성**
허구적인 이야기를 통해 인생의 참모습을 추구함

☐ **예술성**
예술의 한 형식이므로 예술미와 형식미를 갖추어 표현함

☐ **서사성**
이야기를 시간의 흐름에 따라 산문 형식으로 표현함

소설의 요소

☐ **소설의 3요소**
주제 + 구성 + 문체

☐ **소설 구성의 3요소**
인물 + 사건 + 배경

분량에 따른 소설의 갈래

☐ **장편(掌篇) 소설**
가장 짧은 소설의 형식

☐ **단편(短篇) 소설**
길이가 짧은 형태의 소설

☐ **중편(中篇) 소설**
단편 소설과 장편(長篇) 소설의 중간 분량의 소설

☐ **장편(長篇) 소설**
책 한 권 이상 분량의 소설

의도에 따른 소설의 갈래

☐ **순수 소설(본격 소설, 예술 소설)**
작품의 예술성을 추구하는 소설로 효용성, 통속성을 배제함

☐ **통속 소설(대중 소설)**
예술성보다 효용성이나 쾌락성이 강조되는 소설

소설 구성의 개념과 단계

☐ **소설의 구성(plot)**
주제를 효과적으로 표현하기 위해 사건을 인과 관계에 따라 유기적으로 배치하는 것

☐ **발단**
등장인물이 소개되고 배경이 제시되며 사건의 실마리가 암시되는 단계

☐ **전개**
갈등이 본격적으로 전개되는 단계

☐ **위기**
갈등이 고조되어 절정에 이르는 계기가 되는 단계

☐ **절정**
사건 해결의 분기점이 되는 단계로 갈등이 최고조에 이름

☐ **결말**
사건이 마무리되고 갈등이 해결되는 단계

소설 결말의 종류

☐ **닫힌 결말**
서술자가 이야기의 결말을 밝혀 주제가 직접적으로 드러나는 방식

☐ **열린 결말**
서술자가 이야기의 결말을 밝히지 않고 암시만을 주거나 여운을 남기는 방식

☐ **행복한 결말(happy ending)**
이야기가 우여곡절과 반전을 거듭하다가 마침내 행복하게 끝맺는 방식

소설 구성의 유형 ①

☐ **단일 구성**
한 가지 이야기만이 전개되는 구성

☐ **복합 구성**
두 가지 이상의 이야기가 복합적으로 전개되는 구성

☐ **피카레스크식 구성**
동일한 인물이 독립된 각각의 이야기에 등장하여 동일한 주제와 배경하에 사건을 전개하는 구성

☐ **옴니버스식 구성**
소주제와 등장 인물이 다른 이야기들을 하나의 거대한 주제 아래에 모아놓은 구성

☐ **액자식 구성**
내부 이야기와 외부 이야기로 이루어지는 구성

소설 구성의 유형 ②

☐ **평면적 구성(진행적 구성)**
사건이 시간의 흐름에 따라 순차적으로 진행되는 구성

☐ **입체적 구성(분석적 구성)**
사건의 시간을 역행시켜 진행하는 구성

문체의 구성 요소

☐ **서술**
작가가 인물, 사건, 배경 등을 직접 이야기하는 방식

☐ **묘사**
작가가 인물, 사건, 배경 등을 그림 그리듯 구체적, 사실적으로 전달하는 방식

☐ **대화**
등장인물의 말로 표현되는 것으로, 사건 전개, 인물 성격 및 심리 제시의 역할을 하며, 극적으로 상황을 드러냄

소설의 어조의 개념과 종류

□ **어조(語調)**
서술자의 정서적 태도와 느낌으로 나타나는 분위기나 기분

□ **해학적 어조**
익살과 해학이 중심을 이루는 어조

□ **냉소적 어조**
차가운 태도가 주를 이루는 어조

□ **반어적 어조**
진술의 표리를 다르게 하거나 상황이 대조됨으로써 나타나는 어조

□ **풍자적 어조**
부정적 현실이나 인물에 대해 비판하는 어조

소설의 인물 유형

□ **주요 인물**
사건을 이끄는 중심인물(주인공)

□ **주변 인물**
사건의 진행을 돕거나 주인공을 돋보이게 하는 인물

□ **주동 인물**
사건의 중심적 역할을 하는 긍정적인 인물

□ **반동 인물**
주동 인물과 대립하여 갈등을 일으키는 부정적인 인물

□ **전형적 인물**
어떤 계층이나 집단의 보편적인 성격을 대표하는 인물

□ **개성적 인물**
독특한 개성을 지닌 독자적인 성격의 인물

□ **평면적 인물(정적, 2차원적 인물)**
성격의 변화를 보이지 않는 인물

□ **입체적 인물(동적, 3차원적 인물)**
사건의 진전에 따라 성격의 변화를 보이는 인물

인물의 제시 및 묘사 방법-37

□ **직접 제시(말하기)**
서술자가 인물의 특성을 직접 설명하는 방법

□ **간접 제시(보여주기)**
인물의 행동과 대화를 장면으로 보여 줌으로써 인물의 성격을 간접적으로 알 수 있게 하는 방법

□ **외면 묘사**
등장인물의 겉모습을 묘사하는 방법

□ **내면 묘사**
등장인물의 심리나 잠재 의식을 묘사하는 방법

갈등의 유형

□ **내적 갈등**
개인 내부의 심리적 모순이나 대립에 의해 생기는 갈등

□ **개인과 개인의 갈등**
소설 속에서 중심 역할을 하는 긍정적 인물과 그에 반대되는 부정적 인물 사이의 갈등

□ **개인과 사회의 갈등**
개인의 욕구와 사회의 보편적 욕구가 상충될 때 발생하는 갈등

□ **개인과 운명과의 갈등**
개인의 삶이 운명에 의해 좌우됨으로 인해 유발되는 갈등

소설 배경의 종류

□ **자연적 배경**
인물의 행위와 사건이 일어나는 구체적인 시간과 장소

□ **사회적 배경**
인물을 둘러싼 사회 현실과 정치적, 종교적, 문화적 환경

□ **심리적 배경**
인물이 놓인 심리적 상황이나 내면세계를 의미함

□ **상황적 배경**
인간이 처한 외부적 상황을 암시하고 상징함으로써 주제를 드러내는 배경

소설 시점의 종류

□ **1인칭 주인공 시점**
작품 속 서술자가 자기 자신의 이야기를 서술하는 시점

□ **1인칭 관찰자 시점**
작품 속 부수적 인물인 '나'가 관찰자의 입장에서 주인공의 이야기를 서술하는 시점

□ **전지적 작가 시점**
서술자가 전지전능한 위치에서 각 인물의 심리 상태를 서술하는 시점

□ **작가 관찰자 시점**
서술자가 외부 관찰자의 위치에서 객관적 태도로 서술하는 시점

□ **믿을 수 없는 화자(신빙성 없는 화자)**
순진하거나 미성숙한 상태, 혹은 어리석거나 무지한 화자가 이야기를 서술하는 경우

□ **시점의 혼합**
일부 소설에서는 시점이 혼용되기도 하는데, 특히 액자 소설에서 1인칭과 3인칭이 혼용되는 경우가 많음

수필의 정의와 특성

□ **수필(隨筆)**
인생이나 자연에 대한 체험, 생각, 느낌을 특별한 형식의 제약 없이 산문 형식으로 쓰는 글

□ **자유로운 형식**
형식이 자유롭고 구성과 내용상의 제약이 없음

□ **다양한 소재**
세계의 모든 것에 대해 자유자재로 서술하므로 소재가 광범위함

1. 문학 용어 사전

□ **개성적·고백적인 글**
작가의 독특한 인생관, 세계관, 사상과 감정이 잘 드러나 있음

□ **심미적·철학적인 글**
작가의 심미적인 안목과 철학적인 깊이가 드러남

□ **유머·위트·비판 의식이 있는 글**
작가의 유머, 위트, 비판 의식이 드러남

□ **간결한 산문의 문학**
비교적 길이가 짧은 간결한 산문임

□ **비전문성의 문학**
누구나 쓸 수 있는 비전문적이며 대중적인 산문 갈래

수필의 갈래

□ **서정적 수필**
일상생활이나 자연에서 느낀 정서를 주관적으로 표현하는 수필

□ **교훈적 수필**
작가의 신념과 삶의 태도가 드러나는 교훈적인 내용의 수필

□ **희곡적 수필**
체험이나 사건의 내용 자체에 극적 요소가 있어서 희곡적으로 전개되는 수필

□ **서사적 수필**
어떤 사실에 대하여 필자의 주관을 배제하고 객관적으로 서술하는 수필

희곡의 정의와 특성

□ **희곡(戲曲)**
무대 상연을 전제로 한 연극의 대본으로 배우, 무대, 관객과 함께 연극의 요소가 됨

□ **무대 상연을 전제로 한 문학**
무대 상연을 전제로 한 연극의 각본임

□ **대사의 문학**
등장인물의 대사를 통해 줄거리가 전개됨

□ **현재화된 인생 표현**
모든 이야기를 현재화하여 표현하는 문학 장르임

□ **갈등과 분규의 문학**
등장인물 간의 대립과 갈등, 분규 등을 기반으로 함

□ **희곡의 컨벤션**
관객과의 암묵적인 약속을 전제로 함
적으로 서술하는 수필

희곡의 제약

□ **작품의 길이**
연극은 한 번 보기 시작하면 끝까지 봐야 하므로 길이가 너무 길면 안 됨

□ **등장인물의 수**
한 무대에 등장인물이 모두 출현해야 하므로 등장인물이 지나치게 많으면 안 됨

□ **장소**
장소가 너무 자주 바뀌거나 지나치게 다양하면 상연에 어려움이 생김

희곡의 갈래

□ **비극**
운명, 성격, 상황 등으로 인해 패배하는 인간의 모습을 제시함

□ **희극**
주인공이 승리하거나 성공하는 행복한 결말을 지님

□ **희비극**
희극과 비극이 혼합된 형태로, 사건이 비극적으로 전개되다가 반전되면서 행복한 결말에 이르는 유형

□ **모노드라마**
한 사람의 배우가 모든 배역을 혼자 맡아 하는 연극

□ **레제드라마**
상연을 위해서가 아니라 읽히기 위한 목적으로 쓴 희곡, 이와 반대되는 말로 뷔넨드라마가 있음

희곡의 형식적 구성 요소

□ **해설**
희곡의 맨 처음에서 등장인물, 장소, 무대 등을 설명해 주는 지시문

□ **지문**
대화 사이에 인물의 동작, 표정 등을 설명하거나 조명, 효과음 등을 지시하는 글

□ **대사**
인물 간에 주고받는 말이나 인물이 혼자 말하는 독백, 관객에게만 들리도록 약속된 말인 방백이 있음

희곡의 내용적 구성 요소

□ **인물**
의지적, 전형적, 개성적인 성격을 지님

□ **행동**
일정한 주제 하에 행동이 통일되며, 서술없이 배우의 연기만으로 인간의 행동을 표출해야 함

□ **주제**
인생의 단면을 나타내야 함

희곡의 구성 단계

□ **막(act)**
연극 및 희곡의 길이와 행동을 구분하는 개념

□ **장(scene)**
막의 하위 단위로 희곡의 기본 단위

□ **3분법(3막극)**
발단 → 상승 → 해결

□ **4분법(4막극)**
발단 → 전개 → 전환 → 결말

□ **5분법(5막극)**

발단 → 상승 → 절정 → 하강 → 결말

시나리오의 개념과 구성 단위-47

□ **시나리오(Scenario)**

상영을 전제로 한 영화의 각본

□ **컷(Cut), 숏(Shot)**

한 번의 연속 촬영으로 찍은 장면

□ **신(Scene)**

영화의 최소 단위. 같은 장소와 시간 내에서
이루어지는 장면

□ **시퀀스(Sequence)**

몇 개의 신이 모여 이루어진 화면

시나리오의 용어

□ **C.U. (Close up)**

화면에 크게 보이게 확대해서 찍는 것

□ **D.E. (Double Exposure)**

이중 노출. 두 화면이 겹쳐지는 것

□ **E (Effect)**

효과음

□ **F.I. (Fade In)**

화면이 천천히 밝아지는 것

□ **F.O. (Fade Out)**

화면이 천천히 어두워지는 것

□ **Ins. (Insert)**

삽입 화면. 화면과 화면 사이에 사진, 그림,
편지 등을 삽입하는 것

□ **M (Music)**

효과 음악

□ **NAR. (Narration)**

해설. 화면 밖에서 들려오는 대사

□ **O.L. (Over Lap)**

한 화면이 사라질 때, 뒤에 화면이 포개어지
며 나타나는 기법

□ **PAN (Panning)**

카메라를 이동시켜 장면을 상하좌우로 찍는
것

□ **S# (Scene Number)**

장면 번호

□ **Montage (몽타주)**

따로 촬영한 화면을 붙여서 하나의 장면이
나 내용으로 만드는 일

2. 혼동하기 쉬운 표준어

ㄱ

가까워○ / 가까와×
가녀리다○ / 간여리다×
가느다랗다○ / 가느랗다×
가뜩이○ / 가뜩히×
가랑이○ / 가랭이×
가로나비○ / 가로너비, 가로넓이×
가르랑거리다○ / 가르렁거리다×
가리다○ / 가리우다×
가입률○ / 가입율×
가자미○ / 가재미×
가자미식해○ / 가자미식혜×
가장자리○ / 가상자리×
가정란○ / 가정난×
간질이다, 간지럽히다○ / 간지르다×
가짓수○ / 가지수×
각별히○ / 각별이×
간드러지다○ / 간들어지다×
갈매기살○ / 갈매깃살×
갑자기○ / 갑작이×
갓난애○ / 간난애×
강낭콩○ / 강남콩×
강소주○ / 깡소주×
강팍하다○ / 강팍하다×
개다○ / 개이다×
개뼈다귀○ / 개뼈다구×
개수○ / 갯수×
개숫물○ / 개수물×
개펄, 갯벌○ / 갯펄×
객쩍다○ / 객적다×
거꾸로○ / 꺼꾸로×
거추장스럽다○ / 거치장스럽다×
건넌방○ / 건너방×
건넛마을○ / 건넌마을×
건더기○ / 건데기×
걸어붙이다○ / 걸어부치다×
걸핏하면○ / 얼핏하면×
검은색○ / 검정색×
겁쟁이○ / 겁장이×
겉고삿○ / 겉고샅×
곁다리○ / 겉다리×

게거품○ / 개거품×
게꽁지○ / 게꼬리×
게으르다○ / 게을르다×
겨우살이○ / 겨울살이×
겹다○ / 겨웁다×
겹질리다○ / 겹지르다×
고깃간○ / 고깃관×
고깃국○ / 고기국×
고깔○ / 꼬깔×
고들빼기○ / 고들배기×
고랭지○ / 고냉지×
고르다○ / 골르다×
고이○ / 고히×
고즈넉이○ / 고즈넉히, 고즈너기×
고춧가루○ / 고추가루×
골목쟁이○ / 골목장이×
골병○ / 곯병×
골칫거리○ / 골치꺼리×
골칫덩어리, 골칫덩이○ / 골치덩어리×
곰곰이○ / 곰곰히×
곰팡이○ / 곰팽이×
곱빼기○ / 곱배기×
곱이곱이○ / 고비고비×
공깃밥○ / 공기밥×
곶감○ / 곳감×
과녁빼기○ / 과녁배기×
관자놀이○ / 관자노리×
괄시○ / 괄새, 괄세×
광주리○ / 광우리×
괘다리적다○ / 괘다리쩍다×
괜스레○ / 괜시리×
교자상○ / 교잣상×
구더기○ / 구데기×
구둣주걱○ / 구두주걱×
구레나룻○ / 구렛나루×
구르다○ / 굴르다×
구슬리다○ / 구스르다, 구슬르다×
군더더기○ / 군더덕지×
굵다랗다○ / 굴다랗다×
굶주리다○ / 굼주리다×
굼벵이○ / 굼뱅이×
귓갓길○ / 귀가길×

귀때기○ / 귓대기×
귀띔○ / 귀뜸×
귀머거리○ / 귀먹어리×
귀이개○ / 귀개, 귀후비개×
귀지○ / 귀에지×
귓불○ / 귓볼×
그렇잖다○ / 그렇찮다×
그을음○ / 그스름×
금이빨○ / 금니빨×
기준율○ / 기준률×
기차간○ / 기찻간×
까무러치다○ / 까무라치다×
깎이다○ / 깍이다×
깔때기○ / 깔대기×
깜깜하다○ / 깡깜하다×
깜빡이○ / 깜박이×
깝죽거리다○ / 깝치다×
깡그리○ / 싸그리×
깡충깡충○ / 깡총깡총×
깨끗이○ / 깨끗히×
깨나(돈깨나)○ / 께나(돈께나)×
꺼리다○ / 꺼려하다×
꺼림하다, 께름하다○ / 꺼름하다×
꺾꽂이○ / 꺽꽂이×
꼬락서니○ / 꼬라지×
꼬챙이○ / 꼬창이×
꼭두각시○ / 꼭둑각시×
꼭짓점○ / 꼭지점×
꼼꼼히, 꼼꼼○ / 꼼꼼이×
꼼짝없이○ / 꼼작없이×
꼽추○ / 곱추×
꽁보리밥○ / 깡보리밥, 맨보리밥×
꽃봉오리○ / 꽃봉우리×
꾸준히○ / 꾸준이×
꿰매다○ / 꼬매다×
끄나풀○ / 끄나불×
끄트머리○ / 끝트머리×
끌탕○ / 끓을탕×
끗발○ / 끝발×
끼어들다○ / 끼여들다×

ㄴ

나날이○ / 날날이×
나무꾼○ / 나뭇꾼×
나무때기○ / 나뭇때기×
나무라다○ / 나무래다×
나뭇가지○ / 나무가지×
나박김치○ / 나막김치×
나부끼다○ / 나붓기다×
나지막하다○ / 나즈막하다×
낙락장송○ / 낙낙장송×
낚시걸이○ / 낚시거리×
낚시꾼○ / 낚싯군×
낚아채다○ / 나꿔채다×
난들○ / 낸들×
난쟁이○ / 난장이×
날갯짓○ / 날개짓×
날갯죽지○ / 날개쭉지×
날쌔다○ / 날세다×
납작하다○ / 납짝하다×
낭떠러지○ / 낭떨어지×
내로라하다○ / 내노라하다×
내리꽂다○ / 내려꽂다×
내색○ / 나색×
너스레○ / 너스래×
너저분하다○ / 너저부레하다×
넉넉지 않다○ / 넉넉치 않다×
넉넉히○ / 넉넉이×
넋두리○ / 넉두리×
넌지시○ / 넌즈시×
널따랗다○ / 넓다랗다×
널브러지다○ / 널부러지다×
널빤지○ / 널판지×
널찍하다○ / 넓직하다×
넓적다리○ / 넙쩍다리×
노란색○ / 노랑색×
노랫소리○ / 노래소리×
놀놀하다○ / 놀롤하다×
놀래다○ / 놀래키다×
농사일○ / 농삿일×
농지거리○ / 농짓거리×
높다랗다○ / 높따랗다×

뇌졸중○ / 뇌졸증×
누비옷○ / 누빔옷×
눈곱○ / 눈꼽×
눈살○ / 눈쌀×
눈엣가시○ / 눈에가시×
눈칫밥○ / 눈치밥×
눌어붙다○ / 눌러붙다, 늘어붙다×
눌은밥○ / 누른밥×
뉘엿뉘엿○ / 너웃너웃×
느지막이○ / 느즈막히, 느지막히×
늘○ / 늘상×
늘그막○ / 늙으막×
늙수그레하다○ / 늙그수레하다, 늙수구레하다×
늦깎이○ / 늦깍이×
닐리리○ / 닐리리×

ㄷ

다달이○ / 달달이×
닦달하다○ / 닥달하다×
단옷날○ / 단오날×
단출하다○ / 단촐하다×
단칸방, 단칸집○ / 단간방, 단간집 ×
담쟁이덩굴, 담쟁이넝쿨○ / 담장이덩굴×
대가○ / 댓가×
더욱이○ / 더우기×
덤불○ / 덤풀×
덤터기○ / 덤테기, 덤탱이×
덥석○ / 덥썩×
덩굴, 넝쿨○ / 덩쿨×
도긴개긴○ / 도찐개찐×
도떼기시장○ / 돗데기시장×
도롱뇽○ / 도롱룡×
도매금○ / 도맷금×
도배장이○ / 도배쟁이×
돌멩이○ / 돌맹이×
돌하르방○ / 돌하루방×
동댕이치다○ / 동당이치다×
되뇌다○ / 되뇌이다×
됫박○ / 됫바가지×
둘러싸이다○ / 둘러쌓이다×
둘러업다○ / 들쳐업다×

뒤꼍○ / 뒤안×
뒤꽁무니○ / 뒷꽁무니×
뒤꿈치○ / 뒷굼치×
뒤치다꺼리○ / 뒤치다거리, 뒷치닥꺼리×
뒤탈○ / 뒷탈×
뒤편○ / 뒤켠, 뒷편×
뒷머리○ / 뒤머리×
뒷심○ / 뒷힘×
들입다○ / 드립다×
딱따구리○ / 딱다구리×
딴기적다○ / 딴기쩍다×
딸꾹질○ / 딱국질×
때깔○ / 땟갈×
떠버리○ / 떠벌이×
떡볶이○ / 떡볶기×
뙤약볕○ / 뙤약볕×
뜨개질○ / 뜨게질×
뜨물○ / 뜸물×
뜬금없다○ / 뜽금없다×

ㅁ

마구간○ / 마굿간×
마늘종○ / 마늘쫑×
마른빨래○ / 건빨래×
맛적다○ / 맛쩍다×
망측하다○ / 망칙하다×
매생이○ / 메생이×
머리끄덩이○ / 머리끄댕이×
머리말○ / 머릿말×
머리빼기○ / 머리배기×
머릿니○ / 머릿이×
먼지떨이○ / 먼지털이×
멋쩍다○ / 멋적다×
멍울○ / 멍우리×
며칟날○ / 며칠날×
며칠○ / 몇 일×
모래찜질○ / 모래뜸질×
모자라다○ / 모자르다×
목돈○ / 뭇돈×
목메다○ / 목메이다×
무르다○ / 물르다×

무르팍○ / 무릎팍×
무릅쓰다○ / 무릎쓰다×
무말랭이○ / 무우말랭이×
뭇국○ / 무국×
미루나무○ / 미류나무×
미사여구○ / 미사려구×
미숫가루○ / 미싯가루×
미장이○ / 미쟁이×
미주알고주알○ / 메주알고주알×
밀어붙이다○ / 밀어부치다×
밉살스럽다○ / 밉쌀스럽다×
밋밋하다○ / 민밋하다×
밑동○ / 밑둥×

ㅂ

박달나무○ / 배달나무×
반죽음○ / 반주검×
반지르르하다○ / 반지르하다×
배냇저고리○ / 베냇저고리×
배때기○ / 뱃대기×
백분율○ / 백분률×
뱃놀이○ / 배놀이×
범칙금○ / 벌칙금×
법석○ / 법썩×
베개○ / 배개×
베갯잇○ / 벼개잇×
볍씨○ / 벼씨×
보랏빛○ / 보라빛×
복숭앗빛○ / 복숭아빛×
본새○ / 뽄새×
볼썽사납다○ / 볼쌍사납다×
부각○ / 다시마자반×
부기○ / 붓기×
부서지다○ / 부숴지다×
부스러기○ / 부수러기×
부잣집○ / 부자집×
붓두껍○ / 붓뚜껑×
붙박이다○ / 붙박히다×
비뚜로○ / 비뚜루×
비로소○ / 비로서×
비비다○ / 부비다×

비사치기○ / 비석치기×
빈대떡○ / 빈자떡×
빈털터리○ / 빈털털이×
빨간색○ / 빨강색×
뺨따귀○ / 뺨따구니×
뾰족하다○ / 뾰죽하다×

ㅅ

사글세○ / 삭월세×
사주단자○ / 사주단지×
산봉우리○ / 산봉오리×
살살이○ / 살사리×
삼우제○ / 삼오제×
삼짇날○ / 삼짓날×
샅바○ / 삿바×
새벽○ / 새벽×
새침데기○ / 새침떼기×
샛별○ / 새벽별×
생때같다○ / 생떼같다×
생로병사○ / 생노병사×
섞박지○ / 석박지×
섣달○ / 섯달×
설거지○ / 설겆이×
성대모사○ / 성대묘사×
소꿉장난○ / 소꼽장난×
소맷귀○ / 소매깃×
소쿠리○ / 소꾸리×
소홀히○ / 소홀이×
솔직히○ / 솔직이×
수군거리다○ / 수근거리다×
수두룩하다○ / 수둑하다×
숙맥○ / 쑥맥×
술래잡기○ / 술레잡기×
숨바꼭질○ / 숨박꼭질×
승낙○ / 승락×
시래깃국○ / 씨래깃국×
시리다○ / 시렵다×
시청률○ / 시청율×
시쳇말○ / 시셋말×
실낱○ / 실날×
실쭉하다○ / 실죽하다×

심보○ / 심뽀×
십상○ / 쉽상×
싸라기○ / 싸래기×
싸전○ / 쌀전×
쌀뜨물○ / 쌀뜸물×
쌉쌀하다○ / 쌉살하다×
쌍꺼풀○ / 쌍거풀, 쌍커풀×
씁쓸하다○ / 씁슬하다×

ㅇ

아귀찜○ / 아구찜×
아등바등○ / 아둥바둥×
아무튼지○ / 아뭉든지×
아연실색○ / 아연질색×
악바리○ / 악발이×
안다미씌우다○ / 안다미시키다×
안성맞춤○ / 안성마춤×
안쓰럽다○ / 안스럽다×
안줏거리○ / 안주꺼리×
안팎○ / 안밖×
알맹이○ / 알멩이×
알쏭달쏭○ / 알송달송×
알아맞히다○ / 알아맞추다×
앍둑빼기○ / 앍둑배기×
암내○ / 곁땀내×
애달프다○ / 애닯프다×
애먼○ / 애면×
애먼글면○ / 애먼글먼×
앳되다○ / 애띠다×
야반도주○ / 야밤도주×
야트막하다○ / 얕으막하다×
얄따랗다○ / 얇다랗다×
얄찍하다○ / 얇직하다×
어릿광대○ / 어리광대×
어물쩍○ / 어물쩡×
어슬렁거리다○ / 으슬렁거리다×
어우러지다○ / 어울러지다×
어이없다○ / 어의없다×
어줍다○ / 어쭙다×
어중되다○ / 어중띠다×
어쭙잖다○ / 어줍잖다×

억지○ / 어거지×
얼뜨기○ / 얼띠기×
얼루기○ / 얼룩이×
얽매다○ / 얽메다×
엊그저께 ○ / 엇그저께×
웬만하다○ / 웬간하다×
여태껏○ / 여지껏×
연거푸○ / 연거퍼×
예스럽다○ / 옛스럽다×
오도독뼈○ / 오돌뼈×
오도카니○ / 오도커니×
오므라지다○ / 오무라지다×
오지랖○ / 오지랍×
왁자지껄○ / 왁짜지껄×
왠지○ / 웬지×
요컨대○ / 요컨데×
우윳빛○ / 우유빛×
욱여넣다○ / 우겨넣다×
움큼○ / 웅큼×
웃통○ / 윗통×
육개장○ / 육계장×
으레○ / 으레×
으름장○ / 으름짱×
으스대다○ / 으시대다×
윽박지르다○ / 욱박지르다×
이파리○ / 잎파리×
인두겁○ / 인두껍×
인마○ / 임마×
인사말○ / 인삿말×

ㅈ

자투리○ / 짜투리×
장딴지○ / 다리배, 장단지×
장롱○ / 장농×
장아찌○ / 짱아찌×
재간둥이○ / 재간동이×
재떨이○ / 재털이×
저버리다○ / 져버리다×
적이○ / 저으기×
전셋집○ / 전세집×
조무래기○ / 조무라기×

족집게○ / 쪽집게×
존댓말○ / 존대말×
졸리다○ / 졸립다×
주꾸미○ / 쭈꾸미×
주춧돌○ / 주초돌×
쥐락펴락○ / 펴락쥐락×
지르다○ / 질르다×
질펀하다○ / 즐펀하다×
짓무르다○ / 짓물다×
짜깁기○ / 짜집기×
짱알거리다○ / 쨍알거리다×
쩨쩨하다○ / 째째하다×
찌개○ / 찌게×
찌들다○ / 찌들리다×

ㅊ

착잡하다○ / 착찹하다×
창난젓○ / 창란젓×
채근하다○ / 체근하다×
채신머리없다○ / 체신머리없다×
쳐부수다○ / 쳐부시다×
초주검○ / 초죽음×
추스르다○ / 추스리다×
치다꺼리○ / 치닥거리×
치르다○ / 치루다×
칠흑○ / 칠흙×

ㅋ

케케묵다○ / 켸켸묵다×
켕기다○ / 캥기다×
켤레○ / 켤래×
코방아○ / 콧방아×
콧방귀○ / 코방귀×
콧방울○ / 콧날개, 콧망울×

ㅌ

털어먹다○ / 떨어먹다×
통째○ / 통채×

통틀어○ / 통털어×
트림○ / 트름×
티격태격○ / 티각태각×

ㅍ

파란색○ / 파랑색×
푿소○ / 풋소×
풍뎅이○ / 풍댕이×
풍비박산○ / 풍지박산×
핏대○ / 핏때×
핑계○ / 핑게×

ㅎ

하릴없다○ / 할일없다×
하마터면○ / 하마트면×
하여튼○ / 하여턴×
한갓○ / 한갖×
해코지○ / 해꼬지×
햅쌀○ / 햇쌀×
허깨비○ / 헛깨비×
허우대○ / 허위대×
허우적거리다○ / 허위적거리다×
허탕○ / 헛탕×
허투루○ / 헛투루×
헝클어지다○ / 헝크러지다×
호두과자○ / 호도과자×
혼꾸멍나다○ / 혼구멍나다×
회계 연도○ / 회계년도×
후드득후드득○ / 후두둑후두둑×
흉측하다○ / 흉칙하다×
흐리멍덩하다○ / 흐리멍텅하다×

3. 혼동하기 쉬운 외래어

ㄱ

가스○ / 까스×
가스레인지○ / 가스렌지×
가오슝○ / 까오슝, 카오슝×
가십○ / 가쉽×
가톨릭○ / 카톨릭, 캐톨릭×
고흐(Gogh)○ / 고호×
규슈○ / 큐슈×
그랜드 캐니언○ / 그랜드 캐년×
그러데이션(gradation)○ / 그라데이션×
글러브(glove)○ / 글로브×
글로브(globe)○ / 글러브×
기타(guitar)○ / 키타×
깁스(Gips)○ / 기부스, 집스×

ㄴ

나르시시즘○ / 나르시즘×
나르시시스트○ / 나르시스트×
나일론○ / 나이론×
난센스○ / 넌센스×
내레이션○ / 나레이션×
내레이터○ / 나레이터×
내비게이션○ / 네비게이션×
냐짱○ / 나트랑×
네덜란드○ / 네델란드×
네트워크○ / 네트웍, 네트월×
노르망디○ / 노르만디×
노스탤지어○ / 노스탤지아×
녹다운○ / 넉다운×
논픽션○ / 넌픽션×
뉴턴○ / 뉴우튼×
니코틴○ / 니코친×

ㄷ

다이내믹하다○ / 다이나믹하다×
다이너마이트○ / 다이나마이트×
다이아몬드○ / 다이어몬드×
다큐멘터리○ / 도큐멘터리×
달러○ / 달라×

달마티안○ / 달마시안×
댈러스○ / 달라스×
더그아웃○ / 덕아웃×
데뷔○ / 데뷰×
데생○ / 뎃생×
데스크톱 컴퓨터○ / 데스크탑 컴퓨터×
데이터○ / 데이타×
덴마크○ / 덴마아크×
도넛○ / 도우넛×
도스토옙스키○ / 도스토예프스키×
도요토미 히데요시○ / 토요토미 히데요시×
도이칠란트○ / 도이칠란드×
드라이클리닝○ / 드라이크리닝×
드리블○ / 드리볼×
디렉터리○ / 디렉토리×
디스켓○ / 디스켙×
디지털○ / 디지탈×
딜레마○ / 딜레머×

ㄹ

라디에이터○ / 라지에타×
라디오○ / 래디오×
라벨(label)○ / 레벨×
라스베이거스○ / 라스베가스×
라이선스(license)○ / 라이센스×
라이터○ / 라이타×
랑데부○ / 랑데뷰×
랩톱 컴퓨터○ / 랩탑 컴퓨터×
러닝셔츠, 러닝샤쓰○ / 런닝셔츠×
러키○ / 럭키×
러키세븐○ / 럭키세븐×
러키 존○ / 럭키 존×
러키 펀치○ / 럭키 펀치×
레미콘○ / 레미컨×
레벨(level)○ / 라벨×
레슨○ / 렛슨×
레크리에이션○ / 레크레이션×
레퍼토리○ / 레파토리×
렌터카○ / 렌트카×
로봇○ / 로보트×
로브스터, 랍스터○ / 랍스타×

로빈 후드○ / 로빈 훗×
로션○ / 로숀×
로열(royal)○ / 로알×
로열티○ / 로얄티×
로켓○ / 로케트×
로큰롤○ / 락큰롤×
로터리○ / 로타리×
롤러스케이트○ / 롤라스케이트×
루스벨트○ / 루즈벨트×
루주(<프>rouge)○ / 루즈×
룩셈부르크○ / 룩셈부르그×
뤄양, 낙양○ / 락양×
류머티즘○ / 류마티스×
륙색(rucksack)○ / 륙쌕, 룩색×
르누아르○ / 르느와르×
리더십○ / 리더쉽×
리모컨○ / 리모콘×
리어카○ / 리어커×
리얼리즘○ / 리얼리슴×
리포트○ / 레포트×
링거○ / 링겔×

ㅁ

마가린○ / 마아가린×
마네킹○ / 마네킨×
마니아(mania)○ / 매니아×
마다가스카르○ / 마다가스카×
마멀레이드○ / 마말레이드×
마사지○ / 맛사지×
마오쩌둥, 모택동○ / 마오쩌뚱×
말레이시아○ / 말레이지아×
매니큐어○ / 매니큐×
매머드○ / 맘모스×
매시트포테이토○ / 매쉬드포테이토×
매킨토시○ / 맥킨토시×
맨션○ / 맨숀×
맨해튼○ / 맨하탄×
머플러, 마후라○ / 머플라×
메들리○ / 매들리×
메시지○ / 메세지×
메신저○ / 메신져×

메이크업○ / 메이컵×
메커니즘○ / 매커니즘×
메타세쿼이아○ / 메타세콰이어×
멜론○ / 메론×
멜버른○ / 멜번, 맬번×
모르핀○ / 몰핀×
모차르트○ / 모짜르트×
모터○ / 모타×
몰티즈○ / 말티즈, 마르티즈×
몽마르트르○ / 몽마르뜨, 몽마르트×
몽타주○ / 몽타쥬×
미네랄○ / 미네럴×
미뉴에트○ / 미뉴엣×
미스터리○ / 미스테리×
밀크셰이크○ / 밀크쉐이크×

바게트○ / 바게뜨×
바겐세일○ / 바겐쎄일×
바리캉○ / 바리깡×
바리케이드○ / 바리케이트×
바비큐○ / 바베큐×
바스켓○ / 바스킷×
바텐더○ / 바텐다×
바통, 배턴○ / 바톤×
바흐○ / 바하×
발레파킹○ / 발렛파킹×
배지(badge)○ / 뱃지, 빼지×
배터리○ / 밧데리, 바테리×
백미러○ / 백밀러×
밸런타인데이○ / 발렌타인데이×
밸런스○ / 발란스×
버저(buzzer)○ / 부저×
베르사유○ / 베르사이유×
보닛○ / 본네트×
보디(body)○ / 바디×
보디로션○ / 바디로션×
보이콧○ / 보이코트×
보일러○ / 보일라×
부르주아○ / 부르조아×
불도그(bulldog)○ / 불독×

불로뉴○ / 볼로뉴×
뷔페(buffet)○ / 부페×
브러시○ / 브러쉬×
블라디보스토크○ / 블라디보스톡×
블라우스○ / 브라우스×
블라인드○ / 브라인드×
블로킹○ / 브로킹×
블루스(blues)○ / 부루스×
비로드(<포>veludo), 벨벳○ / 빌로드×
비스킷○ / 비스켓×
비즈니스○ / 비지니스×
비틀스○ / 비틀즈×

사이클○ / 싸이클×
사인(sign)○ / 싸인×
사카린○ / 삭카린×
산타클로스○ / 산타크로스×
살리에리○ / 살리에르×
삿포로○ / 삿뽀로×
상트페테르부르크○ / 상트페테르부르그×
상파울루○ / 상파울로×
상하이, 상해○ / 상하이×
섀시(sash)○ / 섀시×
색소폰○ / 색소폰×
샌들○ / 샌달×
샐러드○ / 사라다×
생텍쥐페리○ / 생떽쥐빼리×
샤머니즘○ / 샤마니즘×
샴페인○ / 삼페인×
샹들리에○ / 샹들리에×
섀미(chamois)○ / 세무×
섀시(chassis)○ / 샤시×
서비스○ / 써비스×
선글라스○ / 썬그라스×
선탠○ / 썬탠×
세트(set)○ / 셋, 셋트, 셑×
센터○ / 쎈터×
센트럴 파크○ / 쎈트럴 파크×
센티미터○ / 센치미터×
셀러리(celery)○ / 샐러리×

셔벗○ / 샤베트×
셔츠, 샤쓰○ / 샤쯔×
셔터○ / 샷다, 샷따, 샷타×
셔틀콕○ / 셧틀콕×
셰익스피어○ / 세익스피어×
셰퍼드○ / 쉐퍼드×
소나타○ / 쏘나타×
소렌토○ / 쏘렌토×
소시지○ / 소세지×
소파(sofa)○ / 쇼파×
쇼윈도○ / 쇼윈도우×
수프(soup)○ / 스프, 슆×
슈림프○ / 쉬림프×
슈트(suit)○ / 수트×
슈퍼마켓○ / 수퍼마켓×
슈퍼맨○ / 수퍼맨×
스낵바○ / 스넥바×
스노보드○ / 스노우보드×
스웨터○ / 스웨타×
스위치○ / 스윗치×
스카우트○ / 스카웃×
스케일링○ / 스켈링×
스케줄○ / 스케쥴×
스케치북○ / 스켓치북×
스태미나○ / 스태미너×
스태프(staff)○ / 스탭, 스탶×
스탠더드○ / 스탠다드×
스테이플러○ / 스태플러×
스테인리스○ / 스텐레스×
스텝(step)○ / 스탭×
스튜어디스○ / 스튜디스×
스트로(straw)○ / 스트로우×
스티로폼○ / 스티로폴, 스치로폼×
스펀지○ / 스폰지×
스페셜○ / 스페샬, 스패셜×
스포이트○ / 스포이드×
스프링클러○ / 스프링쿨러×
슬래브(slab)○ / 슬라브, 슬랩×
슬로바키아○ / 슬로바키야×
시가(cigar)○ / 시거×
시너(thinner)○ / 신나×
시멘트○ / 세멘트×

3. 혼동하기 쉬운 외래어

시추에이션○ / 시츄에이션×
시폰○ / 쉬폰×
심벌○ / 심볼×
심벌즈○ / 심벌스×
심포지엄○ / 심포지움×
싱가포르○ / 싱가폴×
쓰촨성○ / 사천성×

ㅇ

아랍 에미리트○ / 아랍 에미레이트×
아마추어○ / 아마투어×
아메리칸드림○ / 어메리칸드림×
아웃렛○ / 아울렛×
아이섀도○ / 아이섀도우×
아이슬란드○ / 아이스란드×
아프가니스탄○ / 아프카니스탄×
악센트○ / 액센트×
알래스카산맥○ / 알라스카산맥×
알레르기○ / 알러지×
알칼리○ / 알카리×
알코올○ / 알콜×
앙케트○ / 앙케이트×
앙코르○ / 앙콜×
앙코르 와트○ / 앙코르왓×
애드리브○ / 애드립×
애프터서비스○ / 애프터써비스×
애피타이저○ / 에피타이저×
액세서리○ / 악세사리×
액셀(액셀러레이터)○ / 악셀(악셀레이터)×
앰뷸런스○ / 앰블란스×
앰풀○ / 앰플×
어댑터○ / 아답타, 아답터×
언밸런스○ / 언발란스×
에메랄드○ / 에메럴드×
에스컬레이터○ / 에스커레이터×
에스파냐○ / 에스파니아×
에티오피아○ / 이디오피아×
엔도르핀○ / 엔돌핀×
엘니뇨○ / 엘리뇨×
엘리베이터○ / 엘레베이터×
엠보싱○ / 앰보싱×

옐로○ / 옐로우×
오디세이○ / 오딧세이×
오렌지○ / 오륀지×
오리지널○ / 오리지날×
오셀로○ / 오델로×
오프사이드○ / 옵사이드×
옥스퍼드○ / 옥스포드×
옵서버○ / 옵저버×
요구르트○ / 요쿠르트×
워크숍○ / 워크샵×
웨일스○ / 웨일즈×
윈도○ / 윈도우×
인디언○ / 인디안×

ㅈ

자이언트(giant)○ / 자이안트, 쟈이언트×
잘츠부르크○ / 짤쯔부르크×
장르○ / 쟝르×
재즈○ / 째즈×
재킷○ / 쟈켓×
점퍼, 잠바○ / 점버×
잼○ / 쨈×
제스처○ / 제스춰, 제스츄어×
제트기○ / 젯트기×
주니어○ / 쥬니어×
주스○ / 쥬스×
쥐라기○ / 주라기, 쥬라기×
지그재그○ / 지그잭×
지프(jeep)○ / 짚×

ㅊ

차이콥스키○ / 차이코프스키×
차트○ / 챠트×
챔피언○ / 챔피온×
초콜릿○ / 초콜렛×
추리닝○ / 츄리닝×
취리히○ / 쮜리히×
침팬지○ / 침팬치×
칭기즈 칸○ / 징기스 칸×

ㅋ

카디건○ / 가디건×
카망베르○ / 까망베르×
카바레○ / 캬바레×
카세트○ / 카셋트×
카스텔라○ / 카스테라×
카운슬러○ / 카운셀러×
카운슬링○ / 카운셀링×
카이사르, 시저○ / 케사르×
카탈로그○ / 카다로그, 카다록×
카페○ / 까페×
카펫○ / 카페트×
칼라(collar)○ / 컬러, 카라×
칼럼○ / 컬럼×
캐러멜○ / 카라멜×
캐럴○ / 캐롤×
캐비닛○ / 캐비넷×
캘린더(calendar)○ / 카렌다×
캥거루○ / 캉가루×
커닝○ / 컨닝×
커리어(career)○ / 캐리어×
커버(cover)○ / 카바×
커튼○ / 커텐×
커피숍○ / 커피샵×
컨디션○ / 콘디션×
컨소시엄○ / 콘소시엄×
컨테이너○ / 콘테이너×
컨트롤○ / 콘트롤×
컨트리 음악○ / 컨츄리 음악×
컬러(color)○ / 칼라×
컬렉션○ / 콜렉션×
컴퍼스○ / 콤파스×
케이크○ / 케익, 케잌×
케임브리지○ / 캠브리지×
케첩○ / 케챱×
코냑○ / 꼬냑×
코듀로이, 코르덴○ / 골덴×
코르도바○ / 꼬르도바×
코미디○ / 코메디×
코즈모폴리턴○ / 코스모폴리턴×
코커스패니얼○ / 코카스패니얼○

콘사이스(concise)○ / 콘사이즈×
콘서트○ / 컨서트×
콘센트○ / 컨센트×
콘셉트○ / 컨셉×
콘택트렌즈○ / 콘텍트렌즈×
콘테스트○ / 컨테스트×
콘텐츠○ / 컨텐츠×
콜럼버스○ / 콜롬부스×
콤비네이션○ / 컴비네이션×
콤팩트○ / 컴팩트×
콤플렉스○ / 컴플렉스×
콩쿠르○ / 콩쿨×
콩트○ / 꽁트×
쿠데타○ / 쿠테타×
쿠알라룸푸르○ / 쿠알라룸프, 콸라룸푸르×
쿵후○ / 쿵푸×
크레디트 카드○ / 크레딧 카드×
크렘린○ / 크레믈린×
크로켓○ / 고로케×
크리스천○ / 크리스찬×
크리스털○ / 크리스탈×
클라이맥스○ / 클라이막스×
클래스○ / 클라스×
클랙슨○ / 클락션×
클리너○ / 크리너×
클리닉○ / 크리닉×
킬로그램○ / 키로그램×

ㅌ

타깃○ / 타겟×
타로○ / 타롯×
타슈켄트○ / 타쉬켄트×
타월○ / 타올×
타이베이○ / 타이페이×
탤런트○ / 탈렌트×
터미널○ / 터미날×
터부(taboo)○ / 타부×
터키○ / 터어키×
텀블링○ / 덤블링×
테이프○ / 테프, 테입, 테잎×
테제베○ / 떼제베×

ㅍ

파마○ / 퍼머, 펌×
파운데이션○ / 화운데이션×
파이팅○ / 화이팅×
파일(file)○ / 화일×
파일럿○ / 파일롯×
판다○ / 팬더, 팬다×
판타지○ / 환타지×
팔레트○ / 파레트×
팡파르○ / 팡파레×
패널○ / 판넬, 패날×
패러독스○ / 파라독스×
패밀리○ / 훼밀리×
패키지○ / 팩키지×
팬터마임○ / 판토마임×
팸플릿○ / 팜플렛×
페널티○ / 페날티×
페디큐어○ / 패디큐어×
페스탈로치○ / 페스탈로찌×
페스티벌○ / 페스티발×
페트병○ / 펫트병×
펜션○ / 팬션×
펜타곤○ / 펜터곤×
포클레인○ / 포크레인×
포털 사이트○ / 포탈 싸이트×
푸껫섬○ / 푸켓섬×
퓨즈○ / 휴즈×
프라이팬○ / 후라이팬×

프러포즈○ / 프로포즈×
프런트○ / 프론트×
프레시(fresh)○ / 프레쉬, 후레시, 후레쉬×
프레젠테이션○ / 프리젠테이션×
프로듀서○ / 프러듀서×
프로펠러○ / 프로펠라×
플라멩코(<에>flamenco)○ / 플라밍고×
플라자○ / 프라자×
플랑크톤○ / 프랑크톤×
플래시(flash)○ / 플래쉬, 프래시, 프래쉬×
플래카드○ / 플랑카드, 플랜카드×
플루트○ / 플롯, 플룻×
피에로○ / 삐에로×
핀란드○ / 필란드×

ㅎ

하얼빈○ / 하얼삔×
하이라이트○ / 하일라이트×
할리우드○ / 할리웃, 헐리우드, 헐리웃×
핫라인○ / 핟라인×
핼러윈○ / 할로윈×
헬리콥터○ / 헬리콥타×
헬멧○ / 헬맷×
호르몬○ / 홀몬×
호찌민○ / 호치민×

MEMO

해커스공무원

국어

기본서 2권 | 문법+문학+어휘

개정 11판 3쇄 발행 2024년 11월 4일

개정 11판 1쇄 발행 2024년 5월 7일

지은이	해커스 공무원시험연구소
펴낸곳	해커스패스
펴낸이	해커스공무원 출판팀

주소	서울특별시 강남구 강남대로 428 해커스공무원
고객센터	1588-4055
교재 관련 문의	gosi@hackerspass.com
	해커스공무원 사이트(gosi.Hackers.com) 교재 Q&A 게시판
	카카오톡 플러스 친구 [해커스공무원 노량진캠퍼스]
학원 강의 및 동영상강의	gosi.Hackers.com

ISBN	2권: 979-11-6999-181-0 (14710)
	세트: 979-11-6999-998-4 (14710)
Serial Number	11-03-01

공무원 교육 1위,

해커스공무원 gosi.Hackers.com

해커스공무원

- · '회독'의 방법과 공부습관을 제시하는 **해커스 회독증강 콘텐츠**(교재 내 할인쿠폰 수록)
- · 꾸준히 암기해야 하는 한자를 모아 정리한 **최다 빈출 한자 200**
- · 필수 어휘와 사자성어를 편리하게 학습할 수 있는 **해커스 매일국어 어플**
- · 해커스 스타강사의 **공무원 국어 무료 특강**
- · **해커스공무원 학원 및 인강**(교재 내 인강 할인쿠폰 수록)